CALLWEY

DAS **ULTIMATIVE**

WOHN

BUCH>

Gestalten - Einrichten - Leben

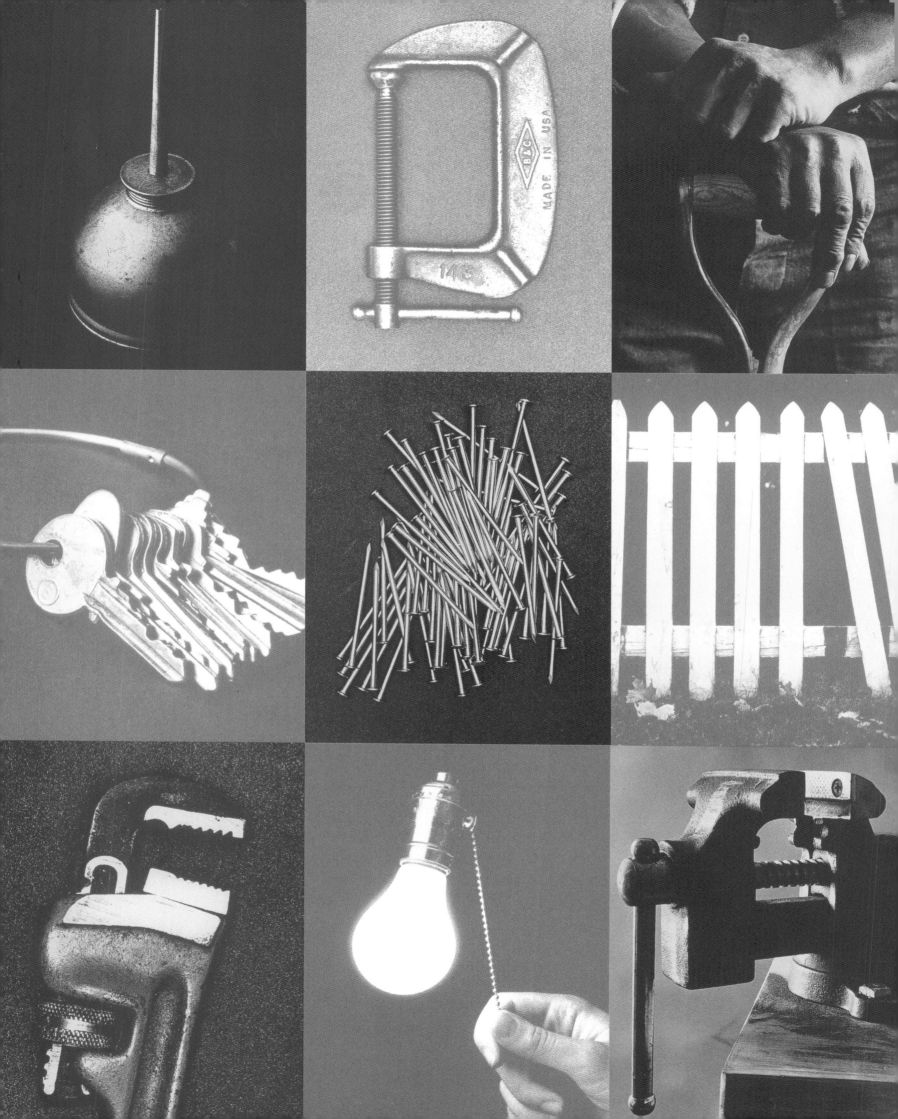

TERENCE >CONRAN
DAS ULTIMATIVE
WOHN BUCH>

Gestalten – Einrichten – Leben

CALLWEY

Die Originalausgabe erschien 2003 unter dem Titel „The Ultimate House Book" im Verlag Conran Octopus Ltd., einem Imprint von Octopus Publishing Group Ltd., 2-4 Heron Quays, Docklands, London E14 4JP.

© 2004 Verlag Georg D.W. Callwey GmbH & Co. KG, Streitfeldstraße 35, 81673 München

www.callwey.de

E-mail: buch@callwey.de

Für ihre Textbearbeitung bei Fachfragen dankt der Verlag im Besonderen: Celine Holzberg, Martin Lachner, Nasseer Panju, Christine Ryll/Redaktion + Kommunikation, und Ludwig Weingärtner.

Übersetzung aus dem Englischen von Wiebke Krabbe, Damlos und Scriptorium, Brigitte Rüßmann, Wolfgang Beuchelt, Köln

Die Deutsche Bibliothek verzeichnet diese Publikation in der Deutschen Nationalbibliografie; detaillierte bibliografische Daten sind im Internet über <http://dnb.ddb.de> abrufbar.

ISBN 3-7667-1615-8

Herausgeber und Konzept (Teil 1 und 2): Elizabeth Wilhide

Konzept (Teil 3): Elizabeth Hilliard

Produktionsleitung: Lorraine Dickey

Artdirektion: Chi Lam

Design: Broadbase

Beratung Design: Alan McDougall

Projektentwicklung: Bridget Hopkinson

Bildrecherche: Liz Boyd

Bildredaktion und Recherche Locations: Clare Limpus

Herstellung: Angela Couchman

Redaktion: Andrea Hölzl, München

Schlussredaktion: Delius Producing München/Sabine Hatzfeld

Umschlaggestaltung: Grafikhaus, München

Satz: Edith Mocker, Eichenau

Printed in China 2004

INHALT

„Wenn man seine Schlösser auf Luft gebaut hat, braucht die Arbeit trotzdem nicht vergebens zu sein, denn da gehören sie hin. Man muss nur die Fundamente darunter setzen."

Henry David Thoreau

WOHNTRÄUME

„Jeder träumt berechtigterweise von einem eigenen sicheren und dauerhaften Heim."
Le Corbusier, *Vers une architecture (Ausblick auf eine Architektur)*, 1922

Seit Terence Conran Mitte der 70er Jahre seine ersten Bücher über Fragen rund ums Wohnen veröffentlichte, hat auf dem Gebiet des Haus-Designs so etwas wie eine Revolution stattgefunden. So erlebten wir den Umbau von Lofts in Wohnraum als Vorlage für zeitgemäße Raum- und Lebenskonzepte, die breitere Akzeptanz der Modernität in Dekoration und Möblierung und eine stetig wachsende Auswahl an Farbtönen, Materialien und Ausstattungsgegenständen, die selbst vor einem Jahrzehnt noch unvorstellbar gewesen wären.

25 Jahre später begegnet uns die damalige Mode, selbstbewusst als „Retro" oder „Vintage" tituliert, auf der Straße wieder. Während damals aber der Wohnbereich vom hektischen Wechsel der Modeströmungen nahezu unberührt blieb, befindet er sich heute fest im Griff der Trends. So kann man mittlerweile passend zur 70er-Jahre-Garderobe gleich die entsprechende Tapete und ironisch zitierendes Mobiliar kaufen. „Lifestyle" definiert sich heute nicht mehr so sehr darüber, was man tut, sondern was man kauft.

Heute, da nicht zuletzt beliebte Renovierungs-Dokusoaps im Fernsehen den Wunsch nach Veränderungen im heimischen Bereich aufkommen lassen, hat die technologische Entwicklung auch die Bedeutung des Zuhauses verändert, indem sie nicht nur neue Formen des Lebens, sondern auch des Arbeitens ermöglicht hat. Technische Objekte wie das Telefon auf der Konsole im Flur oder der schamhaft im Schrank verborgene Fernseher waren ehedem öffentliche Eindringlinge in den höchst privaten heimischen Bereich. Heute hat das voll verkabelte Haus mit seinen vernetzten Computern, interaktiven Haushaltsgeräten und programmierbarer Beleuchtung und Beschallung das Potenzial, sich zu einer intelligenten Hülle zu entwickeln, die nicht so sehr Abgrenzung, sondern vielmehr Kommunikationsmöglichkeit ganz eigener Art ist.

„Das Heim ist zu einem transparenten und durchlässigen Medium für Bilder, Töne, Texte und Daten geworden." Terence Riley, Chef-Kurator für Architektur und Design am Museum of Modern Art, New York

Hand in Hand mit diesen Entwicklungen haben sich auch die Erwartungen verändert. Viele Menschen wünschen sich heute vor allem Flexibilität von ihrem Zuhause. Häuser sind nicht mehr nur private Rückzugsräume, sondern vielfach auch Arbeitsplätze. Daneben müssen sie noch den vielfältigen Veränderungen im Leben einer Familie mit Kindern gerecht werden. Solche Anforderungen führen zu einer Abkehr vom jahrhundertealten, traditionellen Hausgrundriss mit seinen einzelnen, bestimmten Funktionen zugeordneten

"Wenn ich an ein Traumhaus denke, denke ich hauptsächlich an Licht. Es sollte modern sein, mit sehr großen Fenstern, auf dem Land oder am Wasser. Es sollte auch Stallungen haben. Ich hätte gerne einen breiten, hohen Flur voll mit Bücherregalen statt einzelner Bücherregale in den Zimmern. Viel Holz."

Mark, Drehbuchautor, 34

⌐ Die einfache Würfelform dieses modernen Hauses bringt die Vorstellung von Behausung präzise auf den Punkt. Die geschlossenen Flächen der Seitenwände und der Rückfront bilden einen Kontrast zur offenen, vollständig verglasten Vorderfront.

⌃ Wie eine Brücke überspannt dieses Haus in einem finnischen Waldgebiet einen Lachsteich. Das Gebäude besteht aus einem langen Raum mit rundum halbhohen Fensterfronten und wird zu beiden Seiten von einer Terrasse flankiert. Zum Bau des Hauses wurden Bäume verwendet, die auf dem Waldgrundstück geschlagen wurden. Das gewölbte Dach besteht aus Wellblech. Der Teich wurde durch einen Damm aufgestaut.

⌃ Hütten im Wald und andere Orte, an denen wir als Kinder gespielt und die wir uns ausgemalt haben, bestimmen unsere Vorstellung von Zuhause.

‹ Durch modernste Konstruktionsmethoden und Materialien ist es jetzt möglich, Häuser zu bauen, bei denen sich der Übergang vom Innenraum zum Außenbereich fließend gestaltet. Da Wohnraum besonders in den Städten sehr begrenzt ist, liegt der Schwerpunkt heute auf einem offenen und flexibel gestaltbaren Innenraum mit einem Höchstmaß an natürlichem Licht.

Räumen – hin zu offeneren, flexiblen Entwürfen, die den Bedürfnissen „nach Maß" angepasst werden können.

Die verschwimmende Abgrenzung zwischen öffentlichem und privatem Raum zeitigt auch noch eine weitere Folge: die zunehmende „Professionalisierung" des Hauses. Dieser Trend nahm in der Küche seinen Anfang. Die zunehmende Anzahl der Koch-Sendungen im Fernsehen und die wachsende Bedeutung der Restaurantkultur haben den Wunsch nach einer professionellen Küchenausstattung auch für das eigene Heim aufkeimen lassen. Heute deuten in unseren Küchen Reihen blitzender Töpfe, ganze Batterien von Küchengeräten, riesige Kühlschränke und Quadratmeter um Quadratmeter rostfreier Edelstahl auf ernsthafte kulinarische Ambitionen, ironischerweise ausgerechnet zu einer Zeit, da die Menschen immer seltener mit viel Aufwand kochen. Demselben Impuls entspringt die Einrichtung des heimischen Wellnessbereichs – eine Kombination aus dem angenehmen Luxus eines Hotel-Badezimmers mit den Fitness- und Entspannungsmöglichkeiten eines Wellnesshotels. Ebenso sind Home-Offices, Atrien und Rückzugsräume, die allesamt auf der Wunschliste einer gut situierten Klientel ganz oben stehen, nicht originär dem heimischen Bereich zuzuordnen, sondern direkt dem öffentlichen Raum entlehnt.

Einige Dinge allerdings verändern sich tatsächlich nicht. Es war der amerikanische Dichter Robert Frost, der das „Zuhause" als den Ort definierte, „in dem man immer aufgenommen werden sollte, wenn man das Bedürfnis danach hat". Der wahre Kern dieser vielleicht etwas ungewöhnlichen Definition ist dieses Gefühl der Rückkehr oder Zugehörigkeit, das mit dem gesamten Konzept des Zu-Hause-Seins so unlösbar verbunden scheint. Das Zuhause ist für viele von uns ein Ort, an den wir zurückkehren. Es ist weniger ein Ziel als ein Ort des Aufbruchs zu anderen Zielen oder Abenteuern. Ein Zuhause beherbergt ebenso sehr Erinnerungen wie Menschen und Besitz. Es hat für jeden von uns eine einzigartige und individuelle Bedeutung. Es ist der Fixpunkt unseres emotionalen Kompasses.

„Ich wollte niemals ein Rock-'n'-Roll-Haus. Ich wollte einfach ein ganz normales Haus." Liam Gallagher, Sänger der Gruppe *Oasis*

Selbst Menschen, die einen Großteil ihres Lebens in Hotelzimmern zubringen, schaffen es, ihrer genormten, austauschbaren Umgebung mit Fotos, einem vertrauten Duft, einem Kissen oder einer Decke einen Hauch von häuslicher Heimeligkeit zu verleihen. Es scheint, dass der Mensch ohne solch vertraute Talismane, ohne diese Symbole häuslichen Lebens Gefahr läuft, sich zu verlieren. In unserer modernen Rund-um-die-Uhr-Kultur scheint die Bedeutung des Konzepts „Zuhause" eher zu- als abzunehmen. Eine ähnliche Auswirkung hat bislang die zunehmende Mobilität. Immer weniger Menschen verbringen ihr gesamtes Leben in derselben Stadt, geschweige denn im selben Haus oder derselben Wohnung. Amerikaner ziehen zum Beispiel im Durchschnitt alle fünf Jahre um, aber das schwächt keineswegs die Beziehung zum Zuhause oder verändert seine zentrale Bedeutung als Ort der Sicherheit in Zeiten immer schnellerer Veränderungen.

Wenn das Zuhause ein Fixpunkt ist, so ist es auch eine Bühne des Selbstausdrucks und der Veränderung. Es ist wahrscheinlich einer der wenigen Orte auf der Welt, an dem wir unsere Wünsche im fundamentalsten Sinn ausleben können. Ein wichtiger Teil dieses Prozesses ist die Art, wie wir unseren Lebensraum planen, dekorieren und ausstatten. Diese Entscheidungen sind weder oberflächlich noch rein kosmetischer Natur, sondern können unser gesamtes Wohlbefinden beeinflussen. So ist zum Beispiel an der Qualität des Lichts oder an der Planung und Ausstattung eines Raums nichts Triviales. Es sind genau diese grundlegenden Elemente, mit denen wir unserem Zuhause wirklich Form verleihen.

„Das Haus ist das Zentrum all unserer unbefriedigten Bedürfnisse, unerfüllten Träume und nostalgischen Sehnsüchte. Es kann sie alle nicht wirklich erfüllen, aber vielleicht ist genau dies der Grund dafür, warum wir so viel Zufriedenheit daraus schöpfen, uns darum zu bemühen." Marjorie Garber, *Sex and Real Estate*

Häuser bestehen zwar aus Ziegeln, Mörtel, Putz, Farbe und Holz, aber sie werden ebenso von unseren Traumvorstellungen zusammengehalten. Jeder baut Traumhäuser in seiner Fantasie. Auch wenn wenige dieser Traumhäuser je in die Realität umgesetzt werden, so sagen sie doch viel darüber aus, wie wir leben möchten. Und nicht alle Traumhäuser sind unerreichbar: Bei einer kürzlich durchgeführten Befragung in Großbritannien äußerte etwa ein Drittel der Befragten, ein Bungalow sei ihr Traumhaus – vermutlich dachten sie an so eine Art Appartement auf dem Land. Kreative Tagträume sind aber nicht nur Wunschdenken, sondern können uns auch zielgerichtet zu einer Lösung bringen, die erschwinglich, praktikabel und zugleich erfüllend ist.

Mit dem Bau von Traumhäusern beginnen wir schon sehr früh in unserem Leben. Kinder bauen Häuser unter Tischen oder im Gartenschuppen, sie spielen Haus in Baumhäusern und auf Spielplätzen. Ich erinnere mich an das Bild, das ich als Kind von meinem Traumhaus gemalt habe: Es war lang und schmal wie ein Stall, und es gab keine Flure, sondern die Räume waren direkt miteinander verbunden. Dieser erste Versuch eines Hausentwurfs ist wahrscheinlich mit dafür verantwortlich, dass ich mit Anfang zwanzig vom offenen und simpel-linearen Konzept der umgebauten Scheune von Nancy Cunard in Lot so begeistert war, wo ich auf einer unvergesslichen Frankreichreise mit ein paar Freunden wohnte. Diese Scheune war für mich ein Traumhaus. Der Innenraum erstreckte sich über mehrere offene Etagen. An einer Seite stieg man vom Schlafzimmer über das Badezimmer herunter in einen offenen Wohn-, Koch- und Essbereich im Erdgeschoss und dann auf der anderen Seite wieder hinauf zu einem zweiten Schlafzimmer und Badezimmer. Man konnte quer durch den gesamten Innenraum blicken. Ein ähnliches Maß an Weiträumigkeit und Funktionalität wiesen auch die Häuser des Arts and Architecture Case Study Programm (1945–66) auf, deren leichte und informelle Struktur mich als jungen Designer stark beeinflusst hat. Heute gehört zu meinem Bild von einem Traumhaus zusätzlich noch ein Grundstück mit Blick aufs Wasser und mit einer sanft hügeligen Landschaft im Hintergrund.

> Diese Reihe kleiner Häuser liegt in einer ländlichen Region im US-Bundesstaat Alabama. Sie wurden von Architekturstudenten entworfen und gebaut, die die Möglichkeiten ökonomischer und sozial verträglicher Wohnraumschaffung untersuchten. Der überdachte Weg vor den Häusern dient gleichzeitig als Terrasse. Unter anderem wurden zum Bau auch Altmaterialien und Reststoffe wie Autoreifen, Holzreste und Autoscheiben verwendet.

> Das „Spine House" in Bergisch Gladbach bei Köln entstand nach einem Entwurf von Sir Nicholas Grimshaw, dem Architekten des Eden Project im englischen Cornwall. Die Hauskonstruktion aus Glas und Stahl wird kühn von einem Holztunnel durchbrochen, der an eine Kanone erinnert. Der Tunnel erstreckt sich vom Hauseingang wie ein Rückgrat (engl. spine) quer durch das Haus und mündet in einem frei schwebenden, an ein Schiffsdeck erinnernden Balkon mit Blick auf den Garten. Ursprünglich sollte der Tunnel von Schiffbauern errichtet werden, wurde aber schließlich von Tischlern aus Köln aus Einzelelementen angefertigt.

∧ Dieses Wochenendhaus für eine Familie liegt mit Blick auf die Bay of Fundy auf einem 22 Hektar großen Grundstück an der Küste der kanadischen Provinz New Brunswick. Es besteht aus mehreren über die Felsen vorragenden Plattformen. Seine schlichte Form passt sich gut in die Landschaft ein. In einer Steinwand an der Nordseite des Hauses befinden sich der Kamin, die Heizung, die Stromversorgung sowie Stauraum für alles, was zwischen den Aufenthalten im Haus verbleibt.

∧ „Fred" ist ein Würfel mit 3 m Seitenlänge, der durch einen Teleskopauszug auf eine Grundfläche von 18 qm vergrößert werden kann und über Küche, Badezimmer, Schlafbereich und Fenster verfügt. Der Entwurf dieses Prototyps trägt der modernen mobilen Gesellschaft mit Bedürfnis nach temporärem Wohnraum Rechnung. Er ist aus Holz erbaut und mit einer dicken Dämmschicht ausgekleidet.

Das eigene Traumhaus kann einen aber auch überraschen. In ihrem amüsanten wie lehrreichen Buch *Sex and Real Estate: Why We Love Houses (Sex und Immobilien: Warum wir Häuser lieben)* zitiert Marjorie Garber eine unter Immobilienmaklern beliebte Redensart, die ihr von einem New Yorker Börsenmakler zugetragen wurde: „Buyers are liars" (Käufer sind Lügner). Niemand wird einem die Aussage übel nehmen, dass Immobilienmakler dazu neigen, die Wahrheit mit seichten Euphemismen und missverständlichen Beschreibungen ein wenig zu schönen. Aber anscheinend sind viele Hauskäufer auch nicht viel besser. Sie geben besondere Vorlieben zu Lage, Preis und Art des Hauses an und wie viele Zimmer es haben sollte, und verlieben sich dann in ein Haus, das diesen Ansprüchen kaum oder überhaupt nicht entspricht. Betrachtet man dazu die kürzlich in Großbritannien von einer Immobilienfirma veröffentlichte Statistik, die besagt, dass der durchschnittliche Hauskäufer nur etwa 18 Minuten braucht, um sich für ein Haus zu entscheiden (weniger Zeit, als wir uns normalerweise beim Kauf eines teuren Kleidungsstücks oder eines Paars Schuhe lassen), dann wird deutlich, dass es einen geheimnisvollen „Faktor X" gibt, der Menschen bei ihrer Kaufentscheidung für ein Haus beeinflusst.

„Unsere Vorstellung von Zuhause und Geborgenheit entwickelt sich aus unseren frühesten Erfahrungen und begleitet uns unser gesamtes Leben lang. Sie beeinflusst unser Selbstbild und bestimmt, wie wir mit der Welt um uns herum in Verbindung treten." Oliver James, Psychotherapeut

   Natürlich setzen sich unsere „Traumhäuser" aus Komponenten „erinnerter" Häuser zusammen. Zweifelsohne formen das erste Zuhause, das erste Zimmer, die erste Küche, an die wir uns erinnern, unsere Vorstellung von Geborgenheit und Gemütlichkeit. Aber nicht

nur wirkliche Häuser, sondern auch Häuser aus Büchern oder Filmen beeinflussen uns. Nur schwer beschreibbare nostalgische Gefühle und Erinnerungen bieten wahrscheinlich nicht nur für das Phänomen der „lügenden Käufer" eine plausible Erklärung, sondern auch für die starke Anziehungskraft, die alte Häuser und Möbel auf uns ausüben – selbst wenn sie vom praktischen Standpunkt aus den Ansprüchen des modernen Lebens nicht wirklich genügen.

In ihrem Buch *Geography of Home* zitiert Akiko Busch eine in der Mitte der 1990er-Jahre von der Zeitschrift *Metropolis* durchgeführte Befragung, die interessante Ergebnisse darüber zu Tage brachte, welchen Raum Menschen dem Eigenheim am liebsten einfügen würden. Zu den beliebtesten Antworten zählten mit etwa gleicher Stimmzahl Wellnessbad, Arbeitszimmer und Fitnessraum sowie eher traditionelle Zimmerarten. Die gleiche Umfrage ermittelte auch, mit welchem Raum man die schönsten Erinnerungen aus der Kindheit verbände. Hier lag das Kinderzimmer auf Platz eins, gefolgt von der Küche, und Platz drei teilten sich Souterrain und Garage. Akiko Busch sagt dazu folgendes: „Mir scheint, Schlafzimmer, Küche und Souterrain repräsentieren die drei grundlegenden Bereiche eines Zuhauses: den notwendigen privaten Rückzugsbereich, den Ort der Nahrungsaufnahme und Gemeinschaft und den Bereich, in dem gearbeitet wird. Solange eine Wohnstätte diese drei unterschiedlichen Bereiche menschlicher Aktivitäten beinhaltet, können wir sie als Zuhause betrachten."

Das Zuhause, das wir uns schaffen, kann außerdem zukunftsorientiert oder rückwärts blickend sein – oder auch beides. Es kann ebenso ein Arbeitsplatz sein wie das Zentrum unseres Privatlebens. Es kann sich im Lauf der Zeit ausdehnen oder konzentrieren. Was immer bleibt, ist die Tatsache, dass wir mit Entwurf, Ausgestaltung und Möblierung unseres Zuhauses letztendlich einen Ausdruck unseres Selbst schaffen.

❮ Ein Haus im Haus: Dieses typisch nordamerikanische Vorstadthaus aus Holz in einer fabrikähnlichen Halle sorgt für einen interessanten Kontrast. Zu beiden Seiten kann die Halle durch große Rolltore zum Garten hin geöffnet werden, während man von der Veranda des Holzhauses nicht auf den Vorgarten, sondern auf das Wohnzimmer blickt.

❯ Japan hat bei begrenztem Angebot an Siedlungsfläche die höchste Bevölkerungsdichte der Welt. Daher ist der Bedarf an Wohnraum besonders hoch. Da vor allem Gartenraum knapp ist, nutzen viele Menschen hierzu die Dächer – man darf allerdings keine Höhenangst haben.

∧ Diese Hängeliegen aus dem Bergsteigerbedarf sind in einer Zypresse an der Küste Kaliforniens befestigt. Mit Moskitonetzen versehen und von Laternen erleuchtet, bieten sie begeisterten Baumkletterern einen romantischen Rückzugsort und einen schönen Blick auf den Pazifik.

„Ich hätte gerne eine Rutsche von meinem Zimmer zu einem Baumhaus. Und eine Geheimtür." Jack, 7

TEIL 1

WOHNKONZEPTE

Immer mehr Menschen benötigen flexiblen Wohnraum. Von der ersten Studentenbude über das turbulente Familienleben bis hin zum Rentenalter und Leben als Großeltern bringt jeder Lebensabschnitt neue Prioritäten, Vorlieben und Interessen mit sich – und somit neue Ansprüche an die eigene Wohnung. Aber auch der gesamte Bereich des Privatlebens ist heute großen Veränderungen ausgesetzt – so sind in Deutschland derzeit beispielsweise mehr als ein Drittel aller Haushalte Single-Haushalte und immer mehr Menschen arbeiten von zu Hause aus. Mit Bezug auf die verschiedenen Lebensphasen stellt dieses Kapitel Grundlegendes zur Wohnraumgestaltung vor, wie etwa Raumplanung, Stauraum und Einbauten sowie die Gliederung der Wohnung in verschiedene Zonen (inklusive Außenbereich).

FLEXIBLER WOHNRAUM

Die traditionelle Wohnraumaufteilung ist bis heute sehr dominant. Obwohl sich das Leben im letzten Jahrhundert radikal verändert hat, wird der Wohnraum meist durch eine räumliche Gliederung bestimmt, die noch aus dem vorangegangenen Jahrhundert stammt. Durch ihre Aufteilung sagen uns unsere Wohnungen, was wir wo tun sollen: Iss im Esszimmer, schlafe im Schlafzimmer, wohne im Wohnzimmer. In Städten und Regionen, in denen der größte Teil der Häuser noch aus dem 19. und frühen 20. Jahrhundert stammt, überrascht die Langlebigkeit dieses Wohnkonzepts nicht. Was allerdings verwundert, ist die Tatsache, dass bis vor kurzem viele, wenn nicht sogar die meisten Häuser nach genau diesem Konzept geplant und gebaut wurden.

Aber durch die stärkere Aufgliederung modernen Lebens und die Aufhebung der Grenzen zwischen Privat- und Arbeitsleben stellt sich langsam eine Trendwende ein. Deutliche Kennzeichen dieser Veränderung sind beispielsweise der große Erfolg der so genannten Lofts und der Zuwachs an häuslichen Arbeitsplätzen. Hat die Beliebtheit der Lofts die Wohntauglichkeit und die Gestaltungsfreiheit offener Grundrisse untermauert, so hat der Trend zur Heimarbeit zu einer vollständigen Neubewertung des Privatraums geführt.

Der Wunsch nach Wohnraum, der sich den wechselnden Ansprüchen unseres Lebenswandels anpasst, wird immer stärker – so soll er im Laufe des Lebens verschiedene Familienmitglieder aufnehmen können, ständig oder teilweise als Arbeitsplatz dienen und sich unserem Alltag anpassen. Dass immer mehr Käufer auf die Flexibilität des Wohnraums Wert legen, macht sich in der Planung und Vermarktung neuer Häuser bemerkbar. Den Ansprüchen und Erwartungen der Kunden entsprechend, bieten einige neue Bauträger nun offene Wohnkonzepte an, die eher in „Zonen" als in abgetrennte Räume unterteilt sind, während andere flexible Wohnraumgestaltung mit transparenten Wänden oder Schiebetüren anbieten. Auch die früher übliche Einteilung der Schlafzimmer in „Eltern" und „Kind" sind bei manchen Anbietern verschwunden. Sie geben nur noch die Zimmerzahl sowie die Funktion der üblichen Räume wie Badezimmer, Küche oder Gäste-WC an. Darüber hinaus werden zusätzliche Räume wie ausgebaute Dachböden, Souterrainzimmer oder Kellerräume als „Bonus" genannt, die für alle möglichen Nutzungen – vom Zimmer für das Au-pair oder für Gäste bis hin zum Arbeitszimmer – zur Verfügung stehen. Zyniker mögen einwenden, dass es sich doch nur um gewöhnliche Häuser handelt, bei denen man die Raumbezeichnungen einfach weggelassen hat. Dennoch spiegelt sich in diesem Trend der Wunsch nach Wohraum, der je nach Lebenssituation umfunktioniert werden kann.

Eine weitere Möglichkeit flexibler Wohnraumgestaltung bieten Wohneinheiten, die durch bewegliche Wände, Paravents und mobile Einrichtungsmodule verändert werden können. Man zieht beispielsweise zwei Schiebetüren heraus, klappt zwei Betten aus, und schon hat man eine Wohnung mit zwei Schlafzimmern. Oder man zieht eine Regalwand hervor und verwandelt die Wohnung in ein Büro. Natürlich gibt es keine Wohnung, die sich unendlich verändern lässt, dennoch bieten bewegliche Einbauten eine ganz neue Perspektive für den nutzbaren Raum.

Für das gesamte Leben zu planen, ist schwierig. Wenn man zum ersten Mal eine Wohnung sucht, weiß man nicht, was das Leben noch alles bringen wird: wo man arbeiten, ob man heiraten und eine Familie gründen wird. Aber auch in den weiteren Abschnitten des Lebens wird die Planung nicht einfacher. Klar ist nur, dass der Bedarf an flexibel gestaltbarem Wohnraum weiter wachsen wird.

> Eine Wohnung – 20 Möglichkeiten

Diese Wohnung in einem Vorort von Brüssel liegt im 24. Stockwerk eines Gebäudes von 1960. Vor ihrem Umbau hatte sie eine konventionelle Einteilung mit Flur, Wohnzimmer, Küche und drei kleinen Schlafzimmern. Heute, nachdem praktisch alle Innenwände entfernt wurden und nur wenige festgelegte Bereiche geblieben sind, ist sie ein großer Raum, der Ruhe ausstrahlt und in dem der Besitzer – ein Architekt – selbst lebt und arbeitet.

Das Besondere an dieser Wohnung ist ohne Zweifel ihre Aussicht. Nach drei Seiten bietet sie einen Blick über die Stadt und ihr geschäftiges Treiben, aber auch auf den Himmel mit seinem ständig wechselnden Licht- und Farbenspiel – ein perfekter Hintergrund für kreatives Arbeiten. Das Überraschendste an dieser Wohnung ist aber, dass sie 20 verschiedene Möglichkeiten der Raumgestaltung bietet.

Nur Küchenzeile, Badezimmer und Warmwasserboiler sind in festen Strukturen untergebracht, ansonsten ist alles in dieser Wohnung beweglich. Die Grundelemente wurden vom Eigentümer selbst entworfen und umfassen drei „Sitzbälle", drei bewegliche Tische, drei bewegliche Sofas und zehn bewegliche Schränke. Jeder der Schränke hat eine bestimmte Funktion, vom Kleiderschrank bis hin zum Heimbüro.

Sobald ihm nach einer neuen Raumaufteilung zumute ist, bewegt der Eigentümer einfach seine Einrichtung durch den Raum. Wenn Gäste zum Abendessen kommen, werden die drei Tische zu einem Esstisch zusammengeschoben, mit den drei Sofas gestaltet er einen Sitzbereich. Wenn er einen Übernachtungsgast hat, kreiert er mit einem Sofa, einem Tisch und einem Schrank ein Gästezimmer. Für Geschäftsbesprechungen werden die Sofas aus dem Weg geschoben und die drei Tische verwandeln sich in einen Besprechungsraum. Der Eigentümer gesteht, dass er manchmal zum falschen Schrank läuft, aber das ist wohl ein vernachlässigbarer Nachteil, bedenkt man, wie weitläufig und vielseitig die Wohnung durch ihr offenes Design geworden ist.

Legende:

- Tisch
- Sitzball
- Schrank
- Sofa

DIE ERSTE WOHNUNG

< Richtungswechsel

Wenn sich die Lebensumstände ändern und die Wohnung dem neuen Leben nicht mehr entspricht, bedeutet das nicht unbedingt, dass man umziehen muss. In diesem Beispiel hat ein ehemaliger Koch seine vormals enge viktorianische Wohnung durch eine vollständige Renovierung in ein offenes Appartement verwandelt, das seinem heutigen Berufsleben als Journalist perfekt angepasst ist. Das wichtigste Ziel der Umgestaltung war es, möglichst viel Wohnraum und Platz für Gäste zu schaffen. Dabei spielt für den Besitzer die Küche eine große Rolle, da er hier gerne Freunde empfängt.

Damit die Erdgeschosswohnung den verschiedenen Zwecken dienen kann und gleichzeitig geräumig und luftig wirkt, musste sie im Zuge der Renovierung vollständig entkernt werden. So entstand ein Appartement mit fließenden Übergängen vom Eingang über Wohnzimmer und Küche bis hin zu einer Flügeltür, die hinaus auf die Gartenterrasse führt. Um mehr Bodenfläche zu gewinnen, wurde das Badezimmer vom vorderen Teil der Wohnung in den hinteren Teil verlegt (und dabei gleich zu einem Duschbad verkleinert). Um die hohen Decken der Wohnung zu nutzen, wanderte das Bett auf eine Zwischenebene, unter der ein Einbauschrank Platz für Kleidung bietet. Zum Bett selbst gelangt man über eine eingebaute Leiter, die von zwei Chromstangen flankiert wird. Noch besser als Wände eignen sich Ebenen, um eine klare Raumstruktur zu schaffen. Die Küche liegt hier drei Stufen tiefer als der Wohnraum. Die Stufen wurden um die Zimmerecke gezogen, dienen als Bank und bieten gleichzeitig rund um den Esstisch Stauraum für Küchenutensilien. Ähnlich praktisch ist auch die an der gegenüberliegenden Wand eingebaute Schrankzeile. Ihre Abdeckplatte aus Gussbeton bildet ein sehr robustes und gleichzeitig elegantes Verbindungsglied zwischen Wohnraum und Küche.

Da die Wohnung so viele Einbauelemente beherbergt, benötigt der Besitzer nur sehr wenige frei stehende Möbel. Zudem können die meisten Kleinteile gut verstaut werden, was das Ordnung halten leichter macht. Der Innenausbau nutzt den vorhandenen Raum optimal aus, schafft klare Linien und Übersicht.

Meist ist die erste Wohnung, ob als Eigentum oder zur Miete, eher bescheiden. Die finanziellen Möglichkeiten sind häufig noch begrenzt, und so muss man Kompromisse eingehen: Die erste Wohnung ist oft recht klein, nicht in optimalem Zustand und auch nicht im besten Wohnviertel gelegen. Ob Studentenbude, Appartement oder „Wohnklo mit Kochnische", man muss immer versuchen, so viel wie möglich aus dem verfügbaren Raum zu machen. Wichtig ist dabei vor allem, dass man sich darüber klar wird, wofür es sich lohnt, Geld auszugeben. Ist die erste Wohnung bereits Eigentum, so lohnen sich Renovierungsmaßnahmen immer, weil sie den Wert der Immobilie steigern. Für Mietobjekte sollte man eher Dinge anschaffen, die man beim Umzug mitnehmen kann, oder deren Anschaffung sich über die voraussichtliche Mietdauer amortisiert. Wichtig ist: Die erste Wohnung ist nur der erste Schritt zu weiteren Wohnerfahrungen.

Auch wenn die erste Wohnung meist keine Traumwohnung ist, so bietet sie uns doch die faszinierende Möglichkeit, einen eigenen Wohnstil zu finden. Denn allein durch die ganz persönliche Note des Bewohners wird eine Wohnung zum behaglichen Lebensraum. Ist die erste Wohnung allerdings keine Single-Wohnung, sondern wird sie mit einem Lebensgefährten geteilt, wird es komplizierter, da man das Mobiliar, die Vorlieben und den Geschmack des Mitbewohners berücksichtigen muss.

RAUMAUFTEILUNG

Der Schlüssel zu einer guten Raumaufteilung ist, besonders bei begrenztem Raum, eine ehrliche Einschätzung der eigenen Bedürfnisse und Anforderungen. Man sollte sein Privat- und Arbeitsleben einmal genau unter die Lupe nehmen und dabei auch zeitliche Einschränkungen nicht aus den Augen verlieren. Es ist gut möglich, dass Sie eines Tages zum begeisterten Gärtner oder zum enthusiastischen Hobbykoch werden, der seine Gäste mit mehrgängigen Menüs verwöhnt. Wenn aber solche Hobbys in Ihrem aktuellen Leben keinen Platz haben, dann benötigen Sie dafür auch keinen Raum.

Dann muss man das zur Verfügung stehende Raumangebot mit all seinen Vorzügen und Nachteilen genau betrachten. Ist man Eigentümer der Immobilie und entdeckt Mängel, die behoben werden müssen, wird man wohl in den sauren Apfel beißen und größere Anschaffungen vertagen müssen.

Wenn Sie Angestellter sind, fungiert Ihre Wohnung hauptsächlich als Rückzugsort für die Abende und das Wochenende. In einem solchen Fall lohnt es sich, über die Aufhebung einer konventionellen Raumaufteilung nachzudenken, um offene, einladende Flächen zu schaffen. (Denken Sie aber auch über Sicherheit durch Fenster- und Türschlösser nach, schließlich ist die Wohnung tagsüber unbewohnt.) Wenn Sie allerdings zeitweise oder ganztägig zu Hause arbeiten, ist ein fester Arbeitsbereich unerlässlich. In diesem Fall ist es sinnvoll, eine räumliche oder zumindest optische Trennung zwischen Wohnraum und Arbeitsbereich zu schaffen.

Die erste Wohnung bezieht man meist in einer Lebensphase, die durch viele soziale Kontakte geprägt ist. Wenn man also gerne Freunde einlädt, und sei es nur, um gemeinsam das Pizzataxi zu bemühen, ist wiederum eine offene Raumplanung sehr sinnvoll, da sie Räume größer erscheinen lässt und die flexible Anpassung des Wohnraums an unterschiedliche Aktivitäten ermöglicht.

Bezahlbarer Wohnraum für Erstkäufer ist in den meisten städtischen Gebieten dünn gesät. Als Antwort auf dieses Problem konzipieren einige Architekten inzwischen Kleinstwohnungen in Fertigbauweise. Solche Wohnungen bestehen aus modularen Wohneinheiten, die vorgefertigt zum Baugrundstück geliefert werden, wodurch sowohl die Kosten als auch die Bauzeit erheblich reduziert werden können. Einer der Prototypen für solche Kleinstwohnungen ist eine 32,5 Quadratmeter große Wohnung, die aus isolierten Holzwänden gefertigt wird und Ideen der kompakten Ausstattung von Wohnmobilen, Kreuzfahrtschiffen und japanischen Kapselhotels übernommen hat. In einem gerundeten „Funktions-Modul" sind die Küche, das Badezimmer sowie Kleiderschränke untergebracht. Das Schlafzimmer im hinteren Teil der Wohnung wird durch eine Schiebetür abgetrennt, an den offenen Wohnraum schließt sich ein Balkon an. Solche Entwürfe sind zwar eine eher junge Entwicklung auf dem Wohnungsmarkt, aus ihrer kompakten und sehr funktionalen Bauweise kann man aber viele Ideen für die eigene Raumgestaltung gewinnen.

Offene Räume

Oft besteht die erste Wohnung nur aus einem Zimmer, doch selbst wenn zwei oder drei Zimmer zur Verfügung stehen, ist eine offene Raumgestaltung eine Überlegung wert. Wenn nur wenig Grundfläche vorhanden ist, kann man durch das Beseitigen konventioneller Barrieren oder Trennwände die Illusion von mehr Geräumigkeit erzeugen, und so lässt sich der Raum besser an verschiedene Aktivitäten anpassen. Wenn man das erste Heim sein Eigen nennt, kann man unter Umständen Wände herausnehmen oder beispielsweise einen Sichtschutz zwischen Flur und Treppe entfernen, um so eine größere optische Weite und einen wandlungsfähigeren Raum zu gestalten.

Eine offene Raumgestaltung ist allerdings nicht immer praktisch, vor allem dann nicht, wenn eine Wohnung unterschiedlichen Zwecken oder Aktivitäten dient. Dann sind Abtrennungen notwendig und sinnvoll. Will man beispielsweise nicht immer auf die Küche oder die Kochecke schauen, kann man mit beweglichen Trennwänden und Schränken, halbhohen Regalen, Paravents oder durch geschickte Platzierung von Möbeln für eine flexible Abtrennung sorgen. Auch bevorzugen die meisten Menschen, selbst wenn sie allein leben, eine gewisse Abtrennung des Schlafbereichs. Bei ausreichender Deckenhöhe ist ein Hochbett oder eine Empore eine ideale Möglichkeit, das Bett vom Rest des Raums zu trennen. Eine andere Lösung besteht darin, das Bett hinter einem frei im Raum stehenden Möbelstück wie einem Schrank oder einem Regal verschwinden zu lassen. So ist auch in einem ansonsten offenen Raum eine klare Trennung von Wohnraum und Privatbereich gegeben.

Bei offenen Räumen bieten sich feste Einbauten, von Stauraum bis hin zu Möbeln an. Eingebaute Regale und Schränke erlauben es, seltener benutzte Haushaltsgegenstände und andere Utensilien hinter Türen verschwinden zu lassen.

⌄ In dieser offenen Wohnung ist das Badezimmer - der Raum, der immer Privatsphäre erfordert - in einem großen, frei stehenden Würfel untergebracht. Da der „Würfel" nicht bis zur Decke reicht, ist die Wohnung heller, weil der Lichteinfall quer durch die Wohnung nicht vollständig blockiert wird. Gleichzeitig dient der Badezimmerwürfel als Raumteiler zwischen dem Wohnbereich und dem eher privaten Bereich des Schlafzimmers.

> In diesem Schlafzimmer mit integriertem Badezimmer ist die Dusche von Scheiben aus gehärtetem Glas umgeben. Das Glas dient nicht nur als Spritzschutz, sondern lässt gleichzeitig das Raumlicht in die Dusche.

∨ Schon die einfache Verlagerung eines Bettes – hier ist es sogar nur eine Matratze – auf ein Podest teilt eine ansonsten offene Wohnung in klar definierte Bereiche auf. Gleichzeitig dient der Raum unter dem Podest zum Aufbewahren des Bettzeugs.

¬ Kleine Räume sind oft unvorteilhaft geschnitten. Hier wurde durch eine unter die Dachschräge gebaute Küche der Raum perfekt ausgenutzt und eine gemütliche Essecke geschaffen.

> Damit auch wenig Raum gut genutzt werden kann, benötigt man sinnvollen Stauraum. Diese Küche aus zwei kurzen, einander gegenüber liegenden Küchenzeilen ist eine praktische Lösung auf begrenztem Raum. Die hohe Regalwand bietet viel Stauraum und vereint viele Kleinteile zu einem großen, bunten Bild.

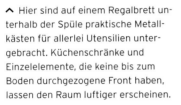
∧ Hier sind auf einem Regalbrett unterhalb der Spüle praktische Metallkästen für allerlei Utensilien untergebracht. Küchenschränke und Einzelelemente, die keine bis zum Boden durchgezogene Front haben, lassen den Raum luftiger erscheinen.

∧ Eine neue Küche kann bei der Renovierung viel Geld schlucken. Einfache Küchenelemente wie diesen Küchenschrank unter einer Arbeitsplatte auf Beinen nimmt man bei einem Umzug einfach mit.

≪ Eine Grundausstattung an Möbeln lässt sich gut im Gebrauchtmöbelhandel erstehen. Ein wenig Farbe kann hier Wunder wirken. Eine Plexiglasplatte wertet diesen alten Holztisch auf, die verstellbaren Aluminiumspots bieten viele Möglichkeiten der Ausleuchtung.

< Eine Dusche nimmt weniger Platz ein als eine Badewanne, vor allem, wenn sie in eine Art „Nasszelle" eingebaut ist, bei der der Wasserabfluss im Boden liegt. Aufgrund der vollständig gefliesten Wände und des wasserdicht versiegelten Bodens mit leichtem Gefälle ist keine Duschwanne nötig, sondern nur ein Duschvorhang.

Die elegantesten Einbaulösungen, die jeden Winkel ausnutzen, sind meist nur mit professioneller Hilfe zu verwirklichen. Sie können sich aber sehr lohnen – vor allem, wenn man eine Wohnung über längere Zeit bewohnen will.

Küchen und Badezimmer

In fast allen ersten Wohnungen sind vor allem Küchen und Badezimmer eher klein und nicht besonders ansprechend. Wie viel hier verbessert werden kann, hängt meist von den finanziellen Mitteln ab. Aber auch der eigene Lebensstil spielt eine Rolle, vor allem, wenn es um die Planung der Küche geht.

Wenn man das Glück und die finanziellen Mittel hat, seine erste Wohnung selbst planen zu können, sollte man sich von der Idee der „Funktions-Module", wie sie beim Prototyp der Kleinstwohnungen (siehe Seite 25) vorgestellt wurden, inspirieren lassen. Die Idee, funktionale Bereiche zusammenzulegen, wird in vielen Loftentwürfen und anderen offenen Wohnkonzepten häufig verwendet und ist nicht nur logisch, sondern auch sehr praktisch. Obendrein lässt sich so mehr Platz für andere Wohnbereiche gewinnen.

Wenn Sie nicht gerade ein begeisterter Koch sind, ist es sinnvoll, die Küchenausstattung auf ein Minimum zu beschränken. Das gilt ebenso, wenn sich Ihr Sozialleben vor allem außerhalb der Wohnung abspielt und Sie vorzugsweise außer Haus essen. Dann benötigen Sie in der Küche wenig mehr als einen Wasserkocher, einen kleinen Kühlschrank und einen Herd oder eine Mikrowelle. Solche kompakten Kochecken lassen sich hervorragend hinter Schiebetüren oder Paravents verstecken und sind ideal für alle, für die Kochen hauptsächlich aus dem Aufwärmen von Fertiggerichten besteht.

Aber auch kleine Küchen können sehr funktional sein, vorausgesetzt, sie wurden gründlich geplant. Bei einem begrenzten Raumangebot sind Einbaulösungen meist am günstigsten – je einfacher, desto besser. Eine einfache Küchenzeile mit den nötigen Anschlüssen und Elektrogeräten unter der Arbeitsfläche sowie einigen Hängeschränken ist ordentlich, funktional und unauffällig. Und genau so einfach und funktional sollte die Küche auch ausgestattet werden. Vermeiden Sie große, viel Raum einnehmende Küchengeräte. Eine Grundausstattung aus Kochgeschirr und Essgeschirr lässt sich einfacher unterbringen als verschiedene Gläsersets, ein Alltagsgeschirr und ein Festtagsgeschirr.

Wer nicht viel Geld in eine Einbauküche investieren will, die er unter Umständen beim nächsten Umzug nicht mitnehmen kann, der kann auf frei stehende, vorgefertigte Küchenmodule zurückgreifen, die schon mit Spüle, Herd und Kühlschrank ausgestattet sind und nur noch angeschlossen werden müssen. Ebenso gibt es inzwischen Raum sparende Schrankküchen, die nur noch mit den vorhandenen Anschlüssen verbunden werden. Wenn der finanzielle Spielraum sehr eng ist, kann man vorhandene, alte Küchenschränke mit ein wenig Farbe auffrischen oder abgenutzte Türen und Schubladenfronten durch neue ersetzen.

In der ersten eigenen Wohnung ist das Badezimmer vielleicht nicht einfach nur der „kleinste Raum", sondern wirklich winzig. Auch wenn man keine Wände versetzen kann, so gibt es doch einige Möglichkeiten der Optimierung. Ersetzt man eine Badezimmertür, die sich nach innen öffnet, durch eine Falttür, kann der Raum schon etwas größer erscheinen. Ersetzt man eine Badewanne durch eine Dusche, gewinnt man ebenfalls Bodenfläche. Platz sparen auch kleine Waschbecken, die an der Wand montiert werden. Zu den praktischsten Raumsparlösungen zählt der Umbau eines kleinen Badezimmers in eine komplett wasserdichte Nasszelle mit Abfluss im Boden.

AUSSTATTUNG UND MÖBLIERUNG

Auch mit einem begrenzten Budget kann man seinem Zuhause eine persönliche Note geben. Durch ein wenig Wandschmuck und einige sorgfältig ausgesuchte Möbelstücke lässt sich selbst die unvorteilhafteste Wohnung schön gestalten. In

⌄ Spiegel werden häufig eingesetzt, um einen Raum größer erscheinen zu lassen. Hier wirkt ein großer Spiegel über dem Waschbecken eindrucksvoll der Beengtheit des kleinen Badezimmers entgegen. Schlichte Ausstattungsstücke wie das runde Waschbecken und ein Minimum an Dekor schaffen eine ruhige Optik.

⌃ Auch kleinen Räumen kann man mit ein wenig Fantasie persönlichen Stil und Ausdruck verleihen. Dieses Toilettenpapier-Regal ist eine ausgefallene Idee, die Humor und Einfallsreichtum beweist.

⌃ Viele Menschen nutzen ihre erste Wohnung zum Ausloten der eigenen Fähigkeiten im Dekorieren. Gerade wenn das Budget knapp ist, können improvisierte Lösungen oftmals erstaunlich schöne und praktische Ergebnisse zeitigen. Hier wurden Küchentücher zu einem preiswerten und fröhlichen Küchenvorhang zusammengenäht.

⌃ Der Handel bietet allerdings auch Fertigvorhänge und Vorhangstangen an. So kann man mit geringen Mitteln einen Sichtschutz vor dem Fenster installieren. Ein bunt gemusterter Stoff als Tagesdecke bringt Farbe in den ansonsten weiß gehaltenen Raum.

dieser Lebensphase macht Not meist erfinderisch: Durch finanzielle Einschränkungen werden viele zu improvisierten Lösungen gezwungen, die sich oft nicht nur als preiswert und praktisch, sondern auch als schön herausstellen. Wer zur Miete wohnt, sollte jedoch vor größeren Renovierungsvorhaben immer das Kleingedruckte in seinem Mietvertrag genau durchlesen und sich im Zweifelsfall mit seinem Vermieter absprechen.

Kosmetische Verbesserungen

Ein wenig neue Farbe kann Wunder wirken, und das nicht nur an den Wänden. Auch andere Oberflächen, die man nicht einfach ersetzen darf, wie beispielsweise Bodendielen, Einbauschränke oder Fliesen, können gestrichen werden. Erkundigen Sie sich genau, welche Farben für welchen Zweck geeignet sind, und befolgen Sie dann die Angaben des Herstellers bezüglich Vorbereitung und Voranstrich. Es lohnt sich, ein wenig Zeit auf das Verspachteln von Rissen oder die Beseitigung anderer Oberflächenschäden zu verwenden, bevor man zur Farbrolle greift. Je gründlicher der Untergrund vorbereitet ist, desto besser fällt das Ergebnis nach dem endgültigen Anstrich aus.

Weiße oder helle Farben, die viel Licht reflektieren, sind eine gute Wahl, wenn die Aussicht nicht besonders schön, die Wohnung klein oder relativ dunkel ist. Andererseits kann man auch ruhig einmal mutig sein, denn mit der ersten Wohnung beginnt man, etwas über Raumgestaltung zu lernen. Hier haben Sie die Möglichkeit, vieles auszuprobieren.

Andere preiswerte Wanddekorationen sind Stoffbahnen oder vergrößerte Kopien ihrer Lieblingsbilder, mit denen Sie eine Fotowand gestalten können. Hochwertige Tapete ist nicht billig, aber für eine Wand reichen vielleicht schon ein paar Rollen aus. So kann eine einzelne Wand, die in einer kräftigen Farbe oder einem Muster tapeziert ist, eine interessante Wirkung haben.

Böden

Der Boden ist eines der bestimmenden Elemente eines Raums. Weil er eine große Fläche einnimmt, kann ein neuer Fußbodenbelag sehr kostspielig sein, zumal man auch die Kosten für Zuschnitt und Dämmschicht einkalkulieren muss. Wenn sich ein halbwegs intakter Holzboden unter mehreren Lagen Teppichboden oder abgenutztem PVC versteckt, besteht eine relativ preisgünstige Lösung darin, den alten Bodenbelag zu entfernen und den Holzboden abzuschleifen, zu streichen oder zu beizen und anschließend zu versiegeln. Laminatböden bestehen zwar nicht aus massivem Holz, sind aber relativ preiswert und durch das moderne Klick-System sehr einfach zu verlegen. Ausbauplatten sind als Untergrund geeignet. Wenn Sie den Komfort, die Wärme und die Schallisolierung eines Teppichs oder eines Naturfaser-Bodenbelags bevorzugen, sollten Sie nach Händlern Ausschau halten, die Restposten oder ältere Kollektionen im Angebot haben. Wenn Sie nur einen kleinen finanziellen Spielraum haben oder nur auf absehbare Zeit in der Wohnung bleiben werden, lässt sich ein fleckiger oder abgenutzter Boden mit großen, einfachen Teppichen oder Läufern abdecken.

Beleuchtung

Eine der preiswertesten Methoden, die Atmosphäre einer Wohnung zu verändern, besteht darin, durch Beleuchtung oder Tageslicht die Lichtverhältnisse zu verbessern. Die Lage der Wohnung lässt sich zwar nicht verändern, aber man kann den Lichteinfall in die Wohnung erheblich beeinflussen, indem man die Fenster nicht allzu sehr verdeckt. Springrollos, durchscheinende Plexiglasplatten oder Jalousien bieten Sichtschutz, lassen gleichzeitig aber viel mehr Licht in die Wohnung als dicke Vorhänge – der Raum erscheint großzügiger.

Bei künstlicher Beleuchtung ist der einfachste Trick, die Anzahl der Lichtquellen im Raum oder einem bestimmten Bereich zu erhöhen und das Licht in

^ Papierlampen sind als Hänge- und als Stehleuchten erhältlich, geben ein sehr sanftes Licht und können einfach ersetzt werden, wenn sie mit der Zeit unansehnlich werden.

v Ein neuer Anstrich ist eine preisgünstige Alternative, einen Raum freundlicher zu gestalten, wenn man kein Geld für Tapeten oder andere Wandverkleidungen ausgeben will. Das warme Rot der Wand bildet einen schönen Hintergrund für die bunt gewürfelte Einrichtung mit Fundstücken aus verschiedenen Jahrzehnten.

⌐ In dieser offenen Wohnung verbirgt sich das Bett hinter einem Sichtschutz aus Furnierholzplatten. Wenn es um Trennwände geht, kann man mit verschiedenen Materialien improvisieren, beim Kauf einer Matratze sollte man jedoch nicht sparen, da sie den Rücken gut unterstützen muss.

verschiedene Richtungen strahlen zu lassen. Eine einzelne, zentrale Lichtquelle, etwa eine Deckenlampe, macht jede Raumatmosphäre zunichte. Verschiedene Lichtpunkte, in verschiedenen Höhen angebracht und auf unterschiedliche Regionen des Raums gerichtet, wirken hingegen belebend und lassen den Raum größer erscheinen. Auch Deckenfluter, deren Licht großflächig reflektiert wird, verbessern das Raumgefühl. Einfache und gut aussehende Klemm-, Tisch- und Deckenleuchten aus Aluminium sowie Papierlampen in verschiedensten Modellen sind überall erhältlich und sehr preiswert. Eine Investition in mehr Steckdosen empfiehlt sich in jedem Fall, denn sie erleichtert eine flexible Ausleuchtung des Raums mit unterschiedlichen Lichtquellen.

Flexible Möbel

Wer sich früher preiswert einrichten wollte, sammelte alte Möbel von Freunden und Verwandten zusammen und improvisierte den Rest. Heute gibt es dagegen viele Möbelhäuser, die einfaches Basismobiliar in modernem Design zu erschwinglichen Preisen anbieten. In vielen Fällen sind diese Möbel in Bausätzen (so genannten Flat-Packs) verpackt und müssen vom Käufer selbst zusammengebaut werden.

Wenn Sie sowohl begrenzten Raum als auch ein schmales Budget haben, sollten Sie sich nach Möbeln mit klarem Design umsehen, die verschiedene Funktionen erfüllen können: Ein einfacher Tisch kann sowohl als Ess-, als auch als Schreibtisch dienen, Futons und Bettsofas sind gleichzeitig Sitz- und Schlafplatz, schlichte Stühle können als zusätzliche Sitzgelegenheiten im Wohnbereich und als Sitze am Esstisch dienen, Stapelhocker eignen sich als Sitzplätze oder Beistelltische und machen sich mit einer Leuchte auch als Nachttisch nützlich. Besonders geeignet sind Modulsysteme, von Sitzmöbeln bis hin zu Schränken, die man mit wachsendem Wohnraum oder Budget erweitern kann. Aber auch Möbel, die sowohl für drinnen als auch für draußen geeignet sind, etwa aus Rattan, Holzlatten oder Metall, sind meist relativ leicht, haben oft ein schönes Design und sind erschwinglich. Und wenn Sie in eine größere Wohnung oder ein Haus umziehen, finden solche Möbel oft noch gute Verwendung auf dem Balkon oder im Garten.

Auch wenn Improvisation im ersten Heim immer noch eine große Rolle spielt – vom Tisch aus einer alten Tür auf zwei Holzböcken bis zum Regal aus Holzbrettern und Ziegelsteinen – sollte man bei der Anschaffung von Sofas, Bettsofas

oder Matratzen nicht knauserig sein, da diese Möbel unsere Gesundheit und Lebensqualität direkt beeinflussen. Eine gute Matratze mag zwar nicht gerade ein spannendes Einrichtungsobjekt sein, aber eine Investition zahlt sich hier auf jeden Fall aus.

Bei begrenztem Raum können auch eingebaute Möbel sehr hilfreich sein. Ein Tisch, den man seitlich aus der Küchenarbeitsplatte herausziehen oder von einer Wand herunterklappen kann, Klappbetten oder ein Arbeitsbereich, der nach Feierabend hinter einer Schiebetür oder einem Paravent verschwindet, halten die Mitte des Zimmers frei und schaffen einen großzügigen Raumeindruck. Solche Möbel müssen aber vor allem robust und wirklich alltagstauglich sein, was oft Spezialanfertigung und Einbau durch den Fachmann bedeutet.

Erbstücke oder alte Möbel können der ersten Wohnung ein Flair von Gemütlichkeit und Geborgenheit geben. Alte Möbel vom Trödler haben nicht nur den Vorteil, dass sie preiswert und sofort verfügbar sind, sondern sie stellen auch eine Verbindung mit der Vergangenheit dar. Dinge mit Geschichte vermitteln ein angenehm heimeliges Gefühl, das gilt besonders für alte Möbel.

STAURAUM

Ein Vorteil der ersten Wohnung ist, dass wir sie normalerweise in einer Lebensphase beziehen, in der wir noch nicht so viele Dinge unterbringen müssen. Ein Nachteil ist allerdings, dass meist auch nicht viel Platz zur Aufbewahrung vorhanden ist. Nicht zu allen Kleinwohnungen gehört ein Keller- oder Speicherraum, in dem man Sachen lagern kann. Daher ist es wichtig, schon vor dem Umzug einmal kräftig auszusortieren. Wer Habseligkeiten besitzt, die er weder wegwerfen möchte, noch in der Wohnung unterbringen kann, sollte sich um einen weiteren Kellerraum bemühen. Dort ist alles gut aufgehoben, was aktuell nicht gebraucht wird, aber später einmal seinen Platz finden könnte.

Besonders in sehr kleinen Wohnungen sind Einbauschränke eine ungemein praktische Einrichtung. Das bisschen Bodenfläche, das man durch einen Einbauschrank entlang einer Wand einbüßt, ist es wert, denn mit einem solchen Schrank lässt sich viel einfacher Ordnung halten. Wer ein Podest oder ein Hochbett einbaut, kann den Platz darunter als Stauraum nutzen. Aber auch in einem breiten Flur oder unter Treppen können Regale und Schränke eingebaut werden.

Offener Stauraum wie etwa ein Regal zieht die Blicke auf sich und sollte daher für attraktive Gegenstände wie Bücher verwendet werden, die einen Raum wohnlicher machen. Wer sich für die Regallösung entscheidet, sollte bedenken, dass eine komplexe Regalwand wesentlich unauffälliger und sinnvoller ist als einzelne Regalbretter hier und dort. Kleinkram lässt sich hervorragend in preiswerten Aufbewahrungsboxen aus Pappe, Metall oder Kunststoff verstauen.

GEMEINSAMES ZUHAUSE

Ein Teil der Freude am ersten eigenen Heim liegt in der Möglichkeit, seinem persönlichen Geschmack Ausdruck zu verleihen. Wenn Sie nun die erste eigene Wohnung mit einem Partner teilen, können Sie sich plötzlich mit einer vollkommen anderen Auffassung von Inneneinrichtung konfrontiert sehen. Es kann um allgemeine Dinge wie den Sinn für Ordnung gehen oder um verschiedene Ansichten über den benötigten persönlichen Freiraum, aber auch um ganz spezifische Entscheidungen, etwa über Vorhänge oder Jalousien, Holzdielen oder Teppichboden. Dass man sich in anderen Dingen gut ergänzt und versteht, heißt noch lange nicht, dass man auch den gleichen Geschmack hat, wenn es um die Farbe der Wand oder das Design des Sofas geht. Die britische Baumarktkette „Homebase" hat kürzlich eine Befragung durchgeführt, nach der sechs von zehn Paaren sich während oder nach einem Einkauf im Baumarkt gestritten haben.

Zusammenleben heißt Kompromisse eingehen. Und solche Kompromisse, die keine halbherzige Lösung, sondern eine Verbindung zweier persönlicher Stile

⌄ Hier wurde mit weiß gestrichenen hölzernen Obstkisten ein preiswertes Schuhregal improvisiert. Wenn man die Augen offen hält, kann man viele solcher Aufbewahrungsmöglichkeiten finden, die helfen, Kleinteile zu ordnen und zu verstauen.

⌄ Dieser eingebaute Badezimmerschrank ist hingegen eine Dauerlösung für das Stauraumproblem. Die zugeschnittenen Türen lassen einige Regalfächer frei. MDF-Platten sind für solche Zuschnittarbeiten bestens geeignet und lassen sich gut streichen.

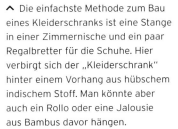

∧ Die einfachste Methode zum Bau eines Kleiderschranks ist eine Stange in einer Zimmernische und ein paar Regalbretter für die Schuhe. Hier verbirgt sich der „Kleiderschrank" hinter einem Vorhang aus hübschem indischem Stoff. Man könnte aber auch ein Rollo oder eine Jalousie aus Bambus davor hängen.

˥ Einbauschränke sind die perfekte Lösung, wenn Sie Kleinteile verstauen und nicht herumliegen haben möchten. Dafür lohnt es sich, ein wenig Bodenfläche zugunsten einer Regal- oder Schrankwand zu opfern, denn sie erleichtert es, Ordnung zu halten. Leider sind maßgefertigte Einbauschränke meist sehr teuer, da sie sowohl stabil als auch funktional und schön sein sollen.

darstellen, ergeben oft ein viel ausdrucksstärkeres Resultat, als wenn eine Person sich durchsetzt und die andere zurücksteckt. So schwierig und langwierig die Kompromissfindung auch sein mag, so wichtig ist das gemeinsame Erarbeiten wichtiger Entscheidungen wie der Kauf eines Sofas oder die Wahl des Bodenbelags für eine dauerhafte harmonische Beziehung. Dazu gehört aber auch, dass jeder ein gewisses Maß an eigenem Raum für sich beanspruchen kann.

Leider bedeutet ein gemeinsames Heim auch doppelt soviel Kram. Wenn das Festhalten an zwei gleichen CDs vielleicht nur einen gesunden Pessimismus über die Langlebigkeit der Beziehung zum Ausdruck bringt, so zeigen doch viele Wohnungen von Paaren noch nach vielen Jahren klare Trennungen zwischen Mein und Dein. Betrachtet man die Sache einmal nüchtern und von der praktischen Seite, kann es sehr sinnvoll sein, die gemeinsamen Besitztümer zu vereinigen und bei Doppeltem einfach immer das Bessere zu behalten und sich vom Zweiten zu trennen. Zudem muss man irgendwann einsehen, dass einfach nicht genug Platz für alles vorhanden ist und entweder Lagerraum anmieten oder sich von bestimmten Dingen schlichtweg trennen.

Mit den steigenden Eigentumspreisen in städtischen Regionen wird aber auch, neben einer Miet-Wohngemeinschaft, eine weitere Wohn-Variante immer beliebter. Oftmals schließen sich Freunde zusammen und kaufen gemeinsam eine Wohnung oder ein Haus. Häufig ist dies für den Einzelnen billiger und bringt pro Kopf mehr Fläche, als wenn man alleine kauft. In dieser frühen Lebensphase, in der Freundschaften oft wesentlich länger halten als Beziehungen, kann das eine sehr vernünftige Lösung und gleichzeitig ein guter Einstieg in den Immobilienmarkt sein. Aber auch für Menschen, die dem Studentenalter entwachsen sind,

Schon ein kleiner Außenbereich kann den erholsamen Effekt eines Gartens haben. Hier kann man in der Sonne dösen, einige Pflanzen und Blumen ziehen und bei schönem Wetter eine Mahlzeit im Freien genießen.

Ein fester Untergrund und Kübelpflanzen sind eine praktische Lösung für sehr kleine Gärten. Hier wurde der Boden teils mit einer Holzterrasse, teils mit Schieferbruch bedeckt. Die weiße Wand hellt den beengten Raum auf.

Dachgärten mit Blick über die Stadt haben einen ganz besonderen Reiz. Allerdings können die Bedingungen für Pflanzen sehr extrem sein. Wichtig ist vor allem Schutz vor starkem Wind. Man sollte aber abklären, ob die Konstruktion des Dachs stabil genug ist, um das zusätzliche Gewicht des Bodenbelags und der Kübel mit feuchter Erde zu tragen.

Hier kann man durchaus von minimalistischem Gärtnern sprechen – zwei außen an ein Fenstergitter gehängte Blumentöpfe bringen Grün in die Wohnung und dienen als lockerer Sichtschutz. Duftende oder blühende Pflanzen bringen gleich zweifach Freude.

kann es sinnvoll sein, sich zu mehreren eine Wohnung zu teilen. In solchen Fällen sollten von Anfang an klare Regeln und vertragliche Vereinbarungen getroffen werden, um Ärger und Streit zu vermeiden. Entschließt man sich zum gemeinsamen Kauf einer Immobilie, kann es später zu Unstimmigkeiten und Problemen kommen, wenn einer der Beteiligten vorab ausziehen oder verkaufen möchte. Daher ist es gut, sich im Voraus rechtlich beraten und einen Vertrag aufzusetzen zu lassen, der alle Fragen klärt.

UNTER FREIEM HIMMEL

Gartenarbeit zählt bei jungen Menschen nicht unbedingt zu den beliebtesten Hobbys, dennoch sind Plätze im Freien, seien sie auch noch so klein, sehr beliebt und für jede Wohnung ein Bonus. Balkone, kleine Terrassen, aber auch außen liegende Fensterbänke stellen eine Verbindung nach draußen und zur Natur her und bieten die Möglichkeit, kleine Topfpflanzen, Blumen oder Kräuter zu ziehen. Ein mit Grünpflanzen umrahmtes Fenster kann den Blick nach draußen lenken und so, genau wie eine begrünte Terrasse oder ein Balkon, die Wohnqualität steigern. Dabei bilden die Pflanzen eine grüne Pufferzone zwischen dem privaten Raum der Wohnung und der Außenwelt. Besonders schön ist es natürlich, wenn man bei schönem Wetter auch draußen sitzen kann.

Wenn man jedoch sehr häufig unterwegs ist und viel Zeit bei der Arbeit und außer Haus verbringt, darf die Gartenarbeit nicht aufwendig sein. Dann bieten sich Bodenbeläge wie Holz, Steinplatten oder Kies für den Garten an – denn sie müssen nicht regelmäßig gemäht werden! Wenn der Garten ebenerdig an einen Wohnraum anschließt, lässt sich durch ähnliche Bodenbeläge eine Brücke zwischen Innen- und Außenraum schlagen. Wenn Sie nicht unbedingt einen grünen Daumen haben, empfehlen sich Pflanzen, die Wind und unregelmäßiges Gießen nicht übel nehmen. Dazu gehören beispielsweise alle Pflanzen, die in Küstenklimata gedeihen, aber auch Gräser, Bambus und andere langlebige Pflanzen. Für Dachgärten und andere stark exponierte Standorte müssen Pflanzen besonders robust und widerstandsfähig sein, da sie Wind, Regen und Sonne besonders häufig ausgesetzt sind. Hier kann man mit einem Spalier für ein wenig Schutz sorgen. Bei einem Balkon oder Dachgarten kann es aber nötig sein, einen Statiker oder den Hausbesitzer zu fragen, ob die Konstruktion für das zusätzliche Gewicht von Kübelpflanzen und Gartenmöbeln geeignet ist. Ein abgenutzter Boden kann durch eine Holzbohlenkonstruktion abgedeckt werden, durch deren Ritzen Wasser gut ablaufen kann. Sie sollten sich unbedingt über die Sicherheit Ihres Außenbereichs Gedanken machen. Ein Holzspalier, ein Metallzaun oder eine Trennwand bieten nicht nur den Pflanzen ein besseres Klima und Ihnen ein wenig Sichtschutz, sie können auch Unfälle verhindern.

Auf begrenzter Fläche haben oft die einfachen Pflanzen den größten Effekt. Ein kleiner Balkon kann schon durch eine einzelne blühende Kletterpflanze, die sich an einem Spalier entlang windet, zu einem sehr einladenden Ort werden. Blumenkästen mit mehreren Pflanzen der gleichen Sorte sind ein stärkerer Blickfang und leichter zu pflegen als viele kleine Blumentöpfe mit unterschiedlichen Gewächsen. Darüber hinaus kann man die Bepflanzung von Kästen und Kübeln der Saison anpassen und zunächst bunte Frühlingsblüten, später dann farbenprächtige Sommerblumen einsetzen. Und mit duftenden Pflanzen wie Lavendel und essbaren Küchenkräutern wird der Balkon zu einem Garten der Sinne en miniature.

In Japan, wo die Bevölkerungsdichte sehr hoch ist und die Balkone sehr eng nebeneinander liegen, nutzen gerade die Stadtbewohner jeden noch so bescheidenen Fleck im Außenbereich. Wenn man seinen kleinen Balkon erst einmal mit einem einfachen Tisch und ein paar Stühlen – und vielleicht einer Außenbeleuchtung – eingerichtet hat, dann nutzt man ihn auch.

⌄ Ein ehemaliger Türdurchgang wurde hier mit Regalbrettern versehen und beherbergt heute verschiedenste Pflanzen in kleinen Terrakotta-Töpfen. Dies sieht nicht nur besonders hübsch aus, sondern erleichtert auch die Pflege der Pflanzen.

OPTIMIERTE RAUMAUFTEILUNG

Kleine „Tricks" und die umfangreiche Verwendung von Einbauschränken haben die Raumwirkung dieser kleinen Maisonette-Wohnung im Norden Londons radikal verändert. Der ursprüngliche Ausbau war recht ungeschickt ausgeführt worden, und die Wohnung wirkte sehr klein. Dann hatte der Eigentümer den Architekten beauftragt, den Raum bestmöglich auszunutzen und eine rundum verglaste Gaube ins Dach einzusetzen. Auch wenn die Gaube aufgrund zu hoher Kosten nicht realisiert werden konnte, hat die veränderte Planung für mehr Licht und Luft in der gesamten Wohnung gesorgt, sodass die Investition mehr als lohnend war.

Nach dem ersten Ausbau besaßen keine zwei Wände eine gemeinsame Flucht, und es waren viele unschöne visuelle Brüche entstanden. Der Flur der unteren Ebene war eng, das zwischen den Schlafzimmern liegende Bad dagegen unverhältnismäßig groß. Ins Wohnzimmer auf der oberen Ebene gelangte man nur durch die Küche, die relativ niedrigen Decken erzeugten ein Gefühl der Enge.

Zunächst musste also der Grundriss so verändert werden, dass zum einen der vorhandene Raum besser ausgenutzt wurde, und zum zweiten mussten die Wände so ver-

┌ Hängeschränke hätten die Wandfläche des Arbeitsbereichs in der Küche unnötig unterteilt. Stattdessen trägt ein einzelnes Wandbrett die Arbeitsplatzbeleuchtung. Oberflächen und Beschläge sind bewusst schlicht gehalten, die Unterschränke haben MDF-Fronten. Ofenklappe, Kochfeld und Abzugshaube bestehen aus Edelstahl und der Spritzschutz aus Glas.

‹ Der Essbereich auf der anderen Küchenseite ist von Schränken für Kochutensilien und Vorräte eingerahmt. Die Schrankelemente finden sich auch im Wohnzimmer wieder. Durch die Einheitlichkeit wird das Raumgefühl betont.

┐ Die Arbeitsplatte aus dickem Iroko-Hartholz und die eingelassene Edelstahlspüle geben der Küche Textur und ein Gefühl von Wertigkeit.

> Im an die Küche anschließenden Wohnbereich bilden die Einbauschränke ein zusammenhängendes Raumelement und machen den ungenutzten Kamin zu einer Ausstellungsnische. Wie alle Schränke in der Wohnung sind sie aus MDF-Platten maßgefertigt und mit einem seidig-glatten Sprühlack überzogen. Das L-förmige orangefarbene Sofa bietet viel Platz und ist ein schöner Farbakzent.

∨ Ein weiteres durchgehendes Gestaltungsmerkmal der Wohnung ist die einheitliche Bodenversiegelung. Die Dielen der oberen Ebene blieben erhalten, wurden aber dunkelbraun lasiert und bilden einen guten Kontrast zu den weißen Wänden.

⌐ Die Grundrisse der unteren (links) und oberen (rechts) Ebene zeigen die Position der Einbauschränke und die Wirkung der optimierten Raumaufteilung.

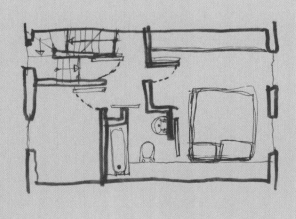

setzt werden, dass sie eine gemeinsame Fluchtlinie erhielten. Das Badezimmer wurde verkleinert, sodass der Flur zu einem großzügigen Entree erweitert werden konnte. Der Heißwasserboiler wurde von der Küche ins Badezimmer verlegt. Auf der oberen Ebene wurden Küche und Wohnzimmer zu einem L-förmigen, offenen Raum verbunden, wodurch nun Licht in alle Winkel gelangen kann.

Die wichtigste Maßnahme, um optische Klarheit und räumliche Effizienz zu erzielen, war die durchgehende Verwendung von Einbauschränken. Im Schlafzimmer verbirgt die Einbauwand die Garderobe, im Badezimmer verschwinden Boiler und Spülkasten der Toilette hinter Türen. Die Einbauschränke im zweiten Schlafzimmer nehmen Akten und andere Arbeitsunterlagen auf, sodass der Raum auch als Arbeitszimmer dient. Auf der oberen Ebene setzt sich eine lange Reihe von Schränken vom Wohnzimmer in die Küche fort und bildet dort eine Nische für den Esstisch.

Dieser Umbau verdeutlicht vorbildlich zwei wichtige Aspekte der Nutzung kleiner Räume. Der erste ist, dass alles möglichst schlicht mit glatten Flächen und geraden Linien gehalten werden sollte. Der zweite beinhaltet den Einbau von großzügigem Stauraum, um optische Unruhe durch Krimskrams zu vermeiden.

⌐ Das Badezimmer liegt zwischen den beiden Schlafzimmern und hat Türen zum Flur und zum Hauptschlafzimmer. Die zum Gang hin gelegene Schiebetür gleitet vor ein geschickt am Ende des Bads eingebautes Bücherregal. Heißwasserboiler, Spülkasten und Rohre sind ordentlich hinter Schranktüren verborgen.

« Das Schlafzimmer besitzt seine eigenen Sturäume und Schränke, die wie ein Teil der Baustruktur wirken. Bündig schließende Türen und der Verzicht auf Griffe und überflüssige Details sorgen für eine diskrete, unaufdringliche Wirkung. Der Boden hat auf dieser Ebene einen durchgehenden dunklen Gummibelag, der für ein kohärentes Bild der Räume sorgt.

‹ Eine hohe Schiebetür trennt Schlafzimmer und Bad. Die Wand um die Badewanne herum ist mit Kera-mikmosaik gefliest. Die Linie der Schlafzimmerwand zieht sich bis ins Bad durch. Die Türöffnung reicht bis zur Decke, sodass sich ein Gefühl der Geräumigkeit einstellt.

∧ Ursprünglich sollte hier eine Gaube entstehen, aber die notwendigen Umbauarbeiten waren letztendlich zu umfangreich. Statt dessen bildet jetzt eine einfache Dachterrasse mit Hartholzboden einen zusätzlichen Wohnbereich unter freiem Himmel. Die Bodendielen ziehen sich als Sitzbank über einen Mauer-absatz, die Kissen sorgen nicht nur für Bequemlichkeit, sondern liefern auch willkommene Farbakzente. Dank der Wandleuchten kann die Terrasse auch nach Einbruch der Dunkelheit genutzt werden.

› Ein Dachfenster über der Treppe zur Dachterrasse lässt Licht in den Wohnbereich auf der oberen Etage fallen. Durch solche Deckenfenster lässt sich der Raum optisch erheblich vergrößern.

RÄUMLICHE KLARHEIT

Auch mit einem relativ kleinen Budget lassen sich schon recht umfassende Veränderungen erzielen. Diese Erdgeschosswohnung in einem Reihenhaus im Süden Londons kam bereits durch kleinere Umbauten und eine veränderte Raumnutzung zu einer völlig neuen, klaren und einheitlichen Linie.

Der Auftrag an den Architekten lautete, den vorhandenen Raum zu optimieren und die Wohnung für gesellige Anlässe besser nutzbar zu machen. Der Kostenrahmen war eng gesteckt, komplizierte Umbauten schieden aus.

Ursprünglich lag die Küche dort, wo jetzt das Schlafzimmer ist, und zwar mit direktem Zugang zu Badezimmer und Toilette. Ein wichtiger Schritt war, diese beiden Räume auszutauschen, die Küche also in das frühere Schlafzimmer zu verlegen, wo eine große, doppelflügelige Gartentür für mehr Tageslicht und eine luftigere, offenere Atmosphäre sorgt. Die Toilette wurde aus dem Badezimmer ausgegliedert und so platziert, dass sie leichter vom Rest der Wohnung aus zugänglich ist.

Wenn der Raum begrenzt ist, kann ein vollständig offener Grundriss auf Kosten der Privatsphäre gehen. Gleichzeitig ist es wichtig, einen freien Blick und eine möglichst optimale Ausnutzung des Tageslichts zu erreichen. Die Lösung bestand hier darin, die Räume zu öffnen und miteinander kommunizieren zu lassen, ohne gleich den gesamten Grundriss vollständig zu verändern. So konnten auch die notwendigen Umbauten im Rahmen des Budgets gehalten werden.

Zwischen dem Wohnzimmer und der Wohnküche entstand ein neuer Durchbruch. Zwei Türöffnungen wurden nach oben hin erweitert, sodass alle drei Durchgänge dieselbe Höhe erreichten. Dadurch werden die hohen Decken betont, das Gefühl der Geräumigkeit wird verstärkt. Die Durchbrüche reichen nicht ganz bis zur Decke, was kostengünstiger ist als eine raumhohe Öffnung. Um den Arbeitsbereich der Küche etwas abzuschirmen, wurde an einem Ende der Arbeitsplatte eine halbhohe Trennmauer eingezogen.

Wichtig für eine solch erfolgreiche Umgestaltung ist weniger das Budget als vielmehr ein Konsens zwischen Auftraggeber und Architekt. Der Eigentümer in diesem Beispiel hat ein gutes Gespür für Stil, eine Sammlung schöner Möbel und ein gutes Auge für Materialien und Oberflächen.

‹ Die neue Küche besteht aus einer Zeile mit sechs Unterschränken. Die vorhandenen Schränke wurden umgestellt und nur mit neuen Türen und Fronten versehen. Ein bündig in die Wand eingelassenes Paneel verbirgt den Warmwasserboiler, der ursprünglich im Badezimmer hing. Die Arbeitsplatte besteht aus weiß laminiertem Birkensperrholz, der Spritzschutz ist aus Streifen desselben Materials zusammengesetzt. Das gleiche Holz findet sich einheitlich bei weiteren Einbauelementen in der gesamten Wohnung wieder.

L Eine niedrige Trennmauer schirmt die Arbeitsplatte optisch vom Wohnzimmer ab. Um eine ansonsten tote Ecke zu nutzen, verbirgt zum Wohnzimmer hin eine bündig in die Mauer eingelassene Tür die Waschmaschine.

› Vergrößerte Durchlässe verstärken das Raumgefühl. Die vorhandenen Bodendielen sind in allen Wohnbereichen sichtbar. Die Flurwand ist als warmer Farbakzent roséfarben gestrichen.

⌄ Die Verlegung der Küche in das frühere Schlafzimmer schafft eine größere Wohnfläche und lässt mehr Tageslicht in den Wohnbereich. Das vom Flur aus über drei Stufen erreichbare, tiefer liegende Schlafzimmer bietet eine angenehme Privatsphäre.

⌐ Durch Öffnung einer Schornsteinwand und eine Feuerstelle aus Gussbeton entstand ein neuer, offener Kamin.

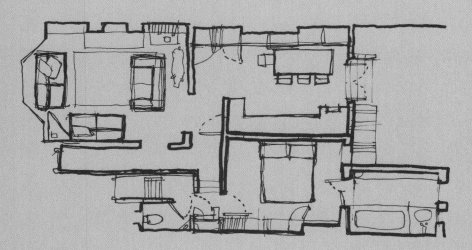

‹ Die Aufmerksamkeit für Details verstärkt die räumliche Klarheit. Die Linie des Bücherregals im Wohnzimmer setzt sich in der Ablage im Essbereich fort. Die Küche scheint sich auf eine Raumseite zu beschränken, tatsächlich aber verbirgt der hohe Einbauschrank auf der Seite des Essbereichs gegenüber eine Kühl-Gefrierkombination. Eine niedrige Bank aus Sperrholz mit Klappe zieht sich an der Wand entlang und dient sowohl als Sitzfläche wie auch als Stauraum.

L Badewanne und Waschbecken wurden im neuen Bad wiederverwendet und in durchgehender Linie in eine Verkleidung aus weiß laminiertem Birkensperrholz montiert. Die lange, niedrige Sperrholzbank bietet Stauraum und verbirgt einen Heizkörper. Die neue Anordnung erzeugt eine durchgehende Sichtlinie vom Schlafzimmer bis zum Badezimmerfenster. Kleine weiße Fliesen bilden einen wasserdichten Wandabschluss.

⌄ Die offenen Sichtkanten der Sperrholzbretter sind überall in der Wohnung zu finden und erzeugen ein Gefühl visueller Kontinuität. Die seitlich montierten Wannenarmaturen sind eine hübsche Detaillösung.

› Ein wichtiges dekoratives Element des eher „privaten" Wohnbereichs sind die vom Eigentümer beschafften marokkanischen Bodenfliesen in Bad und Schlafzimmer. Sie wurden auf einem selbst nivellierenden Unterboden verlegt. Die unterschiedlichen Stärken der handgefertigten Fliesen wurden über das Kleberbett ausgeglichen. Die „Holzpaneele" an Bad- und Schlafzimmerwand bestehen in Wirklichkeit aus Holzeffektlaminat, das ebenfalls vom Eigentümer beschafft wurde.

‹ Ein Sinn für Licht

Als Fotografin hat die Besitzerin dieses zweigeschossigen Appartements eine große Vorliebe für Tageslicht. Als sie sich nach einem neuen Zuhause umschaute, suchte sie zunächst nach einem alten Haus, das sie renovieren konnte. Letztendlich kaufte sie ein Appartement im obersten Stockwerk eines Neubaukomplexes in der Nähe eines der ältesten und lebendigsten Viertel Amsterdams. Die zentrale Lage mit gemütlichen Restaurants, Kneipen und Märkten in Laufweite war ein entscheidender Faktor für sie, zumal sie - wenn sie nicht im Ausland ist - zu Hause arbeitet und viel reist.

Das Appartement ist auf zwei Ebenen mit einem großen freien Innenraum angelegt. Von der oberen Etage mit dem Arbeitsbereich führen Türen auf eine Dachterrasse mit spektakulärer Aussicht auf die Stadt und die Boote auf der Gracht direkt vor dem Haus. Der Innenraum ist das ganze Jahr hindurch von Sonnenlicht durchflutet, dessen Wirkung durch den überwiegend weißen Anstrich noch verstärkt wird. Bestimmte Bereiche des Innenraums werden durch dunklere Farbschattierungen hervorgehoben, die die Besitzerin in Argentinien und Nordindien gesehen hat.

Durch einfache Veränderungen konnte sie dem Raum eine ganz persönliche Note verleihen. Die Küchenschränke wurden neu gestrichen und mit neuen Griffen versehen. Da ihr der Wohnbereich für ein Sofa zu klein erschien, ließ sie neben der Treppe eine gemauerte Bank einziehen. Unbehandelte, natürlich wirkende Oberflächen herrschen vor: Die Holzdielen sind nicht gebeizt, und die Metallstühle am Esstisch sind mit Lederschnüren bespannt.

Ein wichtiger Aspekt war viel Abstellfläche. Um ihre große Sammlung von Fotobüchern unterzubringen, ließ sie ein Regal aus zwölf offenen Kästen an eine Wand ihres Studios bauen. Andere lieb gewonnene Stücke sind in der gesamten Wohnung verteilt: Krüge und Schalen aus aller Welt, afrikanische Hocker, Kissen aus Bali und Stillleben aus selbst gesammelten Naturobjekten.

WOHNEN - ARBEITEN

Eine der größten Veränderungen unseres Alltagslebens in den letzten Jahrzehnten war der wachsende Trend zur Heimarbeit. Der Fortschritt auf den Gebieten der Technologie und Kommunikation sowie der Wandel der Unternehmensstrukturen ermöglichen es, dass immer mehr Menschen ihren Arbeitsplatz teilweise, wenn nicht sogar vollständig zu Hause einrichten.

Auf den ersten Blick mag es sehr verlockend erscheinen, sich den täglichen – manchmal langen – Arbeitsweg und die üblichen Reibereien im Büro ersparen zu können. Für viele verspricht der Arbeitsplatz in den eigenen vier Wänden weniger Ablenkung, flexible Arbeitszeiten und die Möglichkeit, in einer privaten Krisensituation nicht erst um einen freien Tag bitten zu müssen, ob nun das Kind erkältet oder die Waschmaschine defekt ist.

Soweit zumindest die Theorie. In der Praxis stellt die Heimarbeit allerdings spezifische Anforderungen, die unbedingt bedacht werden müssen, wenn das Privatleben weiterhin erholsam und das Arbeitsleben erfolgreich verlaufen sollen. Ein Teil der potenziellen Probleme lässt sich durch geschickte Raumaufteilung lösen, andere hingegen betreffen mehr die persönliche Arbeitsweise und -organisation.

SELBSTEINSCHÄTZUNG

Fast jeder, der in einem festen Arbeitsverhältnis steht, arbeitet auch einmal zu Hause. Tätigkeiten wie das Überfliegen eines Berichts als Vorbereitung auf eine Besprechung, ein Telefongespräch zur Terminabsprache, letzte Vorbereitungen für eine Präsentation und ähnliche Zusatzarbeiten, die im Büro liegen geblieben sind, können normalerweise in der Freizeit erledigt werden, ohne dass das Privatleben dadurch stark beeinträchtigt wird. Wenn Sie aber planen, Ihr gesamtes Arbeitsleben in Ihre eigenen vier Wände zu verlegen, sollten Sie sich die Zeit nehmen, genau zu überdenken, welche Änderungen für die neue Lebenssituation notwendig sind und was dies genau für Ihren Arbeitsalltag bedeutet. Ob sich Ihre im Voraus getroffenen Überlegungen unter den veränderten Bedingungen dann als praktisch oder durchführbar erweisen, ist schwer vorherzusagen – besonders, wenn Sie Ihr gesamtes bisheriges Berufsleben in Büros zugebracht haben. Dennoch sollten Sie gründlich vorausplanen, denn ansonsten besteht die Gefahr, dass Sie sich allzu schnell nach dem üblichen Büroalltag zurücksehnen, den Sie anfangs so gerne hinter sich gelassen haben.

Bemerkenswertes:

> **Grundlegende Raumplanung** Wie viel Platz benötigen Sie für Ihren Schreibtisch oder Arbeitsplatz, für Computer, Drucker, Faxgerät, Scanner und weitere technische Geräte, für Aktenschränke und andere Aufbewahrungsmöglichkeiten? Benötigen Sie bei der Arbeit Tageslicht? Sind genügend künstliche Lichtquellen für Ihre Tätigkeit vorhanden? Ist Ihre Arbeit grundsätzlich mit einer gewissen Geräuschentwicklung verbunden, die andere in Ihrem Haushalt oder Nachbarn belästigen könnte? Benötigen Sie zum Arbeiten absolute Ruhe?

> **Technisches** Benötigen Sie für Ihre Arbeit spezielle Kommunikationstechnik in Form von mehreren Telefonleitungen, einem ISDN- oder DSL-Anschluss? Benötigen Sie zusätzliche technische Ausstattung? Gibt es wichtige Dienstleister wie etwa Druckereien oder Fotokopierläden in Ihrer direkten Umgebung?

> **Zugang** Erfordert Ihr Arbeitsalltag Angestellte oder regelmäßige Besuche durch Klienten, Kunden oder Lieferanten? Müssen Sie bei solchen Besuchen ein professionelles Image wahren? Können Sie Ihren Arbeitsbereich so legen, dass der Rest Ihrer Wohnung für Besucher nicht einzusehen oder zugänglich ist?

> **Rechtliches und Finanzielles** Ein häuslicher Arbeitsplatz kann sowohl rechtliche als auch finanzielle Auswirkungen haben, besonders wenn Angestellte beschäftigt werden. Klären Sie finanzielle und rechtliche Fragen im Voraus mit Ihrem Steuerberater, Ihrem Anwalt und Ihrer Bank und lassen Sie sich umfassend beraten. Gibt es die Möglichkeit, einen Teil Ihrer Haushaltungskosten steuerlich als Betriebskosten abzusetzen? Wenn Sie zu Hause arbeiten möchten, um mehr Zeit für Ihre Familie zu haben, können Sie in der verbleibenden Zeit genügend Arbeit erledigen und den Ansprüchen Ihrer Kunden weiterhin gerecht werden?

> **Zukunftsperspektiven** Welche Möglichkeiten der Expansion haben Sie? Was sind Ihre beruflichen Aussichten für die nächsten fünf oder zehn Jahre? Wie flexibel können Sie durch Ihre Arbeit auf Veränderungen wie beispielsweise die Geburt eines Kindes reagieren? Was passiert, wenn Ihr Partner sich entscheidet, auch zu Hause zu arbeiten?

> **Persönliche Vorlieben** In welcher Arbeitsumgebung fühlen Sie sich wohl und können konzentriert und effektiv arbeiten? Benötigen Sie eine klassische Büroatmosphäre mit dem entsprechenden Mobiliar, damit Sie sich vollkommen Ihrer Arbeit widmen können, oder bevorzugen Sie beispielsweise eine entspannte, weniger nüchterne Arbeitsumgebung, die Ihre Kreativität anregt?

> **Sozialkontakte** Wer es gewöhnt ist, im Team oder einer lebhaften Büroumgebung zu arbeiten, kann sich am häuslichen Arbeitsplatz isoliert fühlen. Haben Sie Techniken oder Ideen, wie Sie dieser Art von „Vereinsamung" entgegen wirken können? Gibt es in Ihrer Umgebung Einrichtungen wie Fitnessclubs, Cafés oder ähnliches, die Sie aufsuchen können, um Kontakte zu knüpfen und zu pflegen?

⌐ Eine Aussicht kann – besonders bei kreativen Tätigkeiten – die Konzentration fördern. Abgesehen davon benötigen alle Arbeitsräume reichlich Tageslicht. Hier wurde der Raum so aufgeteilt, dass sowohl der Arbeits- als auch der Wohnbereich vom schönen Blick in den Garten profitieren.

⌃ Der Arbeitsbereich wird durch mattierte Glasschiebetüren vom Wohnbereich abgetrennt. Die Wandregale ermöglichen eine ordentliche Unterbringung von Akten und Arbeitsmaterialien. Der ergonomisch geformte Schreibtischstuhl ist für die Arbeit am Computer unerlässlich.

DIE LAGE DES ARBEITSZIMMERS

Um sich voll auf die Arbeit konzentrieren zu können, benötigen viele Menschen einen gewissen Abstand zwischen Arbeitsplatz und Privatraum. (Wenn Sie noch nie zu Hause gearbeitet haben, mag es Ihnen unvorstellbar erscheinen, welche starke Anziehungskraft so lästige Dinge wie ein Stapel Bügelwäsche oder der ungemähte Rasen ausüben können. Aber wenn man plötzlich vor einem leeren Bildschirm sitzt, oder das baldige Ende einer Frist droht, können solche sonst so unangenehmen Aufgaben plötzlich sehr verlockend sein.) Der große Vorteil des Pendelns zwischen Arbeitsplatz und Wohnung besteht wahrscheinlich darin, dass es eine deutliche Zäsur zwischen Arbeits- und Privatleben darstellt, die uns die Umstellung vom einen zum anderen erleichtert.

Die Lage des Arbeitsraums kann aber auch helfen, den nötigen Abstand zu gewinnen: Wenn man beispielsweise erst eine Treppe hinaufsteigen muss, um ein Büro unter dem Dach zu erreichen, oder wenn man eine Tür hinter sich schließen kann, entsteht eine deutliche räumliche Trennung zwischen den beiden Lebensbereichen. Um sich auf die Arbeit einzustimmen, kann es hilfreich sein, jeden Arbeitstag mit der gleichen Tätigkeit zu beginnen, etwa dem Lesen der Zeitung, dem Lösen eines Kreuzworträtsels oder aber dem Erledigen der Post und anderer Verwaltungsaufgaben.

Ein Ausblick, der oberflächlich betrachtet zunächst ablenkend wirken kann, ist in vielen Fällen sogar der Kreativität zuträglich. „Löcher in die Luft starren" heißt nicht unbedingt untätig sein – besonders für kreative Tätigkeiten ist es oft sogar notwendig, um neue Ideen vor dem geistigen Auge zu entwickeln. Versuchen Sie darum möglichst, Ihren Arbeitsplatz in der Nähe eines Fensters einzurichten. Zumindest aber sollte Ihr Arbeitsplatz die Möglichkeit bieten, den Blick schweifen zu lassen. Eine Idee hierfür ist eine Zwischenebene, von der man über den Raum blickt. Ein erweitertes Blickfeld unterstützt den kreativen Denkprozess.

Umgekehrt ist die Trennung zwischen Arbeits- und Privatleben psychologisch sehr wichtig. Wer zu Hause arbeitet, benötigt ein ausgewogenes Verhältnis zwischen Arbeit und Freizeit. Sie müssen die Möglichkeit zum Entspannen haben

⌄ Ein breites Fenster zwischen dem Wohnzimmer und dem tiefer gelegenen Büroraum ermöglicht einen ungewöhnlichen Ausblick. Auch erhöht liegende Arbeitsbereiche sorgen für den nötigen psychologischen Abstand, ohne den Kontakt zur häuslichen Umgebung vollständig zu unterbinden.

⌐ Der Arbeitsbereich unter der Zwischendecke in diesem umgebauten Loft ermöglicht ungestörte Konzentration. Neben der Ausstattung ist auch die Lage eines Arbeitsbereichs entscheidend für die Produktivität.

‹ Gutes Tageslicht ist für fast alle Arbeitsräume wichtig. Hier wird der hohe Raum durch große Fenster mit Licht versorgt. Die weißen Stoffbahnen sorgen für eine lockere Unterteilung, und die reflektierenden Oberflächen verteilen das Licht gleichmäßig im Raum.

⌄ Ein nicht anderweitig genutzter Raum ist ein ideales Arbeitszimmer. Es bietet die nötige Ruhe, und der Arbeitsplatz muss nicht jeden Abend aufgeräumt werden.

‹‹ Hier ist ein kompakter Arbeitsplatz mit reichlich Regalfläche an einer Seite des Wohnraums untergebracht und kann hinter Schiebetüren verborgen werden.

‹ Es bedarf keines großen Aufwandes, um einen effizienten Arbeitsraum zu schaffen. Hier besteht der zweite Arbeitstisch aus gebrauchten Aktenschränken und einer Tischplatte, während ein alter Küchentisch als Schreibtisch dient.

und die Anspannung der Arbeit hinter sich lassen können. Wenn Sie zu den Menschen gehören, die schlecht abschalten können, solange sie ihre Arbeit vor Augen haben, sollten Sie Ihren Arbeitsplatz so einrichten, dass Sie ihn am Ende des Tages hinter sich lassen können, beispielsweise in einem separaten Raum oder hinter einer Trennwand.

INTEGRIERTE ARBEITSBEREICHE

Durch tragbare Arbeitsgeräte wie Laptops, Palmtops und Mobiltelefone ist es heute theoretisch möglich, überall zu arbeiten: im Bett, am Küchentisch, im Garten oder in einem Café. In der Praxis ist ein fester Arbeitsbereich aber geradezu unerlässlich, bsonders bei einer hauptberuflichen Tätigkeit, die daheim ausgeübt wird.

Für die Einrichtung eines Arbeitsbereichs bieten sich vor allem wenig genutzte Räume an. Typische Beispiele sind ein Esszimmer, das selten gebraucht wird, da Sie meistens in der Küche essen, ein meist leer stehendes Gästezimmer oder das Zimmer eines Kindes, das inzwischen erwachsen ist. Ein solcher Raum braucht nur noch entsprechend eingerichtet zu werden.

> Ein ausgebauter Dachboden kann gut als Büro dienen. Die Dachfenster lassen das Tageslicht herein. Wenn man das Büro täglich nutzt, sollte man die Dachbodenleiter durch eine stabile Treppe ersetzen. Der enge Raum zwischen Dachschräge und Boden kann wie hier durch Regalelemente auf Rollen zur Aufbewahrung von Akten und Büromaterial optimal ausgenutzt werden.

Wenn das Raumangebot jedoch knapp ist, muss Ihr Arbeitsplatz unter Umständen in ein anderes Zimmer integriert werden. Das klingt schwieriger, als es in Wirklichkeit ist. Wenn alle anderen Familienmitglieder das Haus tagsüber verlassen, kann man auch in Gemeinschaftsräumen wie etwa der Küche oder dem Wohnzimmer die nötige Ruhe zum Arbeiten finden. Ähnliches gilt für Schlafräume, die hauptsächlich nachts genutzt werden und tagsüber relativ unproblematisch anderen Zwecken dienen können.

Manche Zimmer bieten sich besonders als Mehrzweckzimmer an. Ein Raum in L-Form ist im Prinzip schon in zwei Bereiche aufgeteilt, und man muss keine zusätzliche Trennung einziehen, wenn man seinen Arbeitsbereich in einem Schenkel des L einrichtet. Ansonsten lässt sich auch mit anderen Mitteln leicht eine optische Trennung herstellen. Eine Regal- oder Schrankwand mit einer Schreibplatte kann abends hinter einem Vorhang, Türen, einem Paravent oder einer Jalousie verschwinden oder auch permanent durch einen Raumteiler wie ein Regal oder einen Schrank verborgen sein.

Ein großer Flur, ein Treppenabsatz, aber auch der Platz unter einer Treppe kann sich als Arbeitsbereich anbieten. In einem solchen Fall sollten Sie allerdings tagsüber allein sein, damit die übrigen Hausbewohner nicht ständig an Ihnen vorbei laufen und Sie ablenken. Selbst wenn sich diese Bereiche in Ihrer Wohnung nicht für einen Arbeitsplatz selbst eignen, könnten sie durchaus als Stauraum für Akten und Bürobedarf dienen. So gewinnen Sie vielleicht mehr Platz für Ihren eigentlichen Arbeitsbereich.

AUS- UND ANBAU

Auch ein Dachgeschoss- oder Kellerausbau oder ein Anbau an Ihr Haus kann den nötigen Platz zum Arbeiten schaffen. Dabei sollten aber verschiedene Lösungsansätze bedacht werden. Beispielsweise müssen Sie keinen kompletten zusätzlichen Raum anbauen, wenn Sie die Küche durch einen Anbau gleichzeitig zum Esszimmer umfunktionieren und so das Esszimmer als Büro nutzen könnten. Denkbar wäre es auch, das Schlafzimmer in das ausgebaute Dachgeschoss zu verlegen und das ehemalige Schlafzimmer als Büroraum zu nutzen. Diese Lösung ist vor allem sinnvoll, wenn Sie beruflich viel Publikumsverkehr haben.

Wenngleich sich Investitionen in Aus- oder Anbauten meist durch die Wertsteigerung des Eigentums auszahlen, kosten sie zunächst einmal Geld und Nerven. Daher sollten Sie sich darüber klar werden, ob Sie eine solche Investition finanziell bewältigen können und ob sie überhaupt sinnvoll ist. Wenn Sie beispielsweise nicht dauerhaft, sondern nur über einen gewissen Zeitraum zu Hause arbeiten werden, ist es meist klüger, nach einer anderen Lösung zu suchen.

LOFTWOHNUNG UND TEILGEWERBLICHE NUTZUNG

Der Loft ist die moderne Spielart der Atelierwohnung, bei der die Grenzen zwischen „Arbeiten in der eigenen Wohnung" und „Wohnen am Arbeitsplatz" verschwimmen. Die ersten Lofts entstanden in großen Metropolen wie New York oder London, inzwischen erfreut sich diese Wohnform aber weltweit nicht nur in Städten wachsender Beliebtheit. Den Trend zum Home-Office hat sie maßgeblich mit geprägt. Im Gegensatz zu vielen einfachen Wohnungen, die lediglich von geschäftstüchtigen Maklern zu Atelierwohnungen stilisiert werden, verfügen echte Lofts aufgrund ihrer früheren industriellen oder kommerziellen Nutzung über bauliche Eigenschaften, durch die sie für ein kombiniertes Wohn- und Arbeitsleben sehr gut geeignet sind.

Echte Lofts haben meist hohe Decken und bieten viel Tageslicht. Aufgrund ihrer Höhe kann man Zwischenebenen einziehen, was für die nötige Distanz zwischen Arbeits- und Wohnraum sorgt und einen Weitblick erlaubt, der die Konzentration fördert. Auch lassen sich Arbeitsgeräte und Büromöbel oft leichter in das industrielle Ambiente eines Lofts integrieren als in die private Atmosphäre einer konventionellen Wohnung.

Der neue Wohntrend hat, ebenso wie die Umstrukturierung des Arbeitsmarktes, dazu geführt, dass sich Bestimmungen zur Zweckentfremdung beziehungsweise Umwidmung von leer stehenden Räumen allmählich lockern. Noch vor wenigen Jahrzehnten kam es oft zu Auseinandersetzungen mit den Behörden, als leer stehende Lagerhäuser, Montagehallen, Fabriken und andere gewerbliche Räume umgenutzt wurden. Bald erkannten aber einige Kommunen, dass die neue Nutzung älterer Gewerbebauten helfen kann, Stadtviertel wieder zu beleben und alte Bausubstanz zu erhalten. Durch die Entwicklungen am Arbeitsmarkt werden heute gelegentlich sogar Neubauten von vornherein für teilgewerbliche Nutzung konzipiert, die Umwidmung vorhandener Gebäude wird teilweise weniger stark reglementiert.

❯ Die funktionale Ästhetik von Lofts lässt Arbeitsbereiche überhaupt nicht mehr als Fremdkörper in der Wohnung wirken. Wenn viel Raum zur Verfügung steht, ist genügend Platz für eine Expansion des Geschäfts vorhanden.

Teilgewerbliche Nutzflächen verfügen häufig schon über technische Ausstattung wie Internetanschluss und andere Kommunikationseinrichtungen. Oftmals ist aber im Miet- oder Kaufvertrag genau festgelegt, wie viel Prozent der vorhandenen Fläche oder welche Bereiche gewerblich genutzt werden dürfen. Die als Gewerberaum ausgewiesenen Flächen dürfen andererseits auch nicht privat genutzt werden, etwa als zusätzliches Schlafzimmer.

Manchmal gibt es Bestimmungen darüber, welche Gewerbe sich ansiedeln dürfen. Diese betreffen beispielsweise die Lärmentwicklung durch die gewerbliche Nutzung oder die generelle Beeinträchtigung der Nachbarn durch Verschmutzung oder Kundenverkehr. Daher sind Gewerbe, die auf Publikumsverkehr angewiesen sind, meist nicht geeignet. Die Nutzungsbedingungen beziehungsweise -vorschriften können von Bundesland zu Bundesland variieren. Hier sollten Sie sich vor Ort informieren.

Bevor Sie also teilgewerbliche Flächen mieten oder kaufen, sollten Sie finanzielle Vor- und Nachteile gut gegeneinander abwägen. Möglicherweise ist die Miete eine Kombination aus

‹ Frei liegende Dachbalken und Sparren bilden einen schönen Kontrast zu einem eleganten Ausbau mit glatt verputzten Wänden und Hartholzböden. Durch die in eine Giebelwand eingebauten Bücherregale und einen einfachen Falttisch als Schreibtisch gibt es hier keine offensichtliche Trennung von Wohnraum und Arbeitsplatz.

^ Alle Merkmale eines echten Lofts: Frei liegende Balken, eine hohe Decke, viel Tageslicht und ein offener Grundriss. Die verschiedenen Wohnbereiche werden von den Dachbalken und Sparren definiert, ohne dass der Raum unterteilt werden müsste.

˥ Ausgebaute hohe Räume können durch Zwischengeschosse sehr wirksam unterteilt werden. Hier dient das Zwischengeschoss als Schlafzimmer, während der Arbeitsbereich durch eine hoch aufgehängte Stoffbahn abgeschirmt wird.

› Durch große Dachfenster hereinflutendes Tageslicht verbessert die Arbeitsatmosphäre.

Wohnraummiete und gewerblicher Miete, eventuell können Sie auch einen Teil Ihrer Haushaltungskosten als Betriebskosten absetzen. Weil eine genaue finanzielle Planung sehr wichtig ist, sollten Sie sich vorher umfassend beraten lassen.

SCHUPPEN UND NEBENGEBÄUDE

Scheunen und Schuppen, in denen früher Familienväter gern zwischen Gartenmöbeln, Blumentöpfen und Gartengeräten Zuflucht vor dem turbulenten Familienleben suchten, werden heute oft zu Arbeitsräumen umgebaut. Das Attraktive an einem solchen Schuppen ist seine ruhige, vom Wohnhaus abgetrennte Lage (was vielleicht der Grund ist, warum viele Männer hier so gerne ihre Zeit verbringen). Schriftsteller haben den Vorteil dieser isolierten Lage schon lange erkannt und nutzen Schuppen oft als Schreibstube. Der Schuppen, in dem beispielsweise George Bernhard Shaw schrieb, stand sogar auf einer Drehscheibe, damit er mit dem Sonnenlicht gedreht werden konnte.

Wenn Ihr Garten groß genug ist, kann ein Arbeitszimmer in einem Schuppen oder Gartenhaus viele Vorteile bringen. Die räumliche Trennung von Wohnen und Arbeiten ist schon durch das Verlassen des Hauses und den Weg durch den Garten zur Arbeit gegeben. Ein Gartenhaus oder ein anderes Nebengebäude mit eigenem Zugang von der Straße aus ist besonders sinnvoll, wenn Sie Publikumsverkehr haben.

Heute werden viele Arten von Schuppen und Gartenhäusern in Fertigbauweise hergestellt und als fertige Bausätze verkauft. Einige Modelle lassen sich relativ einfach zu Arbeitsräumen ausbauen. Aber Sie werden dennoch die Hilfe von Fachleuten benötigen, wenn zum Beispiel Strom- und Telefonanschlüsse gelegt werden müssen. Damit Ihr Arbeitsraum nicht wie eine Gartenlaube wirkt, sollten Sie eher auf die schlichteren Modelle zurückgreifen, die in großer Auswahl angeboten werden. Ein Vorteil der Bausätze ist ihre relativ einfache Montage. In jedem Fall ist zu überlegen, wie die technische Ausstattung Ihres Büros im Gartenhaus vor Diebstahl zu sichern ist.

Wenn Schuppen, Garage oder ein anderes Nebengebäude in einen Büroraum verwandelt werden sollen, sind bürokratische Hürden zu nehmen. So existieren in vielen Verwaltungsbezirken Bebauungspläne und andere Vorschriften, die regeln, ob eine Garage, ein alter Stall oder andere Nebengebäude aus- oder umgebaut werden dürfen. Auf eine Nachfrage bei den zuständigen Behörden sollten Sie nicht verzichten. Mit solchen Genehmigungsverfahren ist zwar viel Arbeit verbunden, ersparen aber unter Umständen hohe Strafgebühren.

∧ Diese Kombination aus Fotostudio und Galerie in Kalifornien ist eine schlichte Rahmenkonstruktion aus Sequoiaholz und Sperrholzplatten. Das Holz für den Rahmen ist bestens abgelagert: es wurde aus gefällten Bäumen geschnitten, die schon jahrelang auf dem Grundstück lagen. Im Studio steht eine wegen des Lichts nach Norden ausgerichtete Fotowand frei im Raum.

❯ Das „Yardbird", ein vom Architekten Neil Deputy entworfenes Heimbüro, ruht auf Stahlpylonen und einer Betonwand. Es besteht aus Fertigelementen: Metallwände und Jalousiefenster.

❯❯ In einem ausreichend großen Garten kann man vorgefertigte Bauten als vom Haus abgetrenntes Büro nutzen. Diese Version ist als Büro konzipiert und bringt bereits Isolierung und fertig montierte elektrische Anschlüsse mit.

ERGONOMIE UND PRODUKTIVITÄT

Wenngleich sich inzwischen manche Unternehmen bemühen, ihre Räume freundlich zu gestalten und eine angenehme Arbeitsatmosphäre zu schaffen, sind die meisten Büros weiterhin mit rein funktionalen Möbeln und einheitlich grauen Jalousien ausgestattet. Gerade in der Möglichkeit, seinen Arbeitsraum persönlicher zu gestalten, mag einer der Anreize liegen, sein Berufsleben nach Hause zu verlagern.

Vergessen Sie bei aller Gestaltungsfreude im neuen Arbeitsraum aber nicht den großen Vorteil Ihres Büroarbeitsplatzes – sein ergonomisches Design. Büroeinrichtungen mögen zwar nicht schön sein, aber moderne Ausstattungen sind häufig nach neuesten ergonomischen Gesichtspunkten entworfen, die die Produktivität am Arbeitsplatz fördern und gleichzeitig die Gefahr von Arbeitserkrankungen minimieren. Wer zu Hause arbeitet, ist auch hier nicht vor typischen Erkrankungen wie Rückenschmerzen, RSI-Syndrom („Mausarm") oder schmerzenden Augen gefeit. Im Gegenteil: Das Risiko kann sich sogar erhöhen, wenn für den Büroalltag ungeeignetes Mobiliar verwendet wird.

> **Beleuchtung** Für die meisten Arbeiten ist eine Lichtstärke zwischen 500 und 1000 Lux erforderlich. Bei der Arbeit am Computer kann die Lichtintensität etwas niedriger liegen – zwischen 300 und 500 Lux – da der Bildschirm selbst eine Lichtquelle ist. Nicht blendende Hintergrundbeleuchtung kann durch Deckenfluter geliefert werden. Wenn Sie aber auch Papiere lesen oder bearbeiten müssen, benötigen Sie zusätzlich eine Schreibtischlampe.

> **Arbeitsfläche** Bei der Arbeitsfläche ist die richtige Höhe sehr wichtig. Grundsätzlich gilt, dass eine Tastatur sich unterhalb der normalen Schreibfläche eines Schreibtischs befinden sollte. Der Bildschirm sollte allerdings etwas höher stehen als die Schreibtischplatte. Sehr effektiv werden diese Probleme von Schreibtischen gelöst, die unterschiedlich hohe Flächen oder einen niedriger angebrachten Tastaturauszug haben. Zudem schützen abgerundete Kanten der Schreibtischplatte Arme und Gelenke.

> **Tastatur** Für ein angenehmes und wenig belastendes Arbeiten sollte die Tastatur mit 10 cm bis 40 cm Abstand direkt vor dem Körper stehen. Dabei sollte ihre Höhe so eingerichtet sein, dass man beim Arbeiten weder Schultern noch Arme anheben muss und die Handgelenke gerade sind.

> **Stühle** Sitzende Arbeit erfordert ergonomisch geformte Sitzmöbel, die auf jeden Fall verschiedene Bewegungsabläufe erlauben und gleichzeitig unterschiedliche Sitzpositionen unterstützen sollten. Die Sitzfläche sollte gepolstert, neigbar und an der Vorderkante abgerundet sein. Auch die Sitzhöhe sollte verstellbar sein, damit man die Füße flach auf den Boden setzen kann. Die Rückenlehne sollte der Form der Wirbelsäule angepasst und ebenfalls neigbar sein, damit man sich strecken, nach hinten lehnen und die Sitzposition wechseln kann.

> **Stauraum** Oftmals ist ein Arbeitszimmer relativ einfach in die Wohnung zu integrieren. Problematischer ist jedoch die Unterbringung von Akten, Buchhaltungsunterlagen, Nachschlagewerken, Bürobedarf, Rechnungen und Steuerunterlagen. Für eine sinnvolle Einteilung Ihrer Arbeit und Unterbringung all Ihrer Arbeitsmaterialien kann die Einrichtung von zwei oder drei verschiedenen Aufbewahrungsorten und -systemen sinnvoll sein: Um den Schreibtisch herum benötigen Sie Stauraum für alles, was Sie ständig bei der Arbeit benutzen. Ein zweites Aufbewahrungssystem sollte in der näheren Umgebung sein. Der dritte Stauraum ist dann das so genannte Archiv, das ruhig im Keller oder außer Sicht liegen kann. Hier werden alte Akten, Steuerunterlagen vergangener Jahre und alle abgeschlossenen Vorgänge aufbewahrt.

⌄ Das schwimmende Heimbüro eines Architekten in der San Francisco Bay: Der Betonrumpf, gegossen nach dem Vorbild von Pontons aus dem Zweiten Weltkrieg, trägt eine Holzrahmenkonstruktion mit Wellblechwänden.

⌄ Bauernhöfe, Scheunen und andere Außenbauten bieten Raum zur Expansion, wenn sich der Ein-Mann-Betrieb zum florierenden Unternehmen entwickelt. Allerdings sollte man die erforderlichen Genehmigungen einholen, bevor man ein Nutzgebäude umbaut.

UMGEBAUTER WASSERTURM

Die Idee des Wohnens in leer stehenden Lagerhäusern und Fabrikhallen entstand in Städten wie New York und Amsterdam. Heute wird eine erstaunliche Vielzahl von ehemaligen Nutzgebäuden zu Lofts oder Atelierwohnungen umgebaut. Nur wenige stellen allerdings eine solche Herausforderung dar wie dieser Wasserturm aus massivem Beton.

Der 1907 errichtete und 1977 vom Betreiber aufgegebene Turm erhebt sich auf einem Hügelrücken über der Universität von Yale mit Blick über New Haven und den Long Island Sound im amerikanischen Bundesstaat Connecticut. Als die Eigentümer, zwei frisch ordinierte Professoren, ihn entdeckten, war er feucht, fensterlos und heruntergekommen. Aber der Charme des festungsartigen Baus, der fantastische Ausblick und die ungewöhnliche zylindrische Form verfehlten ihre Wirkung nicht.

Die vorhandene Struktur des Turms diktierte die neue Raumaufteilung. Unter der Decke verlaufen von Norden nach Süden und von Osten nach Westen jeweils zwei armierte Betonträger, die an ihren Schnittpunkten von vier großen Betonsäulen gestützt werden. Die Eigner wollten möglichst wenig in die Bausubstanz eingreifen, aber der Raum sollte nicht nur zum Leben und Arbeiten dienen, sondern auch eine gewisse Privatsphäre bieten. Deshalb wurde auf halber Höhe der vorhandenen Säulen ein Zwischengeschoss eingezogen, das auf Trägern aus Douglas-

⌐ Der Wasserturm in seinem ursprünglichen Zustand – feucht, fensterlos und mit angeschlagenen Wänden. Das zum Dach führende externe Treppengehäuse ist erhalten geblieben.

⌐ Das Schlafzimmer blickt nach Osten, sodass die Eigner von der aufgehenden Sonne geweckt werden. Eine Glasgalerie führt vom Schlafzimmer durch die nach oben offene Bibliothek zur Metalltreppe. Eine Glasschiebetür schließt es zum Gang hin ab und ein hervorstehendes Erkerfenster lässt viel Tageslicht herein.

∟ Nach Sanierung und Umbau wirkt der Turm wie eine elegante mediterrane Villa. Die großen verglasten Türen öffnen den Zugang zur Terrasse, die mit Kletterpflanzen begrünt ist und von einer Segeltuchmarkise vor starkem Sonnenlicht geschützt wird.

∨ Der dunkle Betonboden des südseitigen Wohnraums dient durch seine Farbe und die Lage zur Sonne als Wärmespeicher. Der große Kachelofen entstand nach Vorbildern, die die Eigner in der Schweiz gesehen hatten.

<< Der Kern oder die „Seele" des Hauses ist die von den vier tragenden Säulen eingerahmte, zweistöckige Bibliothek. Auf der einen Seite befindet sich die ins Obergeschoss führende Treppe, auf der anderen die Küche. Durch vier Deckenöffnungen gelangt Tageslicht in die Bibliothek.

< Die großzügige Terrasse wurde mit Abraum aus dem Inneren des Turms angelegt. Der Garten ist weitgehend naturbelassen.

> Das Obergeschoss wird von kräftigen Trägern aus Douglas-Fichte getragen, die in den Betonsäulen verankert sind. Eine Glasgalerie verbindet das Schlafzimmer mit der Metalltreppe.

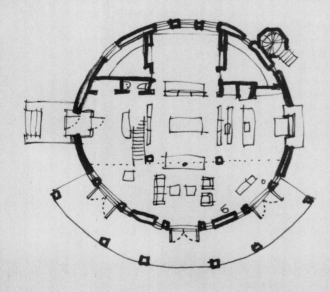

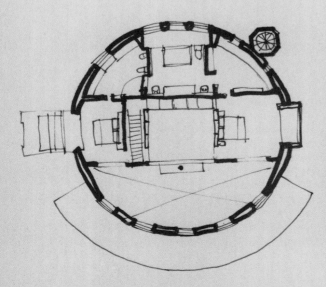

Fichte ruht. Den Boden bilden Nut- und Federbretter, die auf der Oberseite schwarz gebeizt und auf der Unterseite, die ja die Decke des Erdgeschosses bildet, hellblau gestrichen sind.

Die Säulen bilden die Eckpunkte eines quadratischen Raums, in dem die zweistöckige Bibliothek mit 150 laufenden Metern an Büchern Platz findet. Im Erdgeschoss öffnet sich die Bibliothek zu einem nach oben offenen Wohnbereich. Im Obergeschoss, das man vom Entree her über eine Metalltreppe erreicht, wird die Bibliothek von zwei Schlafzimmern flankiert.

Die 45 cm dicken Betonwände stellten beim Durchbruch von Fenster- und Türöffnungen eine echte strukturelle Herausforderung dar. Man setzte rundum Fenster ein, versah die Südseite mit großen Glastüren und stattete das Dach mit vier Lichtöffnungen aus. Küche und Hauptschlafzimmer erhielten aus der Fassade hervorstehende Erkerfenster, um eine Verbindung zum Außenraum herzustellen. Der Innenraum ist von Licht durchflutet, das sich mit dem Gang der Sonne fortlaufend verändert.

Die Betonwände wurden zunächst von außen ausgebessert und dann ockerfarben verputzt. Im Inneren wurden sie sandgestrahlt und zweifach gekalkt. Der massive Betonmantel bildet eine sehr wirksame Isolierung, indem er den Innenraum im Sommer kühlt und im Winter die Wärme drinnen hält.

FAMILIENNEST

Wie neueste Studien zeigen, hat das konventionelle Familienbild „Vater, Mutter, zwei Kinder" heute weitgehend ausgedient. Die moderne Familie ist wesentlich vielgestaltiger: Allein erziehende Eltern mit einem Kind, Familien, die sich ihr Haus mit anderen Bewohnern wie Au-Pairs, Kindermädchen, Großeltern oder erwachsenen Kindern teilen. Familien gibt es heute in allen Formen und Größen, aber vielen ist gemeinsam, dass mehrere Generationen unter einem Dach zusammenleben.

Wo aber mehrere Generationen einen gemeinsamen Haushalt bewohnen, da gibt es auch gegensätzliche Ansprüche und Bedürfnisse. Diese können sich in konkreten Problemen bemerkbar machen, wie etwa an der Frage, wer sich mit wem ein Zimmer teilen muss. Oder es geht um weniger Greifbares, beispielsweise das individuelle Bedürfnis nach Ruhe oder Ordnung. Was für Erwachsene „laut" ist, ist für die meisten Jugendlichen „fast nicht zu hören". Unter solchen Umständen kann die Planung eines gemeinsamen Hauses zu genau der Art von schwierigen und zähen Verhandlungen führen, die selbst für einen erfahrenen Vermittler eine Herausforderung darstellt. Auf jeden Fall bringt ein solcher Prozess viele Kompromisse mit sich, damit die Bedürfnisse und Wünsche aller Familienmitglieder berücksichtigt werden können.

Es gibt also keine Lösung, die für alle Familien gilt. Genauso wenig kann man erwarten, dass eine im Moment richtige Lösung für alle Zeit Bestand hat. Gerade in einer Familie mit Kindern muss man sich auf Veränderungen einstellen. In erschreckend kurzer Zeit wird aus dem krabbelnden Kleinkind ein Jugendlicher, aus dessen Zimmer laute Musik dröhnt. So kann ein Haus, das speziell für die Bedürfnisse einer Familie mit kleinen Kindern ausgelegt ist, unpraktisch werden, wenn diese in die Schule kommen. Vollkommen unzweckmäßig ist es spätestens dann, wenn die Kinder zu Jugendlichen herangewachsen sind.

Wenn ein weiteres Kind unterwegs ist oder wenn die Kinder ihr eigenes Zimmer beanspruchen, ziehen viele Familien um. Wer aber flexibel plant und gewisse Grundlagen beachtet, kann solche Veränderungen von vornherein mit einplanen. Denken Sie immer einen Schritt voraus, dann wächst Ihr Haus mit der Familie.

PLANUNG UND AUFTEILUNG

Einer der wichtigsten Punkte bei der Planung eines Einfamilienhauses ist das Gleichgewicht zwischen gemeinsam genutzten und privaten Räumen. Die Zeiten, in denen Kinder nicht gehört und gesehen wurden, da sie rund um die Uhr unter der Kontrolle von Hauslehrern und Kindermädchen standen, sind Gott sei Dank vorbei. Aber ein Haus, in dem alle Räume immer allen offen stehen, bietet weder den Eltern noch den Kindern eine Möglichkeit zur Entspannung.

Gemeinsam genutzter Raum kann so klein sein wie ein großes Bett, aber auch so groß wie eine offen gestaltete Wohnküche mit Esstisch und Sitzgarnitur. Die Erfahrung zeigt, dass die besten Einfamilienhäuser über zumindest einen großen Raum verfügen, den alle nutzen können, ohne Angst davor haben zu müssen, etwas kaputt zu machen. Es geht hier aber nicht nur um rein praktische Gesichtspunkte. Solch ein Gemeinschaftszimmer bietet Raum für Kommunikation und gemeinsame Aktivitäten – also all das, was das Familienleben ausmacht.

> Jung geblieben

Das Zuhause eines englischen Designer-Ehepaars und seiner vier Kinder verbindet widerstandsfähige Oberflächen mit einem spielerischen Ansatz bei der Einrichtung und Möblierung. Das nahe der Küste auf dem Land gelegene Haus wurde mit einem relativ kleinen Budget entworfen und errichtet.

Auf der Rückseite gewähren große Fenster einen schönen Blick auf den Garten. Die Oberflächen und Anstriche des Innenraums sind mit neutral gestrichenem Verputz und Betonböden eher nüchtern gehalten. Die Küche ist mit marineblauen Mosaikfliesen verkleidet. Die Badezimmerausstattung besteht aus Edelstahlbecken, wie man sie in Krankenhäusern findet. Die haltbaren und pflegeleichten Elemente widerstehen nicht nur den Härten des Familienalltags, sondern bilden auch einen neutralen Hintergrund für jedwede Dekoration. Die konsequente Nutzung eingebauter Stauräume hält die Unordnung im Zaum.

Das Mobiliar ist zwar nicht wertvoll, sieht aber witzig aus und muss nicht dauernd vor den Kindern geschützt werden. Die beiden Sofas im Wohnzimmer waren früher einmal das alte Fischerboot der Familie, das einem Sturm zum Opfer fiel. Der Bug dient heute als Spielhütte im Garten. Die Tischplatte des Esstischs stammt vom Sperrmüll, der Großteil des übrigen Mobiliars von Flohmärkten. Hier zeigt sich das Interesse des Paars an exzentrischen Dingen ebenso wie der Wunsch nach einer entspannt und zwanglos gestalteten Wohnumgebung. Mit der Kletterwand an einem Wohnzimmerende und dem Fischbecken, das gleichzeitig als Spülwasserzisterne dient, ergibt sich ein unprätentiöses, praktisches Zuhause für kleine und große Kinder.

Wie stark sich die Bedürfnisse der Kinder in der Planung niederschlagen, hängt hauptsächlich von der individuellen Vorstellung von Familienleben ab. Gerade in Familien, in denen beide Eltern arbeiten und die Kinder von Kindermädchen, Au-Pairs oder Tageseltern versorgt werden, gibt es vieles zu beachten: Tagsüber muss sich das Haus als Lebenszentrum der Kinder bewähren, abends aber gleichzeitig den Ansprüchen der Erwachsenen genügen. Das Fazit ist, dass jeder einen Raum benötigt, den er ganz für sich alleine hat.

DIE FAMILIENKÜCHE

Anstelle des konventionellen Wohnzimmers ist heute die Küche der am besten geeignete Kandidat für einen gemeinsam genutzten Raum. Genauso, wie sich auf Parties immer alle Leute in der Küche treffen, ist eine große Küche der Ort, an dem sich tagsüber die meisten Aktivitäten abspielen. In der modernen Wohnküche wird nicht nur gekocht und gegessen. Hier machen die Kinder ihre Hausaufgaben oder üben auf ihren Instrumenten. Hier wird der Familienalltag geplant. So ist die Küche ein einladender und gemütlicher Raum, der durch seine vielen Funktionen das Zentrum des modernen Familienlebens bildet. Idealerweise hat die Küche eine Verbindung zum Garten oder zur Terrasse. Dann können bei schönem Wetter einige der Aktivitäten an der frischen Luft stattfinden, und die Kinder können sich frei bewegen, ohne dass die Eltern sie aus dem Auge verlieren.

Immer weniger Familien haben heute feste Essenszeiten. Meistens isst jeder dann, wenn er gerade Zeit hat. Ein großer Holztisch mit Platz für alle Familienmitglieder ist aber dennoch ein zentraler Treffpunkt, an dem die Familie sich austauscht. Darüber hinaus halten sich Kinder in einer großen Familienküche häufiger auf als in einer herkömmlichen, funktional beschränkten Küche. So kommen sie eher in Kontakt mit den alltäglichen Haushaltsaufgaben wie Kochen oder Spülen und können leichter an sie herangeführt werden. Den Platz für eine solch große Küche kann man gewinnen, indem man beispielsweise einen angrenzenden Raum wie das Esszimmer mit der Küche verbindet. Oder man erweitert die Küche durch einen kleinen Anbau zum Garten hin.

⌄ Der große, sonnenbeschienene Holztisch mit Blick in den Garten ist ein gemütlicher Essplatz für die Familie. Die offene Gestaltung von Küchen- und Wohnbereich wird durch den durchgehenden Bodenbelag unterstrichen.

⌐ Auf hohen Beinen frei stehende Küchenmöbel unterstreichen die Geräumigkeit dieser Küche und lassen das Parkett zur vollen Geltung kommen. Eine effiziente Abluftanlage zum Absaugen unangenehmer Essensgerüche ist in jeder Küche wichtig, in Wohnküchen aber absolut unerlässlich.

⌐ Eine in kindgerechter Höhe angebrachte Arbeitsplatte mit eigener Spüle bietet Raum für kreatives Spielen mit Farbe, Leim und Lebensmitteln.

∧ Eine Familienküche sollte einen direkten Zugang zum Garten haben, damit die Eltern auch beim ständigen Wechsel zwischen Drinnen und Draußen ein wachsames Auge auf ihre Kinder haben können. Die Arbeitsplatte im Vordergrund dient hier gleichzeitig als Anrichte für kleine Mahlzeiten und Snacks.

DAS WOHNZIMMER

Wenn die Familienküche viele Alltagsaktivitäten aufnimmt, kann dem Wohnzimmer wieder eine klarere Aufgabe als Ort der Erholung und Entspannung zukommen. Früher war das Wohnzimmer oder die Gute Stube der Ort, an dem man Gäste empfing und Statussymbole präsentierte. Daher wurde dieser Raum selten genutzt, um die wertvollen Besitztümer zu schonen. In der jüngeren Vergangenheit galt das Wohnzimmer dann schlicht als ein weiterer Raum, in dem das Familienleben mit all seinen teils widersprüchlichen Aktivitäten stattfand. Manchmal war es auch einfach nur das Zimmer, in dem die ganze Familie Platz vor dem Fernseher hatte. Erst heute, wo immer mehr Haushalte mehrere Fernseher besitzen und sich viele Menschen für eine große Wohnküche begeistern, ändert sich das Bild wieder. Nun haben wir die Chance, dem Wohnzimmer einen anderen Wert beizumessen. Vielleicht wäre es sinnvoll, es als Rückzugsraum zu sehen, in dem man in Ruhe ein gutes Gespräch, ein Buch, die Zeitung oder Musik genießen kann.

‹ Ein familiengerecht dimensioniertes Sofa dient zum Kuscheln, gemeinsamen Musikhören und Fernsehen. Aus praktischen Gründen sollte der Überzug eines solchen Möbels abnehm- und waschbar sein.

˅ Kinder legen großen Wert auf Gemütlichkeit und verbringen in den ersten Jahren sehr viel Zeit mit Spielen auf dem Fußboden. Ein glatter Bodenbelag mag zwar praktisch und widerstandsfähig sein, sollte aber zumindest stellenweise mit Läufern oder Teppichboden gepolstert sein, um Geräusche zu dämpfen und Stürze abzufangen.

˄ Ein halbtransparentes Glaspaneel trennt hier den Spielbereich vom Wohnzimmer ab. So senkt es den Geräuschpegel und begrenzt die Ausbreitung von Spielzeug im ganzen Haus, ohne den Kontakt zum Rest der Familie komplett zu unterbinden.

› Zwei Waschbecken können den allmorgendlichen Stau im Badezimmer verhindern. Die gefliesten Wände sind leicht sauber zu halten.

Es ist vollkommen unzweckmäßig, den Wohnbereich der Familie so einzurichten, dass man Angst hat, sich frei zu bewegen. Andererseits darf das Wohnzimmer aber durchaus ein Raum vor allem für Erwachsene sein, in dem die Kinder nicht unbedingt herumtoben und ihre Spielsachen verteilen müssen. Bei einer kürzlich in Großbritannien ausgestrahlten TV-Produktion, die teils Voyeurismus à la Big Brother und teils Sozialstudie war, ließ man eine Gruppe zehnjähriger Jungen eine Woche lang in einem Haus allein. Es war keine Überraschung, dass die Kinder das Haus innerhalb kürzester Zeit verwüstet hatten.

In einem Wohnzimmer, das nach den Bedürfnissen der Erwachsenen eingerichtet ist, können Kinder lernen, dass man mit bestimmten Dingen vorsichtig umgehen muss. Darüber hinaus bringt eine solche Einrichtung unmissverständlich zum Ausdruck, dass Erwachsene spezifische Bedürfnisse haben.

Auch in einer Zeit, in der viele Haushalte über zwei oder mehr Fernsehgeräte verfügen, hat das offene Feuer eines Kamins nichts von seiner Anziehungskraft verloren. Es wirkt auf Erwachsene wie Kinder gleichermaßen attraktiv und entspannend und hier kann ein wichtiger Treffpunkt für die ganze Familie sein.

BADEZIMMER

Nicht nur in Fernsehserien ist der Streit ums Badezimmer ein häufig strapaziertes Thema. Tatsächlich sorgt das Badezimmer in vielen Familien regelmäßig für Zündstoff. Sehr hilfreich kann hier ein zweites Bad oder zumindest eine separate Gästetoilette sein.

Eine weitere Alternative ist eine zusätzliche Badewanne oder ein Duschraum im Elternschlafzimmer. Hier kann man sich in der Wanne oder unter der Dusche entspannen, ohne dass jemand an die Tür pocht, weil er ins Badezimmer muss. Sehr praktisch sind auch Waschbecken in den Kinderzimmern. Hier können die Kinder ihre Farbkästen und Pinsel nach dem Malen auswaschen, aber auch ihre Zähne putzen. Und einige Jahre später können die Teenager sie für ihre ausgedehnten Schmink- oder Rasierexperimente nutzen, mit denen sie sonst stundenlang das Bad blockieren.

PRIVATSPHÄRE

Die größte Möglichkeit zu Veränderungen innerhalb eines Einfamilienhauses bieten die Schlaf- und Kinderzimmer. Das Leben einer Familie ist fortwährenden, teilweise sogar drastischen Veränderungen unterworfen. Nun kann man sein Haus nicht andauernd vollkommen umbauen, Wände herausreißen oder in alle Richtungen Anbauten errichten. Aber mit ein wenig Muskelkraft und ein paar Tagen Zeit kann man Schlafzimmer tauschen, um den aktuellen Bedürfnissen der Familie besser zu entsprechen.

Babys benötigen nicht viel Platz und verbringen in den ersten Lebensmonaten sowieso die meiste Zeit im Bett. Aber spätestens wenn sie anfangen zu laufen, brauchen Kinder Platz und vor allem Bodenfläche. Bis etwa zum zehnten Lebensjahr verbringen Kinder viel Zeit mit dem, was Psychologen als „grobmotorische Aktivitäten" bezeichnen. Die meisten Menschen nennen es schlicht „Herumtoben". Wenn Sie also nicht möchten, dass Ihre Kinder am Kronleuchter baumeln und der Wohnzimmerteppich voller Legosteine und Eisenbahnschienen liegt, sollten Sie ihnen einen Raum zuweisen, in dem sie sich austoben können. Wenn die Kinder noch klein genug sind, um sich ein Zimmer zu teilen, bietet es sich beispielsweise an, das Elternschlafzimmer in ein gemeinsames

⌄ Badezimmereinrichtung und Armaturen sind in der Regel fest eingebaut. Ausziehbare Stufen und Tritthocker helfen Kindern auf Waschbecken- und Spiegelhöhe.

⌄ Badezimmer benötigen nicht zwangsläufig viel Fußbodenfläche. Freier Raum hilft aber bei der Entspannung. Die Wanne in der Nische hat eine sehr gemütliche Ausstrahlung von Geborgenheit.

Kinderzimmer zu verwandeln. Wenn die Kinder zu Jugendlichen heranwachsen, kommen sie oft wieder mit kleineren Zimmern aus. Sie benötigen dann meist weniger Boden- als vielmehr Wandfläche für ihre Poster und Collagen. Zu diesem Zeitpunkt kann ein erneuter Schlafzimmerwechsel sinnvoll sein, man könnte auch ein großes Zimmer in zwei kleinere Räume aufteilen.

KINDERFREIE ZONE

In einer beengten Wohnung ist das Elternschlafzimmer möglicherweise der einzige Raum, den die Erwachsenen wirklich ihr Eigen nennen können. Dann sollte es jedoch ganz bewusst als Rückzugsort gestaltet werden. Verwandeln Sie Ihr Schlafzimmer in einen Ort, an dem Sie sich gerne aufhalten. Einbauschränke, begehbare Kleiderschränke oder ein angrenzendes Ankleidezimmer helfen die Unordnung in Grenzen zu halten. Gedämpfte Farben und eine schlichte Einrichtung sorgen für eine erholsame Atmosphäre. Und bedenken Sie immer: Es gibt auch heute noch Familien, in denen die geschlossene Schlafzimmertür von den Kindern als Stoppsignal akzeptiert wird.

Man kann aber auch Bereiche in ansonsten gemeinsam genutzten Räumen wie dem Wohnzimmer oder der Küche für sich beanspruchen. Solche offenen kinderfreien Zonen müssen aber wahrscheinlich heftiger verteidigt werden. Ein Schreibtisch an einem Fenster oder in einer Nische kann dennoch ein guter Ort zum Arbeiten oder Nachdenken sein, auch wenn hier keine klare Grenze durch eine Tür gesetzt wird.

⌃ Kinder sind niemals völlig aus den Augen oder aus dem Sinn, aber selbst die liebevollsten Eltern benötigen einen Raum für sich – und das ist in den meisten Fällen das Schlafzimmer. Eine schlichte Einrichtung fördert die Entspannung.

⌃ Ein durchgängig weißes Dekor wirkt ruhig und frisch. Ein großer Spiegel an der Wand verteilt das Tageslicht vom Erkerfenster im Raum. Das gemütliche Sofa lädt in den seltenen ruhigen Momenten zum Lesen ein.

❯ Selbst wenn man nichts davon hält, Kinder mit ins Ehebett zu nehmen, sollte man in ein großes und möglichst komfortables Bett investieren. Hier dienen zwei Stühle als improvisierte Nachttische.

> Einer der Vorzüge eines offenen Grundrisses ist der, dass Kinder reichlich Auslauf zum Rennen und Spielen haben. Schiebetüren und Trennwände bieten Flexibilität in der Aufteilung und Möglichkeit für Privatsphäre im ansonsten offenen Raum.

⌐ Eine Zwischenebene mit Stauraum und Arbeitsflächen dient als Arbeitsbereich und Computerraum der Familie. Alle Tätigkeiten, die Ruhe und Konzentration erfordern, müssen auf die eine oder andere Weise von den Gemeinschaftsbereichen abgetrennt sein.

⌐ Selbst ältere, traditionell aufgeteilte Häuser können sowohl intern als auch nach außen hin geöffnet werden. Die offene Anlage des Küchen-, Ess- und Wohnbereichs im Erdgeschoss spiegelt sich hier in der Glasfront zum Garten hin.

OFFENE RÄUME

Vollkommen offen gestaltete Häuser eignen sich selten für Familien. Viele Paare, die jahrelang glücklich in einem Loft gelebt haben, ziehen Wände ein, sobald das erste Kind kommt. Die Gründe sind offensichtlich: der Wunsch nach Privatsphäre, Intimität oder einfach nach Ruhe und Alleinsein. Dennoch muss man mit einer Familie nicht unbedingt auf das traditionelle Raumschema zurückgreifen. Sie können die Vorzüge beider Arten der Raumgestaltung auch kombinieren. Durch bewegliche Raumteiler, Schiebetüren oder verschiebbare Wände können Sie Ihren Wohnraum in einen eher offenen, öffentlichen Bereich und einen geschützten, privaten Bereich teilen.

Lieblingsorte der Kinder:

Das gesamte Haus

Fenstersitze

Veranden

Verstecke unter der Treppe

Hütten

Spielhäuser

Baumhäuser

Etagenbetten

Draußen

Lieblingsorte der Erwachsenen:

Bett

Jeder spielzeugfreie Raum

Drei Etagen von den Musikübungen entfernt

Arbeitszimmer

Garage

Schuppen

Badezimmer

Ein Hotelzimmer in einer anderen Stadt/ einem anderen Land

∧ Die im rechten Winkel zueinander aufgestellten Betten nutzen das Eckfenster optimal aus und lassen möglichst viel Bodenfläche frei. Die Schubladen unter den Betten halten die Unordnung im Zaum, Spielzeug und andere Dinge bleiben trotzdem leicht erreichbar. Indem jedes Kind gleich viel Raum und Mobiliar zur Verfügung hat, vermeidet man unnötigen Streit unter Geschwistern.

KINDERZIMMER

Das Kinderzimmer ist psychologisch wie physisch ein wichtiger Raum. Für ein Kind ist es der wichtige erste Ort, der ganz ihm selbst gehört, ein Stück eigener Freiraum. Das gilt auch dann, wenn sich zwei Kinder ein Zimmer teilen und der absolut private Bereich nur das eigene Bett ist. Ein Kinderzimmer sollte Raum für die Fantasie lassen. An einer Tafel können Kinder ihre Kreativität erproben. Viel freie Bodenfläche bietet Platz zum Toben und für intensives Spiel. Das Zimmer sollte im sich ständig ändernden Leben der Kinder eine Konstante bilden, sich gleichzeitig aber auch ihrem Leben flexibel anpassen können.

Leider sagen Kinderzimmer oft mehr über die Eltern als über die Kinder aus. Ein drastisches Beispiel hierfür sind die heute modernen Babyzimmer mit aufeinander abgestimmten Tapeten, Gardinen, Vorhängen, Zierleisten und Teppichen. Sie mögen den Eltern gefallen, aber in einem solchen Zimmer bleibt kein Freiraum mehr für die Fantasie des Kindes. Alles ist bereits vorgefertigt. Ein anderer Nachteil solcher Babyzimmer liegt in ihrer extrem kurzen Nutzungsdauer. Sobald das Kind alt genug ist, seine eigenen Wünsche zu äußern, möchte es vielleicht ganz andere Motive als Kuscheltiere oder Spielzeuge auf seiner Tapete. Und schon kurz darauf möchte es seine Wände lieber mit den Postern von Rockstars oder dem gerade favorisierten Fußballklub verzieren. Die wenigsten Eltern haben die Zeit und das Geld, die Zimmer ihrer Kinder dauernd nach deren neuesten Vorlieben umzumodeln. Daher ist es am besten, Wände, Zimmerdecke, Boden und Vorhänge so schlicht wie möglich zu gestalten. Dann können sich die Kinder mit Postern, Collagen und anderen Dingen ausdrücken, ohne dass hinterher eine umfassende Renovierung notwendig wird.

Genauso schnell wie das kleinkindgerechte Tapetenmuster ist auch die Zimmereinrichtung nicht mehr brauchbar, denn Kinder wachsen schnell. Daher investiert man besser in Schränke in Standardgrößen und von guter Qualität. Sie sind auch nach Jahrzehnten noch brauchbar. Ein niedriger Tisch mit passenden Stühlen hingegen ist eine sehr sinnvolle Anschaffung, wenn die Kinder noch klein sind. Einige Kinderschreibtische haben Schubladen für Farbkästen und eine drehbare Tischplatte mit einer Tafel auf der Rückseite.

Babys

Viele junge Eltern lassen sich von den schier endlosen Listen von Dingen beeindrucken, die sie angeblich für ihr Baby brauchen. Ein Baby kümmert es aber wenig, ob es auf einer Matte auf dem Boden oder auf einem raffinierten Wickeltisch mit Umrandung und speziellen Fächern für Windeln und Pflegemittel gewickelt wird. Es ist dem Baby auch egal, ob es in einem einfachen Stubenwagen oder in einem alten Erbstück mit Spitze und Baldachin schläft. In den ersten drei Monaten braucht Ihr Kind vor allem einen Ort zum Schlafen. Perfekt sind ergonomisch einwandfreie Babytaschen oder Tragekörbe, in denen Sie das Kind mitnehmen können. Außerdem benötigen Sie eine Wickelunterlage und Stauraum für Kleidung und Spielsachen. All das lässt sich in einem Schubladenschrank, in Körben oder Kisten gut verstauen.

Was Sie (außer Schlaf, den Sie nicht bekommen werden) wirklich benötigen, ist ein gemütlicher Sessel zum Stillen oder Füttern. Für das nächtliche Füttern und Windelnwechseln sollte gedämpftes Licht möglich sein. Nach drei Monaten kehrt eine gewisse Routine ein und es ist sinnvoll, ein Babybett anzuschaffen. Wenn Sie ein gebrauchtes Babybett von Freunden oder Verwandten übernehmen, sollten Sie auf jeden Fall eine neue Matratze kaufen.

Babys können zwar über Stilfragen noch nicht streiten, sind aber keineswegs unempfänglich für ihre Umgebung. Von Geburt an reagieren sie auf einfache Formen und leuchtende Farben. Studien haben ergeben, dass Orange-Rot die erste Farbe ist, die Babys erkennen können. Sie reagieren aber auch auf Musik. Daher sind bunte, bewegliche Spielzeuge mit Musik für die frühkindliche Entwicklung wichtig.

Vorschulalter

Wenn das Krabbelalter vorbei ist, erlangt das Kinderzimmer eine stärkere Bedeutung. Ab dem zweiten oder dritten Lebensjahr ist ein Kinderbett erforderlich. Wichtig ist die Qualität von Bett und Matratze, denn Kinder lieben ihr Bett oft sehr. Je stabiler Bett und Matratze sind, desto länger hat Ihr Kind etwas davon. Ein Bett mit Gittern ist sinnvoll, wenn Ihr Kind dazu neigt, sich viel im Schlaf zu bewegen.

Spätestens jetzt sind aber auch die Zeiten vorbei, in denen die Kindersachen in ein paar Körbe passen. Jetzt ist viel Stauraum gefragt. Aber sorgen Sie dafür, dass die Kinder ihre Spielsachen auch erreichen können. Sonst fangen die Kleinen an zu klettern, um an ein Spielzeug oder eine Puppe zu kommen, während Sie gerade telefonieren und ihnen nicht zur Hand gehen können. Auch sollte alles in Sichtweite sein, denn Kinder lieben es, ihre Mal- und Bastelarbeiten und ihre Lieblingsspielzeuge auszustellen. Im Vorschulalter spielen Kinder immer noch viel auf dem Boden. Ein weicher, warmer und strapazierfähiger Bodenbelag ist gut für Kinderknie, aber auch für die Ohren der Eltern.

⌄ Babys werden durch kräftige Farben positiv stimuliert. Hier setzt die farbenfrohe Einrichtung vor dem neutralen Hintergrund lebendige Akzente.

⌄ Kindermöbel in Form von Minikommoden sind schnell zu klein für die Kinder und oftmals reine Geldverschwendung. Aber kindgerecht dimensionierte Stühle und Tische kosten nicht die Welt und unterstützen die Kinder beim kreativen Spielen.

Durch die eingebauten Bettnischen hat jedes Kind sein eigenes Reich, was besonders bei gemeinsamen Kinderzimmern wichtig ist. Die ausgesägten „Fenster" verhindern ein Gefühl der Beengung. Der große flache Tisch bietet Platz zum Sitzen und Spielen für alle.

Hochbetten vergrößern den verfügbaren Platz und schaffen zusätzlichen Stauraum oder Arbeitsbereich. Ab einem gewissen Alter kann man getrost auf die Sicherheitsgeländer verzichten.

≪ Das Hochbett auf einer Plattform über der Tür ist über kräftige Metallhalterungen erreichbar. Die niedrig hängenden Kleiderhaken haben die richtige Höhe für die Kinder.

‹ Dieses Hochbett mit Metallgeländer ist fast schon eine Zwischenetage, die einen gemütlichen Schlafplatz unter der Dachschräge bietet. Darunter findet sich reichlich Regalraum für Bücher, Spielzeug und Gesellschaftsspiele.

Schulalter

Im Schulalter steht die nächste Verwandlung des Kinderzimmers an. Es gewinnt eine neue wichtige Bedeutung als Rückzugsort und als sozialer Raum, in dem sich Freunde und Geschwister treffen. Hausaufgaben können zwar auch am Küchentisch gemacht werden, doch die meisten Kinder arbeiten ab einem gewissen Alter gerne am eigenen Schreibtisch. Ein guter Schreibtischstuhl und ein Regal oder Schrank für die Schulsachen können das Lernverhalten positiv beeinflussen.

Besonders wenn zwei Kinder in einem Zimmer wohnen, kann durch Möbel, die mehrere Funktionen erfüllen, Platz gewonnen werden. Praktisch sind Etagenbetten, Bodenkissen, Hochbetten, unter denen Platz für einen Schreibtisch ist, und erweiterbare Schränke und Regale. Schwierig wird jetzt das Thema Ordnung. Die Kinder möchten sich in diesem Alter noch nicht von ihren Lieblingsspielzeugen trennen, entwickeln aber dauernd neue Interessen, vom Modellbau über Inlineskates bis hin zu Fußball. Daher ist viel Stauraum und regelmäßiges Auf- und Ausräumen wichtig, damit die Zimmer nicht langsam zuwuchern.

Teenager

Die Tür des eigenen Zimmers ist für Teenager weniger ein Durchgang als eine deutliche Grenze, auch wenn kein Schild mit der Aufschrift „Zutritt verboten" daran hängt. Mit der Pubertät wird die Beziehung zwischen Eltern und Kindern oft recht kompliziert. Jetzt werden ständig die eigenen Grenzen ausgetestet und neue Grenzen abgesteckt. Daher ist diese Phase ein guter Zeitpunkt, die bisherige Raumaufteilung zu überdenken.

Teenager brauchen vor allem Privatsphäre und Autonomie. Sie geben sich gerne mit weniger Platz zufrieden, wenn es die einzige Möglichkeit ist, ein eigenes Zimmer zu bekommen. Daher spielt Platz eine eher untergeordnete Rolle. Eine neue Raumordnung ist aber auch deshalb sinnvoll, weil jetzt der Geräuschpegel wahrscheinlich sehr stark ansteigen wird. Eltern- und Kinderzimmer sollten also so weit wie möglich voneinander entfernt liegen. Auch ist es gut, Übernachtungsmöglichkeiten einzuplanen. Hat ein Teenager den letzten Bus verpasst, können Sie ihm kurzerhand einen Schlafplatz anbieten und müssen ihn nicht nach Hause fahren.

Ebenso ist es wichtig, Jugendliche ihr Zimmer nach eigenen Geschmack gestalten zu lassen. Die wichtigsten Einrichtungsgegenstände wie Bett, gut ausgeleuchteter Schreibtisch und Schränke für Kleidung und Accessoires sollten natürlich vorhanden sein. Aber was darüber hinaus an Dekoration oder Einrichtung ins Zimmer kommt, sollte der Teenager selber entscheiden dürfen. Natürlich kann das erstaunliche Ausmaße annehmen. Dunkle Farben oder wilde Farbmuster sind ebenso normal wie vollkommen zugestellte Zimmer. Aber den Eltern muss das Zimmer schließlich nicht gefallen. Und später lässt sich der „Schaden" in der Regel recht einfach beheben.

L Solange ausreichend Stauraum für die unvermeidliche Sammlung an CDs, DVDs und Sportgeräten vorhanden ist, muss ein Teenager-Zimmer nicht besonders groß sein. Man sollte Jugendlichen zugestehen, selbst über die Dekoration zu bestimmen. Hier nimmt ein Wandhaken Platz sparend das Fahrrad auf. Eine mit einem Laken abgedeckte alte Couch lädt zum gemütlichen Lümmeln ein.

∨ Zwei angestrichene Holzkisten dienen gleichzeitig als Stauraum und als Nachttische. Kinder und Jugendliche umgeben sich gerne mit ihren Besitztümern und benötigen immer viel Ausstellungsfläche.

SPIEL- UND HOBBYRÄUME

Ein ausbaufähiger Dachboden oder Kellerraum ist perfekt als Spiel- oder Hobbyraum geeignet. Solche Bereiche bieten nicht nur Raum für Aktivitäten, für die
sonst kein Platz ist, sondern sie können auch Spannungen zwischen den zusam-
menlebenden Generationen vermeiden helfen. Über die Jahre kann der Raum immer wieder den Bedürfnissen entsprechend umgestaltet werden. Was zunächst
als Spielzimmer für die Kinder genutzt wurde, kann später Partyhöhle und dann
Rückzugsraum für die Erwachsenen werden. Hier hat alles Platz, was groß ist
oder Lärm macht, von der Modelleisenbahn über Musikinstrumente bis hin zu
Computern und Stereoanlagen. Falls nötig, können Boden, Wände und Decke
schallisolierend verkleidet werden. Man sollte aber bedenken, dass solche Hobby-
räume viele Aktivitäten anziehen und andere Räume so unter Umständen weniger genutzt werden.

STAURAUM

Ordnung ist eine der großen Herausforderungen des Familienlebens. Viele Familien ziehen nicht deshalb um, weil in der alten Wohnung nicht genug Platz für die
Familie selbst ist, sondern weil alles andere zu wenig Platz hat. Nicht nur Kinder
wachsen schnell, sondern auch die Anzahl ihrer Habseligkeiten. Eine Familie
benötigt viel Stauraum in Schränken und Regalen, dennoch sollten regelmäßige
Ausräumaktionen eingeplant werden.

Nutzen Sie jede Gelegenheit zum Ausmisten. Verabschieden Sie sich von allem, was überflüssig ist – vom ach so praktischen Küchengerät, von dem Sie nie
wirklich begriffen haben, wie es funktioniert, bis hin zu den tollen Schlittschu-
hen, die Ihr Kind unbedingt haben wollte, aber nie benutzt hat. Viele unserer Anschaffungen haben eine begrenzte Lebensdauer oder sind irgendwann nicht mehr
nützlich. Das gilt für die Sachen der Kinder ebenso wie für die der Erwachsenen.

Kinder trennen sich oft schwerer von ihren Sachen, sei es nun von Kleidung,
die ihnen nicht mehr passt, oder vom Spielzeug, das sie nicht mehr benutzen.
Hier kann eine Zwischenlösung helfen. Bringen Sie Aussortiertes zunächst in

⌐ Wenn man über ausreichend Raum
verfügt, kann sich die Einrichtung
eines reinen Spielzimmers lohnen.
Das niedrige Sideboard bewahrt
Bücher in kindgerechter Höhe auf
und bietet Stellplatz für Spielzeug.

⌃ Kinder sollten die Resultate ihrer
kreativen Bemühungen auch zur
Schau stellen können. Ein Pinnbrett
oder eine mit Kork oder Filz be-
spannte Wand sorgen dafür, dass
die darunter liegende Tapete nicht
durch Nadeln oder Reißzwecken
beschädigt wird.

⌃ Ein Hobbyraum - im Zweifelsfall
schallgedämmt - ist der perfekte
Ort für die etwas lauteren Aktivitäten
wie Musikunterricht und die Proben
einer ambitionierten Nachwuchs-
Rockband.

Lagerräumen wie dem Keller oder dem Speicher unter. Wenn einige Zeit vergangen ist und die Kinder die Sachen nicht vermisst haben, fällt es ihnen unter Umständen leichter, sich endgültig davon zu trennen. Sie sollten aber die Tatsache akzeptieren, dass es bestimmte Dinge wie besonders geliebtes Spielzeug, Kuscheltiere, selbst gebaute Modelle oder eigene Kunstwerke gibt, von denen sich Kinder gar nicht trennen wollen.

In vielen Familien geht viel Zeit durch Suchen verloren. Besonders am Montagmorgen werden Gameboys, Schlüssel oder wichtige Briefe, die eingeworfen werden müssen, regelmäßig vermisst. Hier können fest eingerichtete Aufbewahrungsorte hilfreich sein. An einer Pinnwand in der Küche kann beispielsweise alles aus Papier gesammelt werden, vom Einkaufszettel über Mitteilungen an die Schule bis hin zur Korrespondenz. Ein Korb unter der Treppe kann zum Aufbewahren der Sportkleidung und -ausrüstung dienen. So reduzieren Sie die Anzahl von Orten, an denen Sie suchen müssen, und verhindern, dass Sachen planlos in der Wohnung verstreut werden und irgendwo verschwinden. Genauso benötigen selten genutzte Dinge einen festen Platz. Wenn Sie Glühbirnen, Ersatzsicherungen oder den Verbandskasten immer am gleichen Ort aufbewahren, müssen Sie im Ernstfall nicht erst lange danach suchen.

Dachböden, Keller, Garagen und Schuppen sind der ideale Lagerplatz für alles, was nur selten gebraucht wird. Von der Weihnachtsdekoration bis zum Schlauchboot und den Koffern ist hier alles gut untergebracht. Wenn genug Platz vorhanden ist, kann je nach Saison auch Kleidung ausgelagert werden. Natürlich eignen sich solche Lagerräume ebenso für alles, was nur für den Fall der Fälle oder aus sentimentalen Gründen aufgehoben wird. Alte Akten, Schallplatten oder alte Schulhefte finden hier ihren Platz.

Handliche Kartons und Aufbewahrungsboxen sind Gold wert, wenn es um das Sortieren von kleinen Dingen geht. Sie eignen sich hervorragend für Fotos, CDs, Videos, kleinteilige Spiele, Puppen oder auch Bastelutensilien. In niedriger Höhe oder auf dem Boden aufgestellt, können auch kleine Kinder so schon zum Aufräumen angehalten werden. Große Spielzeugkisten reizen Kinder hingegen, sie komplett auszuleeren, weil das gesuchte Spielzeug ganz unten in der Kiste liegt. Auch die Kleidung jüngerer Kinder sollte in niedrigen Schubladenschränken, Aufbewahrungsboxen oder Körben verstaut werden. So können die Kinder ihre Sachen selbst erreichen. Spielzeug sollte ebenfalls erreichbar sein und dort gelagert werden, wo die Kinder wirklich spielen, um überflüssige Wege zu vermeiden. Für kleine Kinder ist ein Karton mit Spielzeug auch im Wohnzimmer oder in der Küche sinnvoll.

⌄ Das Familienleben geht mit einer Flut von Besitztümern einher. Einbauschränke können erstaunliche Mengen von Kleinkram aufnehmen, insbesondere nicht so ansehnliche Dinge wie Audio- und Videokassetten, DVDs und CDs.

⌐ Ein offenes Regal mit einzelnen Körben nimmt die Alltagsgegenstände wie Spielsachen oder Sportkleidung auf, die nach Art oder Besitzer geordnet werden müssen.

⌐ Ein Einbauregal im Kinderzimmer hält den Boden frei von Unordnung und bietet trotzdem leichten Zugang und Überblick über die Besitztümer. Gerade kleine Kinder vergessen schnell Dinge, die sie nicht sehen können und fühlen sich generell sicherer, wenn sie ihre Reichtümer ständig im Blick haben.

Nutzen Sie Staumöglichkeiten in Fluren und auf Treppenabsätzen. Hier können eingebaute Regale oder Schränke viel von dem Kleinkram aufnehmen, der sich sonst gerne über die gesamte Wohnung ausbreitet.

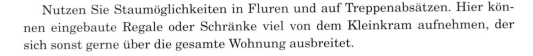

MÖBEL UND DEKOR

Familienleben muss nicht bedeuten, dass Sie Ihren persönlichen Einrichtungsstil hintanstellen müssen. Sie sollten bei neuen Anschaffungen aber durchaus überlegen, wie viel Zeit und Arbeit deren Pflege beansprucht. Es gibt keine Einrichtung, die vor Kindern vollkommen sicher ist, aber einige Materialien sind praktischer als andere. Am besten sind gerade für Familien immer solche Einrichtungsgegenstände, bei denen die Kinder nicht ständig das Gefühl haben, sie dürften sie nicht anfassen. Und auch die Eltern sind entspannter, wenn sie sich nicht dauernd sorgen, ob die edlen Stücke Kratzer oder Flecken bekommen. Das heißt ja nicht, dass Sie Abstriche bei der Gestaltung Ihrer Einrichtung machen müssen. Sie sollten sich nur nach robustem Material mit pflegeleichten Oberflächen umschauen, die auch einmal klebrige Fingertapser oder ein umgefallenes Glas Saft vertragen.

Eine Möglichkeit sind Materialien, denen das Alter gut steht. Holz, Stein, Terrakottafliesen und Linoleumböden sind natürliche Materialien, sehr widerstandsfähig und unempfindlich und erhalten durch die Abnutzung erst Charakter. Ebenso praktisch sind Materialien, die leicht gepflegt werden können. Waschbare Überwürfe über Sofas und Sessel erleichtern Eltern das Leben ebenso wie abwischbare Farbe und Fliesen im Badezimmer und in der Küche. Glatte, glänzende Oberflächen aus Glas oder Stahl mögen zwar schick und strapazierfähig sein, aber man sieht auf ihnen jeden noch so kleinen Fleck, was ihre Pflege recht zeitintensiv macht. Wandfarbe ist oftmals viel praktischer als Tapete und wesentlich einfacher zu erneuern. Streicht man ein Stück Wand mit Tafellack, können sich die Kinder hier mit Kreide kreativ austoben. In Küche oder Flur kann eine solche Tafel auch als Schwarzes Brett für Mitteilungen und Erinnerungen dienen.

Komfort und Schallschutz sind weitere Kriterien für die Materialauswahl. Große, harte Flächen aus Stein oder Beton sorgen in Kombination mit wenigen Möbeln für starke Geräuschentwicklung. Teppichböden, Teppiche und Bodenbeläge aus natürlichen Materialien schlucken Schall und eignen sich besonders für die oberen Etagen oder Treppen. Wo kleine Kinder spielen, sorgen sie zudem für einen weichen, angenehmen Spieluntergrund.

Natürlich müssen Kinder lernen, dass man nicht auf Wänden oder Möbeln malt. Aber Sie sollten auch nicht das Unmögliche erwarten. Wer kleine Kinder hat, ist gut beraten, eine Weile alles Wertvolle und Zerbrechliche außer Reichweite aufzubewahren oder gut wegzuschließen. Ebenso muss man bei teuren oder empfindlichen Materialien damit rechnen, dass sie Flecken bekommen oder Schäden davontragen.

⌄ Im Familienheim sollten Flächen und Anstriche haltbar, unempfindlich und pflegeleicht sein. Das muss allerdings keineswegs auf Kosten des Stils gehen.

DER FAMILIENGARTEN

Für Familien ist jeder noch so kleine Bereich im Freien ein Gewinn. Viele Menschen verbinden mit dem Gedanken an ein Haus für die Familie unweigerlich einen Garten, der als erweiterter Wohnraum dient. Genauso wie bei der Planung der Räume im Haus muss man auch bei der Planung, Einteilung, Bepflanzung und Ausstattung des Gartens die Bedürfnisse aller Generationen beachten. Erwachsene nutzen den Garten gerne für erholsame Stunden an der frischen Luft und genießen den Duft der Pflanzen. Für Kinder ist ein Garten ein Abenteuerspielplatz, in dem sie herumtoben und außer Sichtweite der Eltern ihr kleines eigenes Reich errichten können. Wenn Sie einen großen Garten haben, lassen sich die Bedürfnisse aller Benutzer ganz einfach durch die Einrichtung unterschiedlicher Zonen erfüllen. In einem kleinen Garten ist es schon viel schwieriger, alle glücklich zu machen. Mit ein wenig geschickter Vorausplanung kann aber auch ein kleiner Garten jedem seinen Freiraum bieten und sich den Bedürfnissen der wachsenden Familie mit der Zeit anpassen.

> **Rasen** Eine Rasenfläche ist nicht nur ein erholsamer Anblick, sondern dient auch praktischer Nutzung. Für Kinder ist der Rasen aber schlicht ein Sportplatz und kann sich schnell in ein Schlammloch verwandeln. Sehen Sie sich daher nach strapazierfähigem Sportrasen um, der einiges aushält.

> **Bepflanzung** Empfindliche Pflanzen sollten nur dort gepflanzt werden, wo die Kinder nicht spielen. Randbeete oder Pflanzkübel sind eine gute Lösung. Einige beliebte Gartenpflanzen wie Fingerhut *(Digitalis)*, Eibe *(Taxus baccata)*, Tränendes Herz *(Dicentra spectabilis)* und Goldregen *(Laburnum anagyroides)* sind giftig und gehören nicht in einen Garten, in dem Kinder spielen. Auch Gewächse mit Stacheln oder scharfen Pflanzenteilen sollten wegen der

L Wenn man Kinder davon abhalten will, den Wänden des Hauses den eigenen kreativen Touch zu verleihen, sollte man ihnen eine Fläche bieten, an der sie sich nach Herzenslust austoben können. Zu diesem Zweck eignen sich besonders Tafeln oder eine mit Tafellack gestrichene Wand.

⌄ Mit sorgfältiger Planung kann man im Garten sowohl den Bedürfnissen der Erwachsenen als auch denen der Kinder gerecht werden. Hier verbergen Sträucher eine hölzerne Spielplattform, die in unaufdringlichem Dunkelbraun gebeizt wurde.

⌐ Man sollte Kindern auf jeden Fall einen nur ihnen vorbehaltenen Spielbereich einrichten, wenn man seine sorgfältig angelegten Blumenbeete schützen möchte. Dieser kleine Abenteuerspielplatz hat einen weichen Boden aus Rindenmulch.

Unfallgefahr zumindest nicht in dem Teil des Gartens gepflanzt werden, in dem die Kinder spielen. Ein eigenes Beet dagegen kann sie dazu anregen, Blumen und Gemüse zu ziehen. Unkomplizierte „Kinderpflanzen" sind Salatköpfe, Radieschen und Bohnen, aber auch Kornblumen, Ringelblumen und Mohn.

> **Wasser** Auch wenn Wasserelemente in jedem Garten sehr reizvoll sind, stellen sie für Babys und Kleinkinder eine ständige Gefahr da. Daher sollte man auf Wasserspiele im Garten vollständig verzichten, solange die Kinder klein sind. Im Sommer können die Kinder in einem aufblasbaren Pool planschen, solange ein Erwachsener dabei ist. Sind die Kinder etwas älter, kann ein kleiner Teich mit Wasserpflanzen, Fischen und Fröschen für endlose Faszination sorgen.

> **Spielgeräte** Spielgeräte für den Garten gibt es in Hülle und Fülle, von der Rutsche über Klettergerüste bis hin zu Sandkästen und Trampolinen. Viele sind nicht gerade schön zu nennen und nehmen zudem viel Platz ein. Sobald die Kinder groß genug sind, um nicht mehr ständig beaufsichtigt werden zu müssen, kann man große Spielgeräte aber auch so aufstellen, dass sie von Pflanzen verdeckt werden. Die Spielgeräte sollten auf jeden Fall sehr stabil sein und den Sicherheitsbestimmungen entsprechen. Verankern Sie sie fest im Boden und sorgen Sie für eine weiche Unterlage wie Sand oder Rindenmulch. Sandkästen stellt man am besten im Halbschatten auf und deckt sie ab, wenn sie nicht gebraucht werden. So bleiben sie trocken und Insekten und andere Tiere werden ferngehalten.

> **Lieblingsplätze** Gärten bergen für Kinder viele Reize. Hier finden sie versteckte Höhlen, Hütten oder Forts, die für Erwachsene oft nicht mehr als ein überwucherter Pfad oder eine freie Stelle zwischen zwei Hecken sind. Sehr beliebt sind Baumhäuser, Zelte und Spielbuden. Gartenhäuser, Pavillons, Hochsitze und Hängematten zeigen, dass auch Erwachsene gegen die Romantik eines versteckten Ortes nicht immun sind. Ein Garten, der nicht vollkommen einzusehen ist, sondern sich erst beim Durchschreiten nach verschiedenen Seiten öffnet, hat eine besondere, verwunschene Qualität. Ähnlich wirken unterschiedliche Bodenniveaus und Richtungswechsel. Besonderes Behagen löst bei vielen Menschen die in südlichen Ländern so beliebte schattige Veranda aus.

> **Im Freien leben** Traditionell verbindet die Terrasse Haus und Garten miteinander. Sie ist bei schönem Wetter ein willkommener zusätzlicher Wohnraum, der sowohl zur Erholung als auch zum Essen unter freiem Himmel und als Kinderspielplatz genutzt werden kann. Eine gute Unterlage für Gartenmöbel bieten Bodenbeläge wie Holz, Steinplatten oder Fliesen. Hier ist Platz für einen Grill und einen kleinen Küchengarten mit frischen Kräutern im Kübel. Ein Vordach oder eine Markise bietet zudem Schutz bei starker Sonne oder leichtem Regen, wodurch Sie Ihre Terrasse noch häufiger nutzen können.

> **Gartenbeleuchtung** Beleuchtung belebt den nächtlichen Garten. Von unten angestrahlte Bäume und Blätter sehen genau so hübsch aus wie angestrahlte Wegränder oder eine von Strahlern, Windlichtern oder Laternen eingerahmte Terrasse.

‹ Eine holzgedeckte Terrasse erweitert den Wohnbereich nach draußen und bietet eine kindersichere Fläche zum Spielen. Weit zu öffnende Glasschiebetüren vermindern die Unfallgefahr beim Toben.

∧ Spiel- und Sportgeräte erlauben es Kindern, ihren Bewegungsdrang gesund auszuleben und wichtige Fertigkeiten zu erwerben. Schaffen Sie nur sicherheitsgeprüfte Geräte an und verankern Sie sie fest im Boden.

SICHERHEIT

Die Rolle der Eltern wird oft als eine behütende beschrieben. Genauso wichtig ist es aber, den Kindern Unabhängigkeit zu ermöglichen und ihnen Offenheit für neue Erfahrungen zu vermitteln. Wenn Kinder sicher aufwachsen sollen, gilt es also, einen vernünftigen Mittelweg zwischen verantwortungsloser Vernachlässigung und neurotischer Überwachung zu finden. Alle Kinder haben kleinere Unfälle, und die meisten tragen keine schweren Verletzungen davon, sondern lernen daraus. Dennoch bietet die normale Wohnung Tausende kleine Risiken für Kinder. Sie sind uns normalerweise gar nicht bewusst, da sie so alltäglich sind. Wie ähnlich sich beispielsweise eine Steckdose und ein Schloss sehen können, fällt den meisten von uns erst auf, wenn ein Kleinkind versucht, einen Schlüssel in den Stromanschluss zu stecken. Die potenziellen Gefahrenquellen verändern sich aber auch mit dem Alter der Kinder. Erst wenn Kinder aus dem Alter heraus sind, in dem sie alles anfassen, in den Mund stecken und ausprobieren müssen, können Eltern sich (zumindest ein wenig) entspannen.

> **Feuer** Installieren Sie Rauchmelder und legen Sie Ersatzbatterien bereit. Vor offenem Kaminfeuer sollte immer ein Schutz stehen. Kinder sollten nie in einem Raum mit offenem Feuer allein gelassen werden. Dazu zählen auch Gasflammen und brennende Kerzen. Gasbrenner oder Gaskamine sollten mit kindersicheren Schaltern ausgestattet sein und regelmäßig überprüft werden, um Gaslecks zu vermeiden.

> **Giftige Stoffe** Halten Sie alle giftigen Stoffe gut unter Verschluss. Dazu zählen beispielsweise Haushaltschemikalien, Reiniger, Waschmittel, Farben, Lacke, Insektizide, Düngemittel und andere Gartenprodukte sowie alle Medikamente. Schließen Sie den Erste-Hilfe-Kasten jedoch nicht ein (in einem Notfall finden Sie den Schlüssel vielleicht nicht), sondern bewahren Sie ihn für Kinder unzugänglich auf.

> **Stürze und Unfälle vermeiden** Quer durch den Raum laufende Stromkabel sind eine gefährliche Stolperfalle. Stromkabel, Stecker und Leuchten sollten sich außer Reichweite kleiner Kinder befinden, da sie gerne daran ziehen. Treppenläufer sollten gut befestigt und nicht zerschlissen sein. Teppiche können mit Teppichklebeband am Boden befestigt oder auf Anti-Rutsch-Matten gelegt werden. In der Badewanne und Dusche sind Gummimatten ratsam. Große, schwere Möbel wie Bücherregale sollten fest an der Wand verankert sein, damit sie nicht umkippen können. Besonders in oberen Stockwerken empfehlen sich verschließbare Fenstergriffe. Etagenbetten sollten erst für Kinder ab sechs Jahre angeschafft werden und eine stabile Leiter besitzen.

> **Kindersicherungen** Nicht alle Kinder sind gleichermaßen abenteuerlustig, aber bei einigen ist besondere Vorsicht geboten. Im Handel sind heute sehr praktische Kindersicherungen erhältlich, etwa Steckdosenverschlüsse, Tischkanten-Puffer, Tür- und Schubladenverschlüsse, Treppengitter und Sicherheitsfolie für Glastüren und Fenster.

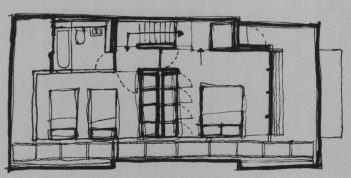

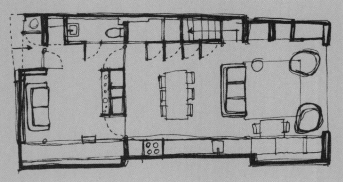

∧ Der Wohnbereich öffnet sich durch deckenhohe Glastüren mit Metallrahmen zum Garten hin. Der im gesamten Erdgeschoss verlegte Kalksteinboden setzt sich auch auf der Terrasse fort. Im Innenraum liegt er über einer Fußbodenheizung. Der Boden des Doppelkamins ist ebenfalls aus Kalkstein, während der Kaminsims aus einem alten Grünholzbalken besteht.

‹ Der Grundriss des Erdgeschosses zeigt, dass das Pultdach kurz vor der Außenwand endet, sodass die Oberlichter über die gesamte Hauslänge das Tageslicht einfangen können. Die obere Etage ist zurückgesetzt und besitzt auf der Rückseite einen Balkon mit Blick auf den Garten.

VOM SCHUPPEN ZUM HAUS

Ein Weg zum perfekten Haus besteht darin, es selbst zu entwerfen. Für den Eigentümer dieses zweistöckigen Hauses im Westen Londons, einen Architekten, wurde mit der Baugenehmigung ein Traum wahr, auch wenn es sich um ein etwas ungünstiges Stadtgrundstück handelte.

Wie viele Grundstücke in dicht besiedelten Gegenden war auch dieses schon bebaut, und zwar mit einer seit drei oder vier Jahren ungenutzten Werkstatt. Den richtigen Baugrund zu finden, ist immer das Schwierigste bei jedem Neubauvorhaben. In diesem Fall hatte der Bauherr Glück und entdeckte das zum Verkauf stehende Grundstück, bevor es annonciert war. Er konnte es einer Baufirma abkaufen, die bereits eine Baugenehmigung für ein Wohnhaus hatte.

Das genehmigte Vorhaben war ein recht konventionelles zweistöckiges Haus mit Durchfahrt und Erkerfenstern. Der Architekt, dem ein wesentlich moderneres Design vorschwebte, machte sich die Mühe, seinen Entwurf sämtlichen Nachbarn vorzustellen, um mögliche Einwände frühzeitig auszuschließen. Um den Lichteinfall in die benachbarten Gärten zu erhalten, wurde das Dach als einseitig geneigtes Pultdach ausgelegt. Der neue Plan nutzte darüber hinaus die vorhandenen Werkstattwände, was nicht nur weniger Aufwand bedeutete, sondern auch nur minimale Änderungen an der Vorderansicht erforderte und der Baubehörde die Zustimmung erleichterte.

Da die vorhandenen Mauern in keinem besonders guten Zustand waren, wurde, um Dach und Obergeschoss abzu-

∧ Die emissionsarmen Oberlichter über der Küchenzeile lassen zwar Licht, aber keine Wärme herein. Sie lassen sich einzeln durch elektrisch gesteuerte Hydraulikmotoren öffnen und schließen.

‹ Ein Raumteiler trennt den Koch-, Ess- und Wohnbereich von einem Gäste- und Arbeitszimmer an der Vorderseite des Hauses ab und nimmt gleichzeitig einen Kühlschrank und den Backofen auf.

› Falttüren beiderseits des Raumteilers ermöglichen einen freien Durchgang von der Vorder- zur Rückseite des Hauses. Die Einbauschränke unter der Treppe beherbergen den Heißwasserboiler, die Waschmaschine und eine Gäste-Toilette. Die Treppenhauswand ist in Gelb-Orange gestrichen, das an den Terrakottaton der Gartenmauer anknüpft und den Raum breiter wirken lässt.

fangen, ein Stahlrahmen eingezogen. Dass der neue Rahmen in nur zwei Tagen errichtet wurde, war ein Höhepunkt der Arbeiten, gefolgt von der niederschmetternden Entdeckung, dass die Zimmerleute die Stützen beim Einziehen der Deckenbalken für das Obergeschoss aus dem Lot geschlagen hatten.

Da er sich die Miete für eine Übergangswohnung während der Bauzeit nicht leisten konnte, richtete sich der Architekt mit seiner jungen Familie eine Behelfswohnung am hinteren Ende der Werkstatt ein, die sie liebevoll den „Schuppen" nannten. Während sie noch der Kälte trotzten und die Löcher im Dach des „Schuppens" notdürftig mit einer Plane abdeckten, bekam die Familie Zuwachs, und so waren sie überglücklich, als sie schließlich fünf Monate später als geplant ihr neues Heim beziehen konnten.

Der Aufwand und die Wartezeit haben sich gelohnt. Im Erdgeschoss werden Koch-, Wohn- und Essbereich dank eines großen Südfensters in der Rückwand und der über die gesamte Länge laufenden Oberlichter von warmem Sonnenlicht durchflutet. Ein Raumteiler schirmt ein Gäste- und Arbeitszimmer auf der Vorderseite ab. Überall findet sich durchdacht eingebauter Stauraum, von der langen Reihe der Küchenschränke bis hin zu den Einbauschränken unter der Treppe. Im Obergeschoss liegen zwei Schlafzimmer, ein Bad und eine separate Dusche. Das Hauptschlafzimmer besitzt seinen eigenen Balkon mit Blick über den Garten, wo der mittlerweile abgerissene „Schuppen" einmal stand.

┌ Die nach Süden weisende Rückfront des Hauses mit weit geöffneten Glasfalttüren. Bei diesen Türen hat man besonderen Wert darauf gelegt, dass sie keine Verletzungsgefahr darstellen. Sie liegen geöffnet flach an der Wand an und haben keine vorstehenden Teile. Der mit Holzbohlen abgedeckte Bereich ist als Parkplatz vorgesehen und war eine Bedingung für die Baugenehmigung.

‹ Das Schlafzimmer der Kinder besitzt einen horizontalen Streifen aus Fenstern mit Blick auf die Nachbargebäude. Das Pultdach ist gleichzeitig die Decke des Obergeschosses. Die Besitzer haben die Decke in Erinnerung an den „Schuppen" blau gestrichen, weil sie sich so an das Licht gewöhnt hatten, das durch die blaue Plane auf dem undichten Dach schimmerte.

> Die eingebauten Küchenschränke nehmen eine Außenwand ein und erhalten Tageslicht von den Oberlichtern. Die Schränke bestehen aus einfachen Korpussen mit grau lackierten MDF-Fronten. Die Arbeitsplatte aus 40 mm dickem Buchenholz ist mit eingefrästen Ablaufrinnen versehen. Auf der linken Seite schließt sich im Wohnbereich eine Bank mit Stauraum für das Spielzeug der Kinder an.

∨ Im Gästezimmer ist unter den von der Vorder- zur Rückwand durchlaufenden Oberlichtern ein Arbeitsplatz eingebaut. Die Fronten der Raumteilerschränke bestehen aus Birkensperrholz.

⌐ Das Gäste- und Arbeitszimmer ist durch die geöffneten Türen beiderseits des Raumteilers sichtbar. Das alte Rolltor der Werkstatt wurde ausgebaut, die Öffnung mit Glasbausteinen ausgefüllt. Das Bettsofa ist für Übernachtungsgäste gedacht. Die Tür mit Bullauge zur Rechten des Raumteilers verbirgt eine Gäste-Toilette.

⌐ Auf der Rückseite des Raumteilers findet sich Stauraum für Bücher und Computerperipherie.

❯ Die offenen Deckenbalken und -träger, die grob verputzten Wände und die alten Terrakottafliesen sorgen für ein originelles und charaktervolles Ambiente. Das überwiegend in Weiß gehaltene Wohnzimmer nutzt das Tageslicht optimal aus. Die großen, industriell wirkenden Hängeleuchten passen hervorragend zum schlichten Stil von Dekor und Mobiliar.

❮ Das Kinderzimmer liegt neben der Küche und ist in hellen Bonbonfarben gestrichen. Frei stehende Schränke und Kommoden bieten ausreichend Stauraum, der sonst nur unter Schwierigkeiten eingebaut werden könnte.

ALT UND NEU

Auf den ersten Blick scheinen mittelalterliche Gebäude kaum mit dem modernen Familienleben vereinbar zu sein. Dieses Haus nahe dem südlich von Venedig an der Adriaküste gelegenen Rimini konnte jedoch zu einem eleganten, lichtdurchfluteten Heim für eine junge Familie umgestaltet werden.

Als die Eigner das mittelalterliche Haus in einer schmalen Straße nahe der alten Burg entdeckten, war das Innere fast vollständig verfallen, aber Außenmauern und Dach waren in relativ gutem Zustand. Sie ließen sich letztendlich von der wunderschönen Umgebung bezaubern: Von der Terrasse aus kann man das Meer sehen, und auf der anderen Seite fällt der Blick auf zwei Nachbarorte mit ihren Burgen. Also nahmen sie das Risiko der Restaurierung auf sich.

Beim Umbau eines so alten Gebäudes muss man sehr auf die feine Balance zwischen dem Erhalt des historischen Charakters und der Modernisierung im Hinblick auf heutigen Komfort achten. Die Eigner wollten die ursprüngliche Substanz so weit wie möglich erhalten, während sie gleichzeitig einen schlichten Hintergrund für ihre eigenen Ergänzungen und Veränderungen schufen. Das Haus war vermutlich schon immer ein eher bescheidenes Zuhause gewesen, daher sollte alles auch weiterhin so schlicht wie möglich gehalten werden. Die ursprünglich rau verputzten Wände wurden nicht neu glatt verputzt, was die Handwerker sehr verblüffte. Auch die abgetretenen Terrakottaböden blieben bestehen. Die „Terrasse", die ursprünglich ein weiteres Zimmer war, das im Zweiten Weltkrieg zerbombt wurde, blieb als Terrasse erhalten und wurde nicht wieder überbaut.

❯ Ein gefliester marokkanischer Tisch und Korbstühle bilden den Essbereich auf der Terrasse mit einem atemberaubenden Blick auf die umliegende Landschaft. Eigentlich ist die Terrasse ein Überrest eines im Krieg zerbombten Zimmers und besitzt deshalb die gleichen Terrakottafliesen wie der Rest des Hauses.

❮ Die Eigner wünschten sich einen unaufdringlichen Hintergrund für all ihre geplanten Veränderungen. Das Mobiliar haben sie über die Jahre Stück für Stück gesammelt. Sitzkissen aus Thailand liegen auf einem indischen Diwan, den die Bewohner vor mehreren Jahren in London gekauft haben.

Wie bei den meisten mittelalterlichen Häusern in der Nachbarschaft erstreckte sich der Innenraum über mehrere Ebenen, sodass eine komplette Änderung des Grundrisses ausgeschlossen war. Die Herausforderung bestand vielmehr darin, jeden Zentimeter des verfügbaren Raums auszunutzen. Im Erdgeschoss führt der Eingang in ein Gästezimmer und ein kleines Bad. Die darunter liegende Ebene beherbergt das Spielzimmer der Kinder und einen Weinkeller. Der für diese Art Haus typische „Grotto" wurde bei den Ausschachtungen zur Überprüfung des Fundaments entdeckt.

Der große, offene Wohn- und Essbereich liegt eine Ebene über dem Erdgeschoss und öffnet sich auf einer Seite zur Terrasse mit ihrem schönen Panoramablick, während sich auf der anderen Seite die Küche anschließt. Beiderseits dieses Hauptraums liegen zwei Schlafzimmer und zwei Bäder.

Als modernes Element verbindet eine Wendeltreppe aus Stahl alle drei Ebenen und bietet Zugang zu einer Zwischenebene im nach oben offenen Wohnbereich. Zusammen mit den frischen, hellen Farben und dem schlicht gehaltenen Mobiliar ist so eine gelungene Kombination von neuen und alten Elementen entstanden.

⌐ Das Hauptschlafzimmer ist schlicht dekoriert und eingerichtet. Die schmalen Stufen an der Wand führen zu einem kleinen Bad unter dem Dach. Die größte Herausforderung beim Umbau war die optimale Nutzung des begrenzten Raums.

‹ Das Haus ist mehrfach umdekoriert worden. So war der heute durchgängig weiße Wohnbereich zunächst rosa und später dann grün gestrichen. In den Kinderzimmern haben sich die bunten Farben gehalten: Die Bodendielen sind in beruhigendem Hellblau, das harmonisch mit den Wandanstrichen und Möbelfarben kontrastiert.

❯ Die Terrasse erweitert den Wohnraum bei warmem Wetter, also während einer Jahreshälfte, ganz beträchtlich. Durch die Glasschiebetüren
verschwimmt die Grenze zwischen
drinnen und draußen. Eine Markise
spendet Schatten auf der Terrasse
und mildert die sommerliche Hitze –
ohne sie könnte man tagsüber nicht
draußen sitzen.

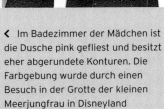

❮ Im Badezimmer der Mädchen ist
die Dusche pink gefliest und besitzt
eher abgerundete Konturen. Die
Farbgebung wurde durch einen
Besuch in der Grotte der kleinen
Meerjungfrau in Disneyland
inspiriert.

∧ Der Hauptwohnbereich erstreckt
sich vom alten Kamin an der Rückwand über den Essbereich bis auf
die Terrasse. Die moderne Stahl-
wendeltreppe verbindet alle drei
Ebenen und das Mezzaningeschoss
miteinander.

❯ Die Edelstahlküche nimmt die
Hälfte einer Wand des Wohnbereichs
ein. Die nüchtern-professionelle
Ästhetik passt hervorragend zur rustikalen Schlichtheit des Gebäudes.

< Inselidyll

Auf einer Insel im Saimaa-See, dem größten See Finnlands, liegt dieses aus mehreren Blockhütten bestehende Feriendomizil einer Familie. Hier gibt es weder Strom noch fließendes Wasser, und die nächste kleine Ortschaft liegt eine 10 km weite Bootstour entfernt. So bietet die Insel die Gelegenheit, sich an den einfachen Dingen des Lebens wie Schwimmen, Fischen, Saunieren und Essen im Freien zu erfreuen.

Die Blockhaussiedlung ist über die Jahre gewachsen. Das erste Blockhaus wurde 1965 erbaut, als die drei Kinder der Familie, die heute erwachsen sind und mit ihren eigenen Kindern kommen, noch klein waren. Die Hütte wurde so nah am Wasser gebaut, dass die Kinder vom Haus aus fischen konnten und beim Schwimmen immer in Blickweite der Eltern waren. Heute wird sie als Schlafraum genutzt, in dem die Enkel in Etagenbetten schlafen, während sich die Eltern zum gemütlichen Plausch am Kamin versammeln.

Mit den Jahren wurden weitere Hütten gebaut. Eine der Hütten, die aus umgestürzten Bäumen errichtet wurde, beherbergt die Küche, eine weitere die Sauna. Zwei Blockhütten, die ursprünglich auf dem Festland standen, wurden fein säuberlich abgebaut, mit einer Fähre auf die Insel gebracht und wieder aufgebaut, um mehr Schlaf- und Wohnraum für Familienmitglieder und Gäste zu schaffen. In einer der beiden Hütten hat der Besitzer, ein Stoffsammler und Designer, sich ein Studio eingerichtet.

Offene Kamine in den Räumen und auf den Terrassen spenden an kühleren Sommerabenden Wärme. Kühlschrank und Herd werden mit Gasflaschen betrieben, Trinkwasser und Proviant müssen mit dem Boot herangeschafft werden. Frischen Fisch allerdings gibt es zur Genüge direkt vor der Tür.

Große Holzterrassen bieten viel Raum zur Entspannung und zum geselligen Essen im Freien. In einer Terrasse wurde ein Loch gelassen, damit ein Baum durch sie hindurchwachsen kann. Die Blockhütten liegen versteckt zwischen den Bäumen und passen sich harmonisch in die Landschaft ein.

FERIENHÄUSER

Wenn man ein hektisches Leben in der Großstadt führt, ist es wichtig, ab und zu vollkommen abzuschalten. Aber auch der Urlaub kann in Stress ausarten. Dies passiert vor allem an unbekannten Urlaubszielen, die aus irgendeinem Grund den Erwartungen nicht gerecht werden. Daher suchen sich viele Menschen lieber einen Ort, den sie kennen, und richten sich ein Ferienhaus ein.

Ferienhäuser haben eine lange Tradition. Früher waren diese Zweithäuser ein Privileg der Reichen. Heute entdecken immer mehr Menschen, dass sie ein praktisches und preisgünstiges Ferienziel sind. Manche jungen Geschäftsleute sehen das Ferienhaus sogar als Zweitwohnsitz, in dem das richtige Leben stattfindet, und halten sich nur während der Woche in ihren kleinen Appartements in der Stadt auf.

Ferienhäuser sind nicht nur eine gute Geldanlage, sie bieten uns zudem die Gelegenheit festzustellen, dass wir unser tägliches Leben auch unkomplizierter gestalten können. Ferienhäuser sind oftmals spartanisch mit Möbeln, Haushaltsgeräten und anderen Besitztümern ausgestattet und erleichtern es dadurch erheblich, die einfachen Dinge des Lebens zu genießen. Ob das Häuschen nun an einem See, am Meer, in den Bergen oder auf dem Land liegt, hier finden wir Gelegenheit, unsere Prioritäten einmal zu überprüfen. Wenn das Ferienhaus der Ort ist, an dem Sie sich absolut wohl fühlen und ganz Sie selbst sind, wird es unter Umständen Zeit, Ihr Alltagsleben neu zu überdenken.

STANDORT

Immobilienmakler wissen, welch große Rolle Emotionen beim Kauf eines Hauses oder Grundstücks spielen. Besonders beim Kauf eines Ferienhauses lassen sich viele Menschen von einer plötzlichen romantischen Anwandlung leiten. Doch überdenken Sie Ihre Entscheidung sehr gründlich, bevor Sie einen Kaufvertrag unterzeichnen, egal wie angetan Sie von der Lage, der Landschaft oder dem jeweiligen Haus sind.

Ein wichtiger Faktor ist immer die Entfernung. Hierbei geht es aber nicht um die reine Luftlinie, sondern die wirkliche Erreichbarkeit. Wenn Sie Ihr Häuschen am liebsten jedes Wochenende aufsuchen möchten, sollte es gut und schnell erreichbar sein. Wenn Sie auf dem Hin- und Rückweg erst Stunden im Stau feststecken, ist jegliche Erholung gleich verpufft. Durch schnelle Zugverbindungen und Billigflüge sind selbst weiter entfernte Reiseziele heute oft in sehr kurzer Zeit erreichbar. Auf diese Weise kann die Anreise zu einem weiter entfernten Ferienhaus manchmal schneller und stressfreier sein als zu einem Haus in der Nähe.

Vor dem Kauf sollten Sie sich sicher sein, dass Sie die Gegend attraktiv genug finden, um hier Ihre Freizeit zu verbringen. Ein Fleckchen Erde irgendwo auf dem Land, zu dem Sie keine persönliche Bindung haben, kann schnell seinen Reiz verlieren. Etwas ganz anderes ist es, wenn Sie einen bestimmten Ort kennen, an den es Sie in unregelmäßigen Abständen immer wieder hinzieht. Wenn Sie irgendwo einen wunderschönen Urlaub verbringen und spontan entscheiden, dass Sie hier jeden Sommer herkommen möchten, überlegen Sie es sich gut. Wie sieht es beispielsweise mit dem Wetter außerhalb der Saison aus? Und wenn Ihr Traumziel im Ausland liegt, wie gut sind Ihre Sprachkenntnisse und wie gut kommen Sie beispielsweise mit den örtlichen Gebräuchen oder auch den Speisen zurecht? Wie stehen die dortigen Behörden zu Sommer- oder Wochenendgästen? Teilt der Rest Ihrer Familie überhaupt Ihre Vorliebe für den Ort? Wie sieht es in der Umgebung mit Freizeitmöglichkeiten für schlechteres Wetter aus? Und wenn Sie Ihr Ferienhaus teilweise durch die Vermietung an andere Urlauber finanzieren möchten, sollten Sie in Erfahrung bringen, wie attraktiv der Ferienort auch außerhalb der Saison ist.

Wenn es um die Auswahl des geeigneten Grundstücks oder Objektes geht, müssen Sie zudem die geeignete Größe und den Zustand des Objekts beachten. Wer auch nur ab und zu den Immobilienteil einer Zeitung studiert, weiß, dass ein kleines Appartement in einer Metropole wie London, New York oder Paris schnell so viel kosten kann wie ein großer Landsitz oder ein Bauernhof. Doch von solchen Gesetzen des Marktes sollte man sich nicht zu einer Fehlentscheidung verleiten lassen. Schnell stellt sich ein Ferienhaus als für Ihre Bedürfnisse viel zu groß heraus und beansprucht viel mehr Arbeit und Pflege, als Sie eigentlich investieren wollten.

Dasselbe gilt auch für den Bauzustand. Viele Leute legen beim Kauf eines eher baufälligen Feriendomizils sehr viel Optimismus an den Tag, weil es als Schnäppchen angeboten wird. Wenn Sie sich zum Kauf eines mehr oder weniger desolaten Objekts hinreißen lassen, sollten Sie sich über Zeit, Mühe und finanzielle Mittel im Klaren sein, die eine solche Baustelle mit sich bringt. Komplikationen beim Bauen lassen sich selten vermeiden. Noch komplizierter wird es, wenn Sie die Landessprache nicht beherrschen, selbst kein handwerkliches Geschick haben, keine Verbindungen zur ansässigen Baubranche besitzen und mit den ortsüblichen Gepflogenheiten und Bauvorschriften nicht vertraut sind. Dann können Sie sich mit hoher Wahrscheinlichkeit auf einige unangenehme Überraschungen gefasst machen.

PRAKTISCHE ERWÄGUNGEN

Wenn Sie nicht gerade zu der Einkommensgruppe zählen, für die der Besitz mehrerer Häuser ganz normal ist, wird die Finanzierung des Ferienhauses der wichtigste Faktor sein. Die Kosten eines Ferienhauses hören aber nicht mit dem Erwerb, den etwaigen Umbaukosten oder der Ausstattung und Einrichtung auf. Man muss auch die laufenden Kosten wie Wasser, Strom und Grundsteuer bedenken. Bei einem Kauf im Ausland sollten Sie sich vorher genau über alle versteckten Kosten informieren. In Frankreich, Spanien und Italien betragen beispielsweise die Notarkosten und Gebühren etwa zehn Prozent des Kaufpreises.

Eine Möglichkeit, die Kosten eines Ferienhauses niedrig zu halten, ist die zeitweise Vermietung, sodass es sich praktisch selbst finanziert. Andere Möglichkeiten bestehen im Kauf eines Ferienhauses gemeinsam mit Gleichgesinnten oder in so genannten Timesharing-Modellen. Sie sollten die Verträge aber vorher gründlich durch einen Finanz- oder Steuerberater oder Ihre Bank prüfen lassen und genaue Auskünfte über den Anbieter einholen. Zudem können die Einkünfte aus der Vermietung eines Ferienhauses steuerpflichtig sein. Andererseits können Sie unter Umständen die Kosten eines Darlehens für das Ferienhaus steuerlich geltend machen. Erwerben Sie das Ferienhaus für Ihre eigene Firma, können andere steuerliche Vor- oder Nachteile eine Rolle spielen. In einigen Ländern und Regionen sind die Grundstückspreise durch Ferienhauskäufer enorm in die Höhe getrieben worden, sodass sie zu zusätzlichen Abgaben verpflichtet wurden. Auch die gesetzlichen Vorschriften variieren von Land zu Land. In Deutschland fällt Grundbesitz nach dem Tod des Eigentümers an die nächsten Verwandten, sofern darüber testamentarisch nicht anders verfügt wurde.

Die Vermietung des Ferienhauses kann zwar für die Finanzierung hilfreich sein, doch gibt es auch hier Verschiedenes zu bedenken. Die höchsten Mietpreise

⌄ Ferien- und Wochenendhäuser geben Gelegenheit, das einfache Leben zu genießen. Dieser ehemalige Zirkuswagen wurde 1930 gebaut und früher von Pferden gezogen. Heute hat er einen festen Standort – nur eine halbe Stunde mit dem Fahrrad von Amsterdam entfernt – und dient einem jungen Paar als Ferienhaus.

> Mit ihrem schönen Blick über den See und auf die Berge ist diese skandinavische Ferienhütte auch im Winter sehr einladend. Wenn Sie Ihr Ferienhaus das ganze Jahr hindurch nutzen möchten, sollte es auch bei schlechtem Wetter gut erreichbar sein.

>> Dieses vom australischen Designer Sean Godsell entworfene Ferienhaus ist mit großen Holzlattenelementen verkleidet. Aufgeklappt spenden sie im Sommer kühlenden Schatten, heruntergeklappt können sie verriegelt werden und dienen so als Schutz vor Einbrechern, wenn das Haus nicht genutzt wird.

⌐ An der frischen Luft lässt es sich gut entspannen. Nur wenige Schritte vom Pool entfernt bietet diese überdachte Veranda einen schattigen Ort zum Essen unter freiem Himmel und zum Faulenzen.

∨ Wenn Sie ein Haus in einer unberührten Landschaft errichten können, spielen ökologische Gesichtspunkte eine besondere Rolle. Dieses Haus wurde auf Stelzen aus behandeltem Eukalyptusholz errichtet, um das Ökosystem des Strandes so wenig wie möglich zu beeinträchtigen.

∧ In sehr warmen Regionen kann man das Leben an der frischen Luft in vollen Zügen genießen. Diese große schattige Veranda bietet genug Raum für einen Esstisch, ein Sofa sowie ein Bett mit Moskitonetz.

⌐ Alte Gebäude sind mit ihrer Umgebung verwurzelt. Historische Häuser mit für die Region typischen architektonischen Merkmalen verleihen dem Urlaub eine zusätzliche Dimension. Wenn Sie im Ausland ein altes Gebäude erwerben oder umbauen möchten, sollten Sie sich mit den Baubestimmungen vor Ort vertraut machen.

⌐ Beim Ferien- oder Wochenendhaus ist die Lage genauso entscheidend wie bei Ihrem ständigen Zuhause. Nur weil ein Häuschen irgendwo auf dem Land liegt, heißt das noch lange nicht, dass Sie hier auf Dauer die Erholung finden, die Sie wünschen. Suchen Sie nach einem Standort, in dessen Umgebung sich genügend interessante Freizeitmöglichkeiten bieten, damit Sie Ihren Urlaub abwechslungsreich gestalten können.

erzielen Ferienwohnungen in der Hauptsaison während der Schulferien, wenn der größte Bedarf besteht. Aber das kann genau die Zeit sein, in der Sie Ihr Ferienhaus selbst nutzen möchten. Damit ein Ferienhaus rentabel bleibt, muss es also in der Nebensaison ausreichend ausgelastet sein – was sich nicht immer leicht gewährleisten lässt. Hier kann die Beauftragung einer Agentur helfen, die sich um die Organisation, die Vermietung und alle notwendigen Reparaturen und Instandhaltungsaufgaben kümmert. Wer aber lieber selbst die Kontrolle behalten möchte, sollte sich Auswahlkriterien für die Mieter überlegen. Sie könnten beispielsweise nur im Freundeskreis nach Interessenten suchen, sich von Freunden Mieter empfehlen lassen oder im Intranet Ihrer Firma eine Vermietungsanzeige aufgeben. Sie sollten sich auf jeden Fall auf kleinere Schäden einstellen und Ihr Haus gut versichern.

Ebenso sollten Sie die Sicherheit Ihres Besitzes bedenken. Das Haus mag während der Hauptsaison voll ausgelastet und auch während der Nebensaison häufig bewohnt sein. Aber es wird längere Abschnitte geben – zumeist im Winter –, in denen das Haus unbewohnt ist. In dieser Zeit sollte es gut verschlossen und gegen Einbruch gesichert sein. Ideal ist natürlich, wenn Sie einen freundlichen Nachbarn haben, der ab und zu nach dem Haus sieht.

Macht ein Ferienhaus zu viel Mühe, kann es leicht zur Belastung werden, statt zur Entspannung beizutragen. Wer freut sich schon auf sein freies Wochenende oder den Kurzurlaub, wenn er sich erst einmal um das undichte Dach, den verstopften Abfluss oder die kaputte Waschmaschine kümmern muss? Womöglich muss auch die Zeit, in der man sich entspannen wollte, für das Beschneiden von Büschen und Bäumen geopfert werden, die langsam alles überwuchern. Wenn Sie nicht gerade ein begeisterter Hobbygärtner sind oder sich einen Gärtner leisten können, sollten Sie von einem Ferienhaus mit aufwendig zu pflegendem Garten Abstand nehmen. Eine gute Lösung für alle praktischen Probleme kann allerdings das Engagieren eines Hausmeisters sein. So können Sie notwendige Reparaturen per Telefon in Auftrag geben und Ihre freien Tage entspannt genießen.

BAUSTIL UND UMGEBUNG

Viel Freude kann ein Haus im regionalen Baustil machen. Solche Bauten haben einen besonderen Reiz und fügen sich durch ihre traditionelle Bauweise und Baumaterialien wie Stein, Ziegel, Schiefer, Fachwerk oder Holz besonders schön in die Umgebung ein. Das gilt ebenso für alte landwirtschaftliche Nutzbauten wie Scheunen oder Ställe. Wenn Sie ein solches Gebäude umbauen möchten, sollten Sie versuchen, seinen ursprünglichen Charakter zu erhalten. Dabei kann es hilfreich sein, Original-Baumaterialien zu suchen und ortsansässige Handwerker zu verpflichten, die sich auf die traditionellen Bautechniken verstehen. Oftmals gibt es strenge Bauvorschriften, die festlegen, was Sie ändern dürfen und was nicht. Das gilt ganz besonders für die Fassaden alter Gebäude. Aber auch beim Innenausbau können Sie den Charakter des Gebäudes betonen, indem Sie typische Merkmale sichtbar machen und traditionelle Materialien für Wände und Fußböden verwenden.

Die meisten Menschen suchen bei einem Ferienhaus weniger nach luxuriöser Ausstattung als nach einer schönen Umgebung mit viel Natur. Daher sind häufig ein Stück Garten oder Wiese rund ums Haus, ein schöner Ausblick und viel Licht sehr wichtig. Viele alte Ferien- oder Landhäuser haben relativ kleine Fenster, wodurch der Innenraum sehr dunkel wirkt. Die Vergrößerung der Fenster ist bei alten Gebäuden aber oft nicht erlaubt, weil er ihren traditionellen Charakter zerstört. In solchen Fällen hilft es, einige nicht tragende Wände zu entfernen, sodass das Licht nicht blockiert wird. Eine weitere Möglichkeit ist der Anbau einer Terrasse oder eines Wintergartens an der Seite oder der Rückfront des Hauses.

Alte Nutzgebäude wie Ställe oder Scheunen bieten die größte architektonische Gestaltungsfreiheit, wenn es um die Raumplanung geht. Sie verfügen – genau wie ein Loft in der Stadt – über hohe, große Räume und typische Architekturmerkmale wie offen liegende Dachbalken und Verstrebungen. Beim Umbau eines solchen Gebäudes kann man sich von den vorhandenen Strukturen inspirieren lassen und die Eigenheiten und traditionellen Merkmale erhalten und nutzen.

⌄ Unverputzte Holzwände und offene Balkenkonstruktionen geben diesem alten Ranchhaus in Südamerika den rustikalen Charme. Durch seine schlichte Einrichtung ist es einfach und mit wenig Zeitaufwand sauber zu halten.

⌐ Ein Haus, das Sie nicht ständig selbst bewohnen und vielleicht auch Freunden überlassen, sollte seine Bewohner nicht vor Herausforderungen stellen. Dieser Raum erhält durch die gegenüberliegenden Fensterflächen viel Tageslicht. Der zentrale, mit Holz befeuerte Kamin sorgt an kühlen Abenden für Gemütlichkeit. Der offene Grundriss und die funktionale Einrichtung machen es leicht, sich schnell einzuleben.

MÖBEL UND AUSSTATTUNG

Wenn das Ferienhaus wirklich ein Ort der Entspannung sein soll, benötigen Sie eine einfache Einrichtung, die wenig Arbeit bei der Pflege und Instandhaltung erfordert. Dies gilt besonders, wenn Sie Ihr Ferienhaus regelmäßig vermieten. In einem praktisch, aber einfach eingerichteten Ferienhaus werden sich auch Ihre Gäste eher heimisch fühlen und andererseits nicht das Gefühl haben, in Ihre Privatsphäre einzudringen.

Helle, luftige Farben, natürliche Materialien, waschbare Überzüge, Klapp- oder Stapelstühle und wenig kleinteilige Dekoration erzeugen eine gemütliche Atmosphäre. Zu stark durchgestylte Ferienhäuser oder wilde Sammlungen ausrangierter Möbel schrecken dagegen eher ab. Bei einem kleinen Budget kann es günstiger sein, auf dem Flohmarkt oder im Gebrauchtmöbelmarkt in der unmittelbaren Umgebung nach Möbeln zu suchen. So können Sie Ihrem eigenen Stil spielerisch Ausdruck verleihen und gleichzeitig eine einladende Atmosphäre schaffen.

Manche ziehen sich gerne in ihr Ferienhaus zurück, andere nutzen es für Treffen mit der Familie und Freunden. Wenn Ihr Ferienhaus ein sozialer Treffpunkt ist, sollten Sie für ausreichend Schlafmöglichkeiten sorgen, die zur Seite geräumt werden können. Ein Schlafraum mit mehreren Hochbetten für die Kinder ist ebenso praktisch wie Sofabetten, Klappbetten oder Futons für Erwachsene.

In unserer Freizeit genießen wir Alltägliches wie Baden, Kochen oder Essen oft viel mehr als zu Hause. Daher sollte ein Ferienhaus auch die Möglichkeit zum Grillen, Kochen und Essen im Freien bieten. Für manche Menschen kann eine Außendusche oder sogar ein Tauchbecken mit warmem Wasser Erholung pur sein. Die Küche sollte vor allem praktisch eingerichtet sein, was für eine schlichte Ausstattung spricht. Verzichten Sie auf unnötige Spezialgeräte und beschränken Sie sich auf das Notwendige. Wichtig sind gute Töpfe und Pfannen, scharfe Messer und eine große Arbeitsfläche. Darüber hinaus benötigen Sie nur einen gut funktionierenden Herd.

⌄ In warmen Regionen oder bei einem Haus am Strand ist eine Außendusche sehr praktisch. Hier kann man Salzwasser oder Sand ganz einfach abspülen oder sich nach dem Sonnenbad kurz erfrischen.

⌐ Ein Nassraum mit einem Boden aus Kieselsteinen und Wänden, Bank und Regal aus Beton betont die elementaren Freuden des Duschens.

⌐ In skandinavischen Ländern wird die traditionelle, mit einem Holzfeuer beheizte Sauna schon lange wegen ihrer entspannenden Wirkung auf Körper und Geist geschätzt. Im Urlaub ist genügend Zeit, die Vorzüge eines heißen Dampf- oder Wasserbades voll zu genießen.

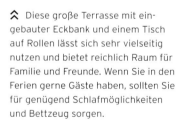

⌃⌃ Diese große Terrasse mit eingebauter Eckbank und einem Tisch auf Rollen lässt sich sehr vielseitig nutzen und bietet reichlich Raum für Familie und Freunde. Wenn Sie in den Ferien gerne Gäste haben, sollten Sie für genügend Schlafmöglichkeiten und Bettzeug sorgen.

⌃ Eine Küche mit modernster Ausstattung ist gar nicht nötig. In den meisten Ferienhäusern kommen wir über Jahre mit einer einfachen Grundausstattung aus soliden Küchenutensilien und -geräten aus.

⌐ Auch mit Fundstücken vom Flohmarkt oder Sperrmüll kann man eine interessante Einrichtung zusammenstellen und seinem Ferienhaus einen besonderen Charakter verleihen. Hier wurde ein altes, ausrangiertes Fischerboot mit einer Matratze und Kissen zu einer Hängematte umfunktioniert.

ORGANISATION

Wenn das freie Wochenende damit beginnt, dass man erst einmal alles Notwendige zusammensuchen und in den Wagen verfrachten muss, hat man oft schon gar keine Lust mehr zum Wegfahren. Und wenn man immer alles hin und her transportiert, vergisst man unter Garantie die Hälfte. Am besten ist es, zu akzeptieren, dass man manche Dinge eben in doppelter Ausführung besitzen sollte. Das muss aber nicht gleich horrende Ausgaben mit sich bringen. Einfaches Besteck, Geschirr, Töpfe und Pfannen gibt es auch in preiswerter Ausführung, und wenn dann etwas kaputt oder verloren geht, ist es nicht so schlimm.

Jegliche Ausstattung, die Sie für Ihre Lieblingsaktivitäten und in Ihrem Ferienhaus benötigen, sollte vor Ort bleiben. Dazu gehören wetterfeste Kleidung wie Regenjacken und Gummistiefel genauso wie der Drachen, der Eimer und die Schaufeln sowie Sportgeräte und Spielsachen. Statten Sie Ihr Ferienhaus mit Grundnahrungsmitteln aus. Wenn Sie eine Tiefkühltruhe vor Ort haben, müssen Sie nicht so häufig einkaufen gehen. Liegt das Ferienhaus etwas abgeschiedener, ist auch ein Vorrat an Glühbirnen, Ersatzsicherungen, Toilettenpapier und anderen Haushaltswaren praktisch. So gehen auch Ihren Mietern nicht plötzlich die Vorräte aus.

Wenn Sie Ihr Haus regelmäßig vermieten oder Freunde und Familienmitglieder das Haus nutzen lassen, geben Sie Ihnen eindeutige Informationen und Instruktionen mit auf den Weg. Sehr praktisch ist eine Tafel mit wichtigen Daten wie den Öffnungszeiten der Geschäfte, Bus- oder Zugfahrplänen, der Adresse des nächsten Arztes oder Krankenhauses, dem Tag der Müllabholung sowie Sehenswürdigkeiten und Freizeiteinrichtungen in der Umgebung. Bedienungsanleitungen und -hinweise sollten vor Ort gut sichtbar aufbewahrt werden. In ein Gästebuch können Ihre Gäste Tipps und Hinweise für spätere Besucher eintragen.

OFFEN FÜR ELEMENTE

In den Ferien kann man nicht nur den Alltagsstress hinter sich lassen, sondern auch die natürliche Schönheit eines Ortes genießen. Dieses einfache Sommerhaus liegt in Punta del Este in Uruguay und schärft durch seine offene Struktur die Sinne für die reizvolle Umgebung, in die es sich harmonisch einfügt.

Das Haus liegt umgeben von grünen Hügeln in einem kleinen Tal mit Blick auf das nahe Meer. Als der Besitzer hier Land kaufte, um für sich und seine Familie ein Ferienhaus zu bauen, wollte er das Haus vor allem kompakt und einfach haben, um einerseits so viel Freifläche wie möglich zu erhalten und andererseits ein Gefühl von Offenheit und Naturverbundenheit zu schaffen. Eine andere wichtige Rolle beim Entwurf des Hauses spielte die Vorliebe des Besitzers für die Arbeiten des mexikanischen Architekten Luis Barragán. Dieser entwarf eine kompakte Konstruktion in L-Form von etwa 400 qm inklusive Terrassen, die auf verschiedenen Ebenen angelegt ist. Tür- und Fensteröffnungen bieten in alle Richtungen einmalige Blicke auf die umliegende Landschaft und das Meer. Die schlichte Ästhetik des mexikanischen Baustils Barragáns drückt sich in starken geometrischen Linien aus und wird durch die Verwendung einfacher Baumaterialien noch verstärkt. Die mit Beton verputzten Außenwände sind in warmen Erdtönen gehalten, wodurch sich das Haus perfekt in seine Umgebung einpasst.

Umrahmt von dem L-förmigen Gebäude bildet der Pool den Fokus des Entwurfs. Aufgrund der Hanglage des Hauses wurde er in zwei Stufen wie ein Wasserfall in Richtung Meer

⌐ Die Essecke neben der Küche ist mit einer einfachen Bank und einem rustikalen Tisch aus alten Brettern und Pfosten eingerichtet. Weitere Sitzfläche bietet die mit Sitzkissen ausgestattete Betonbank, die sich von der gleichfalls weiß gestrichenen Wand kaum abhebt.

‹ Durch eine Konstruktion aus weiß gestrichenem Beton wurden im Kinderzimmer vier Schlafkojen geschaffen. Die integrierte Leiter besteht aus einfachen Rundhölzern. Die weißen Wände, blauen Rollos und die blauweiß gestreifte Bettwäsche schaffen eine erfrischend kühle, einladende Atmosphäre. Die Leseleuchten über den Betten haben Schirme aus Pergament.

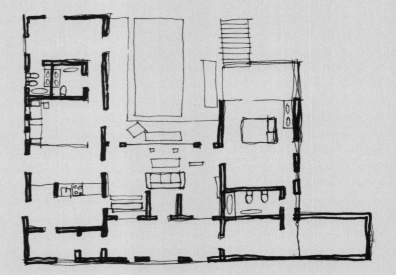

‹ Der Eingangsbereich ist wie ein ummauerter Innenhof nicht überdacht und bildet einen fließenden Übergang vom Außenbereich zum Wohnraum. Innen wie außen ist der Boden mit poliertem Travertin ausgelegt. Die Tür und die Eisenbeschläge sind gebraucht gekauft.

⌄ Vom Wohnzimmer gelangt man hinaus auf die Terrasse und von dort direkt an den Pool, der das Zentrum des Grundrisses bildet. Die Terrasse wird von einem Vordach aus Eukalyptusästen beschattet. Schlichte moderne Sofas und Sessel mit weißen Bezügen bilden eine einladende Sitzgruppe, die durch Oberlichter mit Tageslicht beschienen wird.

› Der Grundriss des Hauses wurde um den zentralen Pool angelegt. Er unterstreicht den fließenden Übergang zwischen Außenbereich und Innenraum.

angelegt. Als zentraler Punkt des Hauses ist der Pool von einer Terrasse umgeben, die von allen Haupträumen aus zugänglich ist. Auf der Hauptachse des Gebäudes liegt der Eingang, von dem aus man direkt in das Wohnzimmer gelangt, das sich zu einer schattigen Terrasse und zum Pool hin öffnet. Zu einer Seite des Wohnzimmers liegen die Küche, Wirtschaftsräume, das Kinderzimmer, das Gästezimmer sowie die dazugehörigen Badezimmer. Auf der anderen Seite liegen Elternschlafzimmer und -bad. Der fließende Übergang von den Innenräumen zum Außenbereich wird zudem durch Oberlichter im Wohnbereich betont, die für natürliche Beleuchtung sorgen.

Ausstattung und Einrichtung des Hauses kombinieren rustikale, organische Elemente mit den klaren Linien und der Leichtigkeit modernen Stils. Der Boden im Wohnbereich ist mit poliertem Travertin ausgelegt, in den Schlafzimmern hingegen mit abgezogenen und gebeizten Kiefernbohlen. Einfache Polstersofas und Bänke bieten gemütliche Sitzgelegenheiten, die einen Kontrast zu den rustikaleren Einrichtungselementen bilden. Hierzu zählen mehrere Betonkonstruktionen wie etwa die Küchenregale oder der aus Holzresten gezimmerte Esstisch.

∧ Ein Blickfang im großen Schlafzimmer ist die versenkte Schieferbadewanne, für deren Konstruktion die Hanglage des Hauses ausgenutzt wurde. Der Schlafzimmerboden besteht aus abgezogenen, gebeizten Kiefernbohlen. Ein Kamin versorgt den Raum in kühleren Nächten mit wohliger Wärme. Über das moderne Pfostenbett aus Eisen wurden weiße Baumwollnetze drapiert.

❯ In der Küche ist der Herd zwischen zwei robusten Regalen aus Beton eingebaut, die Stauraum für Küchenutensilien bieten. In eine der Arbeitsplatten aus Marmor ist das Waschbecken eingelassen. Auch die Wand hinter dem Herd wird durch eine Marmorplatte geschützt.

❯❯ Die Hanglage des Hauses ermöglichte die Anlage des Pools auf zwei Ebenen. Vom Haus aus hat das Becken damit keine sichtbare Rückwand und scheint optisch mit dem Meer im Hintergrund zu verschmelzen.

DAS LEERE NEST

Auch wenn die Kinder in ihrer eigenen Wohnung leben, sind sie selten für immer „aus dem Haus". Meist wirkt das Haus der Eltern über längere Zeiträume „leer", wenn aber Feiertage oder Familienfeste anstehen, wird es schlagartig wieder voll. Auch Scheidungen und neue Partner tragen das ihre zum stetigen Wandel der häuslichen Verhältnisse bei.

Meist gibt es keinen eindeutigen Zeitpunkt, ab dem das Haus leer ist, sondern eine längere Übergangsphase, in der es sich merklich leert. Diese Phase wird sowohl von gemischten Gefühlen auf beiden Seiten als auch von sich ändernden Raumansprüchen begleitet. Diese längere Übergangsphase macht es schwer, den geeigneten Zeitpunkt für Veränderungen zu finden. Dennoch ist es in diesem Lebensabschnitt normal, die häusliche Lebenssituation noch einmal zu überdenken. Häufig hat dies zur Folge, dass das Haus gründlich entrümpelt, renoviert und umdekoriert wird. Eine radikalere Lösung ist die, sich vollkommen vom alten Haus zu trennen und eine neue Bleibe zu suchen.

Sind die Kinder einmal ausgezogen, sollte das Haus den Eltern mehr Raum für die Hobbys und Aktivitäten bieten, für die vorher weder Zeit noch Raum war. Manchmal ist das aber nicht so einfach. Gerade wenn Sie denken, Ihre Kinder haben ihr eigenes Leben und brauchen ihr altes Kinderzimmer nicht mehr, nehmen sie es samt der Enkel wieder in Beschlag. Oder Sie benötigen das Zimmer nun für einen älteren Verwandten, der nicht mehr alleine leben kann. Veränderungen sind aber auch nötig, wenn Sie aus dem Berufsleben ausscheiden und in Rente gehen. Schließlich haben Sie das Haus vorher zumeist nur abends und am Wochenende genutzt und verbringen nun die meiste Zeit hier. In diesem Lebensabschnitt ist also Flexibilität genauso gefragt wie in allen vorherigen Phasen auch.

ÜBERLEGUNGEN

Wie in allen Zeiten der Veränderung ist es auch jetzt wichtig, sich über die eigenen Bedürfnisse Gedanken zu machen und die bisherige Raumaufteilung einmal genau zu überdenken. Die Menschen leben heute länger und sind im Ruhestand oft noch sehr aktiv. In dieser Phase sollten wir uns aber auch eingestehen, dass die Zeiten des turbulenten Familienlebens endgültig vorbei sind, sobald die Kinder aus dem Haus sind.

Bei der Planung der Veränderungen kommt es allerdings auf den richtigen Zeitpunkt an. Manche Kinder reagieren sehr empfindlich, wenn es um die Umgestaltung ihres ehemaligen Kinderzimmers geht. Es ist durchaus normal, dass Kinderzimmer eine ganze Weile so bestehen bleiben, wie sie sind, auch wenn die inzwischen erwachsenen Kinder sie nur noch am Wochenende oder in den Ferien nutzen. Solange Ihre Kinder keine permanente eigene Wohnung haben, empfehlen sich kleinere Veränderungen. Oder Sie warten mit der Umgestaltung Ihres Hauses, bis alle Kinder das Haus verlassen haben. Nichts spricht dagegen, diesen Abnabelungsprozess ein wenig zu beschleunigen.

Mit dem Haus, aus dem die Kinder ausgeflogen sind, verbinden wir allerdings immer nostalgische Gefühle. Natürlich gibt es Eltern, die sich manchmal die hektischen und lauten Zeiten zurückwünschen, in denen die Kinder klein waren. Es gibt aber auch jene Eltern, die bezweifeln, ob sie ihr Haus jemals für sich haben werden. Mit den steigenden Miet- und Immobilienpreisen wohnen Kinder

> Lichtbox

Wenn die Kinder das Haus verlassen haben, ist es nur natürlich, dass sich die Eltern Gedanken über die Aufteilung ihres Hauses machen. In diesem Fall haben sich die Besitzer eines traditionellen viktorianischen Reihenhauses in London für einen radikalen Umbau entschieden. Sie verpflichteten den Architekten David Mikhail für den Entwurf eines neuen Anbaus. Seine Ideen veränderten nicht nur den Grundriss der Hauptwohnbereiche, sonder verlieh ihnen eine neue, luftigere und hellere Qualität.

Vor dem Umbau war das Esszimmer sehr beengt und die Küche sehr dunkel, da sie nur ein fächerförmiges Oberlicht zu einer Seitengasse hin besaß. Der Architekt ließ den zweistöckigen hinteren Anbau abreißen und neu aufbauen. Dabei bezog er die Seitengasse mit ein und errichtete hier einen auffälligen Glaskasten, der die Küche beherbergt. Da der neue Anbau das Volumen des Hauses nur um zehn Prozent vergrößert, war nach britischem Baurecht keine Baugenehmigung erforderlich.

Das Dach der langen schmalen Küche besteht aus einer einzigen Scheibe mit Doppelverglasung und verstärkt so das Gefühl des Kontakts mit der Außenwelt. Falttüren verbinden die Küche mit dem lichtdurchfluteten Essbereich. Die durchgehende Linie der Küchenschränke setzt sich auch im Freien über die gesamte Länge der Gartenmauer fort. Die im Freien stehenden Schränke beherbergen den Grill sowie Gartengeräte und -möbel.

Anbauten können sich negativ auf die Lichtverhältnisse in den bestehenden Räumen auswirken. Um dies zu verhindern, wurde bei diesem Entwurf zwischen Küche und Wohnzimmer ein winziger Lichthof angelegt, der durch eine Drehtür vom Wohnzimmer aus begehbar ist. Der kleine, nach oben hin offene Hof erleichtert nicht nur das Lüften des Wohnzimmers und verbessert die Lichtverhältnisse, sondern bildet auch einen interessanten Blickfang.

Interessant ist auch der auffällige Kieselboden, der sich von der Küche über den Essbereich bis in den Garten erstreckt. Er besteht aus weißen Marmorkieseln, die in Kunstharz eingegossen sind. Dieser Bodenbelag ist preisgünstiger als Steinfliesen oder ein Holzfußboden und einfacher zu pflegen. Er wird einfach gesaugt, Flecken werden mit einer Bleichlösung entfernt.

immer länger bei ihren Eltern. Trifft das auch auf Ihren Haushalt zu, sollten Sie klare Regeln aufstellen. Vereinbaren Sie eine Miete, auch wenn es nur ein kleiner Betrag ist. Bestehen Sie auf einer Beteiligung an den Haushaltskosten, von Lebensmitteln bis zu den laufenden Kosten wie Strom, Wasser und Telefon. Machen Sie Ihren Sprösslingen das Leben nicht zu bequem, indem Sie ihre Wäsche waschen oder für sie kochen, sonst wollen sie unter Umständen nie ausziehen.

Wenn die Kinder das Haus verlassen, ist der Zeitpunkt gekommen, sich auch über Finanzielles Gedanken zu machen. Wie sieht beispielsweise Ihr Budget aus, wenn Sie nicht mehr von Ihrem Gehalt, sondern von der Rente und Rücklagen leben? Wenn man sein bisheriges Haus verkauft und in ein kleineres Heim umzieht, kann der Verkaufserlös als zusätzliche Rente dienen. Gleichzeitig kann ein kleineres Heim die laufenden Kosten reduzieren, wodurch Sie ebenfalls größeren finanziellen Spielraum gewinnen.

Wenn Sie einen Umzug in Betracht ziehen, überlegen Sie sich gut, wo und wie Sie leben möchten. In den letzten Jahren hat sich vielerorts der Trend umgekehrt. Viele Menschen geben im Ruhestand ihr Haus auf dem Land oder in den Vorstädten auf und ziehen in eine Wohnung in der Stadt. Hier liegt das gesamte kulturelle Angebot, Museen, Galerien, aber auch Bars und Restaurants, in direkter Nähe und erleichtert so die Freizeitgestaltung. Andere unternehmen diesen Schritt aus anderen Gründen: Wenn man sein ganzes Leben damit zugebracht hat, ein altes Haus vor dem Verfall zu retten, kann ein Umzug in eine moderne Wohnung eine große Erleichterung sein.

RÄUMLICHE UMGESTALTUNG

Wenn die Kinder das Haus verlassen, haben die Eltern der Durchschnittsfamilie zwei Räume mehr zur Verfügung – für die meisten ein geradezu verschwenderisches Raumangebot. Wer nicht umziehen möchte, kann diesen beiden zusätzlichen Räumen einfach eine neue Funktion zuweisen. Oder man denkt über die Raumaufteilung des Hauses einmal grundlegend nach.

Listen Sie doch einmal auf, welchen Aktivitäten Sie gerne nachgehen möchten und wozu Sie mehr Platz benötigen. Vielleicht wünschen Sie sich ein eigenes Büro oder einen Hobbyraum. Eventuell benötigen Sie ein größeres Badezimmer,

➤ Der Übergangsphase, in der die Kinder nach und nach das Haus verlassen, kann man durch Renovierung und Umgestaltung des eigenen Hauses einen positiven Aspekt verleihen. Jetzt können Sie Ihre Inneneinrichtung auch mit Materialien gestalten, die vorher wegen ihrer Anfälligkeit für Flecken und Kratzer nicht infrage kamen. In dieser Wohnung in Amsterdam hat die Bibliothek verglaste Schiebetüren, die in den Wänden verschwinden. Die weiß gestrichenen Holzeinbauten und Zierleisten bilden einen schönen Kontrast zu den schokoladenbraunen Wänden.

⌐ Früher zog es viele Rentner aufs Land oder in kleinere Orte. Heute ist der Trend eher umgekehrt. Viele Ruheständler geben ihre Häuser am Stadtrand auf und ziehen in eine Wohnung in der Stadt. Offene Wohnräume und moderne Installationen sind einfach zu pflegen und können eine wahre Erleichterung sein, wenn man sich lange um ein altes Haus gekümmert hat.

« Als ihre Tochter aus der Souterrainwohnung auszog, entschied sich ein Ehepaar für einen kompletten Umbau. Sie beauftragten ein Architektenbüro, die ehemalige Zweizimmerwohnung so umzugestalten, dass sie als Büro, Schlafzimmer, Bibliothek und Heimkino genutzt werden konnte. Das Klappbett ist nur einer der raumsparenden Einbauten.

┌ Lautsprecher und Bücherregale sind fest eingebaut und die HiFi- und Videoausstattung versteckt sich in einem Einbauschrank. Das Schlafzimmer wird durch eine Schiebetür abgetrennt. Ist das Bett eingeklappt und die Tür geöffnet, kann eine Leinwand von der Decke heruntergelassen werden und der gesamte Raum verwandelt sich in ein Heimkino.

└ Stehen Ihnen nach dem Auszug der Kinder mehr Zimmer zur Verfügung, überlegen Sie sich gut, wie Sie diese nutzen. Ein Ankleidezimmer schafft beispielsweise mehr Platz und Komfort im Schlafzimmer.

∨ Ein angrenzendes Schlafzimmer lässt sich hervorragend in ein großes Badezimmer verwandeln. Die zwei separaten Waschbecken auf einem niedrigen Waschtisch, unter dem Einbauschränke Stauraum bieten, vermitteln den Eindruck schlichter Eleganz.

eine große Abstellkammer oder einen begehbaren Kleiderschrank. Natürlich brauchen Sie ein Gästezimmer, in dem ihre Kinder oder Freunde bei einem Besuch übernachten können. Vielleicht ist aber auch ein Zimmer für einen älteren Verwandten erforderlich.

Es kann sinnvoll sein, eine eingezogene Zwischenwand zu entfernen und den ehemals geteilten Raum wieder als Ganzes zu nutzen. Solche Räume bieten sich für verschiedene Gestaltungsmöglichkeiten an. So kann man hier ein Arbeitszimmer einrichten, das gleichzeitig als Gästezimmer dient. Oder Sie verlegen Ihr Schlafzimmer und nutzen den Raum für andere Dinge.

Beim Umzug in eine kleinere Wohnung kann es schwierig sein, alles unterzubringen. Dann sind flexible Möbel wie in der ersten eigenen Wohnung sehr praktisch. Klappbetten und -tische, verschiebbare Raumteiler und Paravents sowie Einbauschränke schaffen Raum und bieten Flexibilität. So kann auch auf weniger Raum Platz genug für ein Gästezimmer sein.

VERGRÖSSERUNG ODER VERKLEINERUNG

Im *New Yorker* fand ich kürzlich einen schönen Cartoon. Ein Innenarchitekt zeigt seinem Klienten die Pläne für die umgestaltete Wohnung und sagt, für ihn sei das „leere Nest" „eine Wohnung, die endlich die Chance hat, erwachsen zu werden". Diese Erklärung beschreibt ziemlich genau die Gefühle, die viele Menschen

in diesem Lebensabschnitt haben. Nachdem sie jahrelang den Bedürfnissen der Kinder und den Erfordernissen des Alltags den Vorrang gegeben haben, empfinden sie den neuen Lebensabschnitt als Chance für einen Neuanfang.

Die Renovierung des eigenen Heims bietet eine schöne Möglichkeit, dieser Veränderung Ausdruck zu verleihen. Jetzt können Sie beispielsweise über die Anschaffung von empfindlichen Materialien und teuren Einrichtungsgegenständen nachdenken, die vorher nie zur Diskussion standen. Hat man jahrelang allgemeine Verschleißerscheinungen wie vergilbte Farben oder abgetretene Böden wegen des allgemein hektischen Familienalltags gelassen hingenommen, können andere Farben, frische Böden und schicke Möbel jetzt eine ganz neue Atmosphäre schaffen und den Übergang zum alternativen Lebensgefühl sehr erleichtern.

Aber auch aus anderen Gründen machen Renovierungsmaßnahmen jetzt Sinn. Wenn Sie bisher mit alten Rohren, Armaturen oder Leitungen zu kämpfen hatten, bringt eine Renovierung nicht nur eine Aufwertung des Eigenheims mit sich, sondern erleichtert auch den Alltag. So müssen Sie unter Umständen weniger putzen und haben mehr Zeit für andere Dinge. Und wenn nicht mehr für eine Horde Kinder gekocht und gewaschen werden muss, kann man auch über die Anschaffung kleinerer Haushaltsgeräte nachdenken, die durch ihren geringeren Stromverbrauch Kosten sparen.

Eine der schwierigsten Aufgaben ist das Entrümpeln. Seltsamerweise fühlen sich gerade die Häuser am leersten an, die am stärksten zugestellt sind. Je mehr Sachen die Kinder bei Ihnen zurücklassen, desto mehr erinnert Sie an die „gute alte Zeit". Was Eltern wohl am meisten fürchten und womit sie am schlechtesten zurecht kommen, ist die Stille und Leere des eigenen Hauses nach dem Auszug der Kinder. Aber das Festhalten an all den alten Sachen wird dieses Gefühl noch verstärken und Ihr Haus langsam aber sicher in eine leblose Gedenkstätte verwandeln. Mit einer neuen Gestaltung Ihres Hauses können Sie Ihren Hobbys und anderen Aktivitäten mehr Platz einräumen. So gewinnt Ihr Haus von ganz alleine neue Lebensqualität und strahlt Lebensfreude aus.

Beim Ausräumen der Habe von erwachsenen Kindern ist oft genauso viel diplomatisches Geschick erforderlich wie bei kleinen Kindern. Für viele Menschen bleibt das elterliche Haus ein Leben lang ihr Zuhause. Die emotionale Bindung an diesen Ort wird gehalten, indem man einen Teil seiner Habe und alte Spielsachen dort zurücklässt. Wertvolle Kindheitserinnerungen wie Briefe, Fotoalben, Schulhefte oder Spielzeug können in Kisten verpackt und im Keller gelagert werden. Schließlich möchte Ihr Kind vielleicht später etwas davon an seine

⌄ Die glatten Flächen und geraden Linien dieses schottischen Hauses bilden den perfekten Rahmen für die erlesene Sammlung von antiken und modernen Möbeln des Besitzers. Dies ist durch und durch ein Haus für Erwachsene. Das Wohnzimmer ist mit Klassikern des modernen Designs von Mies van der Rohe ausgestattet, einem Klavier und einem Teleskop.

⌐ Das moderne Haus, das einen baufälligen georgianischen Landsitz ersetzt, hält sich an die traditionelle Raumaufteilung: Im Erdgeschoss liegen die Schlafzimmer und darüber der Wohnbereich. Vom Eingangsbereich gelangt man über eine fast skulpturhafte Spiraltreppe in den Wohnbereich.

⌐ Große Fensterfronten erlauben kontemplative Ausblicke nach draußen.

≫ Die mit Holz verkleidete Bibliothek wirkt nicht so offen wie die restlichen Wohnräume und ist daher der ideale Ort zum Entspannen. Hier kann man sich gemütlich mit einem Buch oder der Zeitung zurückziehen.

BLICK IN DIE STERNE

Der Standort spielt immer eine wichtige Rolle, ob beim Kauf des ersten Zuhause oder dem Erwerb des Hauses, in dem man seinen Ruhestand verbringen möchte. Das hier vorgestellte Beispiel ist ein Ruhestandssitz im südlichen Arizona, nahe der mexikanischen Grenze, für dessen Standort sich die Besitzer aus mehreren Gründen entschieden haben. Sie hatten diese Region Arizonas schon mehrfach bereist und das Grundstück mehrere Jahre vor dem Bau des Hauses erworben. Sie waren nicht nur von der rauen Schönheit der Landschaft begeistert, sondern vor allem vom sternenklaren Nachthimmel. Als früherer Radioastronom ist der Ehemann auch im Ruhestand ein begeisterter Sternenbeobachter. Da das Grundstück etwas außerhalb einer kleinen Stadt liegt und sich nur wenige andere Häuser in direkter Nähe befinden, kann er hier seiner Leidenschaft ungestört nachgehen.

Als das Ehepaar den Bau des Hauses in Auftrag gab, war daher auch eine Beobachtungsplattform für ein optisches Teleskop eine der wichtigsten Vorgaben. Weiterhin waren zwei Arbeitszimmer gewünscht, dazu ein Gästezimmer und viel Raum zum Empfang von Gästen. Alle Räumlichkeiten sollten nach Möglichkeit auf einer einzigen Etage liegen. Wegen des heißen Wüstenklimas wünschten sich die Besitzer zudem einen fließenden Übergang zwischen den Innenräumen und dem Außenbereich.

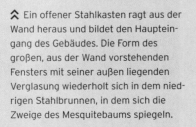

↗ Ein offener Stahlkasten ragt aus der Wand heraus und bildet den Haupteingang des Gebäudes. Die Form des großen, aus der Wand vorstehenden Fensters mit seiner außen liegenden Verglasung wiederholt sich in dem niedrigen Stahlbrunnen, in dem sich die Zweige des Mesquitebaums spiegeln.

∧ Die zwei langen, rechteckigen Gebäude stehen in einem spitzen Winkel zueinander und wurden auf einer in den Hügel gegrabenen Terrasse errichtet.

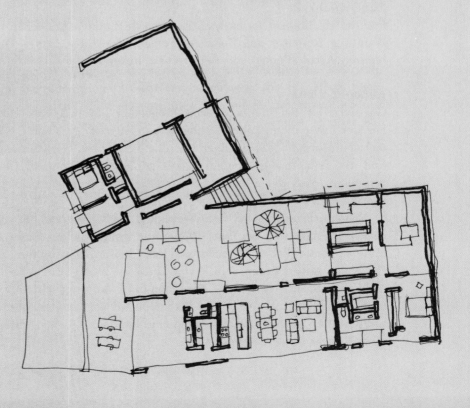

⌃ Auf der Südwestseite geht die große Loggia in die Außenterrasse am Pool über. Die Loggia verfügt über eine zusätzliche Küche sowie über eine große Fensteröffnung, durch die man den Blick auf die Berge genießen kann.

❮ Die ungewöhnliche Anordnung der Fenster sorgt nicht nur für unterschiedliche Ausblicke auf die Umgebung, sondern auch für eine gute Luftzirkulation im Haus.

❯ Die verwitterte Stahlverkleidung der Außenwände kontrastiert mit den strahlend weiß verputzten Innenwänden. Da das Klima in Arizona sehr trocken ist, war eine Verkleidung des Hauses mit teurerem, rostfreiem Stahl nicht nötig.

Auf dem Grundstück wurden zwei lang gezogene, rechteckige Häuser errichtet, die in einem spitzen Winkel zueinander liegen und einen Innenhof und den Pool einrahmen. Das kleinere Gebäude beherbergt Gästezimmer, die Aussichtsplattform sowie die Garage. Im größeren Gebäude finden sich die Wohnbereiche sowie die beiden Arbeitszimmer. In einem Arbeitszimmer hat sich der Ehemann mit all seinen Büchern eingerichtet, während seine Frau das zweite für das Nähen von Quilts nutzt.

In dem extrem trockenen Wüstenklima verwittert Stahl zwar schnell, rostet aber nicht durch. So konnte das Haus mit einfachem Stahl verkleidet werden und man musste nicht auf den teureren rostfreien Stahl zurückgreifen. Durch den warmen Rostorangeton seiner Verkleidung fügt sich das Anwesen harmonisch in die Wüstenlandschaft ein und fällt nicht als Fremdkörper ins Auge. Viele Wandöffnungen und große Fensterfronten erlauben einmalige Panoramablicke auf die umliegende Landschaft sowie interessante Perspektiven innerhalb des Hauses.

Im Gegensatz zum verwitterten Äußeren zeichnet sich die Innenausstattung durch edle Oberflächen und geschmackvolle Details aus und bietet so den perfekten Rahmen für die große Kunstsammlung der Besitzer. Weißer Rauputz, Ahorntäfelungen, rostfreier Stahl, sandgestrahltes Glas und polierte Böden aus schwarzem Beton schaffen einen klaren, grafischen Hintergrund.

Neben dem großen Innenhof gibt es einen weiteren kleinen, geschützteren Innenhof hinter den beiden Arbeitszimmern. Den Haupteingang des Gebäudes markiert ein aus der Wand herausragender Stahlkasten, der als offener Eingangsbereich dient. An derselben Außenfront ragen auch mehrere Fenster wie Kästen aus der Wand heraus, deren Verglasung entweder innerhalb des Stahlrahmens liegt oder seine Außenhaut bildet.

⌐ Der Blick vom Innenhof in die Küche. Die Küchenschränke bestehen aus rostfreiem Stahl. Der schwarze, polierte Betonboden absorbiert tagsüber die Hitze und gibt sie in den Nächten, in denen die Temperaturen in der Wüste dramatisch abfallen können, langsam wieder ab.

❮ Die offene Wohnraumgestaltung lässt Ausblicke in die unterschiedlichsten Richtungen zu. Große Glastüren bilden transparente Raumteiler.

∧ Der kleine Innenhof liegt an der Rückfront des Grundstücks, wo es in den Hügel eingeschnitten wurde, und besitzt von beiden Arbeitszimmern aus einen Zugang.

∧ Im Hauptschlafzimmer bildet die unverputzte Betonwand einen interessanten Kontrast zum auf Hochglanz polierten Fußboden. Von hier aus blickt man durch ein großes quadratisches Fenster hinaus auf den kleineren, am Nordwestende gelegenen Innenhof.

❯ Der gesamte Wohnbereich verfügt über eine lange Fensterfront in der Südostwand, die sich über die volle Länge des Hauses erstreckt. Die Küchenwand ist mit Ahornholz verkleidet. Auf der Rückseite der Wand liegt die Außenküche in der Loggia, von der man auf die Außenterrasse am Pool gelangt.

TEIL 2
GESTALTEN

In diesem Kapitel geht es konkret zur Sache. Für Vorhaben unterschiedlicher Art – von der kleinen Renovierung bis zum kompletten Neubau – finden Sie hier alle nötigen Informationen. Checklisten und detaillierte Hinweise zu einzelnen Schritten helfen dabei, Ihre Pläne in die Wirklichkeit umzusetzen, ob Sie ein neues Bad ein- oder einen Dachboden ausbauen wollen, ob Sie selbst Hand anlegen oder die Arbeit lieber Fachleuten überlassen möchten.

GRUNDSÄTZLICHES

Wie und wo man wohnt, hat nicht nur erhebliche Auswirkungen auf die persönlichen Finanzen, sondern auch auf das körperliche und seelische Wohlbefinden. Der Kauf eines Hauses oder einer Wohnung zählt zu den größten Investitionen, die die meisten Menschen in ihrem Leben tätigen, aber auch die Miete verschlingt regelmäßig einen großen Teil des Einkommens. Wer an einem gemieteten oder eigenen Haus Veränderungen vornehmen will, muss verschiedene Faktoren bedenken – nicht nur finanzielle, sondern auch bauliche, gesetzliche und praktische.

Bedingungen und Kosten für Darlehen und Hypotheken sind von Geldinstitut zu Geldinstitut und von Land zu Land unterschiedlich, ebenso die Gesetze, die sich auf Kauf, Bau oder Umbau beziehen. Obendrein können sich diese Vorschriften ändern. Darum sollten Sie in jedem Fall aktuelle Informationen von Fachleuten einholen: Finanzierungsberater, Notar, Rechtsanwalt, Makler, Bauingenieur, Architekt und Steuerberater. Entscheidend für den Erfolg ist, dass man vorher seine Hausaufgaben gründlich gemacht hat.

Diese Warnung soll Sie aber nicht abschrecken. Ein Haus zu verändern und in einen Ort zu verwandeln, in dem man sich rundherum wohl fühlt, gehört zu den lohnendsten Dingen im Leben und wirkt sich direkt auf die Lebensqualität aus. Während der Bauarbeiten mögen Sie daran zweifeln, doch wenn alles fertig ist, werden Sie erleben, dass es sich auszahlt.

KOSTENPLANUNG

Die wichtigste Frage: Was können Sie sich leisten? Wer von vornherein sein finanzielles Limit festsetzt, läuft weniger Risiko, dass ihm die Kontrolle über die Kosten entgleitet, wenn das Vorhaben angelaufen ist. Stellen Sie eine detaillierte Liste aller monatlichen Ausgaben zusammen: Nahrungsmittel, regelmäßige Rechnungen, Fahrtkosten, Kleidung, Urlaub, Autoreparaturen, Betriebskosten und andere feste Posten wie Darlehen, Kreditkarte und Hypothekenzinsen. Dagegen stellen Sie alle Einnahmen (Nettogehalt, Dividenden, Zinsen von Sparguthaben oder Geldanlagen), um ein ungeschöntes Bild Ihrer finanziellen Verhältnisse zu erhalten. Dann können die Finanzierungsmöglichkeiten konkret erwogen werden.

Einkommen

Sofern Sie nicht regelmäßig mehr ausgeben, als Sie verdienen, lassen sich kleinere Vorhaben wie Renovierungen, Reparaturen und gelegentliche Anschaffungen normalerweise direkt aus dem Portemonnaie bezahlen. Wer sich aber entscheidet, finanzielle Engpässe durch Einsparungen in anderen Bereichen zu vermeiden – etwa den Verzicht auf Ferien oder Freizeitaktivitäten – sollte sicher sein, dass er das später nicht bereut. Außerdem können andere Haushaltsmitglieder zu solchen Entscheidungen auch eine eigene Meinung haben.

Ersparnisse

Ersparnisse oder Geldanlagen vergrößern die finanzielle Beweglichkeit. Man kann sie als Eigenkapital beim Hauskauf einbringen oder in größere Umbauten investieren. Allerdings muss man Kosten und Nutzen in Beziehung zueinander stellen. Wenn die künftige Wertsteigerung Ihres Hauses durch Veränderungen unter dem liegt, was Ihr Guthaben im gleichen Zeitraum abwirft, sollten Sie noch einmal darüber nachdenken.

Kurzfristige Kredite

Es kann verlockend sein, für kleinere Projekte den Dispositionskredit in Anspruch zu nehmen oder einen Ratenkaufvertrag zu vereinbaren. Allerdings werden Ihnen viele Kreditkunden bestätigen, dass solche Schulden mühsam zu tilgen sind. Kurzfristige Kredite sind ausgesprochen teuer, denn Sie müssen zum eigentlichen Kaufpreis die Summe der Kreditzinsen addieren. Wer mit einem Ratenkauf liebäugelt, sollte Vertragsbedingungen und Zinsen genau prüfen und verschiedene Angebote miteinander vergleichen. Manchmal ist der Dispositionskredit günstiger als das Ratenkauf-Angebot des Händlers.

Darlehen

Für größere Vorhaben könnte man auch ein Darlehen bei einer Bank oder einer Bausparkasse in Erwägung ziehen, bei dem der Zins über einen längeren Zeitraum festgelegt ist. Auch hier muss zu der geliehenen Summe die der Zinsen addiert werden. Banken verlangen Einblick in die persönlichen Einkommensverhältnisse des Kreditnehmers und legen auf dieser Grundlage die Höchstgrenze des Kredits fest. Sollen größere Beträge durch ein Finanzierungsunternehmen bereitgestellt werden, wird in der Regel eine Sicherheit gefordert –

bei Bauprojekten meist die Immobilie selbst. Solche Kredite können allerdings das Wohneigentum kosten, wenn man den Rückzahlungen nicht mehr nachkommen kann. Zudem können sie teurer sein als Hypothekendarlehen.

Hypotheken

Hypothekendarlehen sind die klassische Finanzierungsform für Wohneigentum. Weil die Bandbreite der Konditionen aber ausgesprochen groß ist, sollten Sie sich mit dem Markt vertraut machen und sich von einem Fachmann beraten lassen. Es gibt Hypothekendarlehen mit einem über einen längeren Zeitraum festgeschriebenen Zinssatz. Bei anderen passt sich der Zinssatz dem Geldmarkt an, teilweise ist eine Zinsober- und -untergrenze vertraglich festgelegt. Angeboten werden auch Hypothekenmodelle, bei denen die Kunden eine Zahlungspause von bis zu sechs Monaten einlegen oder während der Laufzeit Sondertilgungen vornehmen können. Hypothekendarlehen werden im Grundbuch eingetragen und getrennt vom Girokonto erfasst. Sollten Sie bereits eine Immobilie besitzen, ist ein Hypothekendarlehen meist die kostengünstigste Lösung für größere Projekte – vorausgesetzt, Sie verfügen über genügend Eigenkapital, also die rechnerische Differenz zwischen ausstehendem Darlehensbetrag und dem aktuellen Wert der Immobilie.

KAUFEN

Ein Hauskauf ist ein großer Schritt. Vor allem in Regionen mit schwankenden Preisen für Wohneigentum spielt dabei der richtige Zeitpunkt eine Rolle. Normalerweise gelten Immobilien als sichere Investition, doch gute Erträge sind oft nur auf lange Sicht zu erwarten. Wer während eines Booms kauft, steht deutlich schlechter da, wenn sich die Marktsituation negativ entwickelt. Und steigen gleichzeitig die Zinsen, kann die Situation problematisch werden. Kaufen sollte man grundsätzlich nur, wenn der Markt nicht überhitzt ist, wenn Karriere und Einkommen stabil und berechenbar sind und wenn die monatlichen Hypothekenrückzahlungen die Miete für ein vergleichbares Objekt nicht übersteigen. Die Immoblilienpreise können auch schneller ansteigen als die Gehälter, weshalb sich der Erwerb zukünftig noch schwieriger gestalten würde.

Zu Fragen der Immobilienfinanzierung siehe auch: *Wir planen unser Haus*, Callwey Verlag 2004.

Um diese Klippen zu umschiffen, könnte man über einen gemeinsamen Besitz mit Freunden oder Verwandten nachdenken oder einen Teil des Gebäudes vermieten, sodass die Mieter beim Abtrag der Hypothek helfen.

> **Genau rechnen** Die realen Kosten eines Hauskaufs umfassen neben dem Preis der Immobilie auch Nebenkosten wie Umzug, Einlagerung, Versicherungen (Personen, Gebäude und Inventar), Maklercourtage, Gebühren (Behörden, Notar), Kosten für das Wertgutachten und Steuern. Vor allem Notariatsgebühren und Grunderwerbssteuer, die nach dem Wert der Immobilie berechnet werden, sind beträchtliche Kosten. Allein die Höhe der Nebenkosten kann sich leicht auf zehn Prozent des Kaufpreises summieren.

> **Objektprüfung** Ob Sie einen Loft mit Anschlüssen (aber ohne Installationen) kaufen, eine Neubauwohnung „nach Plan" oder einen Altbau: Erkundigen Sie sich genau, was Sie für Ihr Geld bekommen und was Sie noch investieren müssen, um die Räume bewohnbar zu machen. Bei nicht bezugsfertigen Wohnungen stellen Geldinstitute oft nur 80% des Beleihungswertes zur Verfügung, Sie müssen also mehr Eigenkapital einbringen.

> **Marktbeobachtung** Entwickeln Sie ein Gefühl für die Preise in bestimmten Lagen. Gute Informationsquellen sind Makler und Baufirmen, Immobilienangebote im Internet und in Tageszeitungen, Versteigerungen und Agenturen.

> **Klare Vorstellungen** Ein wichtiger Faktor ist die Lage. Hätten Sie gern Einkaufsmöglichkeiten, Verkehrsanbindung oder gute Schulen in der Nähe? Mögen Sie geschäftige, lebhafte Straßen oder möchten Sie gern ruhig wohnen? Schwebt Ihnen ein bestimmter Haustyp vor oder sind Sie in Bezug auf Baujahr, Stil und Aufteilung flexibel? Wollen Sie einen Garten? Einen Stellplatz fürs Auto? Wie viele Schlafräume? Wo liegt Ihre Preisgrenze? Je genauer Ihre Vorstellungen sind, desto klarere Vorgaben können Sie Maklern machen. Außerdem ist die Gefahr geringer, dass Sie sich Hals über Kopf in ein Haus verlieben, das letztlich Ihren Bedürfnissen nicht entspricht.

> **Kompromissbereitschaft** Makler schätzen, dass nur fünf Prozent der Hauskäufer genau das finden, was sie suchen. Alle Anderen müssen Kompromisse machen. Auch dabei sind klare Prioritäten hilfreich.

> **Dem Instinkt vertrauen** Wer sich gut vorbereitet hat, kann sich meist schnell für oder gegen ein Objekt entscheiden. Viele Käufer spüren sofort, ob ein Haus sich „richtig anfühlt". Bleibt dieses Gefühl aus, suchen Sie

weiter. Und wenn Sie sich spontan in ein Haus verlieben, verraten Sie sich nicht zu schnell – das könnte sich nachteilig auf Verhandlungen über Preis und sonstige Konditionen auswirken. Bleiben Sie gelassen, zeigen Sie Begeisterung nicht zu früh.

> **Hinter die Fassade schauen** In begehrten Lagen ziehen Verkäufer alle Register, um ihr Objekt an den Kunden zu bringen (siehe Verkaufen). Lassen Sie sich nicht von verlockenden Düften, Stapeln frischer Wäsche oder Vasen voll Blumen verwirren, die vielleicht nur von dem zweifelhaften Bau- oder Renovierungszustand ablenken sollen. Auch von erlesenen Möbeln und Accessoires sollten Sie sich nicht täuschen lassen, denn Sie kaufen schließlich leere Räume. Prüfen Sie lieber anhand der Grundrisse, ob Sie Ihre Möbel darin unterbringen können.

> **Auf Mängel achten** Nehmen Sie das Gebäude und seine direkte Umgebung unter die Lupe. Alarmzeichen sind durchhängende Decken oder krumme Wände, auffällige Risse, abblätternde Farbe, Wasserflecken, muffiger Geruch, stark „federnde" Fußböden, altmodische Elektroinstallationen und Verputz, der beim Klopfen hohl klingt. Vor allem Feuchtigkeit, alte Wasser- und Elektroleitungen werden oft übersehen, und beide Mängel sind teuer zu beheben. Alte Autos, Müll, Graffiti und ungepflegte Gärten in der Umgebung können auf eine unangenehme Nachbarschaft hinweisen.

> **Baugutachten** Die meisten Verkäufer lassen nur den Verkehrswert ihrer Immobilie bestimmen. Ein umfassendes Gutachten ist teurer, bietet aber eine ausgezeichnete Verhandlungsbasis.

> **Mehrmals besichtigen** Nehmen Sie zum zweiten Besuch möglichst eine kompetente Person mit, die Ihnen eine objektive Einschätzung geben kann. Planen Sie diesen Termin zu einer anderen Tageszeit als die Erstbesichtigung (oder an einem trüben Tag), um ein Gefühl für die Umgebung zu bekommen.

> **Respekt vor dem Verkäufer** In manchen begehrten Regionen der USA ist es üblich, dass Interessenten dem Verkäufer schriftlich mitteilen, warum gerade sie die idealen künftigen Besitzer des Objekts sind. So weit muss man nicht gehen, man sollte jedoch bedenken, dass die meisten Menschen lieber an jemanden verkaufen, der sie höflich und respektvoll behandelt.

> **Was kaufen Sie mit?** Legen Sie schriftlich fest, welches Inventar beim Verkauf im Haus bleibt. Man hat von geizigen Verkäufern gehört, die vor ihrem Auszug bis zur letzten Glühbirne alles ausgebaut und sogar alte Rosensträucher und stattliche Bäume im Garten ausgegraben haben, um sie

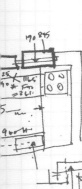

mitzunehmen. Eine offizielle Übergabe ist schon darum sinnvoll, um zu überprüfen, ob alle vereinbarten Gegenstände auch vorhanden sind. Nach der Übergabe können Sie Ihre Ansprüche meist nur noch gerichtlich durchsetzen.

VERKAUFEN

Auch wenn es wie ein Allgemeinplatz klingt: Bieten Sie Ihr Haus nicht an, solange Sie nicht sicher sind, dass Sie umziehen wollen. Käufer werden nur sehr vorsichtige Gebote abgeben, wenn Sie das Gefühl vermitteln, unschlüssig zu sein. Zunächst müssen Sie entscheiden, ob Sie das Objekt privat verkaufen oder einen Makler einschalten wollen. Der Einsatz eines Maklers oder Agenten kann Geld kosten, nimmt Ihnen andererseits aber viel Arbeit ab – sofern Sie einen seriösen Makler wählen, der sich im Verkaufsgebiet gut auskennt.

Gelegentlich bieten auch Bauträger interessante Lösungen an. Wenn ein Kunde beispielsweise einen Neubau kauft und schnell umziehen möchte, kaufen einige Unternehmen das alte Haus zum tatsächlichen Marktpreis (basierend auf einem unabhängigen Gutachten), sofern der Wert des neuen Objekts um 30% höher liegt. Solche Geschäfte können binnen einer Woche abgewickelt sein.

Je länger ein Objekt am Markt angeboten wird, desto geringer ist die Chance, einen Käufer zu finden. Schon darum ist es sinnvoll, dass ein Verkäufer sein Haus oder seine Wohnung von Anfang an in bestem Zustand präsentiert. Es kann sich lohnen, etwas Geld für Renovierungen auszugeben. Ein tropfender Wasserhahn allein verdirbt nicht den Preis, aber eine Reihe kleiner Defekte kann schon ein falsches Bild vermitteln. Ein bisschen Farbe (in einem neutralen Ton) wertet trübe Wände und Räume mit wenig Tageslicht auf. Hellen Sie die Fugen der Fliesen in Bad und Küche mit einem Spezialmittel auf und spendieren Sie der Wohnung eine Generalreinigung.

Es kann schwierig sein, dieses perfekte Aussehen über einen längeren Zeitraum im normalen Alltagsbetrieb aufrecht zu erhalten. Eine Lösung besteht darin, ein „Wochenende der offenen Tür" anzuberaumen, die Schlüssel beim Makler abzugeben und mit der Familie zu verreisen.

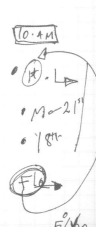

> **Keine Kinder, keine Hunde** Beseitigen Sie möglichst alle Spuren von Kindern und Haustieren (vor allem Hunden). Während der Besichtigungen sollten Kinder und Tiere nicht im Haus sein. Halten Sie zwischen den Terminen Zeit für Mahlzeiten frei.

> **Der erste Eindruck** Käufer entscheiden sich oft schon während der ersten Minuten der Besichtigung. Geben Sie sich mit dem Eingangsbereich besondere Mühe. Eine solide, vielleicht frisch gestrichene Haustür mit einem schönen Griff macht einen positiven Eindruck. Räumen Sie Stiefel, Regenjacken und andere Utensilien aus dem Flur.

> **Aufräumen** Käufer brauchen Unterstützung, um ein Gefühl für Räume zu entwickeln und ihr Potenzial zu erkennen. Räumen Sie alles weg, was überflüssig oder allzu persönlich ist. Geschickt platzierte Spiegel dagegen können die Raumwirkung günstig beeinflussen.

> **Die Sinne ansprechen** Lüften Sie gründlich, um Koch-, Tabaks- und Haustiergerüche zu beseitigen. Sorgen Sie stattdessen für angenehme Düfte – frisch aufgebrühter Kaffee, ein Brot im Backofen, dezenter Zitrus- oder Lavendelduft in den Räumen. Leise Hintergrundmusik sorgt für eine entspannte Atmosphäre. Kerzen, frische Bettwäsche und weiße, flauschige Handtücher vermitteln Behaglichkeit. Denken Sie auch daran, Vasen voller Blumen im Haus zu verteilen.

> **Körpersprache** Begrüßen Sie Interessenten an der Haustür mit einem Lächeln und einem Händedruck. Halten Sie während der Gespräche Blickkontakt. Zeigen Sie den schönsten Raum zuerst. Lassen Sie den Interessenten Bewegungsfreiheit, gewähren Sie ihnen den Vortritt, damit sie sich nicht bedrängt fühlen.

> **Inventar** Erläutern Sie genau, welches Inventar im Kaufpreis enthalten ist und was Sie mitnehmen möchten. Beim Auszug ist es nett, eine kleine Grundausstattung zurückzulassen: Glühbirnen, Toilettenpapier, Handtuch und Seife, ein Telefon sowie alle Gebrauchsanleitungen für Geräte und Einbauten. Wirklich großzügig ist ein kleiner Willkommensgruß für die neuen Bewohner, etwa eine Flasche Sekt.

MIETEN

Der Besitz von Wohneigentum bietet zweifellos Sicherheit, ist eine langfristige Geldanlage und erlaubt, den persönlichen Stil zu verwirklichen. Selbst wenn die Mieten in manchen Gebieten die Darlehenszinsen übersteigen, kann diese Lösung insgesamt günstiger sein, denn man muss auch die versteckten Nebenkosten des Wohneigentums bedenken – Gebäudeversicherungen, Grundsteuern, Instandhaltungs- und Betriebskosten.

Mieten kann sinnvoll sein, wenn die Kosten gering genug sind, um das Ansparen von Eigenkapital für den Grunderwerb zu ermöglichen. Durchschnittlich 21,6 Prozent seines Nettoeinkommens muss ein Mieter für die Wohnung bezahlen. Generell ist es aber nicht wirtschaftlich, längere Zeit Mieter zu bleiben, denn für das Geld, das man während der Mietzeit ausgegeben hat, hält man an ihrem Ende keinen Gegenwert in der Hand. In manchen europäischen Ländern leben die meisten Menschen lange als Mieter und schaffen sich erst mit Ende 30 oder Anfang 40 Wohneigentum an. In Deutschland gibt es mehr als 50 Millionen Mieter. In Großstädten liegt der Mieteranteil bei 60 bis 70 Prozent der Haushalte.

Mietrecht ist kompliziert, doch grundsätzlich sind Mieter und Vermieter gleichberechtigte Vertragspartner. Die meisten Rechte und Pflichten ergeben sich direkt aus dem Mietvertrag. So muss ein Mieter Schönheitsreparaturen/Renovierungen nur dann vornehmen, wenn dies im Mietvertrag – wirksam – vereinbart wurde. Dann muss er zum Beispiel Küche, Diele und Bad alle drei Jahre, die Haupträume der Wohnung alle fünf Jahre und Nebenräume, wie eine Abstellkammer, alle sieben Jahre anstreichen oder tapezieren.

Wer mieten will, sollte seine Rechte genau kennen und gerade auch das Kleingedruckte in Mietverträgen sorgfältig lesen, ehe er unterschreibt. Wenn die Mitglieder einer Wohngemeinschaft den Mietvertrag gemeinsam unterschreiben, können sie ihn auch nur gemeinsam wieder kündigen. Konkreten Rechtsrat, Beratungen und Informationen gibt es beim Deutschen Mieterbund.

Es gibt verschiedene Vertragsformen. Üblich ist der Einzelmietvertrag, der von einer Person unterzeichnet wird. Einen Gemeinschaftsmietvertrag unterzeichnen mehrere Personen, die einzeln und gesamtschuldnerisch haftbar sind – ist also ein Mieter zahlungsunfähig, müssen die übrigen Mieter dessen Schuld übernehmen. Wer als Untermieter ein Zimmer in einem bewohnten Haus bezieht, genießt den geringsten Schutz und muss unter Umständen sehr kurze Kündigungszeiten in Kauf nehmen.

> **Bedarfsanalyse** Der Wohnungsmarkt ist Schwankungen unterworfen. Legen Sie Ihr Budget und Ihre Ansprüche an Raumangebot und Lage fest, ehe Sie auf Wohnungssuche gehen. Makler und Internet können dabei viel Zeit und Wege sparen.

> **Rücklagen schaffen** Sie sollten etwa ein Viertel bis ein Drittel Ihres Monatseinkommens für Miete einkalkulieren. Die erste Miete ist meist im Voraus fällig, außerdem muss normalerweise eine Kaution in Höhe von zwei oder drei Monatsmieten hinterlegt werden. Vermieter und Wohnungsunternehmen verlangen häufig finanzielle und persönliche Referenzen.

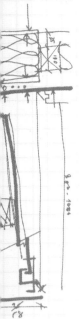

> **Genau lesen** Im Mietvertrag müssen Höhe der Miete und Fälligkeitstermin angegeben sein, außerdem Dauer des Mietverhältnisses, Kündigungsfristen für beide Seiten sowie weitere Bedingungen, etwa in Bezug auf Haustiere, Untervermietung, Zugangsrecht des Hausbesitzers und so weiter.

> **Übergabeprotokoll** Wer eine ganz oder teilweise möblierte Wohnung bezieht, sollte bei der Übergabe ein ausführliches Protokoll erstellen und vom Vermieter gegenzeichnen lassen, in dem auch der Zustand der einzelnen Gegenstände vermerkt wird. Anderenfalls müssen Sie damit rechnen, dass die Kosten aller bei Ihrem Auszug festgestellten Schäden von Ihrer hinterlegten Kaution abgezogen werden.

> **Funktionsprüfung** Prüfen Sie vor dem Einzug, ob alle Geräte und Armaturen einwandfrei funktionieren. Danach obliegt es dem Vermieter, schadhaftes Zubehör der Wohnung ersetzen oder reparieren zu lassen. Auch die Instandhaltung der Versorgungsleitungen und des Gebäudes selbst fallen in seine Zuständigkeit. Weiterhin ist er für die Einhaltung von gesetzlich vorgeschriebenen Wartungsintervallen und Emissionsmessungen verantwortlich.

> **Versicherung** Wer eine Wohnung mietet, braucht keine Gebäudeversicherung. Eine Hausratversicherung für das Inventar ist jedoch empfehlenswert.

> **Vermieterrechte** Vermieter und Mieter können die Miethöhe theoretisch frei vereinbaren, danach darf der Vermieter die Miete jeweils auf die ortsübliche Vergleichsmiete anheben. Beim Verkauf des Hauses oder der Wohnung kann man dem Mieter nicht einfach kündigen. Ein Käufer tritt automatisch in das bestehende Mietverhältnis ein. Für die Kündigung bedarf es - neben einer gesetzlichen Frist - eines im Gesetz aufgeführten Kündigungsgrundes.

> **Dokumentieren** Bewahren Sie den gesamten Schriftverkehr mit dem Vermieter auf und machen Sie sich auch Telefonnotizen für den Fall, dass es einmal zu Auseinandersetzungen kommt.

> **Veränderungen genehmigen lassen** Es ist manchmal schwierig, einer gemieteten Wohnung eine persönliche Note zu verleihen. Die meisten Vermieter haben keine Einwände gegen kleine Veränderungen, etwa Anstrich oder Tapete. Bodenbeläge dürfen oft nicht verändert werden, gelegentlich ist es unerwünscht, Löcher in Wände zu bohren. Lassen Sie sich Veränderungen an der gemieteten Wohnung immer vom Vermieter genehmigen.

> **Pro und Kontra Wohngemeinschaft** Wohngemeinschaften bieten Kostenvorteile - gemeinsam kann man sich meist eine bessere Wohnung leisten als allein. Zwar hat man immer Gesellschaft, doch muss man sich mit den Eigenheiten der Mitbewohner arrangieren. Es muss sicher gestellt sein, dass jeder seinen Anteil an Kosten und Hausarbeit zuverlässig trägt. Manche Gemeinschaftshaushalte funktionieren wie ein Uhrwerk, andere enden im Chaos.

VERMIETEN

Diese Form der Investition ist zwar recht beliebt, aber keineswegs risikolos oder unproblematisch. Wer seinen Kauf mit einem Darlehen oder einer Hypothek finanziert, muss wesentlich genauer rechnen als jemand, der beispielsweise ein Erbe oder einen anderen „warmen Regen" anlegt. Der Markt wird zwangsläufig durch das Angebot an freien Wohnungen beeinflusst. Je mehr Menschen in diesem Bereich investieren, desto geringer sind die Erträge. Wer sich für den Kauf verschuldet, ist besonders gefährdet, denn es drohen Verluste, wenn die Wohnung zwischen zwei Mietverhältnissen einige Monate leer steht.

Wer privat vermietet, wird sich wundern, wie hoch der Aufwand für Instandhaltung und Reparaturen, Beschwerden und Verwaltungsaufgaben ist. Man kann sich diese Arbeit durch einen Hausverwalter abnehmen lassen – doch auch der hat seinen Preis.

Es ist nicht einfach, gute Mieter zu finden. Finanzielle Referenzen können dabei helfen, säumige Zahler zu erkennen, allerdings hat man dadurch noch keine Garantie für gutes Benehmen. Es ist jedoch möglich, sich bei früheren Vermietern zu erkundigen, wie sich die Interessenten verhalten haben und in welchem Zustand sich die Wohnung bei ihrem Auszug befand.

VERÄNDERN

Kosten, Aufwand und Effekt einer Verschönerungsmaßnahme können enorm variieren – vom frischen Anstrich des Wohnzimmers über die Erneuerung von Küche oder Bad bis zum Anbau oder Dachausbau. Um die richtigen Entscheidungen zu fällen, muss man zuerst das Vorhandene beurteilen und überlegen, was genau gewonnen werden soll.

Reparaturen

Als Hausbesitzer kann man es sich nicht leisten, Reparaturen und Instandhaltung zu vernachlässigen. Ehe Sie in Erwägung ziehen, Aussehen oder Funktion der

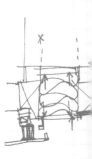

Immobilie zu verbessern, müssen Sie sicher sein, dass Sie keine baulichen Probleme übersehen. Große Probleme beginnen meist klein, verschieben Sie darum nichts auf später. Ein kleiner, feuchter Fleck beispielsweise kann sich unversehens zu ernsthaften Schäden am Mauerwerk auswachsen.

Alarmzeichen:

> Breite Risse, vor allem solche, die sich zu vergrößern scheinen, können auf Absenkungen oder Schäden an tragenden Teilen hinweisen. Haarrisse sind dagegen nicht ungewöhnlich, vor allem in frischem Verputz.

> Verfärbte Farbe, beuliger oder abgeplatzter Verputz, feuchte Flecken auf Ziegeln oder Natursteinen sowie muffiger Geruch deuten auf Feuchtigkeit oder undichte Stellen hin. Unbehandelte Feuchtigkeitsschäden können zu ernsteren Mängeln am Mauerwerk führen.

> Schimmel, Insektenlöcher, modriges oder staubendes Holz sind Zeichen für Mauerwerksschäden, Schwamm oder Holzbockbefall.

> Schädlinge, vor allem Nagetiere, können beträchtlichen Schaden an Rohren und Kabeln anrichten.

> Geneigte Fußböden können auf Absenkungen oder Schäden am Fundament hindeuten.

> Ein durchhängendes Dach kann ein Zeichen für statische Probleme sein. Fehlende Dachpfannen können zu undichten Stellen und Wasserschäden führen.

Kosmetische Veränderungen

Im Vergleich zu anderen Maßnahmen sind kosmetische Veränderungen wie Streichen, Tapezieren oder das Verlegen eines neuen Bodenbelags relativ unkompliziert, preiswert und schnell gemacht. Trotzdem haben sie großen Einfluss auf Wirkung und Ausstrahlung der Wohnung – davon leben viele Zeitschriften und Fernsehsendungen. Ein frischer Anstrich kann eine ganz neue Atmosphäre schaffen. Hochwertige Materialien wie ein Hartholzboden geben einem Raum Charakter und Eleganz. Farben, die das Licht reflektieren, können Räume sogar größer wirken lassen. Was eine Renovierung jedoch nicht beseitigt, sind ungünstige Grundrisse, unpraktische Arbeitsbereiche oder andere Nachteile, die in Bau und Raumaufteilung begründet sind.

Veränderungen der Aufteilung

Ob man Trennwände entfernt oder Funktionsbereiche wie Küche und Bad neu gestaltet: Veränderungen der Aufteilung können Vorteile bringen, die man täglich bei Routinetätigkeiten spürt. Zwar gewinnt man durch solche Maßnahmen keine zusätzliche Fläche, doch die vorhandenen Quadratmeter können geschickter genutzt werden. Für solche Umbauten braucht man meist professionelle Hilfe – und sei es nur beim Abwägen der gesetzlichen, technischen und baulichen Möglichkeiten. Gelegentlich müssen auch Rohre und andere Anschlüsse verlegt werden.

Bauliche Veränderungen

Am oberen Ende der Skala liegen – in Bezug auf Kosten, Aufwand und Störung des Alltags – bauliche Maßnahmen. Darunter fallen beispielsweise Veränderungen der Außenmauern, der tragenden Wände oder des Daches. Die meisten Dach- und Kellerausbauten sowie Anbauten fallen in diese Kategorie, ebenso wie Durchbrüche in Außenmauern für neue Fenster oder Türen. Solche Veränderungen sind oft die einzige Möglichkeit, mehr Platz zu gewinnen, sei es ein zusätzlicher Raum oder die Vergrößerung eines vorhandenen Wohnbereichs. Sie können den Lichteinfall ins Haus und den Zugang zum Garten verbessern. Fast immer sind verschiedene Genehmigungen erforderlich, und auch auf die Unterstützung eines Bauingenieurs oder Architekten wird man kaum verzichten können.

ERST NACHDENKEN

Nachdem Sie Ihren Wunschzettel geschrieben haben, sollten Sie einige Faktoren wie Kosten und Gesetzesrahmen bedenken, um Ihren Plänen mehr Kontur zu geben.

Kosten

Legen Sie zuerst Ihr Budget fest, damit Sie wenigstens eine Konstante haben. Dann finden Sie heraus, was mit dem Budget machbar ist. Informieren Sie sich über die Kosten für Material, Arbeitslöhne, Gebühren und so weiter. Und kalkulieren Sie unbedingt einen „Pufferbetrag" von mindestens zehn Prozent für Unvorhergesehenes ein.

Reicht Ihr Budget nicht aus, um Ihre Pläne zu verwirklichen, überlegen Sie noch einmal. Eventuell sind beim Material Einsparungen möglich – beispielsweise statt massivem Granit eine Arbeitsplatte aus Holz oder Laminat. Suchen Sie nach günstigeren Anbietern, fragen Sie beim Baustoffrecycler oder achten Sie auf Restposten, die oft erheblich preiswerter sind. Die Materialkosten machen häufig einen großen Anteil der Ausgaben aus, und hier sind beträchtliche Einsparungen möglich, ohne dass man im Hinblick auf die

Zweckmäßigkeit Kompromisse eingehen muss. Unnötige Ausgaben kann man auch vermeiden, indem man Standardprodukte aus der Serienfertigung wählt. Nach Maß gefertigte Elemente – etwa Fenster und Türen – sind wesentlich teurer. Manchmal hilft auch ein bisschen Querdenken dabei, Kosten zu sparen. Wenn Sie sich eine neue Küche wünschen und es sich nicht leisten können, die alte einfach herausreißen und komplett erneuern zu lassen, kann es schon genügen, Tür- und Schubladenfronten und Arbeitsplatten auswechseln zu lassen, um ein völlig neues Bild zu erhalten.

Nicht alle Einsparungen sind aber auch sinnvoll. Ein preiswertes Material zu wählen, ist kein Fehler. Es wäre aber falsch, ein minderwertiges Produkt zu verwenden, das sich letztlich nicht bewährt, schnell schadhaft wird und früher oder später erneuert werden muss. Sparen Sie auch nicht an den Kosten der Vorarbeiten oder an der Qualität tragender Elemente. Und versuchen Sie nicht, die Kosten zu senken, indem Sie sich an Arbeiten wagen, die Sie noch nie gemacht haben und die Sie nicht kalkulieren können

Voraussetzungen

Stellen Sie möglichst frühzeitig fest, ob die baulichen Voraussetzungen zur Verwirklichung Ihrer Pläne gegeben sind. Erweist sich Ihre ursprüngliche Idee als unrealistisch, geben Sie nicht auf – es führen fast immer mehrere Wege zum Ziel. Wer größere Veränderungen der Raumaufteilung plant oder Funktionsbereiche wie Küche oder Bad verlegen will, sollte auf den Rat eines Architekten nicht verzichten.

Fragen Sie den Fachmann

Viele Veränderungen, selbst wenn sie vordergründig einfach scheinen, sind nur mit professioneller Hilfe zu verwirklichen. Das Spektrum reicht vom Verleger für den neuen Teppichboden bis zum Maurer für den Anbau. Natürlich ist die Versuchung groß, hier Kosten zu sparen, doch es wäre falsch, auf Hilfe zu verzichten, wenn sie sinnvoll ist. Wer sich an eine Arbeit macht, die ihm nicht vertraut ist, läuft Gefahr, sich zu verletzen, sein Eigentum zu beschädigen, unnötig Material zu verbrauchen oder schlicht viel zu lange beschäftigt zu sein – all das kostet letztlich mehr Geld. Außerdem besteht das Risiko, dass ein Laie elementare bauliche oder gesetzliche Aspekte unwissentlich außer Acht lässt.

Fachleute lassen sich in verschiedene Kategorien einteilen: Planung und Beratung (Architekt, Bauin-genieur und Innenarchitekt), Überwachung (Bauaufsicht, Architekt und Bauingenieur), Ausführung (zahlreiche Gewerke wie Maurer, Dachdecker, Elektriker und Maler) sowie spezielle Dienstleistungen (Heizungsinstallateur, Gerüstbauer, Teppichverleger etc.).

Gesetze und Vorschriften

Für fast alle größeren Baumaßnahmen sind amtliche Genehmigungen erforderlich. Eventuell müssen Sie vor Beginn der Arbeiten Ihre Pläne bei der zuständigen Behörde vorlegen, außerdem können während der Arbeiten und nach deren Abschluss amtliche Abnahmen nötig sein. Für historische Gebäude oder Häuser in speziellen Gebieten ist auch die Zustimmung der Denkmalschutzbehörde erforderlich. Veränderungen an der Gas-, Wasser- oder Stromversorgung müssen ebenfalls von einer autorisierten Person abgenommen werden.

Grundsätzlich sollen all diese Vorschriften dafür sorgen, dass Um- und Anbauten (ebenso wie Neubauten) alle baulichen Kriterien für Sicherheit und Gesundheit erfüllen, dass Nachbarn keine Nachteile entstehen und dass das Stadtbild nicht gestört wird. Allerdings verändert sich die Gesetzeslage ständig. Wer sich mit Umbauplänen trägt, sollte sich darum bei der zuständigen Behörde unbedingt über den aktuellen Stand informieren.

ORGANISATION

Wie überzeugend das Endresultat letztlich ist, hängt entscheidend davon ab, ob die Reihenfolge der Arbeitsschritte richtig gewählt und der Aufwand des jeweiligen Schritts gut eingeschätzt wurde, um im richtigen Moment den nötigen Fachmann im Haus zu haben. Natürlich bieten auch aufwendige Projekte etwas Spielraum, und es gibt durchaus Phasen, in denen Sie selbst Hand anlegen und so Geld sparen können. Die meisten Veränderungen, selbst die einfachsten, lassen sich in die folgenden Schritte gliedern:

Planung und Entwurf

Zuerst müssen die Alternativen abgewägt werden, um angesichts der finanziellen und baulichen Grenzen die optimale Lösung zu finden. Architekten nehmen für solche Aufträge überschaubare Gebühren und liefern die maßstabsgetreuen Zeichnungen, die Sie sowohl für die ausführenden Handwerker als auch für die behördlichen Genehmigungen benötigen. Sollen bauliche Män-

> Dieser moderne Wintergarten ersetzt einen älteren Anbau. Sein Dach besteht aus einem Spezialglas, das begehbar ist. Gläserne Querträger wirken leicht und hindern den Durchblick kaum. Die geometrischen Linien des Daches und der glatten, weißen Wände bilden einen interessanten Kontrast zur Backsteinfassade, die ebenfalls weiß gestrichen wurde.

gel behoben oder größere Umbauten durchgeführt werden, ist eventuell auch die Beratung durch einen Statiker oder Bauingenieur sinnvoll. Einige Unternehmen haben sich auf Dachausbau oder Küchenplanung spezialisiert und bieten alle Leistungen aus einer Hand an.

Leistungsbeschreibung und Materialsuche

Mit Leistungsbeschreibung ist hier das detaillierte Auflisten aller Aspekte der Arbeit gemeint, vom Material bis hin zu Armaturen und Befestigungsmaterial. Ist etwas unklar, wählen Handwerker meist den kleinsten gemeinsamen Nenner – also die einfachste oder preiswerteste Lösung. Sie können Leistungsverzeichnis und Zeichnungen für die Handwerker auch vom Architekten anfertigen lassen, was Ihnen viel Zeit, Kopfzerbrechen und Folgekosten sparen kann und Missverständnisse vermeiden hilft. Wer spezielle Materialien oder Zubehörteile wünscht, sollte lieber selbst auf die Suche gehen. Besprechen Sie jedoch im Vorhinein genau mit dem Handwerker, was er liefern soll und was Sie beschaffen wollen.

Bauarbeiten

Bei vielen Projekten müssen mehrere Gewerke zeitgleich oder nacheinander arbeiten (siehe Seite 120). Wenn das Vorhaben unkompliziert ist und Sie die Reihenfolge genau überblicken, können Sie die einzelnen Handwerker selbst beauftragen. Für aufwendige Aktionen empfiehlt es sich, einen Generalunternehmer zu beauftragen. Dieser kann für Arbeiten, die er nicht selbst ausführt, Teilaufträge an Subunternehmer vergeben, etwa einen Dachdecker oder einen Gerüstbauer. Die Koordination liegt jedoch in einer Hand, und Sie haben nur einen Ansprechpartner.

Überwachung

Die tägliche Überwachung der Arbeit ist wichtig für den reibungslosen Ablauf. Dabei geht es nicht nur um Ihre persönliche Billigung des Fortschritts, sondern auch um die offizielle Abnahme bestimmter Arbeitsschritte. Wer genug Wissen und Organisationsgeschick hat, kann bei einfachen Aufträgen die Aufsicht selbst übernehmen. Führt ein Architekt die Bauaufsicht aus, haben Sie einen Profi, der für eine gute Komplettabwicklung sorgt.

Zu Leistungsbeschreibung und Handwerkersuche siehe auch:
Wir bauen unser Haus, Callwey Verlag 2004.

Handwerker engagieren

Im Baugewerbe gibt es zahllose Berufe, die Grundprinzipien beim Engagieren von Handwerkern sind jedoch relativ ähnlich. Lassen Sie sich nicht von Schauermeldungen der Presse beeinflussen. Wie in jeder Berufsgruppe gibt es zweifellos inkompetente Handwerker und schwarze Schafe, doch es gibt auch gute und verlässliche Betriebe, die nicht schwierig zu finden sind.

Denken Sie daran: Wenn etwas schief geht, liegt es oft an beiden Seiten. Sie können viel für die Zusammenarbeit tun, wenn Sie sich ein bisschen informieren und mit Techniken und Terminologie vertraut machen. Alle Handwerker haben ein Fachvokabular, und die Verständigung fällt leichter, wenn Sie etwas Wissen über Arbeitsweisen und Ausdrücke mitbringen. Wenn Sie einmal nicht verstehen, wovon ein Handwerker spricht, fragen Sie unbedingt nach und lassen Sie es sich in einfachen Worten erklären.

> Mundpropaganda ist die beste Hilfe bei der Suche nach Handwerkern – vor allem nach dem begehrten, verlässlichen, preiswerten Klempner. Falls Freunde oder Nachbarn ähnliche Arbeiten in Auftrag gegeben haben, fragen Sie nach Empfehlungen. Meist bekommen Sie eine Antwort, die Ihnen weiterhilft.

> Die Auswahl eines Architekten oder Innenarchitekten fällt leichter, wenn Sie sich frühere Arbeiten ansehen. Zeigen Sie dem Fachmann Fotos aus Zeitschriften, die Sie ansprechen.

> Achten Sie darauf, nur Fachleute zu engagieren, die einem Berufsverband angehören. Dadurch wird nicht nur ein Standard der Kompetenz gewährleistet, sondern Sie haben auch eine Anlaufstelle, falls etwas schief geht und Sie sich beschweren möchten.

> Fragen Sie immer nach Referenzen und machen Sie sich Notizen. Lassen Sie sich möglichst bereits ausgeführte Arbeiten zeigen.

> Wer einen größeren Auftrag zu vergeben hat, sollte mindestens drei Angebote einholen und vergleichen. Wenn Sie einen Architekten engagieren, kann dieser meist Baufirmen oder Handwerker benennen, die infrage kommen. Ein extrem hohes Angebot ist ebenso bedenklich wie ein extrem niedriges. Auf der sicheren Seite sind Sie meist mit Firmen, die preislich auf mittlerem Niveau liegen. Billigangebote mögen für Auftraggeber mit knappem Budget verlockend sein, können aber mehr als einen Haken haben. Ein teures Angebot weist die betreffende Firma nicht zwingend als Wucherer aus, es kann auch bedeuten, dass dieser Auftrag für das Unternehmen nicht rentabel ist.

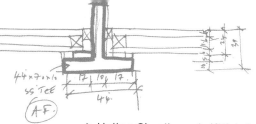

> Halten Sie alles schriftlich fest. Bewahren Sie Gesprächsnotizen, Schriftverkehr und Änderungen an den ursprünglichen Plänen oder Auftragsdetails auf. Für den Architekten kann eine schriftliche Auftragsbestätigung ausreichen. Mit Baufirmen sollten Sie immer einen Vertrag schließen, in dem Zahlungsbedingungen, genauer Umfang der Arbeiten sowie deren Beginn und Abschluss festgelegt sind.

> Zahlen Sie niemals den vollen Betrag im Voraus. Legen Sie zu Beginn einen Zahlungsplan fest und halten Sie ihn ein. Bei kleinen Aufträgen muss meist eine Anzahlung für Material geleistet werden, der Rest ist bei Fertigstellung fällig. Bei langwierigen Arbeiten können wöchentlich oder zweiwöchentlich Teilzahlungen geleistet werden, halten Sie aber immer einen Großteil als Abschlusszahlung zurück. Ein Komplettangebot oder ein Preis auf der Basis von Quadratmetern ist günstiger als die Abrechnung nach Stundenlohn, bei der die Gefahr des Hinauszögerns besteht.

> Vermeiden Sie radikale Planänderungen während der Durchführung. Kleine Änderungen können sich durchaus ergeben, doch wenn Sie laufend Ihre Planung umwerfen, kostet die Arbeit mehr Zeit und Geld, und die Handwerker könnten anfangen, an dem Vorhaben zu zweifeln.

> Handwerker brauchen Zugang zur Toilette, und sie mögen gelegentlich ein Getränk. Seien Sie bei kleinen Unannehmlichkeiten großzügig. Gute Zusammenarbeit verlangt Respekt und Toleranz auf beiden Seiten.

> Seien Sie auf Unerwartetes gefasst. Ein Lieferant meldet Konkurs an oder kann ein bestimmtes Material nicht beschaffen. Die Baufirma entdeckt einen versteckten baulichen Mangel, der behoben werden muss. Das Dach ist abgedeckt, und es fängt an zu regnen. Solche Dinge passieren. Wer zeitlich und finanziell Reserven eingeplant hat, muss dann nicht in Panik geraten.

Zeitplanung

Viele Unannehmlichkeiten, die durch Bauarbeiten entstehen, kann man durch geschickte Zeitplanung vermeiden. Viele Leute unterschätzen selbst den Zeitaufwand für kleine, überschaubare Projekte erheblich. Zeitschriften und Fernsehsendungen vermitteln ebenfalls den Eindruck, dass an einem Wochenende Wunder möglich sind. Manche Menschen verfallen auch angesichts eines unabänderlichen Termins in wilden Aktivismus: Da muss der Dachboden „bis Weihnachten" ausgebaut oder das neue Bad eingebaut sein, „bevor das Baby kommt".

> Wenn Sie selbst Hand anlegen, halten Sie sich größere Zeiträume an Wochenenden oder im Urlaub frei, um voranzukommen. Nach Feierabend kann man nicht viel schaffen. Außerdem besteht die beste Motivation darin, am Abend eines Arbeitstags den Fortschritt sehen zu können.

> Planen Sie voraus und stellen Sie sich auf Wartezeiten ein. Gute Handwerker sind oft auf längere Zeit ausgebucht. Melden Sie sich kurz vor dem vereinbarten Anfangstermin, um sich den Zeitplan bestätigen zu lassen. Und widerstehen Sie der Versuchung, einen zweit- oder drittklassigen Betrieb zu engagieren, nur weil dieser gerade verfügbar ist.

> Legen Sie umfangreiche Arbeiten nicht in unruhige Phasen – ob Sie nun eine Hochzeit oder ähnlich große Familienfeier planen, ein Baby erwarten, eine neue Stelle antreten oder anderweitig gebunden sind. Auch wenn Familienmitglieder sich auf Prüfungen vorbereiten oder von Krankheiten erholen, ist Baulärm ungünstig. Bedenken Sie ferner, dass manche Gewerke und Lieferanten eine „Saison" haben, in der Zeitverzögerungen eher auftreten können als zu anderen Terminen.

> Manche Handwerker bieten in der ruhigen Wintersaison günstigere Preise an und arbeiten schneller, weil sie weniger ausgebucht sind. Umfangreiche Arbeiten an den Außenmauern sollten Sie im Winter allerdings vermeiden. Wärmeverlust, Schlechtwettertage und zusätzlicher Schmutz wiegen den Preisvorteil selten auf.

Unruhe im Alltag

„Die Handwerker im Haus zu haben", ist für viele Menschen gleichbedeutend mit Unruhe, Schmutz und Ärger. Tatsächlich stören fast alle Verschönerungsmaßnahmen den Alltagsablauf mehr oder weniger. Das können Kleinigkeiten sein, etwa die zurückgelassenen Malerutensilien, aber auch umfangreiche Störungen durch das Herausbrechen von Mauern oder Erneuern von Versorgungsleitungen. Klären Sie vorher genau, welche Beeinträchtigungen die Arbeit mit sich bringen wird, wann sie ungefähr eintreten und wie lange sie dauern werden. So lässt sich viel Stress vermeiden.

> Legen Sie von Anfang an fest, wo Werkzeuge und Material gelagert werden sollen, wer in welchem Umfang reinigt, welche Flächen besonders geschützt werden müssen. Zerbrechliches sollten Sie aus dem Bereich der Arbeiten entfernen, elektronische Geräte müssen vor Staub geschützt werden.

> Erfragen Sie, wann die Versorgung mit Strom, Wasser oder Gas unterbrochen wird, sodass Küche, Bad oder Arbeitsplatz nicht benutzt werden können. Kurze Unterbrechungen kann man umschiffen, indem man auswärts essen geht, den Pizzaservice ruft oder die Toilette der Nachbarn benutzt. Bei längeren Unterbrechungen sollten Sie überlegen, einige Tage auszuziehen.

> Machen Sie sich klar, was auf Sie zukommt. „Nasse Arbeiten" wie Verputzen oder Mauern verursachen besonders viel Schmutz. Das Einreißen von Mauern, Abklopfen von Verputz und Schleifen von Böden verursacht Unmengen von Staub. Akzeptieren Sie, dass es schlimmer werden muss, bevor es schöner werden kann.

> Das Abdecken des Daches, Durchbrüche in Außenwänden und ähnliche Arbeiten setzen Teile der Wohnung den Elementen aus. Vor allem in Zeiten mit unbeständigem Wetter kann das lästig sein. Achten Sie darauf, dass die übrigen Räume geheizt werden und gut gesichert sind. Wird ein Gerüst aufgestellt, bestehen Sie darauf, dass die Leitern am Abend abgenommen und eingeschlossen werden, um Einbrüche durch Fenster im Obergeschoss zu vermeiden.

ARBEITSSCHRITTE

Bei komplexeren Arbeiten, an denen mehr als zwei oder drei verschiedene Gewerke beteiligt sind, kommt es auf gute Planung und Koordination an. Verzögerungen sind für alle Beteiligten problematisch, weil sie meist Zusatzkosten mit sich bringen. Wenn das Haus zur Riesenbaustelle wird und sich die Arbeiten endlos hinziehen, kann man leicht verzweifeln.

Die meisten größeren Bauvorhaben lassen sich in zwei Hauptabschnitte aufteilen, den ersten und den zweiten Bauabschnitt. Zum ersten Abschnitt gehören alle Vorbereitungen, auch Abrissarbeiten und das Freilegen von Mauern, außerdem das Neu- oder Verlegen von Versorgungsleitungen und das Errichten neuer Wände. Dies ist die Phase, in der es schlimmer wird und in der besonders viel Schmutz anfällt und Unruhe entsteht. Im zweiten Bauabschnitt stellt sich langsam die Normalität wieder ein: Oberflächen, Armaturen, Einbauten und schließlich Malerarbeiten und Verlegung des Bodenbelags.

Bauarbeiten sind weniger eine fließende Abfolge als vielmehr eine Art Puzzle. Verschiedene Gewerke arbeiten gleichzeitig oder mit größeren zeitlichen Überschneidungen, es ist ein großes Kommen und Gehen. Der Elektriker kommt früh, um Kabel zu verlegen. Dann muss er warten, bis die Wände verputzt sind, ehe er Steckdosen und Schalter anbringen kann. In der Zwischenzeit fährt er vielleicht zu einer Baustelle (und kommt pünktlich zurück oder nicht). Doch die Arbeit kann sich auch aus anderen Gründen hinziehen, denn es gibt noch die Lieferanten. Wenn Sie Glück haben, kommt der Installateur pünktlich, wenn der Verputzer gerade fertig geworden ist. Sie müssen aber großes Glück haben, wenn auch die Heizkörper rechtzeitig geliefert werden.

Nehmen wir an, die Planung steht und Sie haben alle Genehmigungen, dann finden Sie hier eine allgemeine Arbeitsabfolge. Manche Schritte (etwa eine neue Drainage) müssen aber amtlich abgenommen werden, ehe der nächste Schritt folgen kann.

Erster Bauabschnitt:

> Vorbereitung, Abrissarbeiten und Entsorgung; Gerüstbau, Abbau von Armaturen, Sanitärobjekten und Möbeln; Hilfskonstruktionen; Abschlagen von Verputz.

> Erdarbeiten und Versorgungsanschlüsse; Fundamentaushub und Drainagegräben; Verlegen einer neuen Drainage; Außenanschlüsse für Gas, Wasser, Strom und Telefon.

> Bauarbeiten: Errichten neuer Wände, Estricharbeiten, Dachstuhl und Eindeckung.

> Versorgungsgewerke des ersten Bauabschnitts: Verlegen von Rohren und Kabeln, Installation von Boilern und Heizkesseln.

> Tischlerarbeiten des ersten Bauabschnitts: Tür- und Fensterrahmen, Holzrahmen für Trennwände, Balkenlage für Fußböden.

> Verputzarbeiten.

Zweiter Bauabschnitt:

> Versorgungsgewerke des zweiten Bauabschnitts: Einbau von Heizkörpern, Küchen- und Sanitärobjekten.

> Tischlerarbeiten des zweiten Bauabschnitts: Türblätter, Fuß- und Deckenleisten, Täfelungen, Einbauten.

> Fliesen und einige Fußbodenarbeiten.

> Malerarbeiten.

> Bodenbelag.

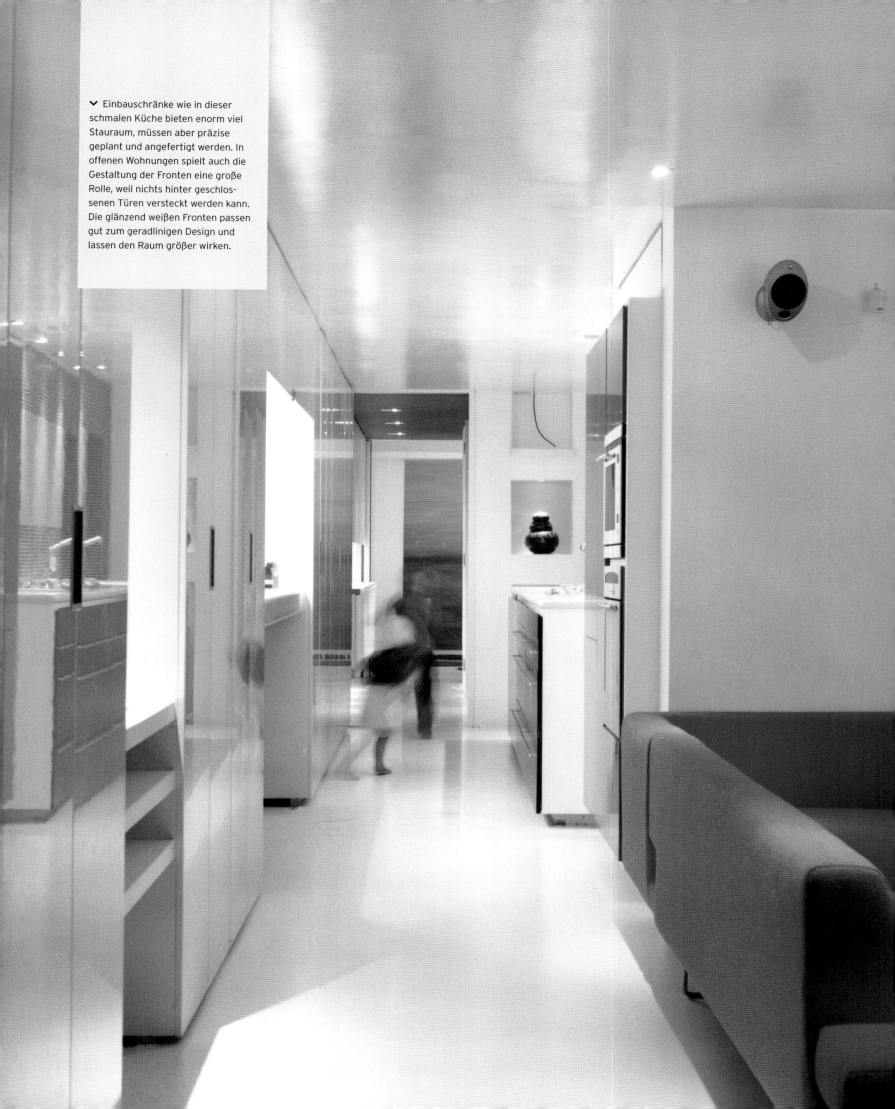

❯ Einbauschränke wie in dieser schmalen Küche bieten enorm viel Stauraum, müssen aber präzise geplant und angefertigt werden. In offenen Wohnungen spielt auch die Gestaltung der Fronten eine große Rolle, weil nichts hinter geschlossenen Türen versteckt werden kann. Die glänzend weißen Fronten passen gut zum geradlinigen Design und lassen den Raum größer wirken.

RENOVIERUNG

Eine Renovierung ist nicht zuletzt auch Wohnungskosmetik. Sie kommt bei einem Umbau zum Schluss an die Reihe und macht nach all dem Schmutz und der Unruhe der Bauarbeiten besonderen Spaß. Wer wenig Zeit und Geld hat oder aus anderen Gründen keine größere Veränderung wünscht, hat mit einer Renovierung immerhin die Möglichkeit, sein Haus durch seinen persönlichen Stil in ein Zuhause zu verwandeln.

Das Angebot an Materialien, Oberflächeneffekten, Farben und Mustern ist geradezu Furcht erregend groß. Entscheidungshemmend kann sich auch die Sorge auswirken, etwas „falsch" zu machen und so einen Mangel an Geschmack oder Stilsicherheit zu zeigen, angesichts dessen die Stilpolizei hinter neuesten Ausgaben aktueller Wohnzeitschriften heimlich kichert. Wenn Sie solche Sorgen beiseite schieben und die Ärmel hochkrempeln, kann eine Renovierung andererseits eine kreative und befriedigende Aktion sein.

Zunächst müssen Sie wissen, was Ihnen gefällt. Die große Auswahl macht es Unentschlossenen nicht leichter, aber letztlich hat jeder gewisse Vorlieben für Farben und Materialien oder – im abstrakteren Sinne – für Stimmung und Atmosphäre. Erinnern Sie sich an Orte, an denen Sie sich besonders wohl gefühlt haben, an Räume, in denen Sie gern leben würden. Dann versuchen Sie herauszufinden, was genau diese positive Empfindung ausgelöst hat. Ein paar Gedankenspiele, ein bisschen Stöbern in Büchern und Wohnzeitschriften – und schon bekommt eine Idee mehr Kontur. Sammeln Sie Musterstücke verschiedener Materialien an einer Pinnwand, um zu beurteilen, wie sie miteinander harmonieren. Solche Sammlungen helfen dabei, sich die Stimmung vorzustellen, die man schaffen möchte, und erleichtern dadurch die Entscheidung.

Gelungene Räume – unabhängig von Größe und Budget – vermitteln Leidenschaft und Freude. Wenn Sie also Ihre Vorlieben herausgearbeitet haben, sollten Sie auch den Mut haben, sie zu zeigen. Und wenn eine Farbe doch nicht recht passt oder Sie den Badezimmerfußboden nur abscheulich finden, können Sie immer noch aus Ihren Fehlern lernen und es ändern. Wenn Sie sich jedoch nicht ausdrücken, sondern andere beeindrucken wollen, schließen Sie die Möglichkeit von vornherein aus, sich in Ihrer Wohnung wirklich zu Hause zu fühlen. Am schönsten sind doch Wohnungen, die von ihren Bewohnern erzählen.

MÖGLICHKEITEN

Farben, Muster und Texturen sind die Grundbausteine der Gestaltungspalette. Bei manchen Materialien sind sie untrennbar verbunden, in anderen kann ein Aspekt vorherrschen, während die übrigen in den Hintergrund treten. Eine knallrote Wand beispielsweise wirkt vor allem durch ihre Farbe. Textur und Muster spielen die zweite Geige. Bei einem Material wie Marmor dagegen fließen die Streifen und Muster des Gesteins, die glatt polierte Oberfläche und die typischen Farben und Schattierungen zu einer Gesamtwirkung zusammen. Schon darum lohnt es sich, wie die Profis Muster verschiedener Materialien zusammenzustellen, um die Gesamtwirkung beurteilen zu können. Außerdem haben Sie so anstelle abstrakter Ideen von Anfang an konkrete Auswahlmöglichkeiten vor Augen.

Raumgestaltung lebt durch das Zusammenspiel von Vordergrund und Hintergrund. Jeder Raum braucht verbindende Elemente, etwa die Farbe großer Flächen wie der Wände oder auch das Material des Hauptbodenbelags. Gleichzeitig muss für Abwechslung und Akzente gesorgt werden. Mit Akzenten sind hier kleine

‹ Obwohl Effekt heischende Farb-
effekte nicht mehr modern sind, gibt
es reizvolle Alternativen zu einfarbigen Wänden. Das einfache Rechteck-
muster in kalkig-gedämpften Farben
zeigt, wie sich mit Farbe, Textur und
Muster ein ruhiger und dennoch
interessanter Hintergrund gestalten
lässt.

› Farben können auch Elemente
einrahmen oder betonen. Hier bildet der Flur in sanftem Rosa einen
ausdrucksvollen Kontrast zu dem
sonnigen Gelb des Schlafzimmers.
Durchgehend hellblau gestrichene
Dielen schlagen eine optische
Brücke.

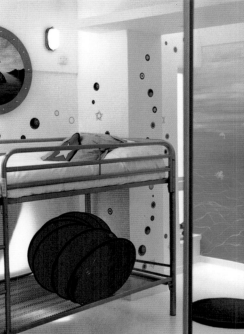

❮ Wenn auf Farbe ganz verzichtet wird, können die verschiedenen Texturen der Materialien für visuelle Abwechslung sorgen. Glas, Metall und einige Details in Schwarz geben diesem ansonsten ganz in Weiß gehaltenen Interieur eine grafische Note.

∧ Eine Wandmalerei mit Bullauge, Meerestieren, Wellen und Luftblasen verwandelt das Kinderzimmer in eine geheimnisvolle Tiefseewelt.

❮ Auch in offenen Wohnungen müssen nicht alle Wände die gleiche Farbe haben. Stattdessen kann man durch Farbakzente Flächen betonen, Sitzbereiche markieren oder einfach der grafischen Ader etwas Spielraum geben.

❯ Jede Farbe hat eine bestimmte Wirkung auf Stimmung und Emotionen. Warme Farben wie Orange binden die Aufmerksamkeit und vermitteln beruhigende Gemütlichkeit.

Elemente in leuchtenden Farben, lebhaften Mustern oder ausdrucksvollen Texturen gemeint, die ins Auge fallen. Abwechslung vermittelt ein Gefühl von Charakter und Zusammengehörigkeit, sie entsteht durch Kontraste zwischen Oberflächen und Materialien.

Farbe

Farbe hat Signalwirkung. Sie hilft uns, wichtige Informationen über unsere Umgebung zu verarbeiten. Sie ist tatsächlich ein Blickfang: Eine neuere Studie hat ergeben, dass die Aufmerksamkeit von Lesern um 80% steigt, wenn Dokumente Farbe enthalten. Über Farben ist viel theoretisiert worden, ob es nun um die Erforschung der physiologischen und psychologischen Auswirkung von Farbe auf Emotionen und Stimmungen geht oder um die Faustregeln über den Einsatz von Farbe zum Ausgleich ungünstiger Lichtverhältnisse oder zur Tarnung baulicher Defizite. Trotz aller Theorie ist das Farbempfinden sehr subjektiv und spiegelt nicht nur persönliche Assoziationen und Vorlieben wider, sondern auch kulturelle Hintergründe. Die Qualität des Lichts – Tageslicht wie Kunstlicht – beeinflusst die Farbwahrnehmung. Betrachten Sie darum Farbproben und Stoffmuster bei verschiedenen Lichtverhältnissen, um ihre Wirkung genau zu beurteilen.

> **„Warme" Farben** Rot, Orange und Gelb scheinen dem Betrachter entgegenzukommen. Diese Farben entsprechen den langen Wellen des Lichts. Warme Farben eignen sich gut zum Setzen von Akzenten, auf größeren Flächen wirken sie gemütlich, können aber auch leicht als einengend empfunden werden.

> **„Kühle" Farben** Blau, Violett, Blaugrau und Blaugrün scheinen vor dem Betrachter zurückzuweichen. Wir empfinden die Farben des kurzen Wellenspektrums als beruhigend; sie lassen Räume größer wirken, sind aber bei schwachem Tageslicht eher kalt.

> **Grün** Grüntöne liegen in der Mitte des Wellenspektrums und wirken ebenfalls sehr angenehm auf den Betrachter.

> **Naturtöne** Die sanften Farben von Holz, Stein und Erde haben durch ihren direkten Bezug zur Natur etwas angenehm Bodenständiges. Neutraltöne wie Weiß, Schwarz und Grau schaffen einen Ausgleich zu farbigen Flächen und bringen so Ruhe und Klarheit in mehrfarbige Räume.

> **Komplementärfarben** Blau und Orange, Rot und Grün, Gelb und Violett sind Komplementärfarben. Das einfachste Rezept für ein Farbschema besteht darin, solche Farbpaare von Hell bis Dunkel abzustufen, wobei die hel-

leren Töne den Hintergrund bilden sollten und die kräftigeren die Akzente.

> **Tertiärfarben** Terrakotta und Türkis integrieren jeweils die Strahlkraft zweier Farben (Rot und Gelb bzw. Blau und Grün) und wirken dadurch interessant, ausdrucksstark und lebendig.

Muster

Muster entstehen durch Wiederholung, und jede Wiederholung beinhaltet Bewegung und Rhythmus. Vor allem figürliche Muster haben oft einen kulturellen oder historischen Ursprung und wecken Assoziationen an bestimmte Epochen oder Stile. Weil sich allein daraus oft weitere Gestaltungsvorgaben ableiten, wird verständlich, warum in modernen Interieurs eher einfarbige Flächen als Muster gewählt werden. Trotzdem findet man selbst in den schlichtesten Räumen viele unfreiwillige Muster – etwa Buchrücken auf einem Regal, Schattenspiele einer Jalousie oder die melierte Oberfläche einer Granitarbeitsplatte.

Der Einsatz von Mustern und Ornamenten hängt vor allem von ihrem Maßstab und der Art des Rapports ab. Große Musterdesigner wie William Morris haben oft Entwürfe für bestimmte Zwecke angefertigt. Blüten- oder Rankenmotive beispielsweise waren für Stoffe gedacht, die weiche Falten werfen. Für glatte

Tapeten bevorzugte er eher geordnete, symmetrische Muster. Neue Digitaltechniken ermöglichen es, Fotos auf Fliesen, Kunststoff, Textil oder Papier zu übertragen. So entsteht eine interessante Spannung zwischen der realistischen Wirkung des Motivs und einer wie von Andy Warhol entworfenen Gestaltung.

> **Muster als Blickfang** Ein schöner Teppich, eine einzelne Wand mit einem grafischen Tapetenmuster, ein Sofa mit einem auffälligen Bezug oder eine gemusterte Tagesdecke können in einem einfarbigen Raum einen Akzent setzen. Große und auffällige Muster brauchen allerdings viel Platz zum „Atmen".
> **Muster als Betonung** Eine schmale Bordüre mit kleinem Rapport kann einer einfarbigen Fliesenfläche oder einem Bodenbelag mehr Profil geben.
> **Regelmäßige geometrische Muster** Tupfen, Streifen und Karos aller Art passen in fast jeden Wohnkontext und lassen sich auch gut mit figürlichen Mustern kombinieren, sofern sich eine oder mehr Farben in allen Mustern wiederholen.
> **Vielschichtigkeit** Kombinieren Sie Muster in ähnlichen Farbtönen und Stilen, aber variieren Sie Größe, Komplexität und Rapport.

Textur

Texturen geben Räumen physischen Charakter, indem sie zum Berühren einladen. Gerade, weil wir das Leben überwiegend visuell wahrnehmen, haben Strukturen unterschiedlicher Materialien mit ihrem „greifbaren" Charakter eine starke Wirkung. Es ist schwierig, sich eine Textur vorzustellen, ohne an ein bestimmtes Material zu denken. Allein dadurch kann die vage Vorstellung eines gewünschten Wohnstils viel konkreter werden.

Texturen fühlen sich nicht nur verschieden an, auch in Aussehen und Reflexion des Lichts sind sie ganz unterschiedlich. Gerade durch diese vielfältige Sinnlichkeit – mal glatt, mal rau, mal weich, mal derb – sorgen sie für Abwechslung und Charakter. Und weil sich Behaglichkeit auch durch sinnliche Wahrnehmungen vermittelt, sind abwechslungsreiche Texturen so wichtig. Harte, glatte, reflektierende Oberflächen können laut, ermüdend und unnachgiebig sein. Sind dagegen alle Oberflächen weich und gepolstert, kann die Gemütlichkeit auch erstickend wirken.

Texturen spielen vor allem in minimalistischen und neutralen Einrichtungen eine Rolle, wo die Farben gedämpft und Muster nicht vorhanden sind. Erst die

Vielfalt der Texturen von verschiedenen Oberflächen und Materialien schafft dann die nötige Abwechslung, die verhindert, dass solche Räume fade wirken. Schon der Wechsel zwischen weiß gestrichenem Verputz und weiß gestrichenen Ziegeln oder zwischen Sisal und Buchenholz kann viel ausmachen.

VORBEREITUNG

Wenn Sie sich umgesehen und Ihre Ideen in konkrete Entscheidungen verwandelt haben, steht eine weitere Hürde bevor – die Vorbereitung. Beobachtet man einen professionellen Maler, erkennt man, dass das Ankleben der Tapete oder Streichen der Wand den kleinsten Anteil der Arbeit ausmacht. Der Unterschied zwischen guter und schlechter Arbeit liegt hier vor allem in der Vorarbeit. Viele Menschen pfuschen in dieser Phase, die viel Zeit und Mühe kostet, dabei bestimmt gerade die Vorbereitung die Qualität des Ergebnisses.

Wände und Decken

> Räumen Sie den Raum so weit wie möglich aus. Alles andere - auch der Fußboden - wird abgedeckt.

< Eine einzelne Wand mit einem einfachen Muster aus überlappenden Rechtecken tritt neben den übrigen, relativ schlicht gehaltenen Flächen als Blickfang hervor.

∧ Licht fällt durch ein Fenster und betont das Streifenmuster der Betonwand. Gerade in schlichten Interieurs spielen Texturen eine wesentliche Rolle.

⌐ Kräuternamen, mit Kieselsteinen in den Verputz eingelegt, geben dieser ländlichen Küche eine verspielte Note. Naturmaterialien wie Holz, Stein und Terrakotta harmonieren fast immer gut miteinander.

⌐ Eine moderne Spielart der Tapete: die überlappenden Falten und Klappen verwandeln die Wand in eine flächige Skulptur.

> Digitaler Fotodruck ist der letzte Schrei der Mustergestaltung. Fotodruck-Platten mit Korkrückseite und einer Vinylbeschichtung sind wasserfest. Es gibt sie mit verschiedenen Motiven, die sich für witzige Trompe l'œils auf dem Fußboden eignen.

>> Muster entstehen durch Wiederholung – ob es sich um gedruckte Ornamente, direkt auf die Wand gemalte Elemente oder realistischere Motive handelt. Hier wurden viele Kopien desselben Bildes zu einem Sichtschirm zusammengesetzt.

> Fegen oder saugen Sie alle Flächen ab, um Staub und Spinnweben zu entfernen. Sind die Wände stark verschmutzt, können sie mit einem Anlauger, einem nicht schäumenden Reinigungsmittel (kein Scheuermittel) abgewaschen werden.

> Risse und andere Schäden der Oberfläche werden mit einer geeigneten Spachtelmasse ausgefüllt. Nach dem Trocknen der Masse wird sie geschliffen. Eventuell sind zwei Behandlungen nötig. Sind die Wände in schlechtem Zustand, kann man sie entweder neu verputzen lassen oder vor dem Tapezieren zwei Schichten Makulatur – zuerst senkrecht, dann waagerecht – aufkleben.

> Sollen die Wände gestrichen werden, ist eine dünne Grundierung sinnvoll. Zum Überdecken einer intensiven Farbe können mehrere Anstriche nötig sein.

Holzelemente und Fußböden

> Zuerst den Raum ausräumen und gründlich sauber machen.

> Sind Fuß- oder andere Leisten mit vielen Farbschichten überstrichen, sollten Sie diese mit Abbeize oder einem Heißluftföhn entfernen, damit das Profil der Leisten wieder gut erkennbar wird.

> Löcher werden mit Holzkitt ausgefüllt und nach dem Trocknen geschliffen. Beim Renovieren eines Holzfußbodens müssen Nagelköpfe mit einem Körner versenkt werden. Lose Dielen werden neu befestigt.

> Vor dem eigentlichen Anstrich muss ein geeigneter Primer ein- bis zweimal aufgetragen und jeweils nach dem Trocknen angeschliffen werden.

LACKE UND FARBEN

Lacke und Farben verändern einen Raum im Handumdrehen. Moderne Produkte sind einfach aufzutragen, haften und decken zuverlässig. Fast alle Oberflächen können gestrichen werden, Verputz und Holz, Metall und Fliesen. Sie müssen lediglich für den jeweiligen Zweck die richtige Farbe verwenden und die Herstellerhinweise genau beachten, vor allem bezüglich Vorbereitung und Grundierung. Die meisten Produkte sind entweder Dispersionsfarben auf Wasserbasis oder Lackfarben auf Öl- oder Harzbasis. Dispersionsfarben decken gut und trocknen schnell, sind aber nicht sehr haltbar. Für Küchen, Bäder und andere Feuchträume können auch Latexfarben geeignet sein. Lackfarben sind strapazierfähiger und können feucht abgewischt werden.

Daneben gibt es viele Spezialprodukte, etwa Milch-, Kasein- und Kalkfarben, die nach traditionellen Rezepten hergestellt werden. Einige Strukturfarben produzieren ungewöhnliche Oberflächen mit textiler Anmutung. Traditionelle Farben verlangen besondere Sorgfalt bei der Verarbeitung und vor allem bei der Vorbereitung der Oberflächen. Kalkfarben beispielsweise haften nicht auf Untergründen, die vorher mit einer modernen Dispersionsfarbe gestrichen waren. Das Angebot an „gesunden" Farben aus biologisch abbaubaren Inhaltsstoffen ist in letzter Zeit beträchtlich gewachsen, auch Verarbeitungseigenschaften und Farbspektrum sind deutlich verbessert worden.

∧ Sofern man die richtige Farbe wählt, kann man fast alles streichen. Hier wurde auf die Holztreppe ein „Läufer" aufgemalt, der durch die matten Töne einen ehrwürdig gealterten Charme erhält.

‹ Der Wandanstrich in einem warmen Erdton bildet einen schönen Kontrast zu der modernen Küchenzeile mit Spüle und Geräten aus Edelstahl.

Lacke und Farben gibt es in zahllosen Schattierungen und mit verschiedenen Oberflächeneffekten von matt bis hoch glänzend. Wenn die Auswahl Sie verwirrt, können Sie Kombinationsvorschläge der Hersteller als Ausgangsbasis verwenden. Die Helligkeit oder Intensität eines Farbtons ist manchmal schwierig zu beurteilen. Manche Farben wirken auf der kleinen Farbkarte sanft, aber auf einer großen Fläche sehr intensiv. Ein Probetöpfchen der gewünschten Farbe ist eine gute Investition, allerdings sollten Sie die Farbe zu verschiedenen Tageszeiten und an unterschiedlichen Orten beurteilen – an einer Wand im vollen Sonnenlicht und an einer im Schatten.

Beim Streichen eines Raums beginnen Sie an der Seite der Decke, die das meiste Tageslicht erhält. Danach streichen Sie die Wände, wieder von der Tageslichtquelle weg, in senkrechten Strichen von oben nach unten. Türen, Fensterrahmen und Fußleisten sind zum Schluss an der Reihe.

VERPUTZ

Weil anstelle rein oberflächlicher Dekorationen neuerdings auch die ursprünglichen Eigenschaften der Materialien selbst wieder geschätzt werden, stehen ausdrucksvolle, verputzte Wände hoch im Kurs. Verputzte Mauern strahlen etwas Ehrliches, Unverschnörkeltes aus, das zu geradlinig modernen Einrichtungen ebenso passt wie zu einem eher rustikalen oder traditionellen Wohnstil. Je nach Zusammensetzung des Verputzes reicht das Farbspektrum von warmen, sanften Rosatönen, die an alte Fresken erinnern, über Perlgrau bis hin zu gebrochenem Weiß. Man kann dem Verputz auch Pigmente zusetzen, um ihn abzutönen. Mit einem Zahnspachtel können in der feuchten Oberfläche Texturen gestaltet werden, man kann kleine Kiesel hineindrücken und Metalleffekt- oder Marmorpulver einreiben. Unbehandelter Verputz kann – je nach Putzsorte – mittels Hydrophobieren, Seifen oder Wachsen konserviert werden.

TAPETE & CO.

Tapete galt lange Zeit als sehr konventionell. Zwar werden noch immer traditionelle Muster mit passenden Bordüren angeboten, doch findet man zunehmend moderne Gestaltungen (manche auch mit einem deutlichen Augenzwinkern), die sich als grafischer Hintergrund für zeitgemäße Wohnräume durchaus eignen. Wie beim Anstrich sollten Sie auch bei der Wahl einer Tapete mit Bedacht vorgehen, zumal gerade hochwertige Tapeten recht teuer sein können. Erbitten Sie ein größeres Musterstück und begutachten Sie es bei verschiedenen Lichtverhältnissen. Versuchen Sie auch, sich vorzustellen, wie das Muster auf einer größeren Fläche wirkt.

Besonders teuer sind von Hand bedruckte Tapeten. Weil sie auch schwierig zu verkleben sind, sollten Sie diese Arbeit einem Fachmann überlassen. Maschinell bedruckte Tapeten gibt es mit verschiedenen Oberflächen für die unterschiedlichsten Einsatzgebiete. Sehr robust und auch für Feuchträume geeignet sind Vinyltapeten. Tapeten im weitesten Sinne sind auch andere Materialien, die an die Wand geklebt werden, etwa dünne Holzfurniere, Gras- oder Bastgewebe, Folien und metallisierte Papiere, dünne Korkplatten und Materialien, die Stoff ähneln. Alle haben interessante Texturen und eignen sich gut, um weniger perfekte Wände zu verdecken. Und letztlich kann man aus Postern, Konstruktionszeichnungen und allem anderen,

das man auf eine Fläche kleben kann, interessante Collagen gestalten.

Konventionelles Tapezieren verlangt im Gegensatz zum Streichen oder Kleben von Collagen Geduld und Geschick. Das gilt besonders bei großen Mustern. Wer unsicher ist, sollte lieber einen Fachmann heranziehen und sich die Arbeit abnehmen lassen. Im Idealfall verkleben Sie unter der Tapete eine Makulatur. Verwenden Sie den vom Hersteller empfohlenen Kleister. Tapete quillt nach dem Einkleistern auf, darum muss man mit dem Verkleben einige Minuten warten, um Fältchen zu vermeiden. Manche Profis streichen auch die Wand dünn mit Kleister ein. Die erste Bahn wird in einer Zimmerecke am Fenster angebracht, dann arbeiten Sie vom Licht weg. Nur bei groß gemusterten Tapeten beginnt man in der Mitte der Wand oder über einem Kamin und arbeitet dann zu den Ecken hin, wo Unterbrechungen des Rapports weniger ins Auge fallen.

TEXTILIEN

Stoffe sind mit ihren vielfältigen Verwendungsmöglichkeiten die „Kleidung" einer Wohnung. Sie prägen den Stil – streng, klassisch, theatralisch – und haben direkten Einfluss auf Atmosphäre, Behaglichkeit und Geräuschdämmung. Als Fensterdekoration beeinflussen sie auch die Qualität des Tageslichts. Räume mit allzu üppigen Draperien können leicht erdrückend wirken, außerdem halten sich in ihnen unangenehme Gerüche länger als in schlichteren Einrichtungen. Ein Raum ganz ohne Stoffe andererseits kann fast klinisch wirken.

Abgesehen vom großen Angebot der konventionellen Dekostoffe gibt es eine Fülle von Möglichkeiten für kreative Anleihen: Saris, Malerleinwand, Segeltuch, Konfektionsstoffe und Textilien im Ethno-Stil sind nur einige Beispiele für denkbare Abweichungen von der Norm der üblichen Wohnstoffe. Wie bei allen Dekorationsmaterialien spielen auch praktische Erwägungen eine Rolle. Fall, Gewebe und Material der Fasern wirken sich auf Strapazierfähigkeit, Pflege und Behaglichkeit aus (siehe Seite 226–228).

Textilien eignen sich für schnelle und preiswerte Verwandlungen, etwa durch lose Überwürfe, Decken, Läufer, Bettwäsche, Kissenbezüge, Vorhänge und Rollos. Viele dieser Dinge kann man leicht selbst nähen. Aufwendiger oder teurer sind gefütterte Vorhänge mit passendem Querbehang und Faltenköpfchen, nach Maß gefertigte Rollos und Möbelbezüge, vor allem wenn der Stoff selbst hochwertig ist.

⌐ Moderne Fototechniken haben das Tapetenangebot beträchtlich vergrößert. Manche Firmen bieten sogar an, Tapeten aus Fotos zu fertigen, die der Kunde selbst liefert.

⌃ Ein Paneel mit einem polierten Blattgold-Dekor setzt in dieser modernen, geradlinigen Wohnung einen luxuriösen, subtil asiatischen Akzent, der durch den Kontrast zur blauen Fläche besonders ins Auge fällt.

⌐ Grafische Motive und Zeichnungen, einfach an kurze Schnüre geklammert, bilden die lässige Dekoration dieses Arbeitszimmers ganz in Weiß.

≫ Naturfasern wie Baumwolle, Leinen und Seide sind besonders hautfreundlich. In der Wohnung eignen sie sich für die verschiedensten Zwecke, von der Bettwäsche bis zum Sofakissen.

❯ Vertraute Materialien wirken ganz anders, wenn sie auf ungewöhnliche Weise verwendet werden. Hier wurden Wände und Decke mit Korkplatten beklebt, die sehr warm und behaglich wirken, aber auch schalldämpfend sind.

⌐ Der Kontrast zwischen der Patina des alten, ungeschönten Verputzes und den weiß gestrichenen Bodendielen bildet einen reizvollen Hintergrund für die ungewöhnliche Sammlung von Möbeln.

OBERFLÄCHEN

Das Erneuern von Oberflächen fällt zwar noch in den Bereich des Renovierens, ist aber aufwendiger als das Streichen von Wänden oder das Aufhängen von Vorhängen und für eine längere Lebensdauer ausgelegt. Ob man einen Raum täfelt, ein Bad neu fliest oder den Bodenbelag erneuert, in jedem Fall spielen bei der Wahl des Materials praktische und ästhetische Aspekte eine Rolle. Ausführliche Informationen zu Materialien finden Sie im Kapitel Materialien & Ausstattung (siehe Seite 176–253).

Auch durch die Kombination verschiedener Materialien können Räume sehr lebendig wirken. Holz und Naturstein, Metall und Glas, Ziegel und Fliesen sind bewährte Kombinationen. Im Grunde sind aber alle Variationen denkbar, sofern die gewählten Materialien für ihren Zweck gut geeignet sind. Wenn neue Oberflächen zu kostspielig sind, besteht die Möglichkeit, alte Verkleidungen oder Anstriche zu entfernen und den Untergrund freizulegen. Nackte Tonziegel oder geschliffene Holzdielen können durchaus Reiz und Charakter haben. Wichtig ist aber, dass die Nahtstellen zwischen Flächen verschiedener Materialien sauber und sorgfältig gearbeitet sind.

Entscheidend für die Wirkung eines Raumes ist der Fußboden. Er beeinflusst nicht nur erheblich die Erscheinung eines Raumes, sondern auch unsere Wahrnehmung. Eine kleine Wohnung wirkt großzügiger, wenn überall der gleiche Bodenbelag verwendet wird oder zumindest seine Farbe einheitlich ist. Ein Wechsel des Belages, etwa von Linoleum zu Hartholz, kann in einer offenen Wohnung die Grenze zwischen verschiedenen Bereichen markieren und weitere Trennelemente überflüssig machen. In Verkehrsbereichen wie Flur und Diele, Treppe und Küche werden Böden besonders stark strapaziert und müssen daher robuster sein als in Schlafräumen, wo es eher auf Wärme und Behaglichkeit ankommt.

⌃ Grobe, preiswerte Holzfaserplatte wird gern für Abdeckungen von Fenstern oder zum Verschließen offener Verkaufsstände verwendet. Auch hinter glänzenden Edelstahl-Küchenelementen macht sie eine gute Figur.

❮ Eine Wendeltreppe aus Stahl, witzige Klappsessel aus Plastik und geradlinige, verputzte Wände ergeben in diesem Loft ein modernes, futuristisches Gesamtbild. Loftwohnungen mit industrieller Vergangenheit vertragen eine nüchterne, sachliche Gestaltung sehr gut.

⌐ Ein computergesteuertes Lichtsystem bringt Farbe in die ganz in Weiß gehaltene Wohnung. Versteckte Leuchtstoffröhren wechseln von Blau nach Rot oder Gelb und können beliebig geschaltet werden, sodass Möbel und Wände ganz nach Wunsch in immer andere Farben getaucht werden. Auch fließende Wechsel von einer Farbe zur anderen sind möglich.

BELEUCHTUNG

Einfache und doch sehr wirkungsvolle Möglichkeiten, die Stimmung in einem Haus zu verändern, bietet das Licht – sowohl Tageslicht als auch Kunstlicht. Die Qualität des Lichts wirkt sich direkt auf unser Befinden aus. Außerdem kann es die Wahrnehmung von Räumen oder Oberflächen erheblich beeinflussen, indem es Texturen hervorhebt, die Größe betont oder den Blick auf ein Detail lenkt. In praktischer Hinsicht sind Tageslicht und Kunstlicht für Wohnen ebenso wie Arbeiten unerlässlich.

Die einfachste Möglichkeit, mehr Licht in die Räume zu holen, besteht darin, Fenster und andere Glasflächen nicht zu verhängen. Sind Einblicke tagsüber unerwünscht, empfehlen sich transluzente Stoffe, durchscheinende Jalousien oder Fensterläden aus satiniertem Glas oder Plexiglas, die das einfallende Licht kaum reduzieren. Helle Dekorationen und Möbel, reflektierende Oberflächen und Materialien sowie Spiegel verstärken ebenfalls das Tageslicht in Innenräumen.

Der geschickte Einsatz von Kunstlicht ist keine Frage kostspieliger Leuchten oder einer aufwendigen Elektroinstallation. Im Gegensatz zur festen Überzeugung mancher Menschen geht es auch nicht darum, alles so hell wie möglich auszuleuchten. Gleichmäßig ausgeleuchtete Räume, vor allem wenn sich die Lichtquelle in der Mitte der Zimmerdecke befindet, wirken trist und nuancenlos. Mehrere Lichtquellen dagegen können einen Raum sehr lebendig erscheinen lassen.

In fast allen Bereichen der Wohnung braucht man Raumlicht, um sich zu orientieren, und Funktionslicht, das den Bereich einer bestimmten Tätigkeit erhellt. Akzentlicht, zu dem auch Kaminfeuer und Kerzen gehören, dient eher der Dekoration und der Atmosphäre.

> **Überlappende Licht- und Schatteninseln** Setzen Sie in einem Bereich mehrere Lichtquellen in verschiedenen Höhen ein, damit der Blick von einer zur anderen Ebene gelenkt wird.

> **Reflektierende Flächen** Räume wirken größer, wenn Wände und Decken Licht reflektieren. Für eine sanfte, diffuse Hintergrundbeleuchtung bieten sich Fluter, abgewinkelte Strahler und verstellbare Wandleuchten an.

> **Vorsicht, Blendwirkung** Eine Blendwirkung entsteht, wenn der Kontrast zwischen einer Lichtquelle und ihrer direkten Umgebung zu stark ist. Das Auge ermüdet schnell, weil ihm viel Adaptionsleistung abverlangt wird. Glühlampen sollten immer abgeschirmt sein, sodass sie nicht direkt sichtbar sind. Denken Sie daran, dass drei oder vier relativ schwache Lampen ebenso viel Licht geben wie eine kräftige Lichtquelle und dabei angenehmer für die Augen und schmeichelhafter für die Raumatmosphäre sind.

> **Fest installierte Leuchten** Fest montierte Leuchten sollten Sie auf Bereiche beschränken, in denen auch die Einrichtung langfristig festgelegt ist, wie es in Bad und Küche der Fall ist.

> **Funktionslicht gezielt platzieren** Funktionslicht sollte grundsätzlich auf die Arbeitsfläche oder die Schreibtischplatte gerichtet sein. Achten Sie immer darauf, dass Sie nicht in Ihrem eigenen Schatten arbeiten.

> **Flexibilität** Viele Steckdosen, Dimmer zum Regulieren der Helligkeit, Mehrfachschalter an gut erreichbaren Stellen und Schienen mit beweglichen Strahlern sind sinnvoll, um die Beleuchtung auch künftigen Veränderungen der Wohnung leicht anpassen zu können.

∨ Der erhöhte Rand der Küchenarbeitsplatte verhindert, dass man
aus dem übrigen Raum auf die
Arbeitsfläche sehen kann. An der
Wand im Hintergrund wurden
Bücherregale rings um das Fenster
eingebaut. Sie gehen nahtlos in die
Einbauschränke der Küche über.
Exaktes Maßnehmen, fachmännische Abeit und Sorgfalt im Detail
sind für solche Einbauten wichtig.

EINBAUTEN

Jede Wohnung, und wenn sie noch so flexibel wirkt, hat einige unabänderliche Fixpunkte. Dazu gehören Versorgungsleitungen und entsprechende Anschlüsse, etwa Spüle, Kochfeld und Backofen, aber auch Bad, Dusche, Waschbecken und Toilette. Am anderen Ende der Skala finden sich Wohnungen, bei denen nicht nur Bad und Küche eingebaut sind, sondern auch der größte Teil des Stauraums und einige Möbel.

Wer Einbauten erwägt, muss sehr sorgfältig überlegen und planen. Bei einer Renovierung lassen sich Fehler meist schnell und relativ preiswert beheben. Gelungene Einbauten dagegen sind kein Zufallsprodukt. Einbauten, die unproportioniert aussehen oder schlecht funktionieren, sind eine dauerhafte Störung und nur mit erheblichem Aufwand zu verändern.

Zwei Faktoren müssen bedacht werden. Der erste ist der verfügbare Platz selbst mit seinen Abmessungen und vorhandenen Elementen, der zweite betrifft das, was dort untergebracht werden soll. Sie sollten sich immer bemühen, diese beiden Faktoren zu einem schlüssigen und alltagstauglichen Ganzen zusammenzufügen.

Wenngleich persönliche Vorlieben eine Rolle spielen, geht es bei Einbauten um mehr als nur den Geschmack. Grundsätzlich brauchen Einbauten weniger Platz und bieten zugleich mehr Stauraum als frei stehende Möbel. Eine ganze Wand voller Einbauschränke bietet Platz für eine komplette Garderobe und kann dabei so schlicht aussehen, dass sie trotzdem noch wie eine Wand wirkt. Verstaut man seine Kleidung in frei stehenden Kleiderschränken und Kommoden, entstehen hier und da Nischen, die den Raum kleiner erscheinen lassen. Auch für kleine Küchen und Badezimmer sind Einbauten meist die geschickteste Lösung.

Pläne zeichnen

Eine gute Basis ist eine maßstabsgetreue Zeichnung des Bereichs. Gravierende Fehler bei Einbauten sind fast immer auf Ungenauigkeiten beim Vermessen zurückzuführen – mit anderen Worten, was passen soll, tut es nicht. Maßstabsgetreue Zeichnungen erlauben das Experimentieren mit verschiedenen Aufteilungen, bis die optimale Lösung gefunden ist. Außerdem können sie helfen, Händlern, Innenarchitekten, Handwerkern oder anderen Fachleuten die eigenen Vorstellungen zu verdeutlichen.

> **Maßeinheiten** Verwenden Sie durchweg die gleichen Maßeinheiten. Im Idealfall orientieren Sie sich dabei an den Maßen, die auch im Handel üblich sind. Meterangaben sind in Bezug auf Möbel und Einbauten eher unüblich. In den meisten Fällen werden die Abmessungen in Zentimetern oder Millimetern angegeben. Entscheiden Sie sich für eine Maßeinheit und bleiben Sie dabei, um Verwirrung und Fehler zu vermeiden.

> **Grobe Skizze** Vermessen Sie den vorgesehenen Bereich und übertragen Sie die Maße in eine Skizze. Auch feste Elemente wie Fenster, Türen, Kamine, Trennwände, Steckdosen, Schalter und andere Anschlüsse müssen eingezeichnet werden.

> **Der richtige Maßstab** Übertragen Sie die Maße mithilfe von Lineal und hartem Bleistift auf Karopapier und legen Sie den Maßstab fest. Für Wohnräume eignet sich der Maßstab 1:50 gut. Dabei entsprechen 2 cm auf dem Papier einem Meter im Raum. Für aufwendigere Einbauten, etwa in Küche oder Bad, ist 1:20 günstiger. Messen Sie alle auf der Skizze eingetragenen Maße genau nach und tragen Sie sie auf dem maßstäblichen Plan ein. Wieder werden Steckdosen, Lampenanschlüsse, Heizkörper und andere Elemente eingezeichnet.

> **Probieren mit Schablonen** Zeichnen Sie im gleichen Maßstab und mit den gleichen Maßeinheiten beschriftet die wesentlichen Elemente Ihres geplanten Einbaus auf Karopapier und schneiden Sie sie aus. Diese Schablonen können Sie auf der Zeichnung verschieben, um verschiedene Anordnungen auszuprobieren.

> **Mehrere Ansichten beurteilen** Zeichnen Sie auch die frontale Ansicht der Wand mit dem geplanten Einbau. Der Maßstab sollte mit dem des Grundrisses übereinstimmen. Beide Zeichnungen gemeinsam erleichtern es, das Konzept sicher zu beurteilen.

(1 Kästchen = 50cm)

KÜCHEN

Küchen gehören zu den Räumen, für die die meisten Menschen viel Geld ausgeben. Allerdings holen Bäder in dieser Hinsicht inzwischen beträchtlich auf. Kosten verursachen nicht nur große und kleine Geräte, auch jeder Zentimeter Stauraum – eingebaut oder frei stehend – kostet Geld. Arbeitsplatten und Fronten können sehr teuer sein. Kosten sind der eine Faktor, Alltagstauglichkeit der zweite. Unabhängig von kulinarischen Fähigkeiten und Vorlieben muss eine Küche reibungslos funktionieren, das heißt, sie muss gut durchdacht sein.

Bedarfsanalyse

Es ist nicht immer leicht, einen Ausgangspunkt für die Planung zu finden. In manchen Haushalten finden in der Küche viele Aktivitäten statt, die mit Kochen und Essen wenig zu tun haben. In anderen muss die Küche kaum mehr als Kaffeemaschine und Mikrowelle enthalten.

> Kochen Sie gern oder essen Sie oft auswärts? Bereiten Sie regelmäßig Mahlzeiten für alle Familienmitglieder zu oder haben Sie häufig Gäste? Kochen Sie allein oder wird die Küche auch von anderen Mitbewohnern benutzt? Eine Küche ist hauptsächlich ein Funktionsbereich, in dem Nahrung aufbewahrt, vorbereitet und gekocht wird. Kochen – das kann der Druck auf den Schalter der Mikrowelle sein, um ein Fertiggericht für eine Person aufzuwärmen, aber auch die stundenlange Zubereitung eines mehrgängigen Menüs für ein Dutzend gute Freunde.

> Wie viel Stauraum brauchen Sie? Wie oft gehen Sie einkaufen? Brauchen Sie ein Tiefkühlgerät oder Platz für größere Vorräte? Müssen außer Küchenutensilien, Geräten, Töpfen und Pfannen auch Geschirr, Besteck und Gläser in der Küche untergebracht werden? Brauchen Sie eine Speisekammer?

> Soll die Küche Teil eines offenen Wohn-Ess-Bereichs sein oder lieber ein abgeschlossener Raum? Möchten Sie alles sehen können oder lieber hinter Schranktüren verschwinden lassen?

> Welche Aktivitäten finden in der Küche statt? Brauchen Sie einen Esstisch oder Platz für die Waschmaschine? Ist die Küche Treffpunkt der Familie, Spielzimmer oder sogar Arbeitsplatz?

> Befindet sich die Küche im dafür am besten geeigneten Raum des Hauses? Wie ist der Zugang zu anderen Bereichen, drinnen wie draußen? Hat sie genügend Tageslicht? Ist die Küche sehr eng, wäre zur Vergrößerung ein Durchbruch oder Anbau denkbar? Wie wirken sich in diesem Fall Gesetzgebung und Versorgung auf die Veränderungsmöglichkeiten aus?

> Wie lange wollen Sie in der jetzigen Wohnung bleiben? Wie wirken sich Veränderungen der Küche auf den Wiederverkaufswert aus? Welche Veränderungen Ihres Lebens stehen in den nächsten Jahren an, die Sie einplanen können?

Küchenplanung

Beim Gestalten einer praktischen, funktionalen Küche kommt es weniger auf die Größe als auf die Planung an. Seit den 1950er Jahren orientiert man sich am „Arbeitsdreieck", das ursprünglich bei Studien zur Verbesserung der Effizienz in der industriellen Fertigung entwickelt wurde. Die drei Spitzen des Dreiecks in der Küche sind die wichtigsten Arbeitsbereiche: Spüle

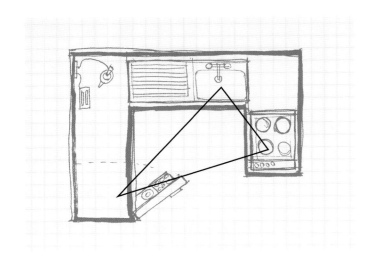

< Eine Variation der einfachen Küchen-
zeile, bei der sich die Arbeitsplatte
über eine Öffnung zum angrenzenden
Wohnbereich spannt. Die Platte ist
hier von beiden Seiten zugänglich, vor
allem aber sorgt der Durchbruch für
eine luftige Atmosphäre.

> Küchenzeilen an einer Wand kann
man leicht verstecken. In diesem Fall
verschwindet die Küche, wenn sie
nicht benutzt wird, hinter rot glänzenden Schiebetüren. Der Esstisch
dient bei Bedarf als Arbeitsfläche.

˅ Frei stehende Elemente bilden in
der Mitte dieser großen Küche eines
Lofts eine Insel. Das hohe Regal dient
als Raumteiler und begrenzt den
Bereich. Inselküchen brauchen mehr
Platz als andere Anordnungen.

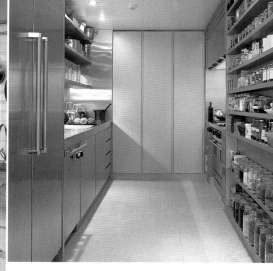

˄ Küchenzeilen brauchen besonders
wenig Platz. Hier wurde ein flaches
Stahlregal für allerlei Utensilien
und Zutaten eingebaut, die in der
schlichten, sachlichen Küche
überraschend dekorativ wirken.

<< Diese Küchenzeile wirkt wie ein Möbelstück, weil die Einbauschränke auf Beinen stehen und von glatten Hoch- und Hängeschränken eingerahmt sind. Solche eleganten Lösungen eignen sich besonders für offene Wohn-Ess-Bereiche.

< Tiefe, nach Maß gebaute Regale bieten viel Platz für Geschirr, Servierplatten und andere Accessoires, die sich sehen lassen können.

> Die Doppelspüle und die große Arbeitsfläche dieser Küchenzeile ermöglichen zwei Personen ein bequemes Arbeiten Seite an Seite.

⌐ Durch das große Fenster und das Oberlicht ist diese Küche ungewöhnlich hell. Durch die Glastür gelangt man zu einem Essplatz im Freien, am Tresen vor dem Fenster wird gefrühstückt.

(Nassbereich), Kühlschrank (Kältebereich) und Herd (Wärmebereich). Das Dreieck sorgt für ausreichend Abstand zwischen den Bereichen, sodass man alle Arbeiten effizient und zugleich bequem ausführen kann. Der optimale Gesamtumfang des Dreiecks, also die Summe aller drei Seiten, beträgt 6 m, der Mindestabstand zwischen zwei Spitzen 90 cm. Weil Küchen sich in Größe, Form und Aufteilung unterscheiden, sieht das Dreieck immer anders aus. Als Grundprinzip lässt es sich dennoch in den meisten Fällen anwenden.

Wichtige Überlegungen:

> Wer nicht neu baut, findet bereits Anschlüsse vor und muss bei der Planung vom Wasseranschluss ausgehen. Das Verändern oder Verlegen solcher Anschlüsse kann aufwendig und teuer sein. Sofern die Möglichkeit besteht, haben viele Menschen die Spüle gern an einem Fenster, entweder in die Arbeitsfläche oder in eine zum Fenster gerichtete Insel eingebaut. Dadurch fällt Tageslicht auf die übrigen Arbeitsflächen, und die Küche wirkt weniger beengt. Wasch- oder Spülmaschine müssen in der Nähe installiert werden, um Rohr- und Schlauchlängen kurz zu halten.

> Schmutziges Geschirr kann unappetitlich aussehen. Sorgen Sie bei der Einrichtung der Abstellfläche für einen Sichtschutz, wenn Sie in der Küche essen.

> Der Vorbereitungsbereich sollte sich auf der längsten Arbeitsfläche zwischen Herd und Spüle befinden. Planen Sie ausreichend Steckdosen für all die Geräte ein, die man

hier braucht – Wasserkocher, Toaster, Mixer oder Kaffeemaschine. Eine Spüle direkt neben einer Wand bietet zu wenig Ellenbogenfreiheit.

> Denken Sie auch an den Müll, im Idealfall mit Trennmöglichkeiten.

> Kühlgeräte dürfen nicht zu nahe an Kochfeld oder Ofen stehen, sonst verbrauchen sie mehr Energie. Günstig ist eine Abstellfläche in der Nähe, damit die Kühlschranktür beim Ein- oder Auspacken von Lebensmitteln nicht zu lange offen stehen bleibt oder zu häufig geöffnet werden muss.

> Auch neben dem Herd brauchen Sie zu beiden Seiten eine Abstellfläche, damit Sie mit schweren oder heißen Töpfen keine langen Wege zurücklegen müssen.

> Denken Sie an ausreichend Platz für die Türen von Großgeräten. Schränke kann man mit Platz sparenden Schiebetüren ausstatten, den Herd nicht.

> Hochschränke sollten jeweils am Ende der Arbeitsfläche aufgestellt werden, damit sie das Arbeitsdreieck nicht unterbrechen.

> Die Höhe für Arbeitsflächen von – je nach Körpergröße – ca. 90 cm ist für die meisten Tätigkeiten sinnvoll. Unterschiedliche Höhen sehen zwar etwas unruhig aus, doch ein Bereich mit etwa 76 cm Höhe ist angenehm für Arbeiten, bei denen man sein Körpergewicht einsetzt, etwa das Kneten oder Ausrollen von Teig.

> Hängeschränke sollten nicht höher als 195 cm abschließen, damit man sich nicht zu stark strecken muss. Der Abstand zwischen Arbeitsfläche und Unterkante der Hängeschränke sollte mindestens 45 cm betragen. Schwere und sperrige Gegenstände gehören in die Unterschränke.

> Die Küchenbeleuchtung wird von Anfang an eingeplant. Feste Lichtquellen über den Arbeitsflächen müssen so platziert werden, dass Sie nicht in Ihrem eigenen Schatten arbeiten. Praktisch sind Leuchten unter den Hängeschränken. Achten Sie auf ein sanftes Raumlicht, damit das Funktionslicht nicht blendet.

Bewährte Küchenpläne

Das Arbeitsdreieck hat zur Entwicklung verschiedener Grundformen geführt, die sich für Küchen aller Größen und Formen eignen.

1. **Einfache Küchenzeilen** bestehen aus nebeneinander aufgereihten Elementen. Sie brauchen mindestens 3 m Wandfläche, doch zu lang sollte die Zeile nicht sein, sonst wird die Arbeit ermüdend. Dieser Typ eignet sich besonders für schmale Küchen.
2. **L-förmige Küchen** können an zwei Wänden installiert sein, ein Schenkel kann auch wie eine Halbinsel in den Raum ragen und beispielsweise die Küche vom Wohnbereich abgrenzen. Eckschränke lassen sich mit drehbaren Böden voll ausnutzen.
3. **U-förmige Küchen** mit drei Schenkeln bieten viel Stauraum und Arbeitsfläche. Der Innenbereich muss mindestens 2 m breit sein. In großen Räumen sollten die Funktionsbereiche in einer Ecke zusammengefasst werden, um lange Wege zu vermeiden.
4. **Zweizeilige Küchen** bestehen aus zwei Küchenzeilen an gegenüberliegenden Wänden. Sie sind praktisch für kleine und enge Räume. Zwischen den Zeilen sollte mindestens 1,20 m Platz frei sein.
5. **Inselküchen** verlagern einige Funktionsbereiche auf die separate Insel. Sie brauchen viel Platz, sind aber ideal zum geselligen Kochen.

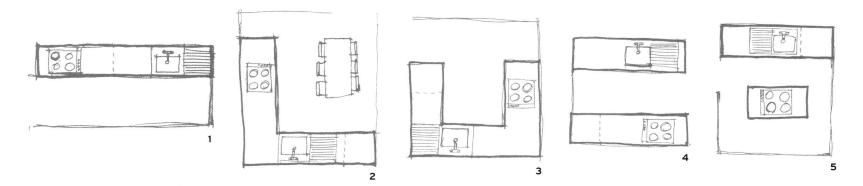

Wichtige Überlegungen:

> Zuerst wird die Position der Wanne festgelegt. Weil sie das größte Objekt ist, sind die Möglichkeiten meist begrenzt. Das Waschbecken hat im Idealfall gutes Tageslicht zum Rasieren und Schminken, die Toilette wird in möglichst großem Abstand zur Wanne eingebaut. Wer möchte, verkleidet Sanitärobjekte oder integriert sie in Schränke, die Stauraum bieten. Gläserne Waschbecken und andere moderne Sanitärobjekte sehen jedoch ausgesprochen attraktiv und elegant aus. Es wäre schade, sie zu verstecken.

> In kleinen Bädern muss man auf einige Elemente verzichten, vielleicht das Bidet oder den Doppelwaschtisch. Alternativ kann die Wanne durch eine Dusche ersetzt werden. Auch kleinere Sanitärobjekte sind denkbar, solange sie keine Kompromisse in Bezug auf die Zweckmäßigkeit erfordern. An der Wand aufgehängte Toiletten und Waschbecken brauchen weniger Platz als vergleichbare Standmodelle, und die Bodenflächen sind leichter zu reinigen. Schiebe- oder Falttüren brauchen weniger Platz als konventionelle Türen. Eine Heizung kann zugleich die Funktion eines Handtuchhalters erfüllen.

> Wer viel Grundfläche zur Verfügung hat, kann mit unkonventionellen Anordnungen experimentieren. Eine mitten im Raum oder rechtwinklig zur Wand aufgestellte Wanne sorgt dafür, dass man auch beim Baden die Weite des Raums spürt. Im Boden versenkte oder in ein Podest eingelassene Wannen wirken ähnlich theatralisch.

> Viele Bäder haben eine ungünstige Form oder schlechte Proportionen. In manchen Fällen bieten sich ovale Wannen oder Eckbadewannen als Lösung an. Ein Bad, das von einem Wohnraum abgeteilt wurde, hat oft eine im Verhältnis zur Bodenfläche sehr hohe Decke. Eine abgehängte Decke korrigiert die Proportionen und lässt das Bad behaglicher wirken.

Duschen

Am Morgen oder nach einem langen, anstrengenden Tag gibt es nichts Belebenderes als eine Dusche. Duschen ist obendrein umweltfreundlich, weil es weniger Wasser und Energie braucht als Baden. Allerdings bestimmt das vorhandene Wasserleitungssystem, welche Art von Dusche Sie installieren können.

> Bei zu niedrigem Druck kann für die gesamte Hausinstallation eine so genannte Druckerhöhungsanlage eingebaut werden, die von dem zuständigen Versorgungsunternehmen genehmigt werden muss.

> Die Größe eines Warmwasserspeichers wird von einem Projektingenieur oder der ausführenden Firma berechnet und richtet sich nach der Gebäudegröße und der Anzahl der darin wohnenden Personen.

> Duschen werden grundsätzlich mit Mischarmaturen ausgestattet. Die (Kosten-)Frage hierbei ist, ob eine manuelle Mischung von Kalt- und Warmwasser oder eine Mischung über einen Thermostatmischer gewünscht wird.

Nassräume

Eine relativ neue Form des Badezimmers ist der Nassraum, die elementare Minimalversion des Badezimmers. Ein Nassraum ist letztlich kein Einbau, sondern der Verzicht auf Einbauten. Die extreme Version hat nur einen Duschkopf mit Reglern und einen Ablauf im Boden. Alle Oberflächen sind absolut wasserdicht, eine Duschabtrennung ist überflüssig.

Ein Nassraum ist besonders in kleinen Wohnungen praktisch, weil der Boden weitgehend frei bleibt – abgesehen von Waschbecken und Toilette. Dennoch kann der Einbau solcher Räume schwierig sein, weil sie vollkommen wasserdicht sein müssen. Der Boden muss ein Gefälle haben, damit das Wasser abfließt. Es muss unter der bevorzugten Wandverkleidung eine Sperrschicht eingebaut werden, die verhindert, dass Wasser in Wände oder Boden dringt.

Versorgungszentrum

Es ist nicht nur praktisch, alle Bereiche, die ähnliche Versorgungsleitungen erfordern, zu einer Gruppe zusammenzufassen. Diese Lösung erlaubt auch unkonventionelle Raumanordnungen. In offenen Wohnungen bietet es sich an, auf der einen Seite eines solchen Blocks die Küche und auf der anderen Bad oder Dusche unterzubringen. So ein Block muss keineswegs rechteckig sein, sondern kann durch gerundete Wände zum Blickfang werden.

Vor allem in modernen Loftwohnungen sind solche Versorgungszentren beliebt. In Leerobjekten zum Selbstausbau sind gelegentlich mehrere Anschlussmöglichkeiten vorhanden, sodass man die Platzierung der Funktionsbereiche selbst wählen kann. Ein Versorgungszentrum bietet sich in diesem Fall als Basis für die weitere Gestaltung der Wohnung an. Selbst Stauraum lässt sich dort gut integrieren, allerdings muss für Wartungsarbeiten ein Zugang zu den Installationen eingeplant werden.

∧ Für kleine Bäder bietet sich der Nassraum als Lösung an, weil auf Duschwanne oder Abtrennung verzichtet werden kann. Alle Flächen müssen absolut wasserfest sein. Ein Gefälle im Boden sorgt dafür, dass das Wasser schnell abfließt.

˥ Eine Glaswand trennt die Dusche vom übrigen Bad ab, auf der anderen Seite gelangt man durch eine Glastür auf eine Terrasse. Im Bereich der Dusche wurde statt des Hartholzbodens ein Holzgitter verlegt.

❯ Weiße Mosaikfliesen mit grüner Bordüre wirken in diesem Nassraum frisch und freundlich. Kleine Mosaikelemente sind weniger rutschig als große Fliesen.

❯❯ Die örtliche Wasserversorgung beeinflusst die Möglichkeiten für Duschen. Wenn der Wasserdruck gering ist, kann eine Druckerhöhungsanlage eingebaut werden.

STAURAUM

Ob simples Regal oder kompletter Arbeitsplatz hinter passgenauen Paneelen, eingebauter Stauraum hilft dabei, den reibungslosen Ablauf des Alltags zu organisieren. Solche Einbaulösungen müssen nicht unsichtbar sein, doch vor allem in kleinen Räumen dienen sie dazu, Ordnung und Übersicht zu wahren.

Weil jeder Mensch Besitztümer in unterschiedlichsten Größen und Formen hat, müssen Aufbewahrungssysteme in hohem Maße auf die individuellen Bedürfnisse zugeschnitten sein, schließlich kann man keine Socken abheften oder Kleider in Regale stellen. Um eine geeignete Stauraumlösung zu erarbeiten, muss man seine Habseligkeiten sichten, die Zugänge der näheren Zukunft abschätzen und überlegen, was wie leicht zugänglich sein muss.

Allzweckbehältnisse zum provisorischen Verstauen sind, ebenso wie frei stehende Tonnen, Kästen, Körbe, Kleiderständer oder Truhen, für manche Gegenstände und für weniger „sesshafte Lebensphasen" gut geeignet. Einbauten hingegen sehen ordentlicher und übersichtlicher aus und bieten obendrein die Möglichkeit, viele Dinge aus dem Wohnbereich zu verbannen und in Durchgangsräumen wie Flur oder Treppenhaus aufzubewahren. Dadurch läuft auch der Alltag reibungsloser.

Ehe Sie mit der Planung von Stauraum beginnen, sollten Sie Überflüssiges aussortieren. Das große Aufräumen kann schmerzhaft sein und allerlei Emotionen auslösen – von Schuldgefühlen wegen unangemessener Impulskäufe bis zur entscheidungshemmenden Befürchtung, dass man manches später noch einmal gebrauchen könnte. Andererseits ist es auch sehr be-

freiend, wenn man all die unbenutzten, ungetragenen, ungelesenen und ungeliebten Dinge über Bord wirft. Man gewinnt damit unerwartet viel Platz.

Anschließend muss die Verteilung des Verbliebenen bedacht werden. Grundsätzlich ist es zwar sinnvoll, gleiche Dinge am gleichen Ort zu verwahren, möglichst in der Nähe des Platzes, an dem sie benutzt werden. Aber auch die Häufigkeit des Gebrauchs spielt eine Rolle. Selten oder nur zu bestimmten Jahreszeiten benutzte Dinge können aus dem Weg geräumt werden, etwa auf den Dachboden oder in den Keller. Das gilt auch für Dinge, die man zwar aktuell nicht braucht, die man aber auch nicht hergeben will oder darf.

Funktionswände

Befreit man Fußboden, Tische, Arbeitsplatten und andere Flächen von Krimskrams, wirkt ein Raum augenblicklich geräumiger. Große Regalwände mit oder ohne Türen bieten erstaunlich viel Stauraum, ohne die Raumqualität zu beeinträchtigen. Wichtig ist aber, sie gekonnt in die Architektur des Hauses zu integrieren. Füllt man eine Nische oder eine ganze Wand mit Regalen, bildet dies eine optische Einheit, die die Raumwirkung nicht stört. Ein niedriges Regal, das sich wie ein Sockel über eine ganze Wand zieht, kann grafisch wirken und den Charakter eines Raumes sogar betonen.

Es mag banal klingen, aber Regale sollten in Tiefe und Brettabstand auf den vorgesehenen Inhalt abgestimmt sein. Stellt man nachträglich fest, dass die Hälfte der Bücher nicht hineinpasst oder die Ordner nicht aufrecht stehen können, ist es zu spät.

Unter praktischen und ästhetischen Gesichtspunkten ist es sinnvoll, Regale so zu gestalten, dass große und

⌐ Regale sehen am besten aus, wenn sie großzügig gestaltet sind und wie ein festes Element des Raums wirken. Dieses Regal für Bücher, CDs und Stereoanlage wurde in die Giebelwand eingebaut.

« Tote Winkel, etwa der meist ungenutzte Bereich unter der Treppe, bieten sich als Stauraum an. Hier wurden tiefe Schubladen nahtlos unter der Holztreppe eingebaut.

‹ Regale an der Wand des Flurs oder Treppenhauses fassen eine Menge Dinge, die sonst im Wohnbereich aufbewahrt werden müssten. Hier sind auch die oberen Fächer leicht zu erreichen.

› Das raffinierte Stauraumsystem in einer ausgebauten Scheune in der Schweiz hat eine Front aus glatten Paneelen, hinter denen sich ausziehbare Regale auf Rollen, ein Klappbett und ein ziehbarer Schreibtisch befinden.

‹ Der Raum mit der hohen Decke bietet sich für extra hohe Einbauschränke mit schlichten Türen an. Die offenen Regale unter der Küchenarbeitsplatte bleiben dekorativen Utensilien vorbehalten.

ʌ Eine Glastür führt in die Kleiderkammer, die unter der Dachschräge eingebaut wurde. Ob Sie ein Fertigsystem kaufen oder den Ausbau nach eigenen Wünschen ausführen lassen: Sie sollten genau wissen, wie viel Platz zum Hängen, Legen und Stapeln Sie brauchen. Hemden, Jacken und Röcke kann man in zwei Ebenen aufhängen, um den Raum optimal zu nutzen.

∟ Der Einbauschrank hat Türen aus Holzrahmen mit weißen Plexiglasfüllungen und eine ausgeklügelte Inneneinrichtung. Einbauschränke wirken weniger dominant als Kommoden und andere frei stehende Möbel.

‹ Stauraum muss bequem zugänglich sein, sonst benutzt man ihn nicht, und der Krimskrams sammelt sich an anderen Plätzen. Bewegliche Regale oder Schrankelemente erleichtern das Finden und Zurücklegen. Hier sind Bücher in drehbaren Regalen untergebracht.

˥ Durch eingebaute Schränke und Regale geht zwar Bodenfläche verloren, doch die Raumqualität kann durchaus gewinnen. Das gilt besonders für offene Wohnungen wie diesen Loft, wo Schränke, Schubladen und ein Fernseher hinter Schiebetüren verschwinden.

schwere Gegenstände im unteren Bereich aufbewahrt werden.

Im Handel findet man eine Fülle verschiedener Regalsysteme, darunter auch verschiedene Typen von Wandschienen und Winkeln zum Einhängen. Viele Systeme sind verstellbar und lassen sich den persönlichen Bedürfnissen anpassen. Das ist aber nur zu Anfang ein Vorteil – nach dem Einräumen wird man die Anordnung kaum verändern. Fertigsysteme und nach Maß gebaute Regale müssen sicher in einer tragfähigen Wand verankert werden. Die Böden müssen aus einem geeigneten Material bestehen, das sich unter dem Gewicht des Inhalts nicht biegt. Auch die Abstände der Haltewinkel spielen für die Tragfähigkeit eine Rolle.

Eine Regalwand mit Schiebepaneelen, Jalousien oder schlichten Türen bietet sich zum Aufbewahren all der Dinge an, die man nicht ständig vor Augen haben möchte und die nicht so ansprechend aussehen wie Bücherrücken. Breite Flure und andere Durchgangsbereiche zwischen Wohnräumen bieten sich für die Unterbringung dieser Dinge an.

Auch bei eingebauten Kleiderschränken reicht das Spektrum von simplen Regalwand-Varianten bis zu teuren Einbausystemen, die den individuellen Bedürfnissen angepasst werden können. Eine durchschnittliche Garderobe umfasst so viele verschiedene Kleidungsstücke, dass ein Einbauschrank meist unauffälliger wirkt und weniger Platz braucht als mehrere frei stehende Einzelmöbel.

Stauräume

Ein ganzer Raum zum Aufbewahren von allerlei Dingen hat zweifellos seinen Reiz. Speisekammern, Ankleidezimmer und Wäschekammern erinnern an Zeiten, als Häuser so geräumig waren, dass man nicht alle Räume bewohnen musste. In verkleinerter Form sind solche Stauräume noch heute sehr praktisch. Teilt man beispielsweise einen Ankleideraum ab, muss dabei nicht mehr Fläche verloren gehen als man für konventionelle Möbel wie Kleiderschrank und Kommoden ohnehin bräuchte.

Modulsysteme

Handelsübliche Einbaumöbel werden meist als Module in Standardbreiten angeboten. Einerseits ist so die Produktion effizienter, andererseits lassen sich andere Elemente leichter integrieren (beispielsweise Haushaltsgeräte in der Küche).

Beim Kauf solcher Module sollte man bedenken, dass man streng genommen Hohlraum kauft. Das heißt, man muss überlegen, ob er dem geplanten Inhalt angemessen ist. Weil aber die Hersteller wissen, dass es keine Universallösungen gibt, bieten viele verstellbare Einlegeböden, ausziehbare Körbe und andere Elemente an, um die standardisierten Kästen individuell anzupassen.

Moderne Küchenmodule sehen keineswegs nur nach Küche aus und können auch in anderen Bereichen der Wohnung eingebaut werden. Robuste Modulsysteme mit Stahlböden bieten sich für Werkstatt oder Garage an.

Einbauten nach Maß

In offenen Wohnungen muss der verfügbare Raum mehreren, teilweise sehr unterschiedlichen Funktionen gerecht werden. Großzügige Einbauten mit Regalen und verschiedenen ausklappbaren Platten oder sogar einem Klappbett hinter einem glatten Paneel können die flexible Nutzung sehr erleichtern. Solche individuellen Lösungen müssen allerdings meist nach Maß gebaut werden. Wird der Raum täglich „umgebaut", müssen alle Türen, Schubladen, Klappen und Paneele perfekt passen und sich mühelos und ohne zu klemmen bewegen lassen.

< Bewegungsfreiheit

Als der Besitzer, ein Architekt, mit seiner Familie in diese kleine Souterrain-Wohnung zog, sollte sie eigentlich nur Übergangsquartier während des Hausbaus in der Nähe sein. Die Neubaupläne scheiterten unerwartet und der Besitzer richtete seine kreative Energie auf diese Wohnung. Durch einen geschickten Umbau und eine Erweiterung in den Hof konnte die Grundfläche um die Hälfte vergrößert werden. Nebenbei entstand ein ganz neues Raumgefühl.

Ursprünglich bestand die Wohnung aus mehreren kleinen düsteren Räumen. Wie in vielen älteren Einfamilienhäusern nahm allein der Flur 20% der Wohnfläche ein. Der Besitzer nahm einen Komplettumbau in Angriff und zog mit seiner Familie in eine Mietwohnung, um den Bauarbeitern Bewegungsfreiheit zu gewähren.

Die Innenaufteilung wurde komplett verändert. Die meisten Innenwände wurden entfernt, um einen offeneren Wohnbereich zu schaffen und den überflüssigen Flur zu integrieren. Der Kohlenkeller im vorderen Bereich wurde in ein tiefer liegendes Bad verwandelt. Die Hälfte des Hofs auf der Rückseite nimmt ein neuer Anbau ein, in dem die Küche untergebracht ist. Sie hat ein Glasdach mit elektronischer Steuerung, das sich im Sommer öffnen lässt, sodass dieser Bereich immer noch wie eine Terrasse wirkt.

Kleine Kunstgriffe lassen den Innenraum größer wirken. Statt einer Tür reicht der Durchbruch zwischen Küche und Wohnbereich bis zur Decke, die eine fließende Verbindung beider Bereiche herstellt. Alltagskleinkram verschwindet in vielen Einbauschränken, reflektierende Oberflächen an den Wänden wie auch der polierte Gummifußboden betonen die offene, luftige Atmosphäre.

UMBAUTEN

In eine wesentlich aufwendigere Kategorie der Verschönerungsarbeiten gehört das Entfernen oder Versetzen von Innenwänden, das Umgestalten der Verkehrswege im Haus, das Einbauen neuer Fenster oder Türen, das Ausbauen oder Anbauen neuer Wohnbereiche. Viele dieser Maßnahmen greifen in einer Weise in die Bausubstanz ein, dass fachmännische Hilfe unbedingt erforderlich ist. Selbst wenn Sie Ihre Pläne ohne fremde Hilfe ausführen könnten, sollten Sie sich beraten lassen, um ganz auf Nummer sicher zu gehen.

Skizzen, maßstabsgetreue Zeichnungen, CAD-Ausdrucke (computergestütztes Design) und andere visuelle Hilfsmittel sind unverzichtbar, um sich die Auswirkungen baulicher Veränderungen auf die Raumwirkung gut vorstellen zu können. Zeichnen Sie in solche Pläne auch die wichtigsten Verkehrswege im Haus ein, außerdem die Himmelsrichtungen (um gegebenenfalls die Tageslichtqualität eines Bereichs zu verbessern) und die Beziehung zwischen Innen- und Außenbereich.

Gelegentlich liest man in der Zeitung von übereifrigen Hausbesitzern, deren Häuser kurz vor dem Zusammenbruch stehen, weil sie eine Wand zu viel herausgebrochen haben. Solche Pannen können Sie vermeiden, wenn Sie den Unterschied zwischen tragenden und nicht tragenden Wänden kennen und die verschiedenen Konstruktionsmethoden zu analysieren wissen.

Mauerwerk

Viele ältere Häuser sind gemauert. Früher verwendete man Ziegel oder Natursteine und Mörtel, neuere Gebäude bestehen aus Betonblöcken. Reihenhäuser sind ein typisches Beispiel für diese Bauweise. Bei vielen dieser Bauten ruht das Gewicht des Daches allein auf den Außenmauern, die auch die Geschossdecken tragen. Einige Innenwände können ebenfalls tragende Funktion haben. Das Gesamtgewicht von Dach, Wänden und Decken lastet auf dem Fundament. Dach und Decken wirken wie Querverstrebungen, die dem Bau Stabilität verleihen.

Bei Veränderungen an den Außenmauern muss immer für einen entsprechenden Ausgleich gesorgt werden, damit diese Mauer ihrer tragenden Rolle weiterhin gerecht wird. In der Praxis bedeutet das, dass über einem Durchbruch für ein neues Fenster, eine Tür oder eine größere Öffnung ein Balken oder ein Träger eingezogen werden muss, der das Gewicht vom entfernten Mauerteil übernimmt.

Im Innenbereich unterscheidet man zwischen tragenden Mauern und Wänden, die nur als Abgrenzung zwischen Räumen dienen. In manchen Gebäuden ist es möglich, über die Ausrichtung der Bodendielen auf die Lage der Deckenbalken zu schließen, da sie meist im rechten Winkel zueinander liegen. Wände, auf denen die Balken aufliegen, sind tragende Wände. (Im Altbau können auch auf nicht tragenden Wänden Balken aufliegen, daher ist die Identifizierung für Laien nicht ohne weiteres möglich). Sicher ist: Wer eine tragende Wand ganz oder teilweise entfernen will, muss einen Balken oder Träger einziehen, der das Gewicht des darüber liegenden Fußbodens trägt.

Holzrahmen-Bauweise

Viele Häuser in Nordamerika sind in Holzrahmen-Bauweise errichtet worden, und auch in Europa setzt sich diese Technik allmählich durch. Weil solche Häuser häufig mit anderen Materialien – beispielsweise Ziegeln – verkleidet sind, darf man vom Aussehen der Fassade nicht unbedingt auf die darunter befindliche Konstruktion schließen.

Es gibt verschiedene Arten von Holzrahmen-Bauten. Bei modernen Gebäuden bestehen die Außenwände oft aus Ständern und Balken, deren Zwischenräume isoliert und mit Holzplatten abgedeckt werden. Darüber befindet sich ein Dachstuhl mit einer gitterförmigen Sparren-Anordnung. Die Platten der Außenwände werden industriell vorgefertigt und auf der Baustelle zusammengesetzt. Durch den außergewöhnlich schnellen Aufbau werden Verzögerungen des Baus durch schlechtes Wetter weitgehend vermieden. Normalerweise haben die Platten Geschosshöhe, sodass auf dem Erdgeschoss eine „Plattform" für das Obergeschoss errichtet werden kann. Auch Bausätze für Anbauten bestehen meist aus solchen Platten. Bei Änderungen an einem Haus in Holzrahmen-Bauweise ist immer die Beratung durch einen Architekten oder anderen Fachmann für diese Bauweise erforderlich, weil sich Veränderungen an den Außenwänden wie bei gemauerten Häusern grundsätzlich auf die Statik des Baus auswirken.

Stahlrahmen-Bauweise

Die moderne Stahlrahmen-Bauweise erlaubt die Konstruktion sehr leichter, offener Bauten. Ein Ständer- und Trägerwerk aus Stahl trägt das gesamte Gebäude, Wände sind nur zur Gliederung der Räume nötig.

Selbst voll verglaste Außenwände, die Innen- und Außenraum verschmelzen lassen, sind denkbar. Diese Bauweise erlaubt eine völlig freie Grundrissgestaltung ohne tragende Pfeiler oder Mauern. Trennwände oder Raumteiler können ganz nach Belieben platziert werden.

INSTALLATION

Ebenso wichtig wie die Bausubstanz ist die Infrastruktur eines Hauses, die aus Heizung, Elektrizität, Frischwasser, Abwasser und Kommunikationstechnik besteht. Bei räumlichen Veränderungen ist oft auch das Versorgungssystem betroffen, weil es um die neu geschaffenen Bereiche erweitert werden muss. Bei größeren Bauvorhaben kann es sich lohnen, die vorhandenen Installationen erneuern zu lassen. Planung und Durchführung solcher Arbeiten müssen von Fachbetrieben übernommen werden, oft ist auch eine Abnahme durch die Behörden oder das Versorgungsunternehmen erforderlich. Der Anschluss an das öffentliche Versorgungsnetz (Wasser, Gas oder Elektrizität) ist in jedem Fall Sache des Versorgungsunternehmens.

Die Versorgungslage der Wohnräume wirkt sich nicht nur auf Bequemlichkeit und Wohlbefinden der Bewohner aus, sie hat außerdem einen ökologischen Aspekt. In Deutschland beispielsweise sind die privaten Haushalte für ein Viertel der landesweiten Kohlendioxid-Emissionen verantwortlich. Wer Energie und Wasser spart, sondern tut auch etwas für die Umwelt. Neue „intelligente" Technologien können zur Senkung des Energieverbrauchs beitragen, aber auch konventionelle Lösungen können mit etwas Überlegung durchaus Energie sparend eingesetzt werden.

Heizung

Bei heute üblichen Heizanlagen wird in einem Brenner oder Kessel Brennstoff in Wärme verwandelt, die dann im Haus verteilt wird. Dies geschieht entweder durch einen Heißwasserkreislauf mit Heizkörpern oder, wie es früher der Fall war, in Form eines Heißluftkreislaufs mit Gitteröffnungen. Als Ergänzungen können Heizlüfter, Elektroheizer, Kaminöfen oder offene Kamine dienen.

Wichtige Überlegungen:

> Der Einbau eines Energie sparenden Heizkessels kann die Betriebskosten auf Dauer beträchtlich senken. Falls die Wohnfläche erheblich vergrößert wird, reicht die Leistung des vorhandenen Brenners möglicherweise nicht mehr aus.

> Besonders sparsam sind so genannte Brennwertgeräte, die ihr eigenes Abgas zur zusätzlichen Wärmegewinnung nutzen.

> Lage, Größe und Anzahl der einzelnen Heizkörper werden im Rahmen der Wärmebedarfsberechnung durch einen Fachmann für das Gebäude bzw. die Wohnung festgelegt.

> Thermostatventile an allen Heizkörpern sind Vorschrift. Besonders komfortabel sind programmierbare Thermostatventile, die sich auf den individuell gewünschten Heizrhythmus einstellen lassen.

> Die Isolierung im gesamten Gebäude (Wände, Decke, Böden, Fenster und Rohrleitungen) sind durch diverse DIN-Vorschriften und insbesondere durch die Energieeinsparungsverordnung streng geregelt. Diese Regeln gelten gleichermaßen für Altbausanierung, Renovierung und Neubau. Ausnahmen gibt es bei Gewerbebauten und Bauten, die unter den Denkmalschutz fallen.

> Eine Fußbodenheizung ermöglicht eine ausgeglichene Raumtemperatur. Sie ist allerdings relativ teuer und hat lange Aufheizzeiten und ebenso lange Abkühlzeiten. Daher ist sie für Mischbenutzung (z. B. Kinderzimmer/ Wohnen und Schlafen) nicht geeignet.

> Installation und Positionierung von Gas- und Wasserzählern, Heizungsanlagen sowie Führung und Dimensionierung von Leitungen aller Art unterliegen strengen Vorschriften.

Elektrizität

Elektrizität kann tödlich sein. Veränderungen an der Elektroinstallation sollte darum immer ein Fachmann vornehmen. Vorschriften und Kontrollen sind, ebenso wie die Anschlusstechniken, von Land zu Land verschieden. Grundsätzlich wird die Elektrizität über mehrere Stromkreise im Haus verteilt. Jeder Stromkreis ist mit einer Sicherung versehen. Ein Stromkreis kann die Steckdosen versorgen, ein anderer die Lichtschalter. Für Großgeräte wie Herde sind meist separate Stromkreise erforderlich. Im Idealfall sollte man die elektrische Anlage alle fünf Jahre überprüfen lassen, nach etwa 20–25 Jahren sollte sie erneuert werden. Wenn eine Sicherung regelmäßig durchbrennt, kann das durchaus ein Hinweis auf einen Schaden am entsprechenden Stromkreis sein. Bei der Erneuerung der Elektroleitungen müssen eventuell Wände, Decken oder Fußböden aufgestemmt werden, darum sollte man diese Arbeit möglichst mit anderen Maßnahmen kombinieren. Planen Sie immer ausreichend Steckdosen ein, denn Verlängerungskabel sind potenzielle Fallstricke.

> Öko-Anbau

Umweltbewusstes Bauen und Ästhetik sind keine Widersprüche. Beide Anforderungen können und sollten Hand in Hand gehen. Was diesen Anbau umweltfreundlich macht, dient in hohem Maße auch der Wohnqualität: viel Tageslicht und frische Luft, komfortable Heizung und der enge Kontakt zur Natur schaffen eine angenehme und freundliche Umgebung.

Der Anbau hat „atmende Wände", die Luft durchlassen, die Kondensation verringern und für ein gesundes Raumklima sorgen. Die Wände in Holzrahmen-Bauweise sind mit einem Material aus recyceltem Zeitungspapier isoliert. Auch Decke und Fußboden sind gut isoliert. Ein spezielles Stahlplattensystem ermöglicht die Luftzirkulation im Hohlraum des Dachs. Die optimale Isolierung sorgt dafür, dass der Bereich mit wenig Energieaufwand zu heizen ist.

Die Fußbodenheizung ist in Kombination mit der thermischen Masse des Betonfußbodens ebenso angenehm wie sparsam. Es reicht aus, das Haus am Morgen und Abend einige Stunden zu beheizen. Der Beton speichert die Wärme und strahlt sie auch nach Abschalten der Heizung gleichmäßig ab. Ein sparsamer Kondensationsboiler liefert heißes Wasser.

Ein großer Teil des Budgets floss in spezielle Fenster, Oberlichter und Glastüren. Emissionsarme, doppelt verglaste Elemente mit einer Argon-Füllung und eingebauter Lüftung lassen viel Licht herein, und verhindern zugleich Wärmeverlust oder Kondensation.

Von außen ist der Anbau mit Lärchenholz verkleidet, das wegen seines hohen Harzgehalts über Jahrzehnte weder Farbe noch sonstige chemische Behandlung braucht. Die Kücheneinbauten bestehen aus formaldehydfreien MDF-Platten, bei allen Geräten wurde auf Energieeffizienz geachtet. Zum Fensterputzen und für die Gartenbewässerung wird Regenwasser benutzt. Toiletten mit Spartaste reduzieren den Wasserverbrauch ebenfalls. Und Küchenabfälle werden zu Wurmkompost verarbeitet. So wohnt man heute „grün".

Energie sparen:

> **Licht aus** Verwenden Sie Energiespar-Glühlampen und schalten Sie das Licht beim Verlassen von Räumen aus. Geräte werden ganz abgeschaltet, denn sie verbrauchen auch im Standby-Betrieb Energie.

> **Energie sparende Geräte anschaffen** Motorgeräte wie der Staubsauger verbrauchen weniger Energie als Geräte mit Heizelementen, beispielsweise Heizlüfter, Waschmaschinen, Herde, Grills, Spülmaschinen, Wasserkocher, Wäschetrockner oder Bügeleisen. Achten Sie bei Neuanschaffungen auf Energieeffizienz.

> **„Grüne" Energielieferanten** Diese Unternehmen liefern Elektrizität aus erneuerbaren Quellen wie Wind- oder Wasserkraft.

> **Sonnenenergie** Moderne Solaranlagen für Privathäuser sind leistungsfähig genug, um den Energiebedarf für Warmwasserbereitung und Geräte zu decken. Thermische Systeme, deren Sonnenkollektoren zum Erhitzen von Wasser benutzt werden, bieten sich in warmen Ländern zur Warmwasserbereitung und zum Heizen des Swimmingpools an. Photovoltaische Kollektoren, die meist in Form von Paneelen auf dem Dach montiert werden, funktionieren auch in kühlen, bewölkten Regionen. Bedarfsplanung und Installation muss ein Fachmann übernehmen. Die Anlagen sind teuer, werden aber teilweise durch staatliche Mittel oder zinsgünstige Darlehen gefördert.

Frischwasser und Abwasser

Die Wasserversorgung erfolgt über das örtliche Wassernetz oder – bei einzeln stehenden Gehöften – über ein eigenes Wasserversorgungssystem (Brunnen). Das Abwasser gelangt entweder direkt ins Abwassernetz oder in eine Klärgrube, die regelmäßig entleert werden muss. Alle Abwasserrohre sind mit einem Geruchsverschluss versehen, damit aus ihnen kein Kanalisationsgeruch bzw. Klärgas dringen kann.

Wichtige Überlegungen:

> Neue Abwasserleitungen müssen von der zuständigen Behörde abgenommen werden.

> In jedem Gebäude gibt es einen Haupthahn, mit dem sich das Wasser im Notfall abstellen lässt. Am Übergang des öffentlichen Netzes zum Haus liegt außerdem der Haupthahn des Versorgungsunternehmens. Sie sollten wissen, wo sich beide befinden (und gelegentlich kontrollieren, ob sich der Haupthahn des Gebäudes bewegen lässt).

> Einfache Rohrsysteme sind am besten. Viele Abzweigungen, Richtungsänderungen oder ein geringes Gefälle sind die Risikofaktoren für Verstopfungen der Abwasserrohre. In Deutschland ist die Ausführung und Dimensionierung von Abwasserleitungen durch DIN-Normen geregelt.

> Wird ein Haus über den Winter nicht bewohnt, ist es trotzdem sinnvoll, die Räume ausreichend zu temperieren, damit die Rohre nicht einfrieren können. Andernfalls sollte das gesamte Rohrsystem entleert werden.

> Wasser ist ein wertvoller, natürlicher Rohstoff. Um Wasser zu sparen, benutzen Sie öfter die Dusche statt der Badewanne, bauen Sie Toilettenspülkästen mit Spartaste ein und statten Sie Wasserhähne mit Durchflussreglern aus. Lesen Sie gelegentlich die Wasseruhr ab, um den Verbrauch zu kontrollieren. Drehen Sie Wasserhähne zu, sonst fließen neun Liter Wasser pro Minute ungenutzt in den Abfluss. Reparieren Sie tropfende Wasserhähne, tauschen Sie alte Dichtungen und Ventile aus.

„SMART HOUSES" – HÄUSER DER ZUKUNFT

Interaktive, programmierbare Technologien bieten das Potenzial, das ganze Haus in ein Kommunikationssystem zu verwandeln. Haushaltsgeräte, Computer, Fernseher, Stereoanlage, Alarmsysteme, Beleuchtung, Heizung – selbst Jalousien und Vorhänge können heute durch Tastatur oder Mobiltelefon gesteuert werden (EIB-Technik, *Europäischer Installations-Bus*). Kühlschränke, die den Buttervorrat überwachen und per Internet Nachschub bestellen; Waschmaschinen, die Fehler selbst diagnostizieren und automatisch den Service anrufen; Heizungen mit Abrechnung durch Fernablesefunktion; Vorhänge, die sich selbsttätig schließen, falls Sie Überstunden machen: all das ist keine Science-Fiction, sondern wird bereits genutzt. Ein mit EIB ausgestattetes Haus beziehungsweise die Installation mit den EIB-Komponenten ist allerdings ca. 2,5–3,5 mal so teuer wie ein Haus mit konventionellen Installationen.

Das total vernetze Haus mag wie eine Zukunftsvision erscheinen, andererseits wäre der heutige Standard der Elektrizität vor einem guten Jahrhundert nicht minder revolutionär gewesen. Entscheidend sind hier weder Machbarkeit noch Kosten, sondern die Frage, ob diese Technologie langfristig wirklich Nutzen bringt und Zeit und Kosten spart. Am Internet-Kühlschrank beispielsweise muss man regelmäßig Barcodes scannen, wenn man Lebensmittel nachfüllt oder entnimmt. Und es macht wenig Sinn, die Waschmaschine aus dem Büro zu starten, wenn man sie nicht vorher mit Wäsche gefüllt hat. Wer seine schulpflichtigen Kinder bitten muss, den Videorecorder zu programmieren, wird an einer Sammlung raffinierter Haushaltsgeräte mit den dazugehörigen, unverständlichen Gebrauchsanweisungen auch nicht unbedingt viel Freude haben. Überlegen Sie also, ob komplexe technische Geräte Ihnen das Leben wirklich leichter und bequemer machen, und kalkulieren Sie auch Kosten und Unannehmlichkeiten im Fall einer Störung ein. In Bezug auf die Unterhaltungselektronik befindet sich die Vernetzung auf dem Siegeszug. Internet, Musik, Video und Fernsehen können in alle Räume übertragen werden, statt auf einen kleinen „Medienbereich" beschränkt zu sein. Diese Entwicklung zu zeitgemäßen, offenen Wohnkonzepten geht Hand in Hand mit dem Trend zu flexibler Nutzung der Bereiche.

RAUMNUTZUNG

Wände sind Grenzen. Sie definieren Aktivitätsbereiche, trennen Innen- und Außenbereich, öffentliche und private Räume. Sie geben die Wege vor, auf denen wir von einem Bereich zum anderen gelangen. Durch das Entfernen von Innenwänden gewinnt man zwar keinen Quadratmeter, aber die Wohnung kann geräumiger wirken. Verschenkter oder toter Raum kann besser genutzt werden, die Lichtverhältnisse können günstiger und die Verkehrswege praktischer sein.

Umräumen

Will man die Funktionsweise einer Wohnung verbessern, besteht die einfachste Lösung darin, Räume anders zu nutzen. In einem älteren Reihenhaus liegen Küche und Wohnzimmer meist im Erdgeschoss, darüber befinden sich die Schlafräume. Wenn das Erdgeschoss eher dunkel ist, kann es sinnvoll sein, die Konventionen auf den Kopf zu stellen. Schlafräume benutzt man vorwiegend nachts, hier spielt Tageslicht keine so wichtige Rolle. Für Familien mit Kindern

⌐ Sonnenkollektoren, die aus Sonnenlicht kostenlose Energie für den Haushalt gewinnen, sind in den letzten Jahren erheblich weiterentwickelt worden. Photovoltaik-Anlagen für Dachflächen sind heute weniger auffällig als ältere Modelle. Allerdings sind solche Anlagen teuer und müssen vom Fachmann installiert werden, um effizient zu arbeiten.

⌃ Mehrzweckräume wie diese Wohn-Ess-Küche brauchen Abgrenzungen zwischen den Bereichen. Hier versteckt eine halbhohe Wand die Küche und bildet zugleich einen attraktiven Hintergrund für den Esstisch.

⌃ Ein großer Durchbruch in einer Innenwand lässt den Raum luftig wirken, die Küche ist dennoch vom Wohnbereich abgetrennt. Lassen Sie vor dem Durchbruch prüfen, ob es sich um tragende Wände handelt.

lässt sich eine gelegentliche Neuverteilung der Zimmer ohnehin oft nicht vermeiden.

Verkehrswege

Hat ein Raum mehrere Zugänge, kann man oft beobachten, dass einer davon nur selten benutzt wird. Indem man ihn blockiert, gewinnt man wichtige Stellfläche, die man im Wohnbereich beispielsweise für ein großes Möbelstück oder in der Küche für eine längere Arbeitsplatte oder zusätzliche Schränke nutzen kann. Es kann auch sein, dass Sie einen Durchgang verlegen möchten, um Verkehrswege zu vereinfachen und Alltagstätigkeiten wie das Abladen von Einkäufen oder das Herausbringen des Mülls zu erleichtern.

Offen wohnen

Um eine neue Raumordnung zu schaffen, werden häufig Wände entfernt, sodass die Bereiche fließend ineinander übergehen. Grundsätzliche Veränderungen des Lebensstils haben dazu geführt, dass offene Wohnkonzepte immer beliebter werden. Bedenken Sie aber, dass dennoch Ausgewogenheit zwischen offenen und privateren Wohnbereichen herrschen muss. Selbst eingefleischte Loft-Fans haben ab und zu das Bedürfnis, sich zurückzuziehen. Weil große, offene Räume meist lauter und schwierig zu heizen sind, müssen auch Versorgungstechnik und Wahl der Oberflächen gut durchdacht sein. Eine Fußbodenheizung ist separaten Heizkörpern beispielsweise oft überlegen.

Um den Grundriss zu öffnen, gibt es verschiedene Möglichkeiten. Man kann benachbarte Räume zusammenlegen oder die Trennwände zu Flur und Treppenhaus entfernen. Aufwand und Kosten solcher Maßnahmen hängen hauptsächlich davon ab, ob tragende Wände betroffen sind. Diesen Aspekt sollten Sie immer von einem Fachmann prüfen lassen, ehe Sie das Abbruchkommando rufen. Wird eine tragende Wand ganz oder teilweise entfernt, muss ein Balken oder ein Träger aus Stahl oder Beton in den Durchbruch eingezogen werden (siehe Seite 149). Auch hinsichtlich der Dimensionierung dieses neuen tragenden Elements müssen Sie sich von einem Architekten oder Statiker beraten lassen. Eventuell muss der Durchbruch amtlich abgenommen werden.

Trennwände

Das Einziehen neuer Wände hat keine Auswirkungen auf die Statik, es ist relativ unkompliziert und verlangt keine Genehmigungen. Hier geht es weniger um die technische Konstruktion als vielmehr um Position, Größe, Proportionen, Auswirkungen auf die Verkehrswege und das Aussehen des Trennelements.

Wohnräume – alle Räume außer Küche, Bad und Flure – müssen mindestens ein Fenster haben. Die Lage der Fenster hat Auswirkungen auf die Möglichkeiten, einen Raum zu teilen. Auch der Zugang ist ein Kriterium. Sofern nicht zwei zusammengehörige Bereiche getrennt werden, etwa Schlafzimmer und Bad oder Ankleideraum, verlieren Sie durch die Tür des neuen Raums Stellfläche. Wird ein großer Raum mit hoher Decke geteilt, so wirken die neuen, kleineren Räume schnell unproportioniert, und man muss eine niedrigere Decke einziehen, um das ästhetische Gleichgewicht wieder herzustellen.

Eine Trennwand muss nicht massiv sein. Dezentere Raumteiler können verschiedene Aktivitätsbereiche abgrenzen, ohne dabei das offene Wohngefühl einzuschränken. Eine Trennwand muss weder von Wand zu Wand noch bis zur Decke reichen, um einen abgetrennten, privaten Rückzugsort zu schaffen. Durchscheinende Materialien wie Plexiglas, Glas oder Glasbausteine unterteilen, ohne Licht auszublenden. Und bewegliche Raumteiler wie Sichtschirme, Paravents, verschiebbare Paneele oder Falttüren lassen alle Möglichkeiten offen.

Licht und Luft

Durch eine Umgestaltung des Grundrisses können Tageslicht und Luft in Bereiche gelangen, die vorher hinter Trennwänden lagen und dunkel waren. Um aber

❮ Trennwände haben keine Auswirkungen auf die Statik, aber sie müssen so platziert werden, dass die neu geschaffenen Bereiche gut proportioniert und leicht zugänglich sind. Hier trennt eine geschwungene Glaslamellenwand das Bad vom Schlafzimmer.

❯ Durch ein elektronisch gesteuertes Glasdach, das an schönen Tagen vollständig geöffnet werden kann, dringen Licht und Luft in die Wohnung. Das Obergeschoss umgibt das zentrale Atrium wie eine Galerie. Durch die Glaswände ist der Raum sehr hell und bietet reizvolle Aussichten.

❮ Lofts bieten flexible Aufteilungsmöglichkeiten. Festgelegt sind nur die Anschlüsse der Versorgungsleitungen. Hier wurde die Küche in einen „Kasten" eingebaut – eine Variante der Funktionsinsel.

mehr Licht ins Haus zu holen, die Lüftung zu verbessern oder neue Zugänge zum Außenbereich zu schaffen, müssen vorhandene Öffnungen in der Außenwand vergrößert oder neue geschaffen werden.

Solche Eingriffe wirken sich auf die Statik aus und verlangen fachmännische Unterstützung. Ausnahmen bilden nur die Vergrößerung vorhandener Fenster nach unten und – in den meisten Fällen – der Einbau von Dachfenstern oder Oberlichtern. Bei allen anderen Durchbrüchen der Außenwand muss ein neues tragendes Element (Balken, Träger oder Stütze) eingezogen werden.

Eine wichtige Rolle spielt die Himmelsrichtung. Neue Fenster auf der Sonnenseite lassen zwar viel Licht in die Räume fluten, können im Sommer aber zu einer Überhitzung führen. Statt ein neues Fenster neben einem vorhandenen einzubauen, könnte man es auch in die rechtwinklig angrenzende Wand setzen. Das sieht interessanter aus und verbessert die Belüftung. Es wirkt sich auch günstig auf die Luftzirkulation im Haus aus, wenn man einige Fenster, Oberlichter oder andere Öffnungen parallel zur Hauptwindrichtung einbaut. In heißen Ländern kann durch geschickte Anordnung der Fenster sogar eine Klimaanlage überflüssig werden.

Ebenen

Eine Veränderung der Wohnebenen erfordert eine andere Art räumlichen Denkens. Bei einer Neuordnung der Innenräume geht es zwar vorwiegend um den Grundriss, doch wenn mehrere Ebenen ins Spiel kommen, muss auch Raumvolumen bedacht werden. Wie eine Veränderung des Grundrisses bringt eine Veränderung des Volumens nicht zwingend mehr Fläche, kann aber die Raumwahrnehmung massiv beeinflussen.

Den Grundriss kann man leicht aufzeichnen und variieren. Um das Volumen einzuschätzen, braucht man zusätzlich einen Querschnitt. Damit ist ein senkrechter Schnitt durch das Gebäude gemeint – ähnlich wie ein Puppenhaus nach dem Abnehmen der Front. Der Unterschied zwischen niedrigen Räumen und der doppelten Deckenhöhe ist offensichtlich, aber die genauen Auswirkungen kann sich ein Laie kaum vorstellen. Computergrafiken des Hauses können dabei hilfreich sein.

Manche Veränderungen der Ebenen wirken sich auf die Statik aus und verlangen die Mitwirkung eines Fachmanns, andere nicht. Statische Auswirkungen hat das Entfernen oder Verändern des Fußbodens (auch von Teilen), ebenso der Einbau eines Zwischengeschosses, das die Belastung der tragenden Mauern erhöht. Das Einziehen einer niedrigeren Decke oder das Erhöhen des Fußbodens durch ein Podest betreffen die Statik nicht, weil sie unter die existierende Decke oder auf den vorhandenen Boden gebaut werden.

Die meisten Durchschnittshäuser haben nicht genug Grundfläche, um auf ein ganzes Stockwerk verzichten zu können und stattdessen spektakuläre Räume mit doppelter Höhe zu schaffen. Ist aber ein ungenutzter Dachboden vorhanden, könnte man überlegen, das obere Stockwerk bis direkt unter das Dach zu erweitern. Dachfenster lassen diesen Bereich noch größer und luftiger wirken.

Lofts bieten sich für Experimente mit den Ebenen besonders an, weil sie höhere Decken haben als konventionelle Wohnhäuser. Hohe Räume lassen sich waagerecht teilen, etwa durch Einbau einer Plattform, eines Zwischengeschosses oder einer Galerie für den Schlaf- oder Arbeitsplatz, den man nicht gern im „öffentlichen" Großraum unterbringen möchte.

Größe und Position der neuen Ebene spielen die Hauptrolle. Eine reine Schlafplattform braucht nicht unbedingt Stehhöhe zu haben und muss nur ein kleines Stück größer als eine Matratze sein. Ein Zwischengeschoss oder eine Galerie dagegen muss groß genug sein, um dem zugedachten Zweck voll gerecht zu werden – andererseits aber nicht so groß, dass das „Loftgefühl" des Hauptbereichs verloren geht. Der Lichteinfall durch die Fenster soll nicht behindert werden. Zudem muss für den Bereich unter der neuen Ebene eine sinnvolle Nutzung gefunden werden. Praktisch ist es, diese Bereiche für Einbauten wie Küche, Bad und Stauraum zu nutzen, sodass die restliche Fläche frei bleiben kann.

Die neue Ebene braucht einen Zugang. Platz sparend, wenn auch unbequem, sind fest installierte oder ausziehbare Leitern. Wendeltreppen wirken klein, können aber Schwindel auslösen. Offene oder frei tragend an der Wand befestigte Treppen stören den freien Blick nur geringfügig.

AUSBAUEN

Wenn Sie nicht anbauen – oder umziehen – wollen, kann der Ausbau von Dachboden oder Keller die einzige Möglichkeit sein, die Wohnfläche zu vergrößern. Ein Dachausbau ist zwar meist einfacher und preiswerter als ein Kellerausbau, aber beide Maßnahmen verschlingen viel Geld und Zeit. Vergleichen Sie die Kosten mit

∧ Räume mit doppelter Geschosshöhe kann man waagerecht unterteilen, ohne die luftige Wirkung ein-
zubüßen. Dieses Zwischengeschoss
mit Stahlbrüstung und Glaslaufsteg
verringert die Höhe optisch kaum.
Die darunter eingebaute Küche ist
nur durch ein Wandteil mit kreisrun-
dem Durchbruch vom Wohnbereich
getrennt. Die Grenze zwischen den
Bereichen wird auch durch den
Wechsel von Parkett zu Fliesen
markiert.

❯ Ein Zwischengeschoss ist ideal
für den Schlaf- oder Arbeitsplatz.
Dieser Schlafbereich erhält durch
die großen Dachfenster und die
gerundeten Gusseisenträger sehr
viel Charakter.

dem Preisunterschied für ein größeres Haus. Wenn Ihnen Ihr Haus gefällt und ein Umzug nicht die preiswertere Lösung wäre, kann ein Ausbau eine gute Lösung sein. Die Bauarbeiten verursachen zwar Unannehmlichkeiten, steigern aber auch den Wert des Gebäudes.

Dachausbau

Der Dachausbau zählt zu den beliebtesten Umbaumaßnahmen, weil er die Wohnfläche deutlich vergrößern kann. Dachböden haben oft eine originelle Form, sie können durch Dachfenster oder Gauben sehr hell und freundlich sein und bieten sich als abgeschlossener Rückzugsort fernab vom allgemeinen Haushaltsgetümmel an.

Ehe Sie mit dem Dachausbau beginnen, entscheiden Sie, wie Sie den Raum nutzen wollen. Wenn ein zusätzlicher Schlaf- oder Arbeitsraum gebraucht wird, muss dieser nicht unbedingt unter dem Dach liegen. Durch Jonglieren mit den verschiedenen Räumen des Hauses können sich andere, sinnvollere Lösungen ergeben.

Für den Selbstausbau bieten Baumärkte das gesamte benötigte Material vom Dachfenster bis zur Leiter. Für aufwendigere Lösungen sollten Sie einen Architekten oder ein spezialisiertes Unternehmen konsultieren, nicht zuletzt, um sich die lästige Besorgung der erforderlichen Genehmigungen abnehmen zu lassen. Letztlich liegt es am Dach selbst, ob ein Ausbau möglich ist. Bei älteren Häusern gibt es selten Probleme, die Dachstühle neuerer Häuser dagegen sind oft mit Fertigteil-Bindern konstruiert, deren Veränderung das gesamte Tragwerk beeinträchtigen würde. Wichtig ist ferner die Frage der gewonnenen Wohnfläche. Im Durchschnitt wird die Grundfläche ab der Wandhöhe von 1,5 Metern berechnet. Man kann die Fläche durch den Einbau von Gauben vergrößern, unter den Dachschrägen liegt jedoch fast immer toter, schwer nutzbar zu machender Raum. Kann auch durch den Einbau von Gauben nicht genug Stehhöhe geschaffen werden, bleibt nur die wenig empfehlenswerte Option, den Fußboden abzusenken. Dadurch werden die Bauarbeiten wesentlich umfangreicher, und auch die Raumqualität des darunter liegenden Stockwerks ändert sich.

Ein wichtiges Kriterium ist der Zugang zum ausgebauten Dachboden. Ausklappleitern sind eine Lösung, wenn man den Raum nur selten benutzt. Andernfalls ist eine stabile Treppe nötig. Der Einbau einer festen Treppe wiederum kostet Fläche im darunter liegenden Stockwerk oder macht eine Änderung des Grundrisses erforderlich.

⌐ Ein Bett auf Fußbodenniveau ist praktisch für den Dachboden mit geringer Stehhöhe. Die weiß lasierten Balken bilden die gemütliche Umrahmung für das Kopfteil.

‹ Um als Wohnraum zu gelten, muss ein Dachboden mindestens ein Fenster haben. Mit Dachschrägenfenstern lässt sich diese Forderung leicht erfüllen. In manchen Fällen muss das Dach verstärkt werden, um das Gewicht des Fensters zu tragen.

∟ Durch das neue Fenster in der Giebelwand fällt Tageslicht in den Arbeitsbereich des ausgebauten Dachbodens. Dachschrägen und Wände sind mit Profilbrettern getäfelt und weiß lackiert, die Dachstruktur ist sichtbar geblieben.

› Das ultimative Oberlicht ist dieses verglaste Dach mit gläsernen Trägern. Allerdings mag nicht jeder von der Sonne geweckt werden. Spezialjalousien für Dachfenster und Oberlichter machen das Regulieren des Lichteinfalls leicht.

∨ Weit weg vom Alltagsgeschehen ist der Dachboden ein idealer Arbeitsplatz. Wenn er regelmäßig benutzt wird, ist eine feste Treppe notwendig.

‹ Ein Tiefparterre ist meist unkomplizierter auszubauen als ein echter Kellerraum. Hier wurde ein Stück des Gartens ausgeschachtet, um eine neue Küche mit Essplatz zu schaffen. Bei solchen Ausbauten ist eine gute Feuchtigkeitssperre, beispielsweise eine Abdichtungsfolie, erforderlich.

∟ Das Dach des Anbaus bildet ein Glaskasten. Er lässt Licht in den neuen Raum fluten, das von den blütenweißen Wänden reflektiert wird. Solche Glasdächer sollten ausreichend Gefälle haben, sodass Regenwasser leicht abfließen und Schmutz mit wegspülen kann.

⌃ Durch eine Aussparung der Ziegelwand und ein Lüftungsgitter in der Erdgeschossdecke fällt Tageslicht in das Bad im ausgebauten Keller. Kellerausbauten sind meist schwieriger, aufwendiger und teurer als Dachausbauten.

Damit der Dachboden als Wohnraum genutzt werden darf, muss er mindestens ein Fenster haben. Dachschrägenfenster sind beliebt, neuere Schwingmodelle modelle lassen sich zum Reinigen und Lüften leicht öffnen. Muss das Dach ohnehin überholt werden, sollten Sie überlegen, Dachfenster einbauen zu lassen, falls Sie zukünftig einen Dachausbau ins Auge fassen.

Bauarbeiten

Die Balkenlage unter den Dielen des Dachbodens ist meist weniger stabil als die der Geschossdecken und muss daher verstärkt oder erneuert werden, um Fußboden und Möbel zu tragen. Meist reicht es, zusätzliche Balken zwischen den vorhandenen einzuziehen. Neben Dachfenstern müssen eventuell auch die Dachsparren aufgedoppelt werden, um das Gewicht der Fenster aufzufangen. Beim Ausbau einer Gaube muss ein Stück Dach entfernt und durch eine neue Konstruktion ersetzt werden. Eine gute und sehr elegante Möglichkeit, allzu großen Lichtverlust zu vermeiden, sind rundum verglaste Gauben.

Vorschriften

Veränderungen an der Statik der Außenwände müssen grundsätzlich genehmigt werden. Auch Brandschutzbestimmungen sind ab einer gewissen Gebäudehöhe zu beachten. Diese richten sich im Allgemeinen nach dem Bauordnungsrecht der Bundesländer. Vorschriften über Fluchtwege etwa können Auswirkungen auf den Grundriss des Dachgeschosses und die Konstruktion von Treppen oder Leitern haben. Wenn nur Dachfenster eingebaut werden, ohne die Dachform zu verändern, ist nicht immer eine Genehmigung erforderlich. Gauben sind dagegen immer genehmigungspflichtig. In Gebieten bzw. Straßenzügen, die unter Denkmalschutz stehen, müssen für alle Veränderungen am Dach Genehmigungen eingeholt werden. Und wird beim Umbau eine Trennwand in einen über mehrere Häuser reichenden Dachstuhl eingezogen, ist auch die Zustimmung der Nachbarn erforderlich.

Kellerausbau

Keller sind meist weniger attraktiv als Dachböden, denn Räume, die ganz oder teilweise unter der Erde liegen, sind eher düster und oft auch feucht. Dennoch kann sich der Kellerausbau anbieten, wenn es beispielsweise darum geht, schallgeschützte Räumlichkeiten für den Schlagzeug spielenden Sohn zu schaffen, ein Gästezimmer oder einen Raum für gelegentliche

Büroarbeiten. Wird bei der Isolierung einwandfreie Arbeit geleistet, ist ein Kellerraum gut gegen Kälte und Lärm geschützt und verursacht unter Umständen weniger Heizkosten als ein Zimmer im Dachstuhl. In dicht bebauten Stadtgebieten mit hohen Grundstückspreisen, wo ein Anbau nicht infrage kommt, kann sich diese Form des Ausbaus als sinnvoll erweisen.

Der Umfang der Arbeiten hängt von den Gegebenheiten ab. Ein Kellerbereich mit Tageslicht (etwa durch einen Lichtschacht) oder ein Souterrain auf einem abschüssigen Grundstück bieten die besten Möglichkeiten. In solchen Fällen kann es ausreichen, eine Feuchtigkeitssperre zu legen und den Boden vor der Gebäudewand auszuschachten, um mehr Licht einzulassen und möglicherweise einen Zugang zu schaffen. Der Bau eines neuen Kellers ist weit langwieriger und wird nach Möglichkeit umgangen. Der Untergrund und das vorhandene Fundament müssen fachmännisch untersucht werden. Bei älteren Häusern liegt der Erdgeschossfußboden oft auf einer flachen Vertiefung, die Balkenlage wird vom Fundament gehalten. Soll die Vertiefung zu einem Geschoss mit Stehhöhe ausgeschachtet werden, müssen die Fundamente durch eine neue Konstruktion abgefangen werden. Ruht das Erdgeschoss direkt auf dem Boden, kann es während der gesamten Ausschachtungs- und Abstützarbeiten nicht benutzt werden.

Wände und Fußboden des neuen Kellers brauchen eine Feuchtigkeitssperre, hierfür werden eine Abdichtungsfolie oder Platten aus Hartschaum zwischen Erdreich und Außenwand bzw. eine zusätzliche Wärmedämmschicht auf den Boden aufgebracht. Erweitert man die Fläche in den Garten hinaus, muss die Dränage entsprechend verändert werden. Soll der Keller als Wohnraum gerechnet werden, müssen Richtlinien über Raumhöhe, Lichteinfall und Brüstungshöhe beachtet werden. Über die Baugenehmigung hinaus ist möglicherweise die Zustimmung der Nachbarn einzuholen.

ANBAUEN

Ein Anbau ist eine effektive Möglichkeit, die Wohnfläche zu vergrößern und zudem oft preiswerter als der Umzug in ein größeres Haus – vor allem in Anbetracht der Nebenkosten (siehe Seite 111). Wer im Grunde zufrieden ist, aber gern einen zusätzlichen Raum hätte oder einen vorhandenen Bereich wie die Küche vergrößern möchte, kann sein Haus mit einem Anbau auf relativ kostengünstige Weise aufwerten – im Hinblick

> In einem der beiden seitlichen Anbauten an ein Haus aus den 1950er Jahren ist ein Wohnzimmer untergebracht, im anderen die Küche. Dazwischen liegt ein Wohn-Ess-Bereich. Durch Schiebetüren lassen sich die Bereiche nach Wunsch trennen oder öffnen. Die geschlossene Längsseite des Anbaus hat im unteren Bereich Glasflächen, durch die man das Wasserspiel im Garten sieht.

∨ Manche Häuser haben seitlich genug Grundstücksbreite, um eine Außenwand zu durchbrechen und die Wohnfläche zu erweitern. Durch breite Öffnungen sieht man vom Essplatz die lange Küchenzeile unter dem Glasdach.

> Vorgefertigte Anbauten werden immer beliebter. Der Anbau wird gemäß Kundenvorgaben industriell aus Standardkomponenten oder maßgenau gefertigten Teilen hergestellt. Auch Leitungen, Armaturen und Isolierung können schon eingebaut werden. Nach der Anlieferung kann der Anbau in weniger als einem Tag bezugsfertig sein, weil nur die wichtigsten Verbindungen noch hergestellt werden müssen. Diese schnelle, unkomplizierte und saubere Lösung bietet sich für Hausbesitzer an, die einen konventionellen Anbau scheuen.

auf Wohn- und Marktwert. Ein gut geplanter Anbau kann dem gesamten Wohnbereich Nutzen bringen, indem beispielsweise mehr Licht hineinfällt oder die Raumaufteilung günstiger gestaltet werden kann, sodass die vorhandenen Räume großzügiger wirken.

Ein Anbau ist mehr als ein zusätzlicher Raum, der an geeigneter Stelle angesetzt wird. Er bietet die Möglichkeit, die gesamte Aufteilung und Nutzung des Hauses neu zu konzipieren. Darum – und weil die meisten Anbauten umfangreiche Bauarbeiten mit sich bringen – sollten Sie einen Architekten konsultieren, der Ihnen bei der Umsetzung Ihrer Ideen hilft, gestalterische Möglichkeiten voll ausschöpft und Vorschläge erarbeitet, welche den praktischen Anforderungen, Ihrem Budget und den gesetzlichen Vorgaben gleichermaßen entsprechen.

Im Hinblick auf die Gestaltung müssen Sie nicht unbedingt dem Baustil Ihres Hauses treu bleiben. Der Kontrast zwischen einem konventionellen Haus und einem modernen Anbau kann sehr reizvoll sein – sofern das auch die Genehmigungsbehörden so sehen. Neue Bautechniken und Materialien ermöglichen die Gestaltung leichter, transparenter Anbauten, vieleicht aus Stahlrahmen mit großen Glasflächen, die einen sehr subtilen Übergang zwischen Innenraum und Außenbereich schaffen.

Wintergärten sind Klassiker unter den Anbauten und heute so beliebt, dass sie in Form von Bausätzen erhältlich sind. Neuerdings bieten einige Firmen auch andere Anbauten an, die nahezu komplett geliefert werden. Diese vorgefertigten Module sind zwar im Design nicht sonderlich originell, aber sie sind kostengünstiger, schneller und mit viel weniger Aufwand zu errichten als konventionelle Anbauten.

Bedarfsanalyse

Wie beim Dachausbau sollten Sie zuerst entscheiden, welche Funktion der neue Bereich erfüllen soll und wie er sich auf die derzeitige Wohnungsaufteilung auswirkt, ehe Sie einen Architekten aufsuchen. Brauchen Sie einen zusätzlichen Schlafraum oder einen ruhigen Arbeitsplatz, muss dieser nicht unbedingt im Anbau untergebracht werden. Durch die Vergrößerung eines Raums wird an anderer Stelle Platz frei, der sich vielleicht besser zum Schlafen oder Arbeiten eignet. Durch eine Vergrößerung der Küche könnten Sie einen zwanglosen Wohn-Koch-Ess-Bereich schaffen, in dem sich Aktivitäten konzentrieren, die derzeit in anderen Räumen stattfinden. Wird dadurch ein Raum frei, kann er in einen Schlaf- oder Arbeitsraum verwandelt werden.

Anbauten verbessern nicht immer die Wohnqualität des ursprünglichen Baus. Wird das Erdgeschoss in den Garten hinaus vergrößert, können dadurch Räume, die früher reichlich Tageslicht bekamen, dunkler werden. Findet im neuen Anbau – etwa einer großen Wohnküche – der größte Teil des Familienlebens statt, werden die übrigen Räume leicht zu Vorzimmern degradiert. Neue Trennwände oder Schiebepaneele können nötig werden, um das Raumkonzept neu zu definieren. Durch Öffnung von Innenwänden kann Licht aus Nachbarräumen „ausgeliehen" werden.

Platzierung

Die meisten Häuser bieten mehrere Möglichkeiten zum Anbauen. Die Platzierung muss allerdings gut durchdacht sein – im Hinblick auf den Einfall von Tageslicht, die Auswirkungen auf Nachbargrundstücke, mögliche bauliche oder rechtliche Komplikationen und den Effekt auf die vorhandenen Innenräume.

Anbaumöglichkeiten:

> Erweiterung des Erdgeschosses auf der Rückseite. Bei dieser Lösung kann ein beträchtlicher Teil des Gartens verloren gehen. Überlegen Sie, ob Sie mit weniger Außenfläche auskommen.
> Abriss alter Nebengebäude oder angebauter Gewächshäuser, um Platz für einen Anbau zu schaffen.
> Erweiterung auf dem Dach eines vorhandenen Anbaus.
> Aufstockung um ein komplettes Geschoss.
> Seitlicher Anbau, entweder durch einen neuen Flügel oder durch Schließen einer Baulücke oder eines ungenutzten Durchgangs.

Bauarbeiten

Ein Anbau braucht eine Verbindung zu den bestehenden Räumen des Hauses. Bei Erdgeschoss-Erweiterungen bedeutet das eine Öffnung in der tragenden Außenmauer, was sich auf die Statik auswirkt. Für Erweiterungen auf dem Dach eines bestehenden Anbaus kann eventuell ein vorhandenes Fenster zur Tür umgebaut werden, indem man die Mauer unter dem Sims entfernt. Das ist weniger aufwendig als ein neuer Durchbruch und hat keine Auswirkungen auf die Statik des Gebäudes.

Erweiterungen in oberen Stockwerken, vor allem das Aufstocken um eine Etage, können allerdings Auswirkungen auf das Fundament haben. Ob Ihr Fundament das zusätzliche Gewicht tragen kann, müssen Sie durch einen Fachmann prüfen lassen. Anbauten sollten separat gegründet werden. Lassen Sie rechtzeitig

klären, ob das neue mit dem bestehenden Fundament verbunden werden muss. Ebenso müssen Stromkabel und Wasserleitungen eingeplant werden, die Sie eventuell im Anbau benötigen.

Die Größe von Anbauten ist ein wichtiger Faktor. Für einen kleinen, eingeschossigen Anbau mit privater Nutzung ist in der Regel keine Genehmigung erforderlich, sofern ausreichend Abstand zur Grundstücksgrenze gewahrt bleibt und das gültige Bauordnungsrecht hinsichtlich Volumen oder Fassadenbreite nicht verletzt werden. Das bedeutet, dass man einen durchschnittlichen Bausatz-Wintergarten ohne Genehmigung aufstellen darf. Auch für Nebengebäude wie Schuppen, Gartenlauben, Garagen und Schwimmbad-Überdachungen, die nicht zum Wohnen benutzt werden, ist meist keine Genehmigung erforderlich, sofern Grenzabstand und Größenbegrenzungen eingehalten werden.

Für größere Anbauten, die entweder an eine Wand des Nachbargebäudes stoßen, die Höhe des Gebäudes oder das Gesamtbild verändern, brauchen Sie in jedem Fall eine Genehmigung. Nicht alle Nachbarn sind von einem großen Gebäude nahe der Grundstücksgrenze begeistert und könnten Einspruch erheben, wenn sie negative Auswirkungen für ihren eigenen Besitz befürchten. Nimmt das Bauvorhaben den Nachbarn beispielsweise das Licht, führt das oft zu Schwierigkeiten. Da es aber kein „Recht auf eine unverbaute Aussicht" gibt, muss dem Einspruch nicht unbedingt stattgegeben werden.

Abgesehen von der Genehmigung sind weitere Vorschriften zu beachten, die in die Zuständigkeit der Baubehörden fallen. Dazu gehören Bautyp, Sicherheit, Fluchtwege und ähnliche Aspekte. Bei größeren Anbauten müssen beispielsweise aktuelle Standards der Wärmedämmung beachtet werden, auch wenn diese im Haus selbst nicht erreicht werden. Die Abnahme einzelner Arbeitsschritte sollten Sie unbedingt einplanen. Wenn Sie eine Abnahme auslassen, riskieren Sie, dass Sie fertige Teile wieder einreißen müssen, um die Begutachtung zu ermöglichen. Man hat schon von Beamten gehört, die frische Fundamente aufstemmen ließen, um die neuen Abwasserrohre zu inspizieren.

Dachanbauten schaffen Platz und bieten eine wunderbare Aussicht zum Entspannen und kreativen Tagträumen. Hier oben sind Einblicke kaum ein Problem, darum können solche Anbauten so transparent sein, wie es Ihnen gefällt.

∧< Ein zweistöckiger Glasanbau füllt einen ungenutzten Durchgang zwischen zwei Häusern aus. Weil das Haus früher zwei Wohnungen enthielt, konnte die ursprüngliche Treppe entfernt werden, denn der Anbau bot Platz für eine neue Treppe und außerdem eine Vergrößerung der Küche im ersten Stock. Der verbreiterte Küchenboden ist aus dickem Glas, das die Transparenz des Anbaus nicht unterbricht. Im Erdgeschoss entstand ein neuer Wohnbereich.

< Ein Anbau auf der Rückseite bietet direkten Zugang zum Garten. Hier besteht die gesamte Rückwand aus Glas-Falttüren, sodass das Wohnzimmer an schönen Tagen komplett geöffnet werden kann.

< Wochenend-Nest

Dieses Ferienhaus auf einer ruhigen Halbinsel nördlich von Stockholm entwarf eine Architektin und Möbeldesignerin für ihren Bruder und seine Familie. Ihrem Großvater hatte das Grundstück noch als Weideland gedient. Das neue Gebäude ersetzt eine Hütte mit nur einem Raum, die ihr Bruder als Wochenend- und Ferienhaus nutzte, bis seine Familie zu groß wurde. Die Standardmodelle der Baufirmen waren ihm zu konservativ, deshalb ließ er sein Haus von seiner Schwester entwerfen.

Er erhielt die Genehmigung für ein Haus mit maximal 100 Quadratmetern Wohnfläche und ein zusätzliches Gästehaus mit 30 Quadratmetern, das später errichtet werden soll. Damit das Gebäude nicht wie ein Kasten aussieht und auch der geplante Anbau natürlich wirkt, variiert die Neigung des Daches. So sind schon von außen die verschiedenen Funktionsbereiche des Baus zu erkennen.

Im Gegensatz zu den üblichen skandinavischen Ferienhäusern, die niedrige Decken und kleine Fenster haben, ist der Wohnbereich dieses Hauses hell und offen und bietet auf beiden Seiten einen herrlichen Blick auf die Landschaft und das Meer. Dem Land zugewandt und eher geschlossen sind die privateren Bereiche mit Schlafräumen und Bädern.

Der größte Raum mit Sitzbereich und Essplatz hat an zwei Seiten Fenster vom Boden bis zur Decke. Durch Schiebetüren gelangt man auf das davor liegende Holzdeck. Mitten im Haus befindet sich der stattliche offene Kamin mit integriertem Vorratsplatz für Brennholz auf der Rückseite, der die Küche vom offenen Wohnbereich abgrenzt.

Das Holzhaus steht in landesüblicher Weise auf Pfosten, die es vor Feuchtigkeit schützen. Die Holzfassade ist schwarz gestrichen und weicht damit vom klassischen Falun-Rot der schwedischen Sommerhäuser ab. Typisch skandinavisch ist hingegen die Innengestaltung mit weiß gestrichener Kiefernholztäfelung und weiß lasierten Bodendielen, die das Licht maximal reflektieren.

NEUBAUTEN

Ein Neubau ist ein großes Vorhaben, für das sich dennoch immer mehr Menschen entscheiden. In vielen Teilen der Welt ist es nicht ungewöhnlich, ein Haus nach eigenen Vorstellungen bauen zu lassen. Allein in den USA entstehen jährlich etwa 100 000 solcher Häuser. Doch auch in den dichter besiedelten Ländern Europas, in denen Grundstücke schwieriger zu finden sind, geht der Trend zum Bauen. In Deutschland werden gut zwei Drittel aller jährlich entstehenden Einfamilienhäuser von Privatpersonen in Auftrag gegeben – im übrigen Europa liegen die Zahlen nicht viel anders.

Die Formulierung „selbst bauen", die in diesem Zusammenhang oft verwendet wird, ist etwas verwirrend. Sie bezieht sich nicht nur auf die beherzten Bauherren, die ihr Fundament selbst ausschachten, die Materialien beschaffen und sich auch ansonsten die Hände schmutzig machen, um ihren Traum Wirklichkeit werden zu lassen. Sie umfasst gleichfalls alle jene Projekte, die auf der Grundlage individueller Vorgaben des Bauherrn von Architekten entworfen und von professionellen Baufirmen umgesetzt werden.

Es kostet einigen Mut, sich für einen kompletten Neubau zu entscheiden. Wer etwas Erfahrung mit kleineren Bauarbeiten hat, dürfte sich der potenziellen Risiken bewusst sein. Andererseits ist es auch verlockend. Ein Neubau kann günstiger sein als der Kauf eines entsprechenden Objekts. Wo die Immobilienpreise kontinuierlich steigen, ist ein Neubau eventuell die einzige Möglichkeit, den benötigten Wohnraum in der gewünschten Lage zu erhalten. Außerdem zerfällt der Immobilienmarkt meist in zwei Kategorien: ältere Häuser, die für zeitgemäße Wohnbedürfnisse erst umgebaut werden müssen, und neuere Bauten, bei deren Gestaltung ein kleinster gemeinsamer Nenner zugrunde gelegt wurde. Schon darum ist die individuelle Gestaltungsfreiheit beim Neubau sehr reizvoll. Das Bauen kann also eine Lösung für all jene sein, die sich nicht den Wohnvorstellungen anderer Leute anpassen wollen.

KONZEPT

Wer bauen will, muss ein konkretes Konzept haben – das wiederum bedeutet, sich gründlich vorzubereiten und zu informieren. Für einen erfolgreichen Neubau braucht man keine umfassenden technischen Kenntnisse, gründliche Planung und Bedarfsanalyse sind jedoch unerlässlich. Ein Neubau ist ein außerordentlich kostspieliges Vorhaben und nur durch sorgfältige Vorbereitung kann man unnötige oder unkluge Geldausgaben vermeiden.

Das Internet ist eine gute Informationsquelle. Daneben gibt es eine Reihe von speziellen Veröffentlichungen, die sich mit verschiedensten Themen – von der Materialbeschaffung bis zur Finanzierung – beschäftigen (siehe z. B. *Wir planen unser Haus*, Callwey Verlag 2004). Ausstellungen und Musterhäuser sind lohnende Ziele. Außerdem empfehle ich, einen Architekten zu suchen, der Sie an der Hand nimmt und Sie während des gesamten Projektes begleitet.

BUDGET

Wie bei allen größeren Vorhaben muss zuerst das Budget festgelegt werden. Dabei sollten Sie Ihre finanziellen Möglichkeiten nicht restlos ausreizen. Beurteilen Sie auch den ungefähren Marktwert des Hauses, das Sie planen. Es wäre beispielsweise ungeschickt, ein Vermögen für einen Bau in einer Gegend auszugeben, in der die Grundstückspreise eher niedrig sind.

Die Möglichkeiten der Finanzierung eines Neubaus ähneln denen für den Kauf einer gebrauchten Immobilie oder für größere Veränderungen am vorhandenen Haus. Barmittel, freier Wert einer vorhandenen Immobilie und Verschuldungsspielraum sind die drei Eckpfeiler. Die Vorteile des Bauens gegenüber dem Erwerb einer gebrauchten Immobilie haben sich verringert, weil staatliche Fördermittel für private Neubauvorhaben in den letzten Jahren gekürzt wurden und auch für die Zukunft mit weiteren Streichungen zu rechnen ist. Zugleich erwarten die Finanzierungsinstitute bei selbstgenutzten Immobilien ein angemessenes Eigenkapital, denn sie übernehmen nicht die vollständige Finanzierung. Ferner stellen sie nicht die gesamte Darlehenssumme zu Beginn bereit, sondern entsprechend der Fertigstellung einzelner Bauabschnitte in Teilbeträgen. In jedem Fall richtet sich die Höhe des erhältlichen Darlehens nach dem Einkommen des Bauherrn.

Nachdem Sie das Budget festgelegt haben, müssen Sie entscheiden, wie viel Platz Sie brauchen oder sich wünschen. Auf dieser Basis werden die Baukosten kalkuliert. Diese wiederum hängen vom Anteil der Eigenleistung ab, aber auch von den gewählten Materialien und Baumethoden. In einschlägigen Fachzeitschriften findet man Tabellen aktueller Baukosten, die das Vergleichen verschiedener Alternativen erleichtern, etwa für einen Vertrag mit einem Generalunternehmer oder Teilverträge mit Einzelfirmen.

Die Gesamtkosten beinhalten:
> Grundstückspreis
> Architekten- und Planerkosten
> Baukosten
> Gebühren für Gutachten, Abnahmen etc.
> Versicherungen
> Darlehenskosten
> Eventuell Wohnkosten während der Bauphase.

Als Faustregel nimmt man an, dass der Grundstückspreis etwa ein Drittel des künftigen Objektwerts ausmacht. Die Baukosten betragen ein weiteres Drittel, während der letzte Teil den zukünftigen Gewinn im Verkaufsfall ausmacht. Weil aber die Grundstückspreise sehr unterschiedlich sind, kann ihr Anteil an

den Gesamtkosten erheblich schwanken. Auch die Baukosten variieren stark – vor allem zwischen städtischen und ländlichen Gebieten. Schon darum ist es sinnvoll, den Markt genau zu sondieren, Durchschnittspreise zu ermitteln und den Wert des Hauses nach Fertigstellung zu kalkulieren.

Wenn die geschätzten Kosten Ihren Finanzrahmen übersteigen, müssen Sie diese Diskrepanz ausgleichen, indem Sie das Projekt verkleinern, günstigere Baumethoden wählen oder über einen anderen Standort nachdenken. Machen Sie nicht den Fehler, die Kosten zu drücken, indem Sie den Anteil der Eigenleistung erhöhen. Das Risiko, die eigenen Fähigkeiten zu überschätzen, ist groß und kann kostspielig werden.

GRUNDSTÜCKSSUCHE

Wer bereits ein Grundstück für sein Neubauvorhaben besitzt, hat schon halb gewonnen. Für alle anderen kann die Grundstückssuche der schwierigste Teil des Unternehmens sein, vor allem in dicht besiedelten Gebieten. In den Vereinigten Staaten kaufen manche Firmen große Flächen auf, beschaffen die erforderlichen Baugenehmigungen, bauen Zufahrtsstraßen, lassen Versorgungsleitungen legen und verkaufen die Einzelgrundstücke dann an Bauherren.

Tipps zur Grundstückssuche:
> **Internet** Listen verfügbarer Grundstücke im Internet bieten einen guten Überblick über Verfügbarkeit und Preise in bestimmten Regionen. Hier findet man auch Hinweise auf Makler und Agenten, die Grundstücke vermitteln.
> **Makler** Sie vermitteln nicht nur Häuser, sondern auch Grundstücke. Manche verkaufen allerdings lieber an Baufirmen als an Privatpersonen, weil sie durch die Vermittlung der durch diese erstellten Immobilie eine doppelte Courtage beziehen können.
> **Presse** In Lokalzeitungen, Anzeigenblättern und speziellen Zeitschriften für Bauherren findet man häufig Grundstücksangebote.
> **Stadt- und Gemeindeverwaltung** Viele Gemeinden weisen Neubaugebiete zur privaten Bebauung aus. Es lohnt sich, nach freien Grundstücken zu fragen. Denkbar ist auch, sich nach Grundstücken zu erkundigen, für die eine Baugenehmigung bereits erteilt wurde, und beim Besitzer als Kaufinteressent vorstellig zu werden.
> **Umsehen und fragen** Mundpropaganda und Beinarbeit spielen bei der erfolgreichen Grundstückssuche eine wichtige Rolle. Lassen Sie sich von verkommenen oder verwilderten Grundstücken nicht abschrecken.

└ In eng bebauten Stadtgebieten ist die Grundstückssuche schwierig, denn das Angebot ist klein und die Nachfrage groß. Kleine oder ungünstig geschnittene Grundstücke sind gelegentlich erhältlich und für kommerzielle Baufirmen wenig attraktiv. Dieses Haus mit Dachterrasse schließt eine Baulücke in einem alten Industriegebiet.

⌄ Auf dem Grundstück dieses Hauses befanden sich vorn ein Geschäft und hinten einige verkommene Nebengebäude. Der Besitzer, ein Architekt, hat darauf ein mehrgeschossiges Haus mit zwei Schlafräumen, einem Innenhof und Dachterrassen errichtet. Die Schlafräume liegen im untersten Stockwerk, darüber die Küche. Eine Galerie im Wohnbereich führt auf eine der beiden Dachterrassen.

∧ Das Refugium eines Künstlers an der dänischen Nordküste umfasst einen Wohnbereich und ein großes Atelier. Der schlichte Holzbau (rechts) hat eine Unterkonstruktion aus Stahl und in der Mitte einen gemauerten Funktionsbereich mit Küche und Bad. Trennwände aus Glaslamellen wiederholen das Muster der Lärchentäfelung auf der Außenfassade. Schiebetüren unterteilen den großen, offenen Raum in das nach Norden liegende Atelier und den Wohnbereich auf der Südseite.

> **Bebaute Grundstücke** In dicht bebauten Gebieten kann Baugrund auch dadurch geschaffen werden, dass man ein verfallenes oder verkommenes Haus abreißen lässt.

Haben Sie ein Grundstück gefunden, muss seine Bebaubarkeit geprüft werden. Bei der Suche nach einem Haus haben die meisten Menschen gewisse Vorstellungen, worauf sie achten müssen. Beim Grundstückskauf kann fachmännischer Rat nötig sein.

Wichtige Überlegungen:

> Liegt für das Grundstück eine Baugenehmigung vor? Falls nicht – wie schwierig wäre es, sie zu erhalten?

> Hat das Grundstück eine Zufahrt? Wie ist sie beschaffen? Ist es für Baumaschinen zugänglich, wie kann Baumaterial angeliefert werden?

> Ist das Grundstück erschlossen? Wie aufwendig und teuer wäre anderenfalls die Erschließung?

> Stellt das Grundstück besondere Anforderungen an den Bau, etwa in Bezug auf Gefälle, Bodenbeschaffenheit oder Kontaminierungen? Liegt es in einem Überflutungsgebiet (dann sollten Sie eventuell „auf Stelzen" bauen)?

> Liegt das Grundstück in einem Naturschutzgebiet? Haben vorhandene Bäume Einfluss auf Gestaltung oder Platzierung des Hauses?

> Liegt das Grundstück in einem Gebiet, in dem Neubauten ungern gesehen werden? Wie ist das Nachbarschaftsklima?

> Gibt es Vorschriften bezüglich eines einheitlichen Siedlungsbildes? Wie wirken sich diese auf die Kosten aus?

ENTWURF UND AUSFÜHRUNG

Sind alle Vorüberlegungen abgeschlossen, folgt die konkrete Umsetzung. Auch hierfür gibt es verschiedene Alternativen. Wenn Sie einen Architekten mit der Projektbetreuung beauftragen, liefert er Bauzeichnungen gemäß Ihren Vorgaben, reicht diese zur Genehmigung ein, übergibt den Auftrag zur Ausführung an eine Baufirma und übernimmt die Bauaufsicht und die Koordination. Sie können aber auch die Zeichnungen vom Architekten anfertigen lassen und die übrigen Aufgaben selbst übernehmen. Wer genug Sachverstand und Zeit hat, könnte darauf verzichten, eine Baufirma für das Gesamtprojekt zu beauftragen, und die verschiedenen Gewerke selbst auswählen und engagieren. Das ist allerdings keine Lösung für Unerfahrene. Ohne solide Kenntnisse von Techniken und Materialien das Management eines Bauvorhabens selbst in die Hand zu nehmen, führt zu Zeitverzögerungen und Kosten.

Eine weitere Möglichkeit besteht darin, ein Fertighaus zu kaufen. Die Anbieter solcher Häuser bieten meist mehrere Modelle und verschiedene Ausbaustufen vom so genannten Ausbauhaus bis zum bezugsfertigen Haus an. Bei Ausbauhäusern wird das für die entsprechenden Arbeiten nötige Material geliefert. Die Grundrisse können zwar in einem gewissen Rahmen den Bedürfnissen der Kunden angepasst werden, sind aber meist recht konventionell und weniger für Bauherren geeignet, die ungewöhnliche Vorstellungen haben. Viele Fertighäuser werden in Holzrahmen-Bauweise erstellt. Weil die Einzelteile oft schon Wochen vor dem Aufbau produziert werden, muss meist schon bei Vertragsabschluss eine hohe Anzahlung geleistet werden.

Jeder Bauherr hat persönliche Vorlieben bezüglich Aussehen, Stil und Aufteilung seines Hauses, doch reden auch die Behörden bei der Gestaltung mit. Es lohnt sich unbedingt, frühzeitig bei der zuständigen Stelle vorzusprechen und zu klären, wie die Chancen zur Genehmigung des von Ihnen geplanten Hauses stehen. Machen Sie sich allerdings darauf gefasst, dass unkonventionelle Entwürfe – und leider in manchen Gegenden selbst moderat moderne Pläne – eher auf Widerspruch stoßen werden als traditionelle Bauten. Manchmal kann man den Einspruch der Behörden umgehen, indem man Kompromisse macht, etwa ein anderes Material wählt oder die Fassade anders gestaltet. Allerdings sind nicht alle Behörden konservativ. Es kann sogar sein, dass ein absolut innovativer Entwurf, vielleicht ein futuristischer Bau in einer Baulücke zwischen Reihenhäusern, unerwartete Unterstützung erhält.

Ein weiteres heikles Thema sind die Baubestimmungen. Sie umfassen alle Aspekte der Konstruktion und dienen dazu, dass das Haus statisch einwandfrei und sicher ist und verschiedenen Gesundheits- und Umweltgesetzen genügt. Wenn Sie Standardmaterialien verwenden und eine qualifizierte Baufirma beauftragen, brauchen Sie wegen der amtlichen Abnahmen keine Befürchtungen zu haben. Manche Menschen haben sich aber für das Bauen entschieden, weil es ihnen die Möglichkeit bietet, ungewöhnliche Bautechniken oder Materialien einzusetzen, etwa umweltfreundliche Häuser aus Strohballen oder Lehm. Wer zu dieser Gruppe gehört, sollte damit rechnen, seinen Standpunkt verteidigen zu müssen. Manche umweltbewussten Bauherren mussten erst klagen, um eine Änderung der Vorschriften zu bewirken und die behördliche Abnahme zu erhalten.

> Himmelsrichtung, geringe Grundstücksgröße, alte Bäume und Nachbargebäude diktierten die Form dieses Neubaus in einem Vorort von Auckland (Neuseeland). Auf der mittleren Ebene befinden sich der Eingang und der Wohnbereich, darüber die Schlafräume und darunter Gästezimmer. Die Vorderseite des Hauses ist der Sonne zugewandt. Hier liegt eine Terrasse mit Brüstung im Schatten der Bäume.

>> Der moderne Neubau in einer begehrten Wohnlage im Herzen Londons ist den klassischen Bauten der Nachbarschaft nachempfunden. Die Fassade zeigt Respekt vor dem historischen Stil, ohne ihn zu kopieren.

∨ Bei Bauten in freier Landschaft spielen Umweltkriterien eine besonders große Rolle. Dieses moderne Modulhaus erhebt sich auf seinen Metallbeinen über dem Boden. Es ist komplett zur Sonne ausgerichtet, um Licht und Wärme maximal zu nutzen.

L Das preiswerte, kompakte Haus mit Wohn- und Arbeitsbereich befindet sich auf einem schmalen Grundstück mitten in Toronto. Auf einer Seite ist es umgeben von Wohnhäusern, auf der anderen von Werkstätten. Das untere Geschoss, in dem der Wohnbereich liegt, ist mit Weichholz verkleidet. Der Arbeitsbereich im oberen Stockwerk hat eine Verkleidung aus Douglasfichte.

∨ Der lange Flügel dieses Neubaus mündet in einen mehrgeschossigen „Würfel", der an einen Wachturm erinnert und einen hinreißenden Meerblick hat. Ein breites Vordach beschattet die Terrasse, die sich entlang des gesamten niedrigen Flügels zieht.

FLEXIBLES EINFAMILIENHAUS

Als die Besitzer dieses modernen Hauses in einem Dorf in der englischen Grafschaft Essex beschlossen, aus London wegzuziehen, planten sie zunächst keinen Neubau. Die Geburt des Sohnes gab den Impuls zur Entscheidung, aufs Land zu ziehen, um mehr Platz zu haben und der Familie näher zu sein. Als die Familie während der erfolglosen Haussuche ein Grundstück entdeckte, das sich für ein Haus mit großzügigem Garten eignete, fiel der Entschluss für den Neubau. Durch Empfehlung von Freunden fanden die Besitzer ein Londoner Architekturbüro, das die Pläne entwickelte.

Für jede Baumaßnahme sind klare Vorgaben nötig, besonders aber für ein so komplexes Vorhaben wie ein ganzes Haus. Die Besitzer, beide Designer von Beruf, hatten bezüglich Raumaufteilung, Stil und Gesamtbild klare Vorstellungen. Sie wollten keinen Pseudo-Landhausstil, sondern ein modernes Haus mit einem großen, offenen Familienbereich. Außerdem waren drei Schlafräume gewünscht, Toilette und Hauswirtschaftsraum im Erdgeschoss, möglichst ein Arbeitszimmer – und ein offener Kamin.

Wegen des schmalen Budgets beschlossen die Bauherren, mit Unterstützung eines örtlichen Architekten den Bau selbst zu überwachen.

⌐ Ansicht des Hauses von hinten (oben) und von vorn (Mitte). Die Fassade mit den tiefen Tür- und Fensternischen wirkt schlicht und ruhig. Der einseitige Überhang knüpft an örtliche Bautraditionen an, bietet im Obergeschoss zusätzlichen Platz und funktioniert die Einfahrt zum Carport um. Die Rückseite mit der schwarz lasierten Holzverkleidung wirkt offener.

‹ Der große, offene Familienbereich mit Küche, Essplatz und Sitzbereich.

∧ Die großen Fenster auf der Rückseite haben eine schöne Aussicht und lassen viel Licht ins Haus. Die Glas-Falttüren lassen sich komplett öffnen, sodass Wohnbereich und Holzterrasse ineinander übergehen. Aus den Fenstern im ersten Stock sieht man in der Ferne das Meer.

⟩ Die Grundrisse von Erdgeschoss (links) und erstem Stockwerk (rechts) zeigen den offenen Charakter. Die Trennwände im oberen Geschoss können beiseite geschoben werden, sodass fast die ganze Fläche als Spiel- oder Gemeinschaftsraum genutzt werden kann.

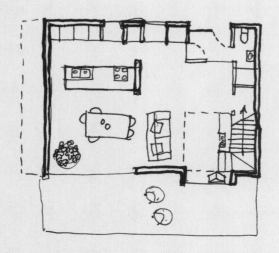
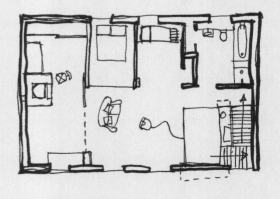

« Alle Flächen in diesem Haus sind pflegeleicht und strapazierfähig. Im Wohnbereich wurde eine ganze Wand mit Tafelplatten verkleidet.

⌐ Kleine Variationen der Deckenhöhe markieren im offenen Erdgeschoss die verschiedenen Bereiche. Im Eingangsbereich ist die Decke niedrig und vermittelt Gemütlichkeit. Nur über dem Wohnbereich ist die Decke bis zum Dach offen, sodass dieser Bereich sehr luftig wirkt.

‹ Die kompakten Kinderzimmer im ersten Stock haben Falttüren, die beiseite geschoben werden können, wenn der gesamte obere Treppenabsatz als Spielbereich genutzt wird. Im ganzen Haus wurde Eichenparkett verlegt.

Wie bei allen Neubauvorhaben mussten auch hier Gesetze und Vorschriften berücksichtigt werden. Das Grundstück liegt in einem Naturschutzgebiet, es gab klare Vorgaben über die Größe des Gebäudes und die Materialien, die für die Fassaden zugelassen wurden. Von außen wirkt das zweigeschossige Haus mit der Außenverkleidung aus roten Ziegeln, schwarz lasiertem Holz und dem Schieferdach wie eine schlichte, wenn auch etwas strenge Variante der lokalen Bautradition. Die Ziegel knüpfen an die Backsteinhäuser des Dorfes an, die Holzverkleidung an die Bootsschuppen am nahe gelegenen Meer.

Eine komplexe Rahmenkonstruktion sorgt dafür, dass der Innenraum sehr offen gestaltet werden konnte. Das Erdgeschoss ist im Grunde nur ein einziger Raum, im Obergeschoss wurden zwischen den Räumen flexible Trennwände eingebaut. Auf der Rückseite hat der geräumige, helle Wohnbereich einen kantigen Erker mit Fenster und große Glas-Falttüren, durch die man auf die Holzterrasse tritt.

Es wurden durchweg schlichte, robuste, unprätentiöse Materialien verwendet. Sichtbare Betonblöcke, Eichenparkett mit Fußbodenheizung und eine komplett mit Tafelplatten verkleidete Wand zum Malen und Kritzeln ließen ein ideales Haus für das moderne Familienleben entstehen.

‹ Im Obergeschoss kennzeichnen unterschiedliche Fußbodenniveaus die Bereichsgrenzen. Das Bad liegt eine Stufe höher als die Kinderzimmer und der Gemeinschaftsbereich, eine weitere Stufe führt ins Elternschlafzimmer. Im Schlafzimmer, das sich über die gesamte Hausbreite zieht, ist auch ein Arbeitsplatz untergebracht. Durch die offene Gestaltung und die flexiblen Trennwände können die Eltern auch während der Arbeit die spielenden Kinder im Auge behalten.

˥ Eine moderne Variante des Erkerfensters ist der kantige Vorsprung mit der breiten Sitzfensterbank auf der Innenseite. Der Kamin ist in eine schlichte Wand aus Betonblöcken eingebaut.

› Eine zweite Mauer aus unverkleideten Betonblöcken teilt die Küche vom Wohnbereich ab. Die weiße Lackierung der Kücheninsel und der Einbauschränke lässt sich leicht sauber wischen.

TEIL 3
MATERIALIEN & AUSSTATTUNG

Die Auswahl an Produkten zur Raumgestaltung ist heute enorm groß, ob man nun Bodenbeläge, Stauraumlösungen oder Lichtschaltervarianten sucht. In diesem Kapitel finden Sie konkrete Informationen zu allen Bereichen des Umbauens und Renovierens. Es bietet einen umfassenden Überblick über Materialien, Fertigelemente, Möbel, Armaturen, Geräte, Beschläge, Beleuchtung und mehr – kurzum, alle Informationen, die Sie brauchen, um Ihr Heim ganz nach Ihren Wünschen auszustatten.

MATERIALIEN

TEXTUR UND TON

Die Materialien der Oberflächen in einer Wohnung sprechen unsere Sinne an und beeinflussen unsere Wahrnehmung der Umgebung. Bei der Materialwahl sollten Sie Ihr Haus zunächst als Ganzes auffassen, ehe Sie sich Details zuwenden. Im Idealfall wird die Gestaltung in einem Guss vorgenommen. Doch selbst wer zunächst nur *einen* Raum in Angriff nimmt, sollte stets das Gesamtbild im Blick haben. Die Räume sollten fließend ineinander übergehen, sodass man von einem in den nächsten gehen kann, ohne starke Stilabweichungen festzustellen.

Naturmaterialien wie Holz, Stein und Schiefer verleihen jeder Wohnung Charakter. Das warme Leuchten von Holz und die unregelmäßigen Farben und Zeichnungen von Stein schaffen eine Wohnumgebung, die sinnlich und zugleich bodenständig ist. Auch von Menschen bearbeitete Naturmaterialien sind reizvoll. Alte Ziegel und Terrakotta beispielsweise erhalten mit der Zeit eine schöne Patina. Linoleum, Kork und Sisal bieten sich für attraktive Bodenbeläge an. Industriematerialien wie Beton, Metall und Glas eignen sich eher für moderne Räume. Durch den Kontrast zwischen rauen und glatten Oberflächen kann eine interessante Spannung entstehen. Synthetische Materialien wie Acryl, Vinyl und Polypropylen werden neuerdings für trendige Interieurs geschätzt, und auch sie tragen ihren Teil dazu bei, eine Wohnung zu einem sinnlichen Erlebnis zu machen.

Die Wirkung der Materialien ist kaum zu überschätzen und die Angebotspalette enorm groß. Einheitlichkeit und Zurückhaltung sind ausschlaggebend für ein harmonisches Gesamtbild. Die ausschließliche Verwendung eines einzigen Materials kann überladen wirken, zu viele unterschiedliche Flächen dagegen irritieren den Betrachter. Auch Umweltkriterien spielen eine immer wichtigere Rolle, etwa ob es sich um ein natürliches oder nachwachsendes Material handelt, ob es langlebig und recycelbar ist.

HOLZ

Holz auswählen

Holzflächen sind warm und sinnlich. Farbe, Textur und sogar der Geruch von Holz sind eine die Sinne stimulierende Bereicherung für Wohnräume. In ästhetischer Hinsicht ist Holz ungemein vielseitig. Altmodische Profilholztäfelung schafft gemütliche Landhausatmosphäre, glatte Paneele aus hellem Birkenholz eignen sich für einen modern-minimalistischen Stil. Durch seine natürliche Ausstrahlung kann Holz, vor allem in Kombination mit anderen Naturmaterialien wie Schiefer oder anderen Natursteinen, selbst strengen und modernen Räumen etwas sehr Bodenständiges geben. Wegen der Vielfalt der Farbtöne und Maserungen – von ruhigem Eschefurnier bis zu ausdrucksvoller Walnuss – und der leichten Bearbeitung hat Holz als Lieblingsmaterial für Möbel keine echte Konkurrenz.

Jedes Holz hat andere Eigenschaften, darum taugt nicht jedes Holz für jeden Zweck. Wenn Sie einen Holzboden oder eine Holzarbeitsplatte erwägen, brauchen Sie ein strapazierfähiges, pflegeleichtes Holz. Die robuste Oberfläche von Eiche beispielsweise eignet sich auch für einen Familienhaushalt, und der warme Farbton wird mit dem Alter immer schöner. Sie ist zwar in der Anschaffung teuer, auf lange Sicht aber eine sinnvollere Investition als preiswerteres, lautes Laminat. Eiche ist relativ pflegeleicht. Wer dagegen eine Küchenarbeitsfläche aus Buche wählt, muss diese regelmäßig ölen. Ehe Sie eine solche Entscheidung fällen, sollten Sie überlegen, ob Sie den Pflegeaufwand auf sich nehmen wollen.

Einkaufsquellen

Schon wegen der Artenvielfalt ist der Holzkauf nicht ganz einfach. Obendrein sollte bei der Auswahl nicht nur die Zweckdienlichkeit, sondern auch der ökologische Aspekt bedacht werden. Holz ist ein nachwachsender Naturrohstoff und insofern durchaus umweltfreundlich – solange man mit seiner Kaufentscheidung nicht die Abholzung der Regenwälder fördert.

Viele der schönsten Hölzer sind inzwischen selten geworden, darunter Ebenholz, Mahagoni und Teak. Diese Arten sollten Sie meiden. Zeder, Hevea (Gummibaum), Walnuss, Kastanie und Linde sind ähnlich attraktiv. Wenngleich diese Arten nicht gefährdet sind, sollten Sie dennoch darauf achten, dass die Hölzer aus kontrollierter Forstwirtschaft stammen. Zertifizierungssysteme für nachhaltige Waldbewirtschaftung, wie PEFX (Programme for the Endorsement of Forest Certification Schemes) und FSC (Forest Stewardship Company) gewährleisten, dass das Holz aus einem legalen, umweltfreundlich geführten Forstbetrieb stammt. Geprüft werden Hölzer in allen Verarbeitungsstadien, vom Einschlag der Stämme bis zum Verkauf im Einzelhandel. Wer einen zuverlässigen Händler sucht oder sich über Hölzer informieren möchte, sollte die Website der FSC besuchen (www.fsc-deutschland.de).

Weichholz

Diese Holzarten stammen normalerweise aus den schnell wachsenden Nadelwäldern der nördlichen Klimazonen, vor allem aus Nordamerika, Skandinavien und dem östlichen Nordeuropa. Wie der Name verrät, ist es weicher als andere Hölzer. Es hat einen hellen Farbton und eine Maserung mit vielen Ästen. Weichholz ist relativ preisgünstig und wird hauptsächlich als Bauholz, für Täfelungen und preiswerte Möbel verwendet. Die bekanntesten Weichhölzer sind Kiefer, Fichte, Lärche.

Hartholz

Hartholz stammt von den langsamer wachsenden Laubbäumen der gemäßigten und tropischen Regionen. Es wird beispielsweise für Möbel, Bodenbeläge und Außentüren verwendet. Es ist härter, dichter und langlebiger als Weichholz, aber auch teurer. Die Variationsbreite der Harthölzer ist größer als die der Weichhölzer: Es gibt helle und dunkle, fein und grob gemaserte Arten. Einige tropische Holzarten sind durch Raubbau inzwischen ernsthaft bedroht.

Holzprodukte

Viele Holzflächen im Haushalt bestehen heute nicht mehr aus Massivholz, sondern sind industriell aus Holzprodukten hergestellt, die im Vergleich zu Massivholz preiswerter sind.

SPANPLATTEN Spanplatten bestehen aus groben Holzspänen, die mit Kunstharz vermischt, gepresst und gelegentlich lackiert sind. Die Platten sind preiswert, aber in der Regel nicht sehr stabil. Sie werden gerne für Unterkonstruktionen verwendet, die später unsichtbar sind.

TISCHLERPLATTEN Dieses Holzprodukt besteht aus größeren Holzstreifen, die zwischen zwei Furnierschichten eingeschlossen sind. Es wird ähnlich eingesetzt wie Spanplatten.

SPERRHOLZ Dieses vielseitige Material besteht aus dünnen Holzschichten, die miteinander verleimt sind. Aus Stabilitätsgründen verläuft die Maserung der Schichten abwechselnd längs und quer. Diese Schichten (immer eine ungerade Zahl) geben dem Holz den typischen, gestreiften Querschnitt. Sperrholz wird für moderne Möbel und Einbauten verwendet. Es lässt sich auch biegen und für gewölbte Flächen verarbeiten.

1
2
3

MDF MDF-Platten (Mitteldichte Faserplatte) werden aus Holzmehl und Harz gepresst. Sie verziehen sich kaum und haben eine glatte Oberfläche, die sich gut streichen lässt. MDF ist preiswert und eignet sich gut für Einbauschränke. Beim Kauf sollte man die „E1"-Qualität wählen (Emissionsklasse 1), die fast kein giftiges Formaldehyd mehr enthält. Tragen Sie beim Sägen immer eine Schutzmaske, um das Einatmen des Staubs zu verhindern.

LAMINAT Laminat ist eine preiswerte Alternative zu Massivholz. Es besteht aus einem Holzprodukt (meist Spanplatte), das mit farbigem oder bedrucktem Papier oder mit einem Holzfurnier und einem Melaminharz beschichtet ist. Es wird für Küchen- und andere Modulschränke, Tischplatten und Bodenbeläge verwendet.

Holzfußböden

Als Bodenbelag spielt Holz im Haushalt eine wichtige Rolle, meist in Form von Dielen oder Parkett. Zieht ein Holzboden sich durch alle Räume, wirkt er als verbindendes Element. Spanplatten oder weniger hochwertige Dielen eignen sich als Unterlage für Teppiche oder Auslegeware.

DIELEN Das Verlegen eines hochwertigen Holzfußbodens ist eine große Investition, doch bei guter Pflege hält ein Dielenboden mehrere Generationen. Eiche, Rüster, Buche und Ahorn sind besonders gut geeignet. Die Kosten hängen von der Holzqualität und dem Arbeitsaufwand des Verlegens ab. Neue Dielen müssen versiegelt werden. Fertig oberflächenbehandelte Dielen sind ebenfalls erhältlich.

Ältere, gut erhaltene Dielen kann man restaurieren. Denkbar ist es auch, gebrauchte Dielen vom Baustoffrecycler zu verlegen. In beiden Fällen muss das Holz abgeschliffen und die Oberfläche neu geschützt werden.

PARKETT Parkett ist eine attraktive Alternative zu Dielen. Es besteht aus massiven Hartholz-Elementen oder mit Hartholz furniertem Weichholz. Bei konventionellem Parkett werden die einzelnen Stäbe in einem Muster verlegt, häufig sieht man Fischgrät- oder Schachbrettmuster. In französischen Schlössern aus dem 17. und 18. Jahrhundert kann man sehr kunstvolle Parkettmuster bewundern. Altes Parkett hat oft eine schöne Patina. Ist es abgenutzt, kann man die Riemchen aufnehmen und wenden, muss aber zuerst die Bitumenmasse, mit der sie verklebt sind, abschleifen. Fertigparkett besteht aus größeren Paneelen mit einer aufgeleimten, mindestens 2 mm starken Holzschicht (z. B. Schiffsbodenoptik), die zusammengesteckt oder verleimt werden und deren Oberfläche behandelt ist.

Holztäfelung

In traditionellen Häusern täfelte man Wände, statt sie zu verputzen, und vermied so auch unangenehme Zugluft. Profilbretter mit Nut und Feder werden nur zusammengesteckt, sodass sie „arbeiten" können, wenn sich ihr Feuchtigkeitsgehalt mit den Jahreszeiten verändert. Derzeit erlebt die Täfelung eine Renaissance. Neben konventionellen Profilbrettern erhält man auch glatte Platten, meist aus Sperrholz mit einem Edelholzfurnier. Hölzer mit einer schönen Maserung sollte man wachsen oder anderweitig versiegeln, um die Zeichnung zu betonen. Weichhölzer können auch farbig gestrichen werden. Selbst klar lackierte Span- oder MDF-Platten können im richtigen Kontext eine interessante Industrieatmosphäre schaffen. Traditionelle Profilbretter eignen sich für Wände und Decken gleichermaßen.

Holz behandeln

Unbehandeltes Holz nimmt Staub und Flecken an und muss regelmäßig gescheuert werden. Um diesen Aufwand zu vermeiden, kann man die Oberfläche mit einem Schutzprodukt behandeln, das die natürliche Ausstrahlung des Holzes betont. Durch die Behandlung dunkelt das Holz meist nach. Lesen Sie die Herstellerhinweise immer sehr genau.

LASUR Lasuren tönen das Holz, ohne die Maserung zu überdecken. Reparierte Stellen und alte Dielen lassen sich mit Lasuren gut tarnen, helle Hölzer können mit einer geeigneten Lasur das Aussehen edler, teurer Harthölzer bekommen. Lasuren werden mit einem Pinsel in Richtung der Maserung aufgetragen, damit die Tönung gleichmäßig ausfällt.

LAUGE Gewöhnliches Wasserstoffperoxid bleicht die Pigmente im Holz und eignet sich, um neuem Kiefernholz den Gelbstich zu nehmen. Nach dem Bleichen sollte das Holz mit Öl, Wachs oder Lack behandelt werden.

ÖL Es gibt verschiedene Öle mit unterschiedlicher Haltbarkeit. Holzöl ist ein spezielles Öl, das aus der tropischen Tung-Nuss gewonnen wird und eine strapazierfähige, relativ wasserfeste Versiegelung ergibt. Es eignet sich für alle unbehandelten Hölzer, auch Fußböden. Ist eine wasserfeste Versiegelung (etwa auf Innentüren) nicht nötig, kann man eine Mischung aus Leinöl mit Terpentin (1 Teil Leinöl, 2–3 Teile Terpentin) oder fertigen Leinölfirnis verwenden. Zwei- bis dreimal streichen!

WACHS Wachs verleiht dem Holz einen seidigen Glanz, ist aber nicht wasserfest und schützt somit nicht vor Wasserflecken. Für stark strapazierte Flächen eignet es sich weniger. Es gibt auch Wachsprodukte, die das Holz weiß tönen, als sei es gekälkt.

1 Täfelung und Regale zeigen die ausdrucksvolle Maserung von Hartholz. Die gezinkten Verbindungen der Regale sind ein schönes Detail. **2** Dunkel lasierte Dielen sind im Essbereich ebenso dekorativ wie praktisch. **3** Holz fühlt sich gut an, auch darin liegt sein Reiz. Der Handlauf aus sieben Stücken Rotzedernholz schmiegt sich an die Rundung des geschlossenen Geländers. **4** Eine gestrichene Täfelung ist ein schlichter, ruhiger Hintergrund. **5** Die geschlitzte Holztäfelung isoliert gegen Kälte und Lärm und sieht dazu sehr modern aus.

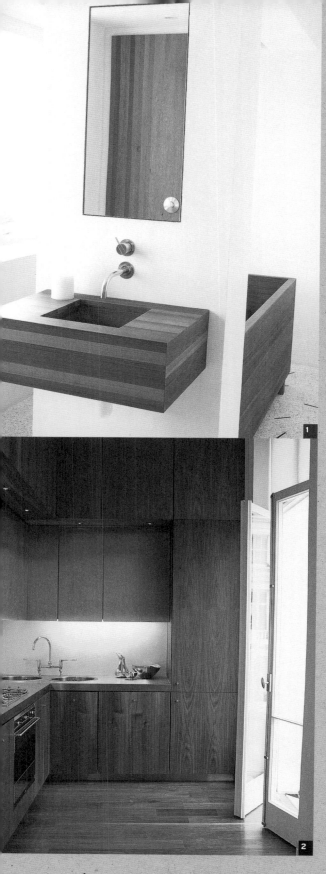

HARTÖL Dieses Produkt vereint die guten Eigenschaften von Wachs und Öl. Es nährt das Holz und bildet eine wasserdichte Versiegelung. Abgenutzte Stellen auf Fußböden, die mit Hartöl behandelt sind, kann man abschleifen und neu einlassen, ohne den gesamten Boden neu behandeln zu müssen.

KLARLACK Klarlack bildet auf dem Holz eine dünne Schicht, die durch Beanspruchung schnell unansehnlich werden kann. Für Fußböden verwendet man einen Speziallack, der mehrfach aufgetragen wird (Anzahl der Schichten gemäß Herstelleranweisung). Jede Schicht muss über Nacht trocknen. Viele Lacke enthalten Polyurethan. Sie haben einen Gelbstich, der mit der Zeit dunkler und intensiver wird.

ACRYL- UND ALKYDLACKE Diese synthetischen Lacke sind strapazierfähig und widerstandsfähig gegen Wasser und übliche Haushaltsreiniger. Im Gegensatz zu Polyurethanlacken vergilben sie nicht. Sie sind aber nicht so stabil wie PU-Lacke.

DECKENDE LACKE Ein farbiger Anstrich überdeckt die Maserung und empfiehlt sich für Hölzer minderer Qualität oder für Flächen, die mit andersfarbigem Holz ausgebessert wurden. Man kann normale Lacke verdünnen, sodass sie in die Maserung eindringt und wie eine Lasur wirkt, allerdings wird dabei auch die Schutzwirkung reduziert. Glanz- und Seidenglanzfarben eignen sich für Fußböden, sollten aber mit einigen Schichten Klarlack geschützt werden.

Holzpflege

Holz verlangt eine sorgfältige Verarbeitung und eine gute Grundbehandlung, ist danach aber relativ pflegeleicht. Holzfußböden sind nur durch Feuchtigkeit und Druck gefährdet. Schieben Sie keine schweren Gegenstände über Holzböden, montieren Sie Filzgleiter unter Stühle und Tische. Pfennigabsätze hinterlassen Dellen.

Wasser darf nicht auf Holzflächen stehen bleiben. Ist Holz feucht geworden, muss es gut belüftet werden, damit es trocknen kann. Ein gewisser Feuchtigkeitsgrad verhindert, dass sich das Holz zu stark zusammenzieht. Dringt aber ständig Wasser in das Holz ein, kann es sich verziehen oder faulen. Holzfußböden werden regelmäßig gefegt oder gesaugt und gelegentlich feucht (nicht nass!) aufgewischt. Verwenden Sie hierfür Pflegemittel mit Wachs- oder Ölanteilen, je nach Oberfläche. Gewachste Böden müssen gelegentlich frisch gewachst werden. Die Zeitintervalle hängen vom Pflegeprodukt und von der Beanspruchung des Bodens ab. Andere Holzflächen müssen nur regelmäßig entstaubt, gelegentlich geölt (Arbeitsplatten) oder mit Wachspolitur (edle und antike Möbel) behandelt werden.

1 Ungewöhnlich ist die Verwendung von Holz für moderne Waschbecken und Badewannen. Zedernholz ist dafür gut geeignet. **2** Furnierte Küchenschrank-Fronten greifen den Farbton des Hartholzbodens auf. Beliebte Holzarten sind: **3** Eiche, **4** Esche, **5** Kirschbaum, **6** Bergahorn, **7** Dunkel gebeizte Eiche, **8** Ahorn, **9** Kiefer, **10** Rüster, **11** Oregon-Kiefer, **12** Buche.

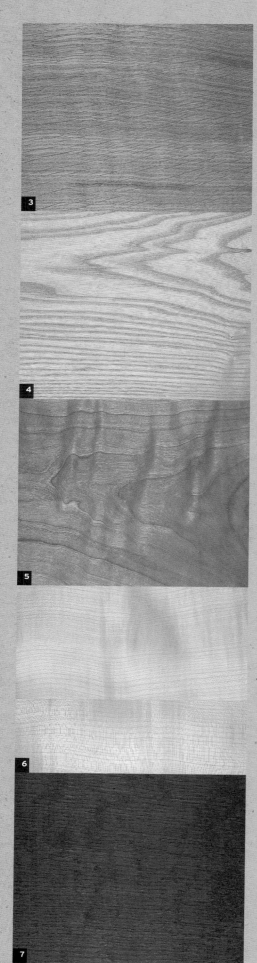

Holzarten

Holz gibt es in zahllosen Texturen und Farbtönen, von den intensiven Tönen des Rüster bis zum hellen Blond von Birke und Bergahorn. Ist Holz Licht ausgesetzt, verändert es mit der Zeit seine Farbe. Generell werden helle Hölzer dunkler und gelblicher, dunkle Hölzer dagegen bleichen aus. Auch die Maserungen sind ganz verschieden, von der groben Fladerung der Kastanie bis zu den schmalen, zarten Streifen der amerikanischen Kirsche. Und trotz gewisser Familienähnlichkeiten gibt es auch innerhalb der Holzarten Varianten, vor allem zwischen Kernholz (das härtere, ältere Holz in der Mitte des Stamms) und Splintholz (aus der weichen Außenschicht). Schließlich wird das Aussehen des Holzes auch durch den Winkel bestimmt, in dem es ursprünglich aus dem Stamm geschnitten wurde.

EICHE Eiche Eiche ist ein kräftiges, strapazierfähiges Hartholz, das sich gut für Fußböden und Möbel eignet. Es hat eine attraktive Maserung und einen Goldbraunton, der durch Alterung und Sonnenlicht heller wird. Amerikanische Weißeiche (eine feste Art mit feiner Maserung), Roteiche (preiswerter und weniger stabil), Brauneiche (durch einen Pilz natürlich eingefärbt) und Mooreiche (selten in Mooren zu finden) zählen zu den bekanntesten Sorten. Eiche kann auf verschiedene Weise behandelt werden, etwa durch Räuchern (Behandlung mit Ammoniak, bewirkt eine Schwarzfärbung), Flämmen oder Brennen (Schwärzen der Oberfläche mit einer Flamme) und Bleichen. Durch Berührung mit Eisen verfärbt sich Eiche! Darum sollte man ausschließlich Werkzeuge und Beschläge aus Edelstahl, Messing oder anderen Metallen verwenden.

ESCHE Esche ist sehr glatt, stabil und geschmeidig – ideal für die Herstellung von Möbeln. Weil das Holz strapazierfähig ist und selten splittert, ist es auch für Fußböden beliebt. Esche ist hell, manchmal fast weiß, und hat eine ausgeprägte Streifenmaserung.

BUCHE Buche hat einen ähnlich hellen Farbton wie Esche, ist aber wegen der zahlreichen kurzen dunklen Fasern zwischen den Streifen der Maserung leicht von dieser zu unterscheiden. Wegen ihrer Farbe und ihrer Robustheit ist sie für Fußböden, Arbeitsplatten und Möbel beliebt. Elegante Bugholzmöbel zeigen, dass sie sich in heißem Dampf ausgezeichnet formen lässt. Zudem wird sie zu hochwertigem Sperrholz verarbeitet.

KIRSCHBAUM Kirschbaumholz ist hart, aber relativ leicht. Es hat eine sanfte, oft rötlich oder grünlich angehauchte Färbung. Es eignet sich als Bodenbelag für ganze Räume, wird aber auch für dekorative Bordüren verwendet, weil es mit anderen Holzarten gut kontrastiert. Als Möbelholz ist es ebenfalls beliebt.

BIRKE Der kühle, helle Farbton, der mit skandinavischen Möbeln assoziiert wird, bietet sich auch für helle, moderne Einrichtungen an. Birke wird gerne für die Deckfurniere von Sperrholz verwendet, das wiederum für Täfelungen und moderne Einbau- und Modulmöbel beliebt ist.

SPITZAHORN UND BERGAHORN Traditionell sind dies die Hölzer für Tanzböden, weil sie gleichmäßig abnutzen und nicht splittern. Ahorn ist auch im Wohnbereich als Bodenbelag beliebt. Er hat einen zarten Karamellton, eine lebhafte Maserung und einen feinen Glanz. Bergahorn ist eine Ahornart mit feinerer Maserung, aber einem ähnlich hellen Farbton. Sein Holz eignet sich gut zum Drechseln. Weil es Aromen von Lebensmitteln nicht annimmt, wird es gerne für Küchenarbeitsplatten, Schüsseln und Servierplatten verwendet.

RÜSTER Dieses Holz hat eine auffällige Maserung mit zahlreichen engen, manchmal welligen Streifen in einem warmen Farbton, der mit dem Alter silbrig wird. Weil Ulmenholz (Rüster) selbst dann nicht splittert, wenn andere Holzelemente hineingetrieben werden, ist es für manche Aufgaben ideal; wird selten angeboten.

ZEDER Zedernholz hat eine feine Maserung und einen warmen Rotton, der silbrig verwittert. Es wird gerne zur Fassadenverkleidung verwendet. Früher baute man Kleiderschränke aus der helleren Libanonzeder, deren harziger Duft Motten vertreibt.

KIEFER Es gibt verschiedene Arten von Kiefernholz, doch alle haben einen gelblichen Farbton und eine starke Maserung. Auch andere Nadelhölzer mit ähnlichen Gebrauchseigenschaften werden gelegentlich als „Kiefer" angeboten. Kiefernholz ist überall erhältlich und recht preiswert. Es wird seit Jahrhunderten für Möbel, Bodendielen und als Bauholz verwendet. Mit dem Alter wird der Gelbton intensiver, man kann es aber mit Lauge aufhellen oder der Versiegelung einen kleinen Anteil weißer Pigmente zusetzen.

DOUGLASFICHTE Dieser auch als Douglasie bekannte Baum wird sehr hoch (vereinzelt bis zu über 120 m). Das leichte Weichholz lässt sich gut bearbeiten. Es wird hauptsächlich als Bauholz und für hochwertiges Sperrholz verwendet.

STEIN, SCHIEFER & MARMOR

Stein auswählen

Stein vermittelt etwas Solides und Langlebiges. Es gibt Naturstein in vielen schönen Farben, Mustern und Texturen, die gerade wegen ihrer Unregelmäßigkeit so reizvoll sind. Je nach Verarbeitung kann Stein traditionell oder sehr modern wirken. Abbau, Transport und Verlegung sind teuer, doch ist er bei sorgfältiger Verarbeitung ungemein robust und haltbar.

Naturstein kann im Haus für verschiedene Zwecke verwendet werden: natürlich als Fußboden, aber auch für Treppenstufen, Kaminsims, Küchenarbeitsplatte, Spüle, Spritzschutz, Waschbecken oder Badewanne. Die Auswahl des Steins richtet sich nach den persönlichen Vorlieben für Farbe, Muster und Textur, aber auch nach praktischen Gesichtspunkten.

Weil sich nicht jedes Gestein für jeden Zweck eignet, muss die Auswahl gut überlegt sein. Schiefer ist beispielsweise wegen seiner Querstabilität ein gutes Material für Treppenstufen, Sandstein dagegen müsste gestützt werden, damit die Stufen unter der Trittbelastung nicht brechen. Polierter Marmor eignet sich gut für die Waschbeckenumgebung und den Spritzschutz, ist als Bodenbelag aber rutschig, sofern seine Oberfläche nicht geriffelt ist.

EINKAUFSQUELLEN Bei der Auswahl von Stein sollte man mit bedenken, welche Arten in der Wohnregion traditionell verarbeitet werden. Die Verwendung einheimischer Materialien für Bau und Einrichtung des Hauses ist nicht nur ökologisch sinnvoll, sondern bettet ein Haus in einer Weise optisch in seine Umgebung ein, die mit importierten Materialien nicht zu erreichen wäre. Auch der Kauf von gebrauchten Steinen, Blöcken oder Platten beim Baustoffrecycler ist eine umweltfreundliche Alternative. Alter Stein kann allein durch seine schöne Patina bestechen, ist aber nicht unbedingt billiger als neuer.

STEINERSATZPRODUKTE Inzwischen gibt es Steinreproduktionen zu kaufen, die sehr überzeugend aussehen und für einen Bruchteil der Natursteinkosten zu haben sind. Kiesel, die in Zement oder Harz eingebettet sind, sehen rustikal aus und passen gut in Küche, Bad und andere Feuchträume. Man kann sie als Spritzschutz verwenden und sogar im Freien verlegen.

Granit

Granit kommt hauptsächlich in den Bergregionen der nördlichen Halbkugel vor. Er ist ausgesprochen hart und stabil. Wegen seiner Dichte ist er wasserfest, nutzt sich kaum ab (deshalb benutzt man ihn oft für Bordsteine) und kann auf Hochglanz poliert werden. Das Farbspektrum reicht von Schwarz über alle Grautöne bis zu Gelblich und Rosa. Das Muster kann fein gesprenkelt, gröber gefleckt oder gestreift sein. Da die harte, polierte Oberfläche kaum Gebrauchsspuren zeigt, ist Granit für Küchenarbeitsplatten sehr beliebt. Weil er so strapazierfähig ist, eignet er sich bestens für Fußböden, muss dann aber rau bleiben, um griffig genug zu sein.

Kalkstein und Sandstein

Dieses Sedimentgestein besteht aus komprimierten Muschelschalen, Mineralien, Tierskeletten und anderer Materie; manche Arten enthalten sogar interessante Fossilien. Goldbeige in zahlreichen Schattierungen ist die typische Farbe von Kalk- und Sandstein, es gibt ihn aber auch in Grautönen, Grün, Braun, Rosa und Blau. Er ist vor allem als hochwertiger Bodenbelag beliebt und wird mit dem Alter immer schöner. Er eignet sich auch für andere Zwecke, etwa die Verkleidung von Wänden oder der Badewannenumgebung. Kalkstein und Sandstein sind weicher und poröser als andere Gesteinsarten. Wenn sie nicht versiegelt werden, sind sie fleckempfindlich.

Französischer Kalkstein ist nicht porös und gilt als beste Qualität für Fußböden. Travertin ist ein Kalkstein aus der Toskana, und als Yorkstone bezeichnet man einen besonders robusten, frostbeständigen Sandstein aus der englischen Grafschaft Yorkshire, der auch besonders gern im Außenbereich verwendet wird.

Schiefer

Wegen seiner geologischen Struktur ist Schiefer in Querrichtung sehr stabil. Eine richtig verlegte Platte, ob in der Speisekammer, auf dem Boden oder der Treppe, reißt oder bricht nur selten. Schiefer ist preiswerter als Granit und anderes Gestein. Er ist meist blaugrau, kann aber auch blauschwarz oder graugrün sein. Durch Mineraleinschlüsse entstehen Muster, von sanften Streifen und Tupfen bis zu auffallenden, gelben Flecken oder silbrigen Streifen.

Schiefer hat eine besondere Eigenschaft, die ihn von anderen Gesteinen unterscheidet: Er bricht von Natur aus in Plattenform und lässt sich darum recht preiswert verarbeiten. Aus diesem Grund wird er traditionell für Dachpfannen verwendet. Auch als Außenverkleidung von Gebäuden in feuchten, windigen Regionen ist er beliebt, weil er wasserfest und robust ist. Mit diesen Eigenschaften eignet er sich ausgezeichnet für Badezimmer- und

Küchenfußböden, vor allem bei Fußbodenheizung ist er sehr angenehm. Schiefer kann manuell und maschinell geschnitten werden. Von Hand geschnittene Platten sind rauer und wirken robuster.

Marmor

Seit Jahrhunderten wird Marmor wegen seiner schönen Farben und Zeichnungen geschätzt, aber auch, weil er sich gut auf Hochglanz polieren lässt. Die Farben rühren von Mineraleinlagerungen im Gestein her. Es gibt ihn in Grün und Gelb, warmem Rosa, Orange und Rot, aber auch in dunklen Tönen wie Braun und Schwarz. Der hellste Marmor stammt aus Carrara in Italien und ist bei Bildhauern, Architekten und Designern gleichermaßen beliebt.

Marmor ist ein edles Material. Im Trend der reduzierten Ästhetik bleibt er in vielen Haushalten den privaten Bereichen vorbehalten, vor allem dem Bad. In heißen Ländern schätzt man dagegen seine Kühle und verwendet ihn als Bodenbelag im ganzen Haus. Marmor muss nicht zu Hochglanz poliert werden. Mit matter oder matt glänzender Oberfläche wirkt er zurückhaltender, aber nicht minder edel.

Marmor wird in Fliesen und Platten verschiedener Größen angeboten – von großen Bodenplatten bis zu winzigen Mosaikteilchen für Einfassungen und Spritzwände. Waschbecken und Badewannen aus Marmor sind der Inbegriff des Luxus. Und Köche lieben eine kühle Marmor-Arbeitsfläche zum Ausrollen von Teig oder als Regal in der Speisekammer.

Steinböden

Naturstein, Schiefer und Marmor sind schwer, vor allem die traditionellen, dicken Bodenplatten. Obendrein ist Stein spröde und sollte sorgfältig und fachmännisch verlegt werden. Auch der Untergrund muss geeignet sein. Am besten ist ein massiver Betonfußboden, auf dem die Platten in (Trass-)Zementmörtel oder Fliesenkleber verlegt werden. Berechnen Sie vor dem Kauf teurer Natursteine das Gewicht und lassen Sie durch einen Statiker prüfen, ob Ihr Boden es tragen kann.

Fliesen sind dünner als traditionelle Platten und darum für obere Stockwerke besser geeignet. Marmorfliesen können auf glattem, ebenem Estrich mit einem speziellen Zement verlegt werden. Auf anderen glatten Untergründen verwendet man meist einen Baustoffkleber mit Latexanteil.

Schiefer kann auf einem Spanplatten-Boden verlegt werden. Es gibt aber einen speziellen Kleber, der das Biege- und Bruchrisiko verringert. Zu all diesen Fragen kann Ihnen ein Fachmann, der Naturstein verlegt, nähere Auskunft geben.

Stein versiegeln

Poröses Gestein wie Sandstein sollte nach dem Verlegen und Verfugen versiegelt werden. So wird verhindert, dass Fugenmaterial, Schmutz und Fett in die Poren eindringen und den Stein verfärben. Die Versiegelung kann aber die Farbe und den Charakter des Steins verändern. Lassen Sie sich beim Fachhändler über geeignete Produkte beraten. Auch in Baumärkten findet man verschiedene Produkte zum Versiegeln von Naturstein. Fugenmörtel ist in vielen Farben erhältlich, auch flexible und antibakterielle Produkte werden angeboten.

1 Naturstein hat etwas Monumentales. Hier verbinden große, rechteckige Platten die Räume miteinander.
2 Schiefer, hier als Bodenbelag, gibt es in verschiedenen dunklen Farbtönen mit glatter oder rauer Oberfläche. 3 Eine grob behauene Steinspüle bildet einen interessanten Kontrast zu den glatt gefliesten Wänden.
4 Kalksteinfliesen auf dem Boden, an den Wänden und der Wannenschürze verleihen diesem Bad eine klare Linie. 5 Feldsteine, hier als Mauer verarbeitet, wirken rustikal. Die unterschiedlichen Farben und Texturen geben der Wand Charakter. 6 In Zement eingebettete Kiesel fühlen sich unter den Füßen angenehm an.
7 Weißer Marmorsplitt in einem Harzbett ist erstaunlich pflegeleicht: er muss nur ab und zu gesaugt oder mit milder Bleichelösung aufgewischt werden.
8 Weißer Marmor ist der Inbegriff von Luxus. Das flache Waschbecken mit passendem Spritzschutz und Regal ist sehr sorgfältig gearbeitet.

BETON, TERRAZZO & ZIEGEL

Beton und Ziegel auswählen

Beton hat sich inzwischen neben Glas, Metall, Holz und Verputz in modernen Interieurs einen festen Platz erobert. Noch in der zweiten Hälfte des 20. Jahrhunderts galt er als Synonym für hässliche, heruntergekommene Ghettosiedlungen, jetzt betrachtet man ihn als schlichtes, unprätenziöses Material mit Industrieästhetik. Wer sich nicht mit dem nüchternen Minimalismus nackter Betonwände anfreunden kann, könnte durch kleinere Elemente seinem Haus modernes Flair verleihen, etwa durch eine Spüle oder einen Kamin, aus Beton gegossen, unbehandelt oder gestrichen.

Auch Ziegel ist ein industriell hergestellter Baustoff, der lange ein negatives Image hatte. Ursprünglich bestanden Ziegel aus dem Ton der Region, in der sie produziert wurden. Durch die industrielle Produktion wurde dieser Bezug negiert, Ziegel wurden mit seelenlosen Wohnanlagen assoziiert. Heute schätzt man ländliche Ziegelhäuser erneut, städtische Backsteinbauten erleben in Form moderner Lofts eine Renaissance, und Ziegel sind als warmes, vielseitiges Material wieder populär.

Im Fachhandel findet man viele Ziegel mit traditionellem Aussehen und auch handgestrichene Ziegel. Sie sind zwar teuer, geben einer Wohnung aber etwas Warmes und Bodenständiges, wenn man sie für ein kleines Element wie einen Kaminvorsprung verwendet.

Beton

Beton wird aus Zement, Wasser und Sand oder Kies gemischt. Das genaue Verhältnis hängt von dem späteren Verwendungszweck und der gewünschten Oberfläche ab. Nach dem Vermischen mit Wasser entsteht Wärme, und der Beton bindet binnen weniger Stunden ab. Es dauert aber bis zu einem Monat, bis er vollkommen ausgehärtet ist. Die Oberfläche des neuen Betons hat Dellen und Rillen, weil sich die Oberfläche des Materials darin abzeichnet, mit dem er in Form gepresst wurde. Beton ist grau meliert, gelegentlich ist auch der Kies erkennbar.

Beton ist stabil und relativ preiswert. Er ist feuerfest, feuchtigkeitsbeständig und bietet Insekten keinen Unterschlupf. Er hat eine hohe thermische Masse, das bedeutet, dass er Wärme gut speichert. Wegen seiner Stabilität kann man ihn in leichten Bauten sparsam verwenden, was wiederum relativ umweltfreundlich ist. Beton ist unglaublich vielseitig. Er lässt sich problemlos in verschiedenste Formen bringen, etwa organisch gerundete Wände oder derbe Blöcke im Industriestil.

In einer modernen Wohnung werden die Betonelemente sichtbar belassen. Wie elegant nüchterner Beton in Wohnräumen wirken kann, zeigen die Häuser des japanischen Architekten Tadao Ando. Durch geschickt platzierte Fenster fällt das Licht auf die gewaltigen Betonplatten und betont so ihre unregelmäßigen Oberflächen.

BETONBAUSTEINE Simple Betonbausteine können für Innen- und Außenwände verwendet werden. Man kann sie unbehandelt lassen oder ohne Vorbehandlung streichen. Manche Typen haben eine besonders gute Isolierwirkung und sind somit umweltfreundlich (und freundlich zur Haushaltskasse).

BETONPLATTEN Auch sie können im Haus und im Freien verwendet werden. In unbehandeltem Zustand sehen sie recht derb aus. Man kann sie auch eintönen und polieren, sodass sie von Naturstein kaum zu unterscheiden sind.

VERSIEGELUNG Rohe Betonböden sollten versiegelt werden, da sie sonst stark stauben. Zuerst werden alle losen Fragmente von der Oberfläche entfernt, dann wird eine spezielle Versiegelung oder Betonfarbe aufgetragen. Ist eine matte, rutschfeste Oberfläche erwünscht, beschichtet man den Beton mit flüssigem Kunstharz, in das Quarzsand eingebettet ist. Poliert man Beton nach dem Aushärten, erhält er einen eleganten Glanz. Mit einer Kunstharzbeschichtung glänzt er wie nass. Die Mischung kann mit Pigmenten eingetönt werden, auch in leuchtenden, intensiven Farben. Man kann grafische Muster oder Motive in den Beton ätzen und so seinen skulpturhaften Charakter betonen.

BETONFUSSBÖDEN Beton ist ein erstaunlich guter Bodenbelag und zudem hitzebeständig und kratzfest. Nach dem Aushärten wird er versiegelt, damit er unempfindlich gegen Öle, Farbstoffe und Wasser wird. Wenn die Versiegelung ausgehärtet ist, werden mehrere Schichten eines speziellen Wachses aufgetragen und mit einer Maschine poliert. Diese Schicht glänzt edel und fühlt sich unter den Füßen angenehmer an als nackter Beton.

BETONARBEITSFLÄCHEN Neuerdings wird Beton im Haus auch für Arbeitsplatten verwendet, die sogar direkt vor Ort gegossen werden können. Gute Platten bestehen aus einer Schicht faserverstärktem Beton auf einer Spanplatte, die das Gewicht reduziert. Der Beton wird mit einem Spezialverfahren gehärtet und ist dadurch stabiler und weniger porös als konventioneller Beton. Er ist wasserfest, resistent gegen Alkohol und Mikroben und verträgt Hitze gut. Standardfarben (die UV-stabil sind, also nicht verblassen) sind Rohweiß, Gelb, Braun und Schwarz.

Terrazzo

Terrazzo ist eine Mischung aus Beton, Marmor und Glas- oder Granitteilchen. Seit Jahrhunderten wird er in mediterranen Ländern als Bodenbelag verwendet, wo man seine glatte, polierte Kühle sehr schätzt. Heute ist das Material recht weit verbreitet. Er ist in Form von Platten erhältlich oder wird direkt vor Ort angemischt und gegossen. Er hat ein typisches Sprenkelmuster und ist in vielen Färbungen erhältlich, von sanften Naturtönen bis zu leuchtenden, modernen Farben. Terrazzo ist teuer, aber sehr robust und langlebig. Eine neue, umweltfreundliche Alternative ist ein Produkt, das statt Beton ein ungiftiges Kunstharz und statt Steinmosaikteilchen Stücke von recyceltem Glas enthält.

Ziegel

Ziegel zählen zu den ältesten Baumaterialien der Welt. Ihre Hauptzutat, gebrannter Ton, hat sich seit Jahrtausenden nicht verändert. Jede Tonart enthält Anteile verschiedener Mineralien, beispielsweise Eisen und Kalk, darum ergeben sich im Brand verschiedene Farbtöne. Manche sind rötlich, andere beige, wieder andere blauschwarz oder fast weiß. Auch die Bedingungen im Brand selbst beeinflussen den Farbton. Gelegentlich werden verschiedene Töne gemischt und mit Additiven versetzt, um einen bestimmten Farbton zu erhalten.

In Innenräumen wirken Ziegel – vor allem rote – warm und behaglich. Das Rotspektrum reicht von bräunlichem Rot über Zinnoberrot bis zu rötlichen Cremetönen. Neue Mauern oder Verblendungen haben eine regelmäßige, recht glatte Oberfläche, während alte, wieder freigelegte Ziegel interessant und unregelmäßig aussehen.

HANDGESTRICHENE UND ALTE ZIEGEL

Wie Naturstein sind auch handgestrichene Ziegel attraktiv und teuer, aber im Hinblick auf den Charakter, den sie einem Raum (oder einer Fassade) verleihen, durchaus ihren Preis wert. Alte Ziegel sind ebenfalls reizvoll und obendrein umweltfreundlich. Weil Stabilität und Frostbeständigkeit alter Ziegel schwierig zu beurteilen sind, verwendet man sie besser nur für Verkleidungen und nicht für tragende Wände. Ein weiterer Nachteil ist auch die unregelmäßige Größe. Früher hatte jede Region ihre eigenen Ziegelformate, erst in den 1950er Jahren wurden diese vereinheitlicht.

INDUSTRIELL GEFERTIGTE ZIEGEL

In der industriellen Fertigung wird der Ton in langen Strängen gepresst und dann in Stücke von Ziegelformat geschnitten. Ziegel zum Mauern von Wänden sind sehr stabil und nehmen kaum Wasser auf. Spezielle Ziegel mit hoher Hitzebeständigkeit verwendet man im Haus für Kaminrückwände (siehe Seite 204). Es gibt weiß vorgestrichene Ziegel und sogar fertige Paneele. Relativ neu sind Ziegel aus Blähton, die wegen der Lufteinschlüsse leichter sind und eine verbesserte Isolierwirkung besitzen. Zum Pflastern von Böden verwendet man flachere Ziegel.

1 Spülen, Küchenarbeitsplatten und andere Elemente aus Beton können direkt an Ort und Stelle gegossen werden. 2 Eine Betonwand mit frei tragender Bank und einem Kamineinsatz aus Stahl. 3 Eine Trennwand aus unbehandeltem Beton betont den groben Charakter des Materials. 4 Ein verblüffend eleganter Fußboden aus poliertem Beton. Wegen seiner hohen thermischen Masse spart Beton Energie: Er nimmt tagsüber Wärme auf und gibt sie nachts langsam wieder ab. 5 Neue Ziegelsteine als moderner Bodenbelag mit regelmäßigem Muster und warmem Farbton. 6 Ein ehrwürdig gealterter Ziegelsteinboden wirkt in der umgebauten Scheune sehr stimmig. 7 Backsteinmauern sind wegen ihrer Industrieästhetik aus Lofts und umgebauten Lagerhäusern nicht wegzudenken. 8 Terrazzo, in heißen Ländern ein beliebtes Bodenmaterial, kann Innen- und Außenbereich optisch verbinden.

FLIESEN

Fliesen auswählen

Fliesen werden in so vielen verschiedenen Formen, Farben und Größen angeboten, dass die Auswahl schwer fallen kann. Es gibt Fliesen für Fußböden und Wände, glasierte und unglasierte Fliesen und sogar Fliesen aus Leder und Metall. Manche sind mit einer farbigen Glasur überzogen, andere haben die Farbe des Tons, aus dem sie hergestellt sind. Auch die Vielfalt der Muster ist enorm, sie reicht von Engobe-Motiven, die man schon im Mittelalter kannte, bis zu topmodernen Fotodekoren.

Praktische und ästhetische Aspekte spielen bei der Auswahl eine Rolle. Bodenfliesen sind ein ausgesprochen robuster Belag für Feuchträume und stark strapazierte Bereiche, müssen jedoch auf einem tragfähigen, ebenen Untergrund verlegt werden. Wandfliesen sind dünner und somit leichter, geben aber Wänden den gleichen Schutz.

Große gefliese Flächen wirken besser als kleine, natürlich stets gemessen an Größe und Einrichtung des Raums. Ein vom Boden bis zur Decke gefliestes Bad kann elegant aussehen, ein kleines Rechteck hinter der Badewanne erinnert eher an eine Notlösung.

Bei Fliesenarbeiten in der Wohnung kommt es immer auf gründliche Vorbereitung, genaue Berechnung und Sorgfalt im Detail an. Im Gegensatz zu Farbe sind Fliesen nicht an einem Nachmittag an der Wand angebracht. Und ist das Ergebnis unbefriedigend, sind Veränderungen teuer und aufwendig.

Terrakotta

Trotz aller Fortschritte in Design und Produktion von Fliesen hat die ursprüngliche Form ungebrochenen Reiz. Terrakotta bedeutet wörtlich „gebrannte Erde" – ein Stück Lehm, aus der Erde gegraben, in der Sonne getrocknet und in einem Feuer oder Ofen gebrannt. Terrakottafliesen haben einen warmen Rotbraun-Ton. Sie können quadratisch, rechteckig, achteckig oder rautenförmig sein.

1 Unglasierte Terrakottafliesen haben einen unnachahmlichen Charme. Nach dem Verlegen müssen sie versiegelt und leicht poliert werden, um sie unempfindlich gegen Flecken zu machen. 2 Das strenge Rastermuster dieser dunkel glasierten Keramikfliesen mit den schneeweißen Fugen wirkt grafisch und rhythmisch. 3 Runde Mosaikfliesen werden auf Gewebeträgern verkauft und sind recht einfach zu verlegen. 4 Leuchtend bunte Fliesen als Blickfang. Mit neuen Digitaltechniken können selbst Fotos direkt auf Fliesen übertragen werden. 5 Versetzt verlegte Rechteckfliesen, hier in zwei Kontrastfarben, passen gut zu Einrichtungen im Retro-Stil. 6 Mosaikfliesen sind ideal für Badezimmer, weil sie durch das kleine Format relativ rutschfest sind. 7 Von Hand geformte und glasierte Fliesen haben durch ihre Unregelmäßigkeit viel Charakter.

HANDGEFERTIGTE UND RECYCELTE TERRAKOTTAFLIESEN

Der Reiz handgefertigter Terrakottafliesen liegt in ihren kleinen Unregelmäßigkeiten, während recycelte Terrakotta zudem durch die Patina des Alters besticht. Solche Fliesen eignen sich ausgezeichnet für eine große, gemütliche Küche, bilden aber einen ebenso passenden Hintergrund für eine edlere Ausstattung, sei es mit antiken Möbeln und Perserteppichen oder auch mit moderneren Stücken.

INDUSTRIELL GEFERTIGTE TERRAKOTTAFLIESEN

Maschinell hergestellte Terrakottafliesen sind wesentlich preiswerter, regelmäßiger und glatter als handgefertigte. Ihr einheitliches Aussehen passt gut zu einem modernen Einrichtungsstil. Der Farbton neuer Terrakotta variiert von Goldbraun über matte Rosa- und Rottöne bis zu leuchtendem Rot und Orange. Mit der Zeit werden die Farben matter und gedämpfter.

TERRAKOTTA VERSIEGELN

Echte Terrakottafliesen sind unglasiert und müssen sorgfältig behandelt und versiegelt werden, damit man lange Freude an ihnen hat. Neue Fliesen müssen eventuell noch etwas trocknen. Terrakotta ist porös und sollte vor dem Verlegen versiegelt werden. Der Händler gibt dazu nähere Auskunft. Zement und Baustoffkleber hinterlassen Flecken, die von unglasierten Fliesen sofort entfernt werden müssen. Nach dem Verfugen werden sie noch einmal versiegelt, und nach dem vollständigen Abbinden sollten sie während der ersten Monate regelmäßig leicht poliert werden. Verwendet man jedoch zu viel Politur, werden sie klebrig, und es sammelt sich Schmutz. Danach müssen sie je nach Beanspruchung nur noch in größeren Abständen poliert werden.

Klinker

Klinker sind robuster als Terrakottafliesen und müssen nicht so vorsichtig behandelt werden. Etwas Sorgfalt haben sie dennoch verdient. Sie werden bei hoher Temperatur gebrannt und sind darum härter. Außerdem sind sie bereits versiegelt oder glasiert. Klinkerfarbtöne wirken nicht so sanft wie die der Terrakottafliesen, ihre gleichmäßige Farbe verändert sich mit den Jahren nicht. Wegen ihrer Strapazierfähigkeit und vielleicht auch der Assoziation mit alten Villen und Landhausküchen sind sie noch immer beliebt. Sie sind meist quadratisch oder rechteckig, die Farbtöne variieren von leuchtendem Orangerot bis zu Braun und Schwarz.

Keramikfliesen

Diese Fliesen bestehen aus aufbereitetem Ton, der in Formen gepresst, glasiert und in einem Brennofen gebrannt wird. Keramikfliesen gibt es für Böden und Wände. Das Spektrum reicht von billiger Massenware bis zu teuren Produkten, die in kleinen Serien gefertigt werden.

Muster werden auf verschiedene Weise gestaltet, etwa durch Drucken, Transfertechniken, Prägen, Pressen, Einlegen andersfarbiger Tonelemente oder Ausgießen von eingepressten Mustern mit farbiger Glasur. Erhältlich sind auch größere Motive, die sich über mehrere Fliesen (meist zwei mal drei oder drei mal vier) ziehen. Als Abschluss oder Dekoration kann man schmale Riemchen verwenden.

HANDGEFERTIGTE KERAMIKFLIESEN Von
Hand geformte Keramikfliesen haben den gleichen kunsthandwerklichen Charme wie alte Terrakottafliesen und sind in Größe und Form ähnlich unregelmäßig. Sie sind oft dicker als Industrieware und meist mit leuchtenden Glasuren oder abstrakten oder figürlichen handgemalten Motiven versehen. In einer Küche kann ein Patchwork aus handgefertigten Fliesen in verschiedenen Formen traditionell und sehr gemütlich aussehen.

INDUSTRIELL GEFERTIGTE KERAMIK-
FLIESEN Fliesen aus Massenproduktion besitzen nicht die Individualität der handgefertigten Ware, dennoch sind sie keineswegs langweilig, denn das Angebot an Mustern, Motiven, Farben und Größen ist stattlich. Wer ein sauberes, gleichmäßiges Bild wünscht, wird ihre Einheitlichkeit als Vorzug empfinden. In sehr schlichten Räumen setzen sie als Muster oder Textur Akzente.

Glasfliesen
Fliesen aus Glas gewinnen für Küchen und Bäder immer mehr Anhänger. Es gibt sie in vielen Varianten: klar, leuchtend bunt, geriffelt und aus Recyclingglas hergestellt. Auch Glasmosaik mit einfarbiger, metallischer und irisierender Oberfläche ist erhältlich, ebenso Glasfliesen mit eingelegten Mustern unter glatter Oberfläche und Fliesen mit schimmernder Hologramm-Oberfläche. Soll der Untergrund sichtbar sein, werden transparente Kleber verwendet.

Mosaikfliesen
Winzige Mosaikfliesen gibt es in zahllosen Designs, Farben und Formen. Neben den bekannten Keramikquadraten erhält man auch runde und achteckige Plättchen, die recht modern aussehen, sowie metallisierte und irisierende Fliesen und so genannte Smalten aus farbigem Glas.

Preiswert und unkompliziert sind Mosaikfliesen auf Gewebeträgern, die im Stück verlegt und danach verfugt werden. Für Badezimmer sind vor allem Kombinationen von Mosaikfliesen in Blau- und Grüntönen beliebt. Das andere Extrem sind individuell nach Kundenwunsch und Raumgröße verlegte Mosaike. Natürlich kann man auch selbst ein Mosaik aus mit der Fliesenzange gebrochenen, einfarbigen Fliesen gestalten. Verwenden Sie dafür Fliesen gleichmäßiger Stärke und verkleben Sie das Mosaik auf einer Sperrholzplatte, damit Sie es bei einem Umzug mitnehmen oder an einen anderen Platz versetzen können, wenn Ihnen der Sinn nach Abwechslung steht.

Metallfliesen
Hier gibt es zwei unterschiedliche Typen. Der eine besteht aus wasserfest verleimtem Sperrholz, das mit echtem Metall belegt ist, beispielsweise Kupfer, Messing, Edelstahl oder Zink. Der zweite besteht aus einer Mischung aus Harz und Mineralien, die im Brand einen metallischen Schimmer entwickeln. Es gibt solche Fliesen für Wände und Fußböden, auch größere Paneele zum Verkleiden von Wänden sind erhältlich. Große Metallplatten (glatt, geriffelt oder gemustert) können mit einem speziellen Clip-System an Wänden und Decken befestigt werden. Massive Metallplättchen zum Auflockern der Musterung von Stein- oder Fliesenböden sind ebenfalls erhältlich.

Leuchtfliesen
Leuchtdioden (LED, siehe Seite 245) haben die Raumbeleuchtung revolutioniert. Eine Neuentwicklung sind leuchtende Fliesen – letztlich Glasplatten mit eingebetteten Leuchtdioden. Es gibt einfarbige Typen und solche, die in allen Regenbogenfarben schillern. Sie sind teuer und aufwendig zu installieren, weil Kabel, Transformatoren und Programmierungen erforderlich sind. Außerdem sind sie dicker als übliche Fliesen und müssen meist in die Wand eingelassen werden.

Auch mittels Faseroptik (siehe Seite 245) können Fliesen beleuchtet werden. Für Ladeneinrichtungen sind Klemmsysteme für Glas- und Metallplatten erhältlich, die mit einer Faseroptik-Beleuchtung kombiniert werden können. Mit Sonnenenergie betriebene Leuchtfliesen sind für den Außenbereich ebenso praktisch wie dekorativ. Mit Glasfliesen und einer versenkten Halogenbeleuchtung (siehe Seite 244) lassen sich ganz individuelle Lösungen gestalten.

Lederverkleidung
Früher war Leder Clubsofas und wuchtigen Sesseln vorbehalten, jetzt erobert es immer mehr Oberflächen im Haus. Mit Büffelleder bezogene Trägerplatten können auf Wänden und Böden angebracht werden. In Wohnzimmern, Schlaf- und Arbeitsräumen wirken sie sehr warm und behaglich.

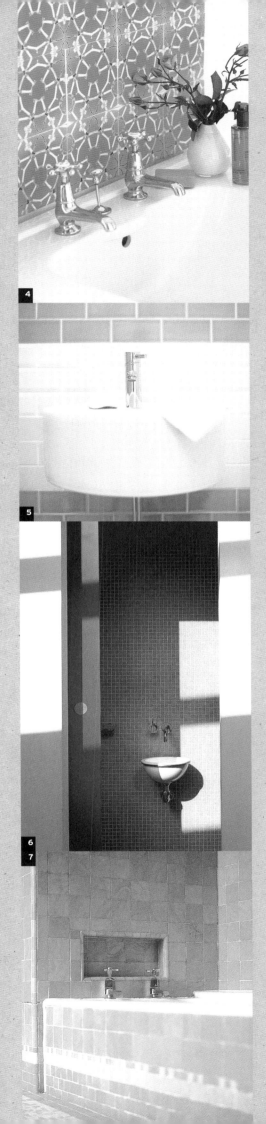

LINOLEUM, KORK, KAUTSCHUK, VINYL & KUNSTSTOFFE

Natur- und Synthetikmaterialien auswählen

Das Angebot an Materialien verändert sich ständig und wird immer größer. Neue Produkte aus natürlichen, synthetischen und recycelten Stoffen werden entwickelt, traditionelle Materialien werden neu entdeckt. Warme, taktile Linoleumböden beispielsweise haben in den letzten Jahren eine Renaissance erlebt, Korkfliesen können heute mit originellen Fotomotiven bedruckt und als Bodenbelag mit Trompe-l'œil-Effekt für Küche und Bad verwendet werden. Auch Kautschuk ist ein Naturmaterial, das neuerdings zu modernen, originellen Bodenbelägen verarbeitet wird. Und Kunststoff in seinen verschiedenen Formen ist schon lange als vielseitiges Material bei Designern beliebt.

Linoleum

Früher galt Linoleum als langweiliger Belag für Behördenflure, heute wird es von umwelt- und trendbewussten Designern und Hausherren gleichermaßen neu entdeckt. Gelegentlich wird es in einem Atemzug mit Vinyl als Kunststoffprodukt bezeichnet, aber das ist falsch. Tatsächlich ist Linoleum ein reines Naturprodukt, eine Mischung aus Holz- oder Korkmehl, gemahlenem Kalkstein, Naturharzen, Pigmenten und Leinöl auf einem Rücken aus Jute. Streng ökologisches Linoleum enthält kein Mehl aus tropischen Hölzern, sondern ausschließlich aus kontrolliert bewirtschafteten Wäldern nördlicher und gemäßigter Regionen. Die Pigmente weisen keine Schwermetalle auf, alle Inhaltsstoffe sind biologisch abbaubar. Linoleum ist sehr strapazierfähig, es hält 25 bis 40 Jahre und manchmal länger. Es verträgt Hitze und stößt Staub, Milben und Bakterien ab, darum ist es ein ausgesprochen hygienischer Bodenbelag für Küche oder Kinderzimmer und zudem ideal für Asthmatiker geeignet.

Attraktiv sind auch die Farben und die Oberfläche von Linoleum. Es ist in zarten und intensiven Farbtönen erhältlich, die aber wegen der natürlichen Inhaltsstoffe nie grell sind. Es ist matt, dämpft den Trittschall und fühlt sich relativ weich und warm an – eher mit Holz als mit Stein zu vergleichen. Es wird auf Rollen und in Plattenform angeboten. Mit Platten lassen sich neben einfarbigen Böden auch traditionelle Schachbrettmuster oder modernere, unregelmäßige Muster in drei oder mehr Farben gestalten. Linoleum eignet sich auch als Belag für eine Schreibtischplatte.

Kork

Die schwammige Rinde wird von Korkeichen gewonnen, die im Mittelmeerraum wachsen. Die Rinde wird zerkleinert, mit Harz vermischt und dann erhitzt und gepresst. Wie Linoleum ist auch Kork weich, schalldämmend und warm, dazu sieht er sehr natürlich aus. Im Gegensatz zu Linoleum beschränkt sich jedoch die Farbpalette des Naturmaterials auf Brauntöne. Seine hellen Beigetöne und das dunkle Schokoladenbraun passen ausgezeichnet zu einer modernen Einrichtung. Kork ist porös und muss versiegelt werden, damit er strapazierfähig wird und Wasser abweist.

Neu auf dem Markt sind Korkplatten mit Fotodruck. Fotos werden auf PVC übertragen und auf den Kork laminiert. Herbstblätter, schimmerndes Wasser, Kiesel, Jeansstoff und Seifenblasen sind nur einige Beispiele für Muster auf wasserfesten Böden.

Kautschuk

Bodenbeläge aus Kautschuk bestehen im Wesentlichen aus Industrie- und Naturkautschuk, Mineralien aus natürlichen Vorkommen und umweltfreundlichen Farbpigmenten, die kein Schwermetall enthalten.

Im Rohzustand ist Kautschuk elastisch. Durch Vulkanisation entsteht eine extrem dichte Oberfläche, die in der Regel nicht beschichtet werden muss. Ein Bodenbelag aus Kautschuk ist pflegeleicht, unempfindlich gegen Flecken, wasserfest, strapazierfähig, antibakteriell und rutschfest.

Für die Raumgestaltung ist er vor allem wegen der Farbenvielfalt interessant, es gibt das Material in kräftigem Blau, Grün, Rosa, Violett und Gelb oder verschiedenen sanfteren Farben. Kautschuk wird in Rollen und in Platten mit verschieden strukturierten Oberflächen geliefert, für die Verwendung im Außenraum etwa mit Drainagerillen oder angeraut und dadurch rutschsicher. Gepolsterte Kautschukböden setzt man in Gymnastikräumen und Fitnessstudios ein. Harte, hochpolierte Kautschukböden sind vor allem in sachlichen, modernen Interieurs beliebt. Die erste Generation dieser Produkte war teuer und schwierig zu verlegen. Der Untergrund musste absolut eben, glatt und sauber sein, die Aushärtung dauerte lange und verlangte optimale Wetterbedingungen.

Neuere Qualitäten sind preiswerter und einfacher zu verarbeiten. Sie bestehen aus recyceltem Gummigranulat, werden in Bahnen verlegt oder gegossen und mit einer hochglänzenden, flüssigen Versiegelung überzogen. Wie andere synthetische Gummiprodukte sind diese Böden in vielen Farben erhältlich.

Vinyl

Dieses Nebenprodukt der petrochemischen Industrie ist beliebt, weil es sich prägen und bedrucken lässt, sodass es Naturmaterialien wie Stein oder Holz ähnelt – aber nicht die Kosten und den Aufwand ihrer Verlegung erfordert. Als Bodenbelag ist es relativ fußwarm. Es wird auf Rollen und in Platten angeboten.

Acryl

Dieser Kunststoff wird gerne als Alternative zu Glas verwendet, etwa für farbige Einsätze in modernen Möbeln. Es ist starr, aber leichter und weniger bruchempfindlich als Glas. Andererseits ist es weicher und somit kratzempfindlicher als Glas und zudem leicht entflammbar. Acryl kann klar oder farbig sein, auch klare Platten mit farbigen Kanten sind erhältlich. Es eignet sich für ebene Flächen, kann aber auch geformt werden, etwa zu den bekannten, stapelbaren Beistelltischen, die aus gebogenen Acrylplatten bestehen.

Corian®

Dieser Markenname bezeichnet ein sehr robustes Material, das aus einer Mischung aus natürlichen Materialien und Acryl besteht. Das steife, feste Material eignet sich gut für Arbeitsplatten. Es ist möglich, Platte und Spülbecken in einem Guss zu formen, was praktische Vorteile hat und obendrein sehr gut aussieht. Corian® ist relativ teuer, hat aber viele Vorzüge. Es ist hitzefest, nicht brennbar, porenfrei und durchgefärbt, sodass Abnutzungsspuren und Kratzer kaum sichtbar sind. Es ist hypoallergen und ungiftig und gibt im Gegensatz zu anderen Kunststoffen auch keine Dämpfe ab (siehe Adressverzeichnis, Seite 259).

PVC

Polyvinylchlorid ist einer der verbreitetsten Kunststoffe. Es ist leicht, preiswert und für unzählige Zwecke im gewerblichen und privaten Bereich geeignet. Allerdings ist es im Hinblick auf Gesundheit und Umwelt bedenklich, denn es gibt Dämpfe an die Atmosphäre ab. In Wohnungen wird PVC hauptsächlich für Bodenbeläge, Fensterrahmen und Wintergarten-Konstruktionen, Dachrinnen, Wasserrohre und als Feuchtigkeitsschutz verwendet. Einen vollwertigen Ersatz gibt es nicht, doch durch ein verändertes Umweltbewusstsein könnte sich sein Einsatz in Zukunft reduzieren.

Polypropylen

Wie Acryl und PVC ist auch Polypropylen ein stabiler, vielseitiger Kunststoff. In den 1960er Jahren kamen preiswerte Möbel und Haushaltsutensilien aus Polypropylen auf den Markt, die modernes Design für jeden erschwinglich machten. Das vielleicht bekannteste Beispiel ist der von Robin Day entworfene Stapelstuhl. Im 21. Jahrhundert haben auch große Designer wie Philippe Starck und Tom Dixon Polypropylen für Möbel und Sanitärobjekte verwendet. Das durchscheinende Material ist in vielen Farben erhältlich und eignet sich gut für effektvolle, moderne Leuchten.

Melamin

Dieser Kunststoff wird auf Spanplatten und andere Materialien für Arbeitsplatten und Möbel laminiert. Melamin ist praktisch, preiswert und in vielen Unifarben, abstrakten Mustern oder Imitationen von Terrazzo, Marmor und anderen Materialien erhältlich. Melamin ist elastischer und schwerer entflammbar als andere Kunststoffe, aber recht kratzempfindlich.

Recycling-Kunststoff

Dieses recht neue Material ist in Form dicker Platten erhältlich, die zugeschnitten und zu Arbeitsplatten und Möbeln verklebt oder verschweißt werden. Meist ist es bunt gefleckt, die Farben hängen von den Ursprungsmaterialien ab – von Zahnbürsten über Plastikbecher bis zu Getränkeflaschen. Auch Stoffe kann man aus recyceltem Kunststoff herstellen. Einige haben durchaus reizvolle Farben und Texturen.

---

1 Kork ganz modern: Korkplatten mit Fotodruck und einer Deckschicht aus Vinyl sind wasserfest und strapazierfähig. **2** Linoleum ist in vielen Farben erhältlich. In Rollenware kann man fantasievolle Muster einlegen. **3** Noppengummi ist robust und sieht modern aus. Ein besonderer Vorzug dieses Materials sind die intensiven, leuchtenden Farben. **4** Acryl eignet sich für ähnliche Zwecke wie Glas, etwa diese Treppenstufen und das Geländer aus gebogenem Acryl. **5** Gegossenes Gummi hat einen sanften Glanz, der das Tageslicht schön reflektiert. **6** Corian ist der Markenname eines Produkts, aus dem Arbeitsplatten mit nahtlos integrierten Spülen gefertigt werden. **7** Leichte, preiswerte Platten aus geriffeltem Kunststoff trennen die Küche vom offenen Wohnraum ab.

GLAS

Glas auswählen

Neue Herstellungstechniken erlauben heute die risikolose Verarbeitung großer Glasflächen für Wände, Fenster (siehe Seite 202–203) oder Raumteiler sowie in kleinerem Maßstab für verschiedene Einbauten. Glas ist eines der Lieblingsmaterialien moderner Designer, weil es Licht durchlässt, Räume hell und luftig machen und massive, undurchsichtige Flächen in ein transparent schimmerndes Nichts verwandeln kann. Bei geschicktem Einsatz kann Glas eine dunkle Wohnung zu einem freundlichen, behaglichen Ort machen.

BAUELEMENTE Ob Neubau oder Anbau, der Anteil der Glasflächen in den Außenwänden eines Hauses muss unter dem Aspekt der Privatsphäre einerseits und des Tageslichts andererseits bedacht werden. Nicht jeder mag es, wenn Räume den ganzen Tag über gänzlich einsehbar sind. Gerade in dicht bebauten Gebieten kann es sinnvoll sein, halbtransparente Elemente wie eine Wand aus Glasbausteinen einzuplanen. Sind fremde Blicke kein Problem, kann eine große Glasfläche einen Wohnraum erheblich aufwerten, weil sie die Grenze zwischen Innen- und Außenraum verwischt und eine engere Beziehung zur Natur herstellt.

Im Inneren kann Glas Licht in dunkle Bereiche holen und Räume größer wirken lassen. Durch ein Fenster in einer Innenwand beispielsweise kann man Licht vom Nebenraum „ausleihen". Durchscheinende Glasflächen oder Raumteiler schimmern hell, wenn dahinter Licht brennt. Abgesehen von senkrechten Flächen können heute auch fast alle waagerechten Flächen im Haus aus geeigneten Glasqualitäten hergestellt werden. Treppenstufen sowie Fußböden von Galerien oder Zwischengeschossen lassen Licht von einer Ebene zur anderen fluten.

Wer Glas für solche Zwecke einsetzen will, muss sich über geeignete Qualitäten, Stärken und Größen vom Fachmann beraten lassen.

ANDERE FLÄCHEN In kleinerem Rahmen kann Glas auch alltägliche Gegenstände eleganter wirken lassen, etwa eine Tisch- oder Schreibtischplatte. Satinierte Glasregale kennt man aus dem Bad, aber auch in anderen Räumen können Regale aus klarem oder farbigem Glas gut aussehen. Glastüren an Küchenschränken sehen ebenso edel wie modern aus und ermöglichen es, schönes Geschirr zu präsentieren, ohne dass es einstaubt. Originell und ganz im Trend sind aus Glas geformte Waschbecken und Badewannen.

Wer Glas wählt, sollte auch an die Reinigung denken. Glas im Bad sieht edel aus, aber man sieht jeden Wasserspritzer – vor allem in Gegenden mit hartem Wasser. Damit Glas wirklich gut aussieht, muss es regelmäßig geputzt werden.

Sicherheitsglas

Glas, das für Bauelemente benutzt werden soll, kann auf verschiedene Weise verstärkt werden. Glas für Fußböden besteht meist aus zwei dicken, durch Hitzebehandlung stabilisierten Floatglasplatten, die aufeinander laminiert sind. Diesen Typ nennt man begehbares Flachglas. Es ist zwar robust, die Platten sollten aber maximal 1 Quadratmeter groß sein. Die Kanten müssen rundum aufliegen und mit Gummistreifen gepuffert werden. Werden größere Bodenflächen gewünscht, kann man mehrere Glasplatten nebeneinander installieren. Die Härtung dieser Glasart erfolgt durch langsames Erwärmen und anschließendes schnelles Abkühlen.

Wenn gehärtetes Glas bricht, zerspringt es in winzige stumpfe Teilchen und nicht, wie konventionelles Glas, in scharfe Scherben. Im Haushalt wird es beispielsweise für Tischplat-

1 Ein verglaster Streifen im Fußboden vor einem großen Fenster und direkt unter einem Oberlicht lässt den Raum sehr hell und luftig wirken. **2** Glas mit eingelegtem Drahtgitter kennt man eigentlich von Außentüren. Es eignet sich aber auch als praktischer Spritzschutz hinter der Spüle. **3** Duschkabine und Badewanne aus Klarglas wirken wie ein Aquarium und fallen, wenn sie nicht benutzt werden, kaum ins Auge. **4** Glas-Geländer in einem hellen, freundlichen Treppenhaus. **5** Satiniertes Glas lässt Licht durch, schützt aber vor Einblicken. **6** Ganze Wände aus Glasbausteinen sehen besser aus als partielle Einsätze von nur wenigen Steinen. **7** Durch die Glastür am oberen Ende fällt Licht auf die offene Treppe. **8** Die gläserne Brücke zwischen zwei Galerien besteht aus gehärteten Glasplatten in Metallrahmen. **9** Abwechselnde Streifen aus satiniertem und farbigem Glas als originelle Abtrennung der Wanne.

ten, Regale und Möbel verwendet. Verbundsicherheitsglas besteht aus zwei aufeinander laminierten Glasplatten mit einer dazwischen eingelegten, transparenten Kunststofffolie. Bricht es, werden die Teilchen von der eingelegten Folie zusammengehalten. Verbundglas wurde ursprünglich für Windschutzscheiben von Autos entwickelt und wird im Haus hauptsächlich für große Fensterscheiben und Glastüren eingesetzt.

Doppel- und Dreifachverglasung

Doppelt oder dreifach verglaste Fenster reduzieren Wärmeverlust und Kondensation in Innenräumen und dämmen Geräusche. Die Scheiben sind miteinander verklebt, dazwischen liegen isolierende Hohlräume. Besonders gut ist die Wärmedämmung von Fenstern, deren Hohlräume mit Argongas gefüllt sind.

Emissionsarmes Glas

Ebenfalls sehr umweltfreundlich ist Glas mit einer Beschichtung, die Licht durchlässt, Wärme aber nicht. Es bietet sich vor allem für große Fensterflächen an, weil es verhindert, dass sich die Räume im Sommer stark aufheizen. Nachts dagegen reduziert es den Wärmeverlust. Kombiniert mit einer Doppelverglasung ist dieses Material äußerst energieeffizient.

Glas mit integrierten Jalousien

Diese modernen, doppelt oder dreifach verglasten Fenster haben zwischen den Scheiben eingebaute Lamellenjalousien, die durch einen Mechanismus am Innenrahmen bedient werden. Sie sorgen für perfekte Isolierung, kombiniert mit optimaler Helligkeitsregulierung.

Struktur- und Milchglas

Diese Glastypen sind ebenso praktisch wie attraktiv. Bei der Herstellung von Strukturglas wird während der Abkühlphase eine Walze mit Oberflächenrelief über das noch weiche Glas gerollt. Milchglas wird entweder mit Säure geätzt oder sandgestrahlt, um eine satinierte Oberfläche zu erhalten. Traditionell verwendet man solche Gläser für Badezimmerfenster und -türen, sie eignen sich aber auch für andere Bereiche der Wohnung, für die ein Sichtschutz gewünscht ist. In einer offenen Wohnung beispielsweise könnte man zwischen Schlafbereich und Bad eine Trennwand aus Milchglas einbauen, die das Gefühl der Weiträumigkeit kaum stört. Milchglas sieht besonders schön aus, wenn es farbig angestrahlt wird. Dickes Milchglas eignet sich auch für Außentüren, durch die Licht einfallen soll.

Verdunkelbares Glas

Wenn klare Glasflächen bevorzugt werden, gelegentlich aber Sitzschutz gewünscht ist, empfiehlt sich ein Spezialglas, dessen Transparenz sich ändern lässt. Es besteht aus zwei laminierten Glasplatten, zwischen denen eine Flüssigkristall-Folie eingelegt ist. Diese Kristallschicht verändert sich auf Knopfdruck und durch Stromfluss von transparent bis völlig undurchsichtig (siehe Adressverzeichnis, S. 254).

Farbiges Glas

Farbiges Glas eignet sich gut zur dekorativen Raumgestaltung, vor allem, wenn es so platziert ist, dass Licht durchscheint. Es gibt einfarbiges Glas in vielen Farben, von zartem Pastell bis zu intensiven Tönen. Ein farbiges Fenster oder ein altes Buntglasfenster ist ein schöner Blickfang in einem Raum oder einem Treppenhaus. Buntes Glas in der Haustür bringt Farbe in den Flur. Buntglasfenster kann man auch nach eigenen Vorstellungen individuell anfertigen lassen. Glas in intensiven Farben bietet einen gewissen Sichtschutz und ist praktisch für das Bad und andere Privatbereiche.

Glasbausteine

Diese bei Architekten und Innenarchitekten gleichermaßen beliebten Ziegel sind praktisch und attraktiv. Sie lassen Licht durch, sind aber nicht wirklich durchsichtig. Auf größeren Flächen wirkt der Mauerverbund wie ein rhythmisches Muster. Glasbausteine sind so stabil, dass sie auch für tragende Elemente verwendet werden können. Sie eignen sich für glatte und gerundete Wände im Haus und im Freien und bieten obendrein eine gute Wärme- und Geräuschdämmung. Es gibt sie in mehreren Farben und mit verschiedenen Oberflächen, etwa satiniert und geriffelt.

Sicherheit

Glas ist kaum sichtbar und darum relativ gefährlich, vor allem für Kinder. In einigen Bereichen der Wohnung kann es sinnvoller sein, statt klaren Glases lieber satinierte, strukturierte oder farbige Gläser zu verwenden, die man besser sieht. Fußböden und Treppenstufen sollten satinierte Punkte oder Streifen haben, um die Rutschgefahr zu reduzieren. Die Kanten von gläsernen Tischplatten sind zwar normalerweise abgeschrägt und poliert, doch an den spitzen Ecken können sich nicht nur Kinder empfindlich stoßen. Glastrennwände in Feuchträumen sind riskant, weil man ausrutschen und gegen das Glas fallen kann. Eine relativ neue Entwicklung sind Glastüren mit Alarmfunktion. Sie enthalten elektrische Leiterbahnen, die an eine Alarmanlage angeschlossen sind und diese auslösen, wenn das Glas zerbricht.

METALL

Metalle auswählen

Harte, kühle, industriell wirkende Metalle liegen als Material zur Wohnraumgestaltung nicht unbedingt nahe, doch gerade wegen dieser Eigenschaften werden Metalle in modernen Interieurs geschätzt. Kombiniert mit anderen Materialien können glatte Metallflächen für interessante Kontraste in Farbe, Textur und Temperatur sorgen und die sinnliche Dimension eines Raums bereichern. Sichtbare Stahlträger haben eine derbe Ästhetik, die buchstäblich zum Markenzeichen von Loftwohnungen geworden ist.

Metalle werden im Haus für verschiedene Zwecke eingesetzt, von Bauelementen wie Fenstern, Türen und Treppen bis zu Einbauten in Küche und Bad. Wer einen supermodernen Stil liebt, kann Wände, Setzstufen, Türen, Einbauschränke und sogar Decken mit Stahl oder Aluminium verkleiden. Auch weniger verbreitete Materialien wie Zink, Kupfer oder Zinn eignen sich, um Arbeitsflächen und anderen Elementen einen edlen Schimmer zu verleihen.

Unter Umweltgesichtspunkten steht Metall einerseits nicht sonderlich gut da, weil Gewinnung, Verarbeitung und Transport sehr viel Energie verschlingen. Dem steht aber entgegen, dass alle Metalle recycelt werden können. Schmiedeeiserne Pforten und Geländer, Gusseisenkamine und Türbeschläge aus Messing kann man gelegentlich auch beim Baustoffrecycler finden. Gebrauchte Aktenoder Lebensmittelschränke aus Metall dagegen bekommt man eher bei Trödlern mit Gespür für Trends.

Gusseisen

Eisen ist in vielen Legierungen enthalten, beispielsweise in Stahl, der aus dem modernen Bauwesen nicht mehr wegzudenken ist. Gusseisen ist flüssiges Eisen, das in Formen gegossen wird. Es ist stabil und rostet weniger leicht als Schmiedeeisen. Typische Haushaltsprodukte aus Gusseisen sind alte Badewannen, Kamineinsätze und -gitter sowie alte und neue Öfen (siehe Seite 204–205). Auch traditionelle Küchenherde wie der Aga (siehe Seite 234) und manche Töpfe und Pfannen bestehen aus Gusseisen.

Schmiedeeisen

Dieses Eisen wird nicht gegossen, sondern bis zur Rotglut erhitzt, sodass es gestreckt, gehämmert und gedreht werden kann. Aus Schmiedeeisen stellt man Pforten und Zäune, Geländer und Brüstungen her. Es gilt als sehr robust. Kunstschmiede und Bauschlosser stellen individuelle Stücke im Kundenauftrag her.

Stahl

Stahl ist eine Legierung aus Eisen, Kohlenstoff und anderen Metallen, die seine Eigenschaften beeinflussen. Stahl wird für zahllose Produkte verwendet, die exakten Zutaten der Legierung hängen vom jeweiligen Verwendungszweck ab. Eisen hat bis heute ein eher traditionelles Image, Stahl dagegen gibt sich selbstbewusst und trendy. Viele moderne Bauten haben eine Unterkonstruktion aus leichten, stabilen Stahlrahmen.

In trockenen Räumen rostet Stahl normalerweise nicht und braucht folglich keine besondere Behandlung. Man kann ihn lackieren oder farbig anstreichen, um ihn zu versiegeln und vor Luftfeuchtigkeit zu schützen. Er kann auch verzinkt werden, entweder im heißen Tauchbad oder durch Elektrolyse, um ihn vor Rost zu schützen. Durch Behandlung mit einer Kohlenstoff-Kupfer-Mischung entsteht eine oberflächliche Rostschicht, die den darunter liegenden Stahl schützt.

Stahlplatten und Stahlgitter eignen sich für Wände, Stufen (Setzstufe und Auftritt) sowie als Bodenbelag für Galerien und stark strapazierte Bereiche. Die Oberfläche kann gerifft, gerastert, gebürstet oder gelocht sein. Stahlböden kennt man zwar aus dem gewerblichen und industriellen Kontext, doch passen sie durchaus auch in moderne Räume im Loftstil.

Edelstahl

Edelstahl ist das beliebteste Metall für Innenräume, weil er nicht rostet. Die Legierung enthält bis zu 20% Chrom und Nickel und hat eine glatte, edel glänzende Oberfläche. Im Haushalt ist Edelstahl vor allem für die Küche beliebt. Viele Designer haben sich am Stil professioneller Gastronomieküchen orientiert und sachlich-funktionale Küchen gestaltet, die heute voll im Trend liegen. Das Zentrum der zeitgemäßen Küche bildet der ultramoderne Edelstahlherd, oft umgeben von einem Arsenal weiterer Edelstahlelemente von Spülmaschine, Kühlschrank und Mikrowelle bis hin zu Spüle und Spritzschutz (siehe Seite 234–239).

Es ist schwierig, spiegelblank polierten Edelstahl in makellosem Zustand zu halten. Praktischer sind satinierte Oberflächen. Grundsätzlich ist Edelstahl aber recht pflegeleicht, Arbeitsspuren und Flecken lassen sich meist mit einem Küchenschwamm abwischen. Neben Küchenelementen sind inzwischen auch Waschbecken und Badewannen aus Edelstahl erhältlich, allerdings zu stattlichen Preisen.

Küchen- und Badezimmerausstattung aus dem Gastronomiefachhandel ist oft preiswerter als ähnliche Elemente, die für den Haushaltsgebrauch gedacht sind.

1 Schimmernde Paneele aus gebürstetem Aluminium dienen als Wandverkleidung im Nassraum. **2** Die funktionale Eleganz von Waschbecken und Wanne aus Edelstahl in einem modernen Bad. Geeignete Metalle sind: **3** Polierter Edelstahl. **4** Edelstahl-Lochplatten. **5** Poliertes Kupfer. **6** Satinierter Edelstahl. **7** Dunkel patiniertes Kupfer. **8** Satiniertes Aluminium. **9** Patinierter Zink. **10** Aluminium-Lochblech. **11** Geglühtes Kupfer. **12** Polierter Zinn. **13** Edelstahlküchen wirken professionell, verlangen aber viel Pflege. **14** Halb transparente Treppe aus Lochmetall.

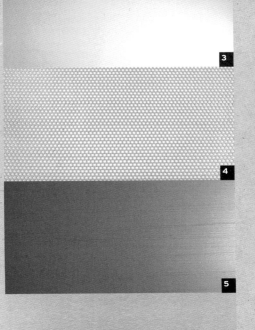

Aluminium

Das leichte Metall wird für Flugzeuge und Räder von Sportwagen verwendet. Eloxiertes Aluminium verwendete man auch für Gegenstände des alltäglichen Bedarfs – in den 1950er und 1960er Jahren waren eloxierte Salatschüsseln en vogue. Im Gegensatz zu Stahl und Eisen rostet Aluminium nicht und eignet sich darum sehr gut für Fensterrahmen. Weil es so leicht ist, bietet es sich zum Verkleiden von senkrechten und waagerechten Flächen an. Es ist mit satinierter Oberfläche und mit geometrischen Prägemustern erhältlich. Platten und größere Bahnen eignen sich gut als leichter Bodenbelag mit moderner Ausstrahlung. Man sollte ihn aber nicht nur punktuell verschrauben, sondern flächig verkleben, damit er beim Betreten nicht klappert. Leichte Tische und Stühle sowie sehr viele Beschläge sind ebenfalls aus Aluminium hergestellt.

Zinn

Zinn fühlt sich überraschend warm an und hat einen schönen Blauschimmer, der intensiver ist als der Silberton anderer Metalle wie Zink und Edelstahl. Früher hatte es einen bedenklich hohen Bleigehalt (bis zu 70 %). Heute gibt es lebensmittelechtes Zinn, das durch Prägestempel gekennzeichnet ist. Zinn wird im Haushalt meist für dekorative Objekte wie Schalen und Griffe verwendet.

Zink

Zink ist ein formbares Metall, das früher für die Verkleidung von Fleischtransportern und als Belag französischer Bartresen verwendet wurde. Zinkblech wurde aber im Lebensmittelbereich größtenteils durch Edelstahl verdrängt. Weil es weich ist und sich durch den Gebrauch abnutzt, entwickelt es mit der Zeit eine schöne Patina. Neue Zinkbleche sind silbrig hell und haben zahllose winzige Spuren vom Walzen. Durch Behandlung mit einer Chemikalienmischung lässt Zink sich patinieren und erhält dann eine dunklere Oberfläche, auf der Gebrauchsspuren weniger auffallen. Weil Zink so weich ist, kann man es leicht biegen, löten, auf Oberflächen nageln oder kleben und auch um die Kanten von Tischen, Arbeitsflächen, Spritzwänden und Schranktüren legen.

Kupfer

Neues Kupfer hat einen typischen Rotschimmer. Das Metall ist langlebig, lässt sich leicht bearbeiten und wird beispielsweise für Rohre und Kabel verwendet. Im Haus wird es hauptsächlich zu dekorativen Zwecken eingesetzt. Küchenschrank-Fronten können mit Kupferblech verkleidet werden, eine sichtbar präsentierte Sammlung von Kupfertöpfen sieht einfach schön aus. Auch für gehämmerte Kaminhauben, Kohlenschütten und andere rustikal wirkende Accessoires wird Kupfer gerne verwendet. Im Freien reagiert es im Lauf der Zeit mit der Kohlensäure im Regen und nimmt eine auffällige, korrosionsbeständige Patina an, die man Verdigris oder Grünspan nennt und die auf Verkleidungen und Dächern harmonisch wirkt. In Innenräumen behält Kupfer normalerweise seine Farbe und seinen Glanz.

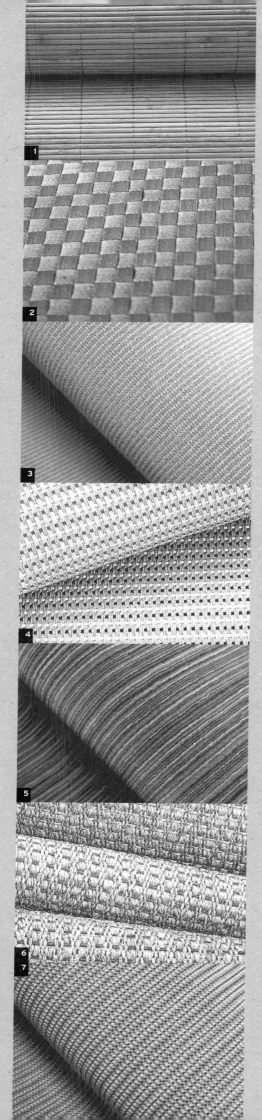

TEPPICH & NATURFASERN

Auslegeware auswählen

Der Fußboden ist eine der wichtigsten Flächen in der Wohnung. Durch ständigen Kontakt beeinflusst er das sinnliche Wohlbefinden, wird aber auch stark strapaziert. Der Boden nimmt eine sehr große Fläche im Raum ein und hat insofern erheblichen Einfluss auf die optische Wirkung. Oft bestimmt er sogar die Atmosphäre des Raums.

Drei Möglichkeiten der textilen Bodengestaltung stehen zur Auswahl: Naturfaserbeläge, Teppichboden und einzelne Teppiche. Weniger verbreitet sind Bodenbeläge aus Leder. Naturfaserprodukte und Teppichboden können flächendeckend verlegt oder in großen Stücken mit eingefassten Kanten als „Teppiche" verwendet werden. Mehrfarbige traditionelle oder moderne Teppiche fallen ins Auge und sind gleichzeitig flexibel. Man könnte einen einzelnen, besonders schönen Teppich als Blickfang einsetzen oder mehrere Läufer zwanglos auf einem Stein- oder Holzboden verteilen.

Naturfaser-Bodenbeläge

Diese Produkte bestehen aus Gräsern, Blättern oder – im Fall von Papier – Holzpulpe. Sie sind glatt gewebt, haben also keinen Flor, und sind in verschiedenen Ausführungen erhältlich. Viele haben eine Latexrückseite. Sie werden als Auslegeware und Matten verschiedener Größen angeboten. Weil sie aus nachwachsenden Materialien bestehen, sind sie umweltfreundlich. Unter den beliebten Naturfasern ist Jute am weichsten. Seegras ist besonders unempfindlich gegen Flecken, Kokosfaser am preiswertesten und Sisal wahrscheinlich am vielseitigsten. Alle Materialien außer Binsen werden einfach mit dem Staubsauger gereinigt. Die meisten Naturfasern – ausgenommen Seegras und Binsen – eignen sich nicht für Feuchtbereiche wie Bad oder Küche.

SISAL Die Faser wird aus den Blättern der Agave gewonnen. Sie ist robust, aber nicht sehr hart, und eignet sich deshalb für die meisten Bereiche der Wohnung. Zudem ist sie recht resistent gegen Feuchtigkeit. Sisal ist in seinem Naturfarbton erhältlich, aber auch in leuchtenden Farben, die allerdings durch Sonnenlicht mit der Zeit ausbleichen.

SEEGRAS Wie Sisal ist auch Seegras recht weich und für die meisten Wohnräume gut geeignet. Es wird auf Sumpfwiesen angebaut und hat glatte, feste Fasern, die relativ unempfindlich gegen Flecken und Wasser sind. Es eignet sich auch für Badezimmer, darf aber nicht durchgehend Feuchtigkeit ausgesetzt sein. Seegras nimmt keine Farbstoffe an und ist nur in seinem natürlichen Beigeton erhältlich.

JUTE Jute ist weich, aber weniger strapazierfähig als Sisal und Seegras. Sie wird gelegentlich mit farbiger Baumwolle verwebt.

ABACA Diese Faser, die auch Manila-Hanf genannt wird, stammt von einer Pflanze aus der Familie der Bananengewächse und wird traditionell für Seile und Matten verwendet.

BINSEN Ein sehr altes Material für Bodenbeläge. Die Blätter werden von Hand gefältelt und vernäht, die Rückseite ist nicht beschichtet. Binsen müssen feucht sein, um geschmeidig zu bleiben, deswegen sollte man sie wöchentlich mit Wasser besprenkeln oder einsprühen.

KOKOSFASER Dieses Material aus den Fasern der Kokosnussschalen fühlt sich unter nackten Füßen sehr rau an, ist aber äußerst strapazierfähig und preiswert. Es wird in Form von Matten, quadratischen Platten und Streifen angeboten. Kokos ist empfindlich gegen Feuchtigkeit.

PAPIER Attraktive, haltbare Bodenbeläge werden aus verwebten Papierstreifen hergestellt. Die Pulpe aus Weichholz wird mit Harzen vermischt, um die Wasserbeständigkeit zu verbessern, und dann zu Fäden versponnen.

Teppichboden

Kaum etwas ist angenehmer unter den Füßen als ein dicht gewebter Wollteppich, darum ist Teppichboden vor allem in Schlafräumen nach wie vor die bevorzugte Wahl. Produkte aus reiner Wolle sind teuer, es gibt aber verschiedene andere Qualitäten in niedrigeren Preisklassen. Eine zweitklassige Qualität bleibt allerdings nicht lange ansehnlich und rechtfertigt letztendlich auch keinen niederen Preis.

Auslegeware gibt es aus verschiedenen Materialien, auch Art, Länge und Dichte des Flors variieren. Neben reinen Wollprodukten werden synthetische Teppichböden (meist Nylon, Polyester oder Polypropylen) und Mischfasern angeboten. Ein Mischungsverhältnis von 20 % Nylon und 80 % Wolle ist recht strapazierfähig und erschwinglich. Eine Auslegeware mit dichtem Flor oder dichten Schlingen wirkt dicker und weicher und ist trittelastischer als ein weniger dichtes Produkt.

AUSLEGEWARE AUS REINER WOLLE ist meist gewebt. Schussfaden und Flor werden in einem Arbeitsgang mit dem Kettfaden verwebt, dadurch ist der Flor kurz. Je dichter das Gewebe, desto haltbarer ist das Produkt.

GETUFTETE AUSLEGEWARE In diesem Fall wird der Flor in ein Untergewebe eingearbeitet. Der Flor kann Schlingenform haben oder geschoren sein, auch Kombinationen beider Formen sind möglich. Solche Produkte sind preiswerter als gewebte Auslegeware, aber recht robust.

RIPS-AUSLEGEWARE Bei dieser gewebten Ware ist der Flor in schmalen Rippen angeordnet, die an Cord erinnern.

LANGFLOR-AUSLEGEWARE Diese Produkte mit langem, zottigem Flor sind neuerdings wieder in Mode. Sie geben vor allem Schlafräumen und Wohnbereichen eine luxuriöse Ausstrahlung. Für Treppen und Bäder sind sie ungeeignet.

KONFEKTIONIERTE AUSLEGEWARE Diese Produkte, bei denen die Fasern mit der Rückseite verschweißt oder verklebt werden, sind preiswert, aber auch dünn und wenig strapazierfähig.

TEPPICHFLIESEN Ursprünglich wurden diese Platten für gewerbliche Räume entwickelt. Inzwischen gibt es sie in vielen Farben und Mustern, die auch für den privaten Wohnraum geeignet sind. Sie sind normalerweise robust und können, wenn sie abgenutzt sind, auch einzeln ausgetauscht werden.

Teppiche

Die Anschaffung eines hochwertigen Teppichs ist eine größere Investition, darum sollte man sich gründlich umsehen, ehe man sich entscheidet. Auch Farben und Muster müssen mit Bedacht gewählt werden. Manche Händler liefern Teppiche zur Probe, damit man in Ruhe beurteilen kann, wie sie in den eigenen Räumen wirken. Teppiche muss man nicht auf den Boden legen. Eine wirklich schöne Arbeit kann auch wie ein Bild an der Wand hängen.

GEWEBTE TEPPICHE Diese Teppiche sind glatt, dünn und meist recht preiswert. Gemusterte Kelims aus kräftiger Wolle stammen meist aus dem Mittleren Osten, aus Baumwolle gewebte Dhurries werden in Indien gefertigt. Beide Typen zeigen oft Jahrhunderte alte Muster der jeweiligen Kulturen, die sehr ausdrucksvoll und geometrisch wirken und auch mit modernen Räumen gut harmonieren. Weil sie weich und geschmeidig sind, kann man sie auch auf einen Tisch legen oder als Tagesdecke oder Überwurf verwenden.

GEKNÜPFTE TEPPICHE Im Gegensatz zu den gewebten Teppichen haben diese einen weichen Flor aus aufrecht stehenden Fasern. Perserteppiche bestehen überwiegend aus Wolle und sind in vielen leuchtenden Farben und faszinierenden Mustern erhältlich. Daneben gibt es eine Reihe anderer Knüpfteppiche, darunter die Gabbehs, deren Muster an keine bestimmten Volkstraditionen anknüpfen. Sie sind oft recht plakativ und zeigen häufig kleine Muster auf einfarbigem Hintergrund.

Für moderne Wohnräume bieten sich zeitgenössische Knüpfteppiche als Alternative zu traditionellen an. Es gibt Modelle mit interessanten Texturen und lebhaften Mustern, aber auch schlichte oder minimalistische Dessins in gedämpften Farbtönen.

Richtig verlegen

Auslegeware sollte man möglichst von einem Fachmann verlegen lassen. Um die Behaglichkeit und Lebensdauer einer Auslegeware zu erhöhen, verlegt man darunter meist eine Unterlage. Das ist auch bei einigen Naturfaserböden nötig, vor allem auf unebenen Fußböden. Besonders hochwertige Unterlage-Materialien bestehen aus Rosshaar und Jute mit einer Beschichtung aus Filz oder Gummi, die vor Schimmel schützt. Damit Teppiche und Läufer auf Dielenböden nicht rutschen, wird darunter ein Gummigitter verlegt.

Naturfaser-Beläge: **1** Bambusmatte. **2** Abaca-Gewebe. **3** Gewebter Wollteppich mit geschlossenen und geschorenen Schlingen. **4** Papier-Gewebe. **5** Gewebter Wollteppich mit Flor. **6** Sisalmatte. **7** Schlichte, gewebte Wollware. **8** Lederplatten sind ein sehr luxuriöser, natürlicher Bodenbelag. **9** Moderne Teppiche gibt es in vielen Farben, Mustern und Preislagen. **10** Retro-Chic im Schlafzimmer mit einem sinnlichen Langflor-Teppich. **11** Schlichter Filzteppich in einer sachlich-strengen Wohnung. **12** Der gewebte Teppich aus Marrakesch bringt auf subtile Weise Farbe und Muster in diesen Raum.

Naturfasermaterialien brauchen Zeit, um sich an ihre neue Umgebung zu gewöhnen. Nach dem Ausrollen im Raum müssen sie 48 Stunden trocknen und sich akklimatisieren, erst dann werden sie maßgenau zugeschnitten.

FERTIGTEILE & ZUBEHÖR

FORM UND FUNKTION

Große und kleine Bauelemente und Fertigteile bestimmen den Charakter eines Raums und spielen daher für die Gestaltung eine wichtige Rolle. In diesem Kapitel geht es vor allem um Funktionalität. Doch ebenso wichtig ist die Ästhetik von Form und Verarbeitung. Es zahlt sich aus, sich bei der Auswahl der Bauelemente und Fertigteile viel Zeit zu nehmen.

Manche Elemente fallen allein durch ihr Format ins Auge. Türen und Kamin beispielsweise können die Stimmung eines Raums prägen, und sind sie einmal eingebaut, ist ein Austausch schwierig und teuer. Sie sollen aber nicht nur gut aussehen, sondern auch einwandfrei und gefahrlos funktionieren. Schon darum ist ihr Einbau ein Fall für den Fachmann. Türgriffe und andere kleine Elemente sind preiswerter und einfacher auszuwechseln. Um die Wirkung eines Raums zu verändern oder subtil zu modernisieren, kann schon der Austausch solcher Details genügen.

Fenster und Türen nehmen nicht nur viel Wandfläche im Raum ein, sie haben überdies auch eine einzigartige Funktion für die Wohnung. Wie Brücken schaffen sie Beziehungen – zwischen Innenraum und Außenbereich, aber auch zwischen zwei Räumen. Hat ein Haus noch die Originalfenster aus der Entstehungszeit, sollten sie unbedingt durch gleichartige ersetzt werden, um die bauliche Integrität (und den Wert des Gebäudes) zu erhalten. Wer ein altes Haus durch einen Anbau erweitert, sollte bei Händlern für historische oder recycelte Baumaterialien nach passenden Fenstern und Türen suchen oder sich geeignete Modelle in stimmigen Proportionen anfertigen lassen. Vor allem Türen verleihen einem Haus traditionellen oder modernen Charakter. Wer neu baut, kann aus einem großen und variantenreichen Angebot auswählen. Selbst riesige Glasflächen sind denkbar, bei denen Kategorien wie Wand, Fenster oder Tür nicht mehr klar abzugrenzen sind.

TÜREN

Türen auswählen

Bei der Auswahl von Türen spielen neben dem Stil des Hauses weitere Faktoren mit, etwa ob es sich um eine Innen- oder Außentür handelt und wie viel Licht sie ins Gebäude lassen soll. Eingangstüren sind meist höher und breiter als die übrigen Türen eines Hauses und bestehen oft aus Massivholz oder einem anderen stabilen Material. Sie sollen den Elementen widerstehen und Zugluft abhalten. Ein weiterer wichtiger Aspekt ist die Einbruchsicherheit. Bei Innentüren ist die Flexibilität in Bezug auf Stil und Material größer, doch sollten sie immer auf den Gesamtstil des Hauses abgestimmt sein.

Holztüren

Seit Jahrhunderten werden Türen aus Holz hergestellt, und noch heute ist Holz das am häufigsten zu findende Material. Für Außentüren empfiehlt sich wegen seiner Stabilität Hartholz (siehe Seite 180). Eine Holzhaustür braucht einen guten Wetterschutz. Vor dem Auftrag einer glänzenden Lackfarbe wird sie mit einem Primer gestrichen und grundiert. Alternativ kann das Holz klar lackiert oder mit einer transparenten Schutzlasur imprägniert werden, sodass es seinen Naturton behält.

Innentüren können farbig gestrichen werden oder naturbelassen bleiben. Eine Mischung aus Leinöl und Schelllack-Politur oder Knopflack (1:1) nährt unbehandeltes Holz und gibt ihm Glanz. Hartholztüren können auch mit Möbelwachs behandelt werden. Mischt man etwas Terpentin dazu, zieht das Wachs leichter ein, glänzt aber weniger.

Holztüren verschiedensten Typs sind in Baumärkten und bei Baustoffhändlern erhältlich. Nach alten Originaltüren sollte man beim Baustoffrecycler oder Händler für historische Baumaterialien fragen (siehe Seite 211).

KASPELTÜREN Diese ganz simplen Holztüren bestehen aus nebeneinander angeordneten Brettern, die mit Z-förmig aufgesetzten Leisten zusammengehalten werden. Dieser Türentyp passt am besten in schlichte, traditionelle Häuser.

KASSETTENTÜREN Diese Türen kamen im 18. Jahrhundert auf und sind noch heute sehr verbreitet. Je nach Stil und Epoche haben sie meist drei oder vier Felder, die oft mit Zierleisten abgesetzt sind.

GLATTE TÜREN Im 20. Jahrhundert baute man Türen mit einem innen liegenden Rahmen und glatter Verkleidung, die gut zu dem neuen, weniger förmlichen Einrichtungsstil passten. Weiß gestrichene Sperrholztüren wirken etwas fade. Modelle mit interessanten Furnieren oder farbigen Lackierungen machen mehr her.

1 Glatte Türen sind vielseitig und modern. Hier wird die Fläche durch reliefartige Kreise aufgelockert. **2** Hinter dieser robusten Metallschiebetür mit der kräftigen Schiene verbirgt sich ein funktionales Bad. **3** Die Proportionen der klassischen Kassettentüren spiegeln die Baustile des 18. und 19. Jahrhunderts wieder. Solche Türen und ihr dekorativer Rahmen sind meist gestrichen.

Glastüren

Glastüren sind in modernen Wohnungen beliebt, weil sie Räume hell und luftig wirken lassen. Neue Techniken der Glasherstellung ermöglichen den Einbau sehr großer Glasflächen, allerdings muss man sich beim Fachmann über den geeigneten Glastyp, die Stabilität und Dicke beraten lassen, um Aspekten wie Sicherheit und Energieeffizienz gerecht zu werden. Für Außentüren sollte man schon aus Sicherheitsgründen gehärtetes Glas oder Verbundglas wählen (siehe Seite 192–193).

Türen können ganz aus Glas bestehen und nur von Metallbeschlägen gehalten werden. Denkbar sind auch Holz- oder Metalltüren mit Glaseinsätzen verschiedener Größe. Gläserne Innentüren lassen Licht in Räume fallen, die sonst düster wären. Wo Sichtschutz keine Rolle spielt, erlauben sie reizvolle Ausblicke und schaffen den Eindruck einer offenen Wohnung, können aber dennoch bei Bedarf geschlossen werden. Farbiges oder gemustertes Glas lässt eine Tür interessanter aussehen, verdeutlicht aber auch ihre Funktion als Barriere.

Metalltüren

Massive Metalltüren passen mit ihrer Industrieästhetik gut in umgebaute Lofts, auf Metallschienen laufende Schiebetüren wirken am überzeugendsten. Leichte Metallrahmen-Türen mit großen Glasflächen eignen sich für verschiedene Zwecke. Aluminiumrahmen sind leicht und flexibel, das Verhältnis von Stabilität zu Gewicht ist günstig. Stahl ist jedoch insgesamt kräftiger. Besonders langlebig sind verzinkte Stahlrahmen, die durch eine Pulverlackierung vor Rost geschützt sind. Pulverbeschichtete Metallrahmen brauchen nahezu keine Pflege, sie sind in vielen Farben erhältlich und für Innen- und Außenbereiche gleichermaßen geeignet.

Drehtüren

Bei diesen Modellen ist das Gewicht des Türblatts zwischen den beiden Polen der Drehachse verteilt, die nicht unbedingt in der Mitte liegen müssen, solange dadurch die Stabilität nicht beeinträchtigt wird. Diese Technik bietet sich vor allem für sehr große Türen an, etwa eine deckenhohe Glastür in den Garten, deren bloßes Gewicht die Scharniere verbiegen oder schlimmstenfalls aus der Wand reißen könnte.

Schiebe- und Falttüren

Schiebetüren sind praktisch, weil sie keinen Platz zum Aufschwingen brauchen. Sie können entweder in eine Wand eingebaut werden oder auf Schienen laufen, die an der Wand befestigt sind. In diesem Fall liegt die geöffnete Tür vor der Wand. Türen, die in der Wand verschwinden, müssen versenkte Beschläge haben, die sich nicht in der Führung verklemmen können.

4 Raumhohe Türen wie dieses Holzrahmenmodell mit Glas vergrößern Räume optisch, weil die Wandfläche nicht durch den oberen Türrahmen unterbrochen wird. **5** Die riesige Drehtür aus Glas mit Metallrahmen ist eine Synthese aus Wand, Fenster und Tür. **6** Bunte Glasfelder in der doppelflügeligen Haustür schmücken den Flur. Solche traditionellen Türen kann man beim Baustoffrecycler finden. **7** Eine Tür aus satiniertem Glas lässt Licht von einem Raum in den anderen fluten. **8** Drehtüren, die sich zur Seite schieben lassen, sind praktische Raumteiler. **9** Individuell gefertigte Türen lassen sich perfekt der Einrichtung anpassen und beweisen Liebe zum Detail.

Glasschiebetüren werden gerne als Terrassentüren verwendet (siehe Seite 203). Für sehr breite Durchgänge empfehlen sich Falttüren, die sich wie eine Ziehharmonika zu einer oder beiden Seiten zusammenklappen lassen (siehe Seite 165).

Doppeltüren

Eine stattliche Doppelflügeltür als Verbindung zwischen zwei Räumen sieht offen und geschlossen gleichermaßen elegant aus. Eine schmale Doppeltür, deren Flügel zusammen Standard-Türbreite (oder etwas mehr) haben, bietet sich für Bereiche an, in denen der Platz zum Aufschwingen des Türblatts fehlt – und auch eine Schiebetür keine Lösung wäre. Natürlich gibt es auch doppelflügelige Schiebetüren.

Verkleidete Türen

Glatte Türen kann man mit Metallplatten, Stoff, Leder, einer Collage oder jedem anderen Material verkleiden, solange dadurch die Funktion nicht beeinträchtigt wird. Eine solche Dekoration fällt immer ins Auge, ob sie nun auf die sonstige Raumgestaltung abgestimmt ist oder damit kontrastiert.

Französische Türen

Diese spezielle Türform entstand im späten 19. Jahrhundert. Es ist eigentlich eine Kreuzung zwischen Tür und Fenster. Die Modelle haben volle Türhöhe und bestehen aus zwei verglasten Flügeln – ganzflächig oder mit Sprossen. Die einzelnen Flügel können halbe oder volle Türbreite haben. Französische Türen eignen sich für Durchgänge zwischen Räumen oder, der Tradition entsprechend, als Außentüren zu Balkon, Terrasse oder Wintergarten. In Bezug auf die Sicherheit haben sie ein Manko: In der Mitte, wo die beiden Flügel zusammentreffen, befindet sich keine feste Verstrebung, man kann sie also relativ leicht aufhebeln.

Sicherheit

Wer etwas für den Einbruchschutz tun will, braucht sein Haus nicht gleich in eine Festung zu verwandeln. Außentüren und Rahmen sollten möglichst stabil und mit Sicherheitsschlössern ausgestattet sein. Empfehlenswert sind Schlösser mit fünf Stahlriegeln. Auch Seiten- und Hintertüren brauchen ein gutes Sicherheitsschloss. Die Mindestanforderungen zur Sicherheit finden Sie im Kleingedruckten Ihrer Hausratversicherung. Denken Sie andererseits daran, dass Sie bei Gefahr (etwa durch Feuer) Ihr Haus schnell verlassen müssen. Darum sollten Schlüssel immer griffbereit am gleichen Platz aufbewahrt werden, damit man sie nie suchen muss.

FENSTER

Fenster auswählen

Fenster lassen Licht und Luft ins Haus. Als fester Bestandteil der Bausubstanz prägen sie den Stil des Hauses und sollten darauf abgestimmt sein.

Vor 1920 baute man fast ausschließlich Holzfenster ein, und unter Umweltaspekten sind sie noch heute die beste Wahl. Besonders langlebig sind Fenster aus druckimprägniertem Holz, das zudem mit einer speziellen Farbe gestrichen wird, durch deren Mikroporen Feuchtigkeit verdunsten kann. Manche dieser Farben haben eine garantierte Haltbarkeit von sechs oder acht Jahren.

Metallfenster wirken geradlinig und sachlich. Sie kamen in den 1920er Jahren auf den Markt und eignen sich besonders für Häuser und Wohnungen aus dieser Zeit sowie für umgebaute Industrie- und Gewerbeimmobilien. Bis heute sind sie sehr beliebt.

Kunststofffenster sind zwar in vielen neu gebauten Häusern zu finden, doch in älteren Gebäuden können sie ausgesprochen deplatziert wirken. Fenster aus PVC sollte man meiden, weil dieser Kunststoff Dioxin abgibt, das der menschlichen Gesundheit und der Umwelt schadet (siehe Seite 191).

Drehkipp-Fenster

Konventionelle Drehfenster öffnen sich wie eine Tür. Es gibt Modelle mit einem und mit zwei Flügeln, die Scharniere sind seitlich angebracht. Solche Fenster findet man vor allem an kleiner dimensionierten Häusern. Bei Drehkipp-Fenstern haben die Flügel zusätzlich am unteren Rahmen ein Scharnier und am oberen Rahmen eine Halterung, die so genannte Schere, die nur eine geringe Öffnung zulässt. Es gibt diese Fenster aus Holz, Kunststoff und Metall. Drehkipp-Fenster aus Metall passen vor allem in umgebaute Industriegebäude.

Schiebefenster

Bei diesen Fenstern, die aus dem angelsächsischen Raum stammen, wird zum Öffnen ein Flügel vor den anderen geschoben.

Bei herkömmlichen, senkrecht verschiebbaren Fenstern wird der bewegliche Flügel durch Schnüre und Gegengewichte fixiert, die in einem Kasten seitlich des Rahmens untergebracht sind. Bei moderneren Modellen ist im Rahmen eine Arretierungsfeder eingebaut. Hohe Schiebefenster mit Sprossen sind typisch für elegante Bauten aus dem 18. Jahrhundert.

Schiebefenster sind bei sachgerechtem Einbau ebenso dicht und sicher wie andere Fenster. Schiebefenster ohne Sprossen können auch doppelt verglast werden.

1 Dekorative Details wie diese Rosette aus runden Fenstern geben einem Haus sehr viel Charakter und weisen oft darauf hin, dass das Gebäude ursprünglich nicht als Wohnraum genutzt wurde. **2** Oberlichter sind eine gute Alternative zu konventionellen Fenstern. Hier liegt das Oberlicht in einer Öffnung im Fußboden, damit das Licht bis ins untere Geschoss fällt. **3** In heißen Ländern ist gute Luftzirkulation zur Kühlung wichtig. Diese Fenster haben Glaslamellen, die man nach Wunsch öffnen oder schließen kann. **4** Moderne Glastechnologie erlaubt den Einbau großer Glasflächen ohne sichtbaren Rahmen. **5** Eine durchgehende Glasfront zieht sich um die Zimmerecke und hebt die Decke optisch an. **6** Die satinierte Tür lässt Licht durch, schützt aber vor Einblicken. **7** Moderne Fenster sind wie flache Kästen auf die Mauer gesetzt. **8** Zart getönte Glasscheiben setzen im Bad dezente Akzente.

Runde und ovale Fenster

„Bullaugen" und ovale Fenster waren im 17. und frühen 18. Jahrhundert beliebt, vor allem für Giebel und Gauben. Aber auch in modernen Fassaden können solche unkonventionellen Fensterformen sehr interessant aussehen.

Terrassentüren

Ein Abkömmling des Fensters ist die Terrassentür, die in zahllosen moderneren Häusern zu finden ist und als Zugang vom Wohnbereich zum Garten, zur Terrasse oder zu einem Innenhof dient. Historisch gehen diese Türen auf die Zugänge der Innenhöfe spanischer und südamerikanischer Häuser zurück. Früher bestanden sie aus zwei Glasflächen, die meist mit Sprossen unterteilt waren und zum Öffnen seitlich verschoben wurden. Heute verwendet man meist Dreh- oder Drehkipp-Türen. Wie bei allen anderen Fenstern im Haus können die Rahmen aus Holz, Kunststoff oder Metall bestehen.

Manche modernen Architekten lösen die Trennung zwischen Fenster, Tür und Wand auf und kombinieren alle drei Funktionen in Form großer Glasflächen, die um eine senkrechte Achse gedreht werden können. Moderne Konstruktionstechniken ermöglichen, sofern Bau und Grundstück es zulassen, auch andere Lösungen. Man kann eine Glaswand im Boden versenken, zur Seite oder nach oben schieben, sodass Innen- und Außenraum nahtlos miteinander verschmelzen.

Durchgehende Glasfronten

Im Gegensatz zu einzeln in die Wand gesetzten Fenstern sind mit dieser Bezeichnung Fenster gemeint, die einen langen, fortlaufenden Streifen in einer Außenmauer bilden oder um eine Ecke weitergeführt werden. Typisch sind diese Fenster für den Baustil des Modernismus und der Folgezeit, man kennt sie aus Entwürfen von Le Corbusier und anderen. Wie gläserne Schiebetüren und Glastüren (siehe Seite 200) haben diese Fenster meist schmale Metallrahmen. Glasfronten ganz ohne Rahmen können nur eingebaut werden, wenn die Außenwände keine tragende Funktion haben, sondern diese von Trägern oder Pfosten aus Stahl oder Beton übernommen wird. Solche Trägerkonstruktionen können als Skelett dienen, für das die Außenwände nur eine Hülle bilden. So werden selbst komplette Glaswände möglich, durch die helles Licht ins Gebäude strömt.

Lamellenfenster

Diese Fenster bestehen aus Glaslamellen, die sich stufenlos öffnen lassen, um an heißen Tagen für Lüftung und bei Bedarf für Durchzug zu sorgen. In tropischen Ländern kann es auch sinnvoll sein, eine Lüftung in eine Wand einzubauen, in der Fenster eigentlich nicht erforderlich sind. In diesem Fall bieten sich hölzerne Fensterläden mit waagerecht stehenden Lamellen an, die Schatten spenden, aber die Luftzirkulation nicht behindern.

Schwingfenster

Ursprünglich wurden diese Fenster, die sich um eine waagerechte Achse drehen, für Dachschrägen entwickelt (siehe Seite 156–158). Inzwischen gibt es jedoch verschiedene Varianten, die sich auch für andere Zwecke eignen. Neben den waagerecht drehbaren Fenstern sind auch senkrecht drehbare erhältlich. Andere kippen erst aufwärts und schwingen dann, wie ein Garagentor, unter die Decke.

Oberlichter

Ins Dach eingebaute Oberlichter sind praktisch, um Tageslicht in Obergeschosse und eingeschossige Häuser zu holen. Der Blick in den Himmel und die Nähe zu den Elementen können reizvoll sein, allerdings wird es nicht jeder schätzen, mitten in der Nacht von prasselndem Regen geweckt zu werden. Aus diesem Grund baut man solche Oberlichter besser in Badezimmern, Wohnbereichen, Küchen oder ausgebauten Dachböden ein. Manche lassen sich mittels einer Fernsteuerung öffnen und schließen, andere haben integrierte Sensoren, die auf Regen oder Temperaturveränderungen reagieren und sich bei nassem Wetter selbsttätig schließen oder eine Jalousie zuziehen, wenn die Sonne zu heiß brennt.

Innenfenster

Abgesehen von Oberlichtern sind auch Fenster in Innenwänden eine gute Möglichkeit, um Licht in dunkle Räume zu holen. Finstere Winkel werden aufgewertet, wenn sie sich Licht vom Nachbarraum „ausleihen". Innenfenster können in Wände, Türen und Raumteiler eingebaut werden. Falls Sichtschutz erwünscht ist, verwendet man satiniertes Glas. Farbiges Glas oder farbige Folien, die auf das Glas geklebt werden, können bei Bedarf die Helligkeit regulieren.

Sicherheit

Unerwünschte Besucher steigen gerne durch Fenster ein, darum sollte man bei der Wahl der Fenster vor allem an die Sicherheit denken. Nicht nur Fenster aus individueller Fertigung können mit unauffälligen Schlössern ausgestattet werden, auch im Baumarkt findet man abschließbare Fenster in vielen Standardmaßen. Selbst Typen, die sich zur Lüftung in gekipptem Zustand abschließen lassen, sind erhältlich. Abschließbare Fenstergriffe können bei vielen Fenstern noch nachträglich eingebaut werden. Für Fenster und Terrassentüren im Erdgeschoss empfiehlt sich gehärtetes Glas. Letztlich ist auch die eigene Disziplin eine gute Diebstahlsicherung, denn viele Einbrecher nutzen die Gunst der Stunde, wenn sie ein offen stehendes Fenster entdecken.

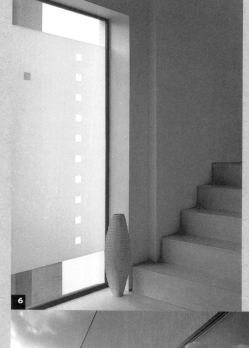

6

7

8

KAMINE & ÖFEN

Kamine und Öfen auswählen

Ein Feuer ist für jeden Raum eine Bereicherung. Es ist nicht nur ein Blickfang, der die Atmosphäre des Raums beträchtlich beeinflusst. Lodernde Flammen sorgen auch für Bewegung, Farbe und natürlich Wärme. Dabei spielen zwei Aspekte eine Rolle: die Art des Feuers selbst und die Gestaltung seiner Umgebung. Beide sollten miteinander harmonieren. Zu einem rustikalen Holzfeuer passt ein schlichter Kamin besser als ein kunstvolles Modell aus Marmor.

Für welche Brenntechnik Sie sich entscheiden, hängt von Ihrem Lebensstil und von der Verfügbarkeit verschiedener Brennstoffe ab. Vor der Anschaffung einer zusätzlichen Feuerstätte ist unbedingt der örtliche Kaminkehrermeister zu Rate zu ziehen.

Aufbau eines Kamins

Ob Sie sich für echtes Feuer entscheiden oder einen Effektbrenner bevorzugen, hat wenig Einfluss auf den Aufbau. Soll Holz verbrannt werden, kann auf Feuerkorb oder -rost verzichtet werden, Brennkammer, Schornstein und Zug müssen aber vorhanden sein.

KAMIN UND ZUG Ein Schornstein und der darin liegende Zug sind für jedes Feuer nötig. Im offenen Kamin und im Kaminofen entstehen Gase, die heißer und weniger dicht als die Raumluft sind. Sie entweichen zusammen mit Rauch und anderen Verbrennungsgasen durch den Zug und gelangen dann durch den Schornstein ins Freie. Auch ein Gasfeuer braucht einen Zug, durch den die Abgase entweichen können.

BRENNKAMMER Die Brennkammer besteht aus zwei Teilen. Die eigentliche Brennfläche liegt direkt unter dem Feuer, der vordere Bereich der Kammer öffnet sich zum Raum hin. Die Brennkammer muss aus hitzefestem Material bestehen, etwa feuerfesten Ziegeln oder Schamottesteinen. Naturstein, Marmor oder Fliesen dürfen keinesfalls verwendet werden, weil sie platzen oder explodieren könnten. Davor befindet sich der im Boden verankerte vordere Rahmen der Brennkammer (meist aus Beton) und davor wiederum eine dekorative Einfassung, die ebenfalls aus einem nicht brennbaren Material wie Stein, Marmor, Schiefer oder Keramik bestehen muss.

FEUERROST ODER -KORB Hier wird das eigentliche Feuer entzündet. Körbe aus Stahl oder Gusseisen, die man in die Brennkammer stellt, gibt es in vielen Formen und Ausführungen von traditionell bis modern.

RÜCKWAND Nach Wunsch kann die Brennkammer mit einer speziellen Rückwand versehen werden, die einerseits Wärme in den Raum reflektiert und andererseits das Mauerwerk schützt. Sie befindet sich hinter dem Feuerkorb oder Gitter und besteht meist aus Gusseisen oder speziellen Schamotte-Ziegeln.

SOCKEL Der Sockel trägt das Gewicht der Brennkammer. Er kann aus jedem stabilen, nicht brennbaren Material bestehen. In älteren Häusern sieht man oft Kamine mit gemauertem Sockel.

EINFASSUNG UND SIMS Dies ist der dekorative Teil eines Kamins. Klassische Versionen bestehen meist aus Stein, Fliesen, Marmor oder Schiefer. Für moderne Kamine werden auch innovative Materialien wie faserhaltiger Putz oder Harze verwendet.

Sicherheit und Vorbereitungen

Ehe Sie den Kamin anzünden, sind zur Sicherheit einige Kontrollen nötig.

1 Luftzufuhr. Alle Brennstellen brauchen unabhängig vom Brennstoff eine ausreichende Luftzufuhr, damit Verbrennung und Zug funktionieren. Wer doppelt verglaste, dichte Fenster hat, muss eventuell ein Lüftungselement in die Außenmauer einbauen lassen.

2 Ist der Schornstein geeignet und intakt? In alte, verputzte oder gemauerte Schornsteine muss ein separater Rauchgasabzug eingelassen sein. Andernfalls können die Verbrennungsgase in den Mörtel eindringen und die Stabilität des Schornsteins beeinträchtigen.

3 Wurde der Schornstein gefegt? Der Schornstein muss frei sein – Vogelnester, Schmutz und Ruß können ihn verstopfen. Selbst wer Gas oder andere rauchfreie Brennstoffe benutzt, sollte den Schornstein regelmäßig fegen lassen, um das Risiko eines Schornsteinbrandes oder gefährlicher Emissionen zu vermeiden.

4 Wer zum ersten Mal nach längerer Pause ein offenes Feuer entfachen will, sollte den Schornstein vorwärmen. Es genügt, einen Kaminanzünder oder ein Stück Zeitungspapier anzuzünden und einige Minuten in den Kamin zu legen. Dadurch zieht der Kamin besser, und die Verbrennungsgase können leichter entweichen.

5 Ein offenes Feuer darf niemals unbeaufsichtigt bleiben, auf jeden Fall sollte ein Schirm aufgestellt werden, der fliegende Funken abfängt. Wenn Kinder oder Menschen, die nicht sicher auf den Beinen sind, den Raum benutzen, sollte der Schutzschirm ständig stehen bleiben.

6 Rauchmelder mit Batteriebetrieb sind eine sinnvolle Anschaffung. Neuerdings gibt es auch Geräte, die auf entflammbare Gase und Kohlenmonoxid reagieren.

Kauf und Einbau

Fachhändler bieten meist eine Reihe verschiedener Modelle an: vom restaurierten, antiken Kamin bis zum modernen Design, vom Effektfeuer bis zur echten Brennstelle. Außerdem übernehmen sie den fachgerechten Einbau.

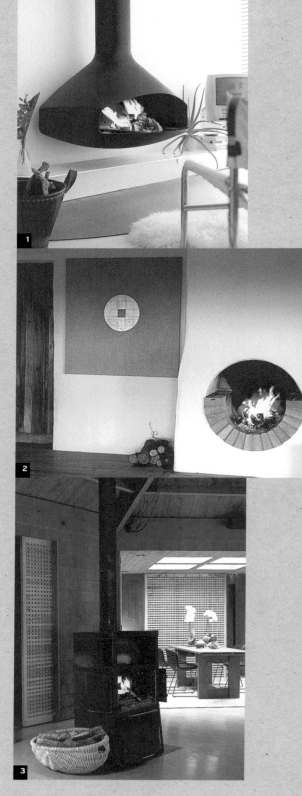

1 Eine moderne Interpretation des klassischen Kamins mit Brennkammer und Zug aus Stahl. 2 Der kreisrunde, bündig in die Wand eingelassene Kamin ist im unteren Bereich mit Ziegeln verkleidet. 3 Kaminöfen geben mehr Wärme ab als offene Kamine. Sie bieten sich an, wenn reichlich Brennholz verfügbar ist. 4 Weil warme Luft aufsteigt, ist dieser Kamin nicht sonderlich effizient, aber durchaus dekorativ und gemütlich. 5 Der strenge, senkrechte Kamin ist konsequent auf das Wesentliche reduziert. 6 Die Kamineinfassung mit den klassischen Proportionen und der sparsamen Dekoration verbindet Tradition und Moderne. 7 Asiatisch inspiriert wirkt dieser Gaskamin mit Steinsplitt in einer glatten Steinfläche.

Bei Baustoffrecyclern und Händlern für historische Baumaterialien kann man schöne alte Kamine finden, die ebenfalls vom Fachmann eingebaut werden müssen. Kontrollieren Sie alte Kamine auf Risse, weil diese sich durch die Hitze vergrößern können. Prüfen Sie auch, ob die übrigen Gusseisenteile intakt sind, denn es ist schwierig, passenden Ersatz zu finden.

Holz- und Festbrennstoffe

Ein echtes Feuer ist unglaublich gemütlich, allerdings kosten das Anzünden und das Beseitigen der Asche etwas Mühe. Sie haben die Wahl zwischen offenen Kaminen und geschlossenen Kaminöfen.

KAMINÖFEN Kaminöfen mit Holzfeuerung sind seit langer Zeit in Skandinavien, Nordamerika und anderen bewaldeten Regionen beliebt. Sie liefern mehr Wärme als offene Kamine. Heute gibt es Modelle, in denen außer Holz auch andere Festbrennstoffe verwendet werden können. Bei einigen lässt sich auf der Rückseite ein Wasserbehälter installieren, der warmes Wasser für den Haushalt liefert oder mehrere Heizkörper versorgt.

Kaminöfen können entweder auf einem geeigneten Untergrund frei stehen oder in eine Nische am Schornstein eingebaut werden. Sie bestehen meist aus Gusseisen, Stahlplatten oder einer Kombination aus beiden. Gusseisen hat viele Vorteile. Es ist sehr langlebig und lässt sich in viele verschiedene Formen gießen. Kaminöfen aus gebogenen, verschweißten Stahlplatten dagegen sind luftdicht und in der Regel preiswerter.

OFFENE KAMINE Die Minimalversion des Kamins besteht aus Brennkammer, Feuerrost und Zug, das andere Extrem wäre der eingebaute Kamin mit dekorativer Einfassung und maßgenauem Gitter. Ob ein Kamin gut brennt, hängt vom Verhältnis von Breite, Höhe und Zug einerseits und der Öffnung der Brennkammer andererseits ab. Dieses Verhältnis lässt sich beeinflussen, indem man eine Metallhaube oder eine flache Metallplatte anbringt, um die Öffnung zu verkleinern. Ein qualifizierter Ofensetzer kann genau berechnen, wie der optimale Kamin für einen Raum dimensioniert sein muss.

FESTBRENNSTOFFE In Deutschland ist die Verbrennung von Festbrennstoffen im Bundes-Immissionsschutzgesetz geregelt (Verordnung über kleine und mittlere Feuerungsanlagen). Auf kommunaler Ebene können aufgrund von Bebauungsplänen Verbote für den Einsatz fester Brennstoffe ausgesprochen werden. Erkundigen Sie sich bei der Stadtverwaltung, welche Brennstoffe genehmigt sind. Je nach Art des Heizgerätes können Sie Eierkohlen aus Anthrazit-Feinkohle verbrennen, die einen sehr hohen Heizwert haben, oder Briketts aus Braunkohle. Beachten Sie die Gebrauchsanweisung des Herstellers.

HOLZ Kaminholz muss gründlich getrocknet werden. Frisches Holz enthält zu viel Feuchtigkeit und brennt darum nur schlecht. Für einen offenen Kamin ist Hartholz von Laubbäumen zu empfehlen. Nadelholz neigt wegen des Harzgehalts dazu, Funken zu sprühen. Es eignet sich zum Anzünden des Kamins, ansonsten aber eher für geschlossene Kaminöfen. Beim Verbrennen von Holz entsteht Ruß, der sich mit der Zeit im Schornstein ablagert und zu Abzugsproblemen und sogar zu Schornsteinbränden führen kann. In offenen Kaminen reicht die Sauerstoffzufuhr meist aus, um den Großteil der Gase zu verbrennen. In einem Kaminofen sollte man aber nach dem Nachlegen von Holz die Luftklappen öffnen und so die Hitze erhöhen, bis die Flammen erlöschen. Das Verbrennen von Holz ist unter Umweltaspekten akzeptabel, solange einheimisches Holz verfeuert wird.

Gasbrenner

Viele moderne Gaskamine sehen sehr überzeugend aus. Sie wirken wie „echte" Kamine, sind aber unkomplizierter zu bedienen. Gas kann zudem sparsamer als Festbrennstoff sein, weil es mehr Wärme liefert. Das ist vor allem dann von Belang, wenn es nicht nur um den dekorativen Effekt geht. Ein Schornstein mit Zug und Zugluft von außen muss vorhanden sein. Kontaktieren Sie auch hier wieder den örtlichen Kaminkehrermeister. Gaskamine müssen von einem qualifizierten Installateur eingebaut und einmal jährlich gewartet werden.

Alternativen zum Feuer

Moderne Gasbrenner bauen heute weniger auf den konventionellen „Kohleneffekt". Neue Modelle sind mit Keramik-„Kieseln" und anderen Materialien ausgestattet. Daneben werden neue Brennstoffe entwickelt, die ganz ohne gefährliche Emissionen Gemütlichkeit verbreiten. Ein Beispiel ist Brennpaste, die man in einem geeigneten Gefäß im Kamin verbrennen kann. Sie braucht keinen Abzug und ist darum sehr vielseitig. Die Paste wird aus einem Abfallprodukt der Zuckerrohrverarbeitung gewonnen und gibt beim Verbrennen nur Wasserdampf und etwas Kohlendioxid ab. Neu auf dem Markt ist auch Öko-Holzkohle aus gepressten Olivenkernen.

HEIZUNG & KLIMATECHNIK

Ein Heizungssystem auswählen

Für die Auswahl eines Heizsystems sind in erster Linie drei Faktoren entscheidend: die vorhandene Energieart (Heizöl, Gas, elektrischer Strom oder Festbrennstoffe), der gewünschte Komfort der Heizung (Brennwertgeräte, hocheffiziente Regelanlagen) und die Art der Heizflächen (Heizkörper, Fußbodenheizung, Wandheizung oder Konvektorenheizung. Schließlich kommen Fragen von Stil und Materialien zum Tragen. Über all das sollten Sie sich von einem Fachmann beraten lassen.

Materialien

Früher waren Heizkörper aus Gusseisen üblich. Heute werden aus fertigungstechnischen Gründen in erster Linie Stahlheizkörper aus gepressten Blechen oder geschweißten Rohren verwendet. Gelegentlich werden auch Heizkörper aus Aluminium oder Edelstahl angeboten. Neu sind Heizkörper aus Stein oder Glas, deren Oberfläche mit einem speziellen durchscheinenden Überzug versehen sind (siehe www.baulinks.de, im Speziellen unter www.aestus-radiators.com). Diese Schicht wird elektrisch aufgeheizt und erwärmt dadurch das Trägermaterial. Dieses wiederum strahlt mindestens 80% der Wärme in den Raum ab. Solche Heizkörper sehen zwar gut aus, sind aber nicht sonderlich effizient, weil eine elektrische Heizung generell teurer ist als andere Techniken.

Heizkörper

Es gibt Heizkörper in verschiedenen Größen, Formen und Oberflächen. Manche sind als Blickfang konzipiert, andere passen sich diskret der Raumgestaltung an. Wer alte Heizkörper aus Kostengründen nicht ersetzen will, kann sie in der Wandfarbe streichen, sodass sie kaum ins Auge fallen. Bei der Farbauswahl ist zu beachten, dass es sich um hitzebeständige Heizkörperfarben handelt.

KLASSISCHE RADIATOREN Traditionelle Heizkörper haben eine solide Ausstrahlung, die in alten und modernen Wohnungen gleichermaßen gut aussehen kann. Stahlradiatoren kann man neu und gebraucht kaufen, beim Baustoffrecycler findet man auch alte Radiatoren aus Gusseisen. Diese müssen allerdings der modernen Installationstechnik angepasst werden, zudem ist es nicht einfach, ihre Wärmeabgabe zu kalkulieren. Ablagerungen im Inneren müssen vor Gebrauch chemisch entfernt werden. Aufgrund der Energieeinsparungsverordnung ist es allerdings sehr schwierig, alte Modelle genehmigen zu lassen.

VERTIKALHEIZKÖRPER Schlanke, an der Wand montierte Heizkörper sind eine gute Lösung für enge Räume, weil sie auch auf schmale Flächen zwischen Türen oder Fenstern passen. Es gibt viele Modelle, beispielsweise mit eng angeordneten senkrechten oder waagerechten Rippen, mit geometrischen Rastern und Spiralen. Vertikalheizkörper eignen sich für alle Räume der Wohnung, sind aber vor allem in Bad und Küche praktisch. Neben eher unauffälligen Modellen in Weiß gibt es eine Reihe moderner, dekorativer Varianten mit schwarzer oder verchromter Oberfläche. Manche Hersteller fertigen Heizkörper nach individuellen Wünschen an.

NIEDRIGE HEIZKÖRPER Groß ist auch die Modellauswahl sehr niedriger Heizkörper, die beispielsweise unter großen Fenstern installiert werden können. Manche haben eine Kastenform und bestehen aus einer oder mehreren Reihen von Rippen.

VERSENKTE HEIZKÖRPER (KONVEKTOREN) Wie konventionelle Radiatoren erwärmen auch diese Modelle den Raum durch Luftumwälzung, sind aber nahezu unsichtbar. Im Boden befindet sich ein Gitter, unter dem der Konvektor eingelassen ist. Sie eignen sich für minimalistische Interieurs, aber auch für Räume, in denen wenig Wandfläche vorhanden und eine Fußbodenheizung nicht gewünscht oder nicht möglich ist.

Heizkörper-Verkleidungen

Um traditionelle Radiatoren in eine moderne Einrichtung zu integrieren, kann man sie verkleiden. Die Verkleidung muss im Oberteil, an den Seiten oder in der Vorderseite Öffnungen haben, damit die warme Luft zirkulieren und aufsteigen kann. Allerdings absorbieren sie einen Teil der Wärme und behindern die Wärmeabgabe an den Raum.

Fußbodenheizung

Eine Fußbodenheizung eignet sich für fast alle Bodentypen. Sie ist besonders sinnvoll für moderne Wohnungen mit großen Bodenflächen, Glaswänden und Raumteilern, die wenig Wandfläche zum Platzieren von Heizkörpern bieten. Praktisch ist sie aber auch in kleinen Wohnungen, weil alle Wände frei bleiben. Eine Fußbodenheizung besteht aus Rohren oder anderen Leitungen, die im Estrich verlegt werden. Sie erwärmen den Fußboden, der dadurch wie ein großer Heizkörper wirkt. Wegen der großen Oberfläche reicht eine relativ geringe Heiztemperatur aus, um den Raum gleichmäßig zu erwärmen. Jeder Raum kann über eine Vorregulierung individuell temperiert werden. Fußbodenheizungen werden üblicherweise als Warmwassersysteme betrieben und können wahlweise auch mit Wärmepumpen oder Solaranlagen kombiniert werden. Das Wasser wird durch ein Netzwerk aus Kunststoffrohren gepumpt, das im Boden liegt. Weil es nicht heiß ist, sondern nur warm, kann es nicht direkt an den Heizkessel angeschlossen werden, son-

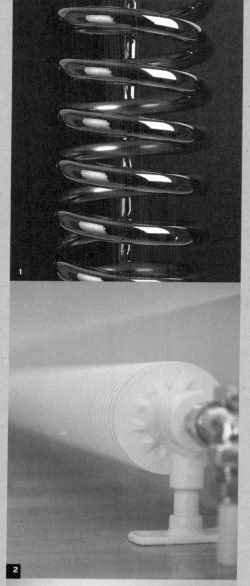

1 Moderne Heizkörper sind längst nicht mehr nur funktional, sondern in vielen attraktiven Formen erhältlich. **2** Ein niedriger Konvektionsheizkörper mit Scheibenkonstruktion. **3** Ein dekorativer Blickfang ist dieser Heizkörper in Form einer weiten Spirale.

dern muss über einen Mischer oder Wärmetauscher geführt werden. Bei elektrischen Fußbodenheizungen werden statt der Rohre Heizkabel unter dem Fliesenbelag verlegt. Üblicherweise wird diese Heizart in Badezimmern verwendet.

Eine Klimaanlage auswählen

Wer über die Anschaffung einer Klimaanlage nachdenkt, sollte zuerst überlegen, ob es Möglichkeiten gibt, die Räume ohne Chemikalien und Geräte zu kühlen. Denkbar wäre beispielsweise, Jalousien und Vorhänge geschlossen zu halten oder Lamellenfensterläden anbringen zu lassen, um tagsüber die Hitze auszusperren. Lamellenfenster (siehe Seite 203), die sich zur Lüftung öffnen lassen, sind eine weitere Option. Spezielle Isolierglas-Produkte (siehe Seite 193) lassen Licht ein, aber die Wärme wird abgehalten. Selbst ein Ventilator schafft Kühlung. Für sehr warme Regionen kann die Anschaffung einer Klimaanlage in Erwägung gezogen werden. Dabei ist jedoch unbedingt darauf zu achten, dass sie mit entsprechenden Filtern ausgestattet ist und sorgfältig gewartet wird, damit sie nicht zu einer potenziellen Allergiequelle wird.

Klimatechnik

Eine Klimaanlage funktioniert ähnlich wie ein Kühlschrank. Mithilfe von Kühlschlangen, die mit einem Kühlmittel gefüllt sind, entzieht sie der Raumluft Wärme und gibt sie ins Freie ab. Bei diesem Prozess wird durch Kondensation Wasser aus der Raumluft abgeschieden. Diese wird in einem Behälter aufgefangen, der regelmäßig entleert werden muss. Besser ist eine Einleitung über einen Geruchverschluss bzw. Sifon in das Abwassersystem. Es gibt zentrale Klimasysteme mit Leitungen und Abzügen für die ganze Wohnung, aber auch Klimageräte für einzelne Räume. Die Berechnung der geeigneten Größe und Leistung einer Klimaanlage ist nicht einfach und sollte von einem Fachmann durchgeführt werden. Dabei spielen neben der Größe der Wohnung oder des Raums auch andere Faktoren eine Rolle, etwa große Südfenster. Auch die Länge der jährlichen Betriebssaison und die täglichen Betriebsstunden müssen bedacht werden. Sorgfältige Berechnungen sind unbedingt erforderlich, denn eine zu leistungsfähige Anlage ist ineffizient und schaltet sich laufend ein und aus, während eine zu klein dimensionierte Anlage schnell überlastet ist, ohne die nötige Leistung zu bringen.

Ventilatoren

Es gibt viele verschiedene Ventilatoren-Modelle: fest montierte und bewegliche Standventilatoren, Tischventilatoren und Deckenventilatoren. Ein fest montierter Standventilator erzeugt zwar Luftbewegung im Raum, bewegliche Modelle und Tischventilatoren lassen sich aber gezielter ausrichten. Deckenventila-

toren sollten immer von einem Elektriker installiert werden. Sie brauchen in der Regel eine Deckenhöhe von mindestens drei Metern. Ventilatoren kühlen die Luft nicht tatsächlich ab. Sie bewegen die Luft, und diese Luftbewegung erzeugt auf der Haut Verdunstung, die wiederum kühlt. Mit anderen Worten, Ventilatoren sorgen nur für einen leichten Fröstelfaktor.

Wärmetauscher

Ein Ventilator saugt staubige, verbrauchte und feuchte Luft aus den Räumen ab. Gleichzeitig wird frische Luft von außen angesaugt. Die beiden Luftströme werden durch den Wärmetauscher geschickt, sind jedoch durch dünne Aluminium- oder Glasplatten voneinander getrennt. Die Wärme der verbrauchten Luft wird über diese Platte an die frische Außenluft abgegeben, die somit dem Raum wieder zugute kommt. Für die Installation werden in die Zimmerdecken dezente Lüftungsöffnungen eingebaut, die zu einem System aus Rohren führen. Diese sind schlank genug, um auch in leichten Trennwänden Platz zu finden. Die Rohre führen zum Wärmetauscher, der auf dem Dachboden, im Keller oder in einem anderen Nutzraum untergebracht ist. Ein Wärmetauscher ist auch für Allergiker sinnvoll, weil in den Frischluftstrom ein Mikrofilter eingebaut werden kann. Diese Technik ist eine umweltfreundliche Alternative zu Klima- und Abluftanlagen.

4 Traditionelle Gusseisenheizkörper haben altmodischen Charme. Beim Baustoffrecycler kann man fündig werden. **5** Ein Heißluftsystem mit Gittern im Boden kommt ganz ohne Heizkörper aus. **6** Ein elektrischer Deckenventilator unterstützt die Luftzirkulation. Bewegte Luft wirkt kühler als stehende. **7** Vertikale Heizkörper wie dieses Modell in Leiterform bieten sich für Küche und Bad an und können auch als Handtuchhalter benutzt werden.

TREPPEN

Treppen auswählen

Eine Treppe ist ein zentrales Element in einem mehrstöckigen Gebäude. Sie kann den Charakter der Räume stilvoll unterstreichen und besondere Akzente setzten. Wer einen größeren Umbau plant, möchte eventuell auch die Treppe verändern oder eine neue Treppe einbauen lassen, die beispielsweise zu einer Galerie oder einem Zwischengeschoss führt. Um zu entscheiden, welcher Stil sich am besten eignet, sollten Sie Ihr Vorhaben mit einem Architekten besprechen. Dafür kann es sinnvoll sein, die Namen der Einzelteile einer Treppe zu kennen.

STUFEN Jede Treppe hat Stufen. Auf den Auftritt oder die Trittstufe setzt man die Füße, die senkrechten Flächen zwischen den Stufen nennt man Stoß- oder Setzstufe.

GELÄNDER & HANDLAUF Der Handlauf dient zum Festhalten beim Auf- und Abstieg. Die senkrechten Stützen, die ihn halten, bilden das Geländer. Sie bestehen meist aus Holz oder Metall. Bei vielen Treppen ist der Handlauf ein integraler Bestandteil der Konstruktion. Bei manchen, darunter Wendeltreppen und Treppen zwischen zwei Wänden, wird er separat hinzugefügt. Der Handlauf kann aus Metall bestehen, aber auch aus glatt geschliffenem und lackiertem Holz. Man kann auch ein dickes Seil verwenden, das an den Enden verknotet und mit Halterungen an der Wand fixiert ist.

MODERNE BRÜSTUNGEN Aktuelle Treppen haben manchmal kein Geländer im konventionellen Sinn. Statt dessen ist eine geschlossene Fläche aus Glas oder Metall angebracht, die verhindert, dass man seitlich herunterfällt. Glas kann klar, satiniert oder gemustert sein, wichtig ist lediglich die ausreichende Stabilität (siehe Seite 192-193). Selbst ein gespanntes Drahtseil kann die Funktion eines Geländers übernehmen, vorausgesetzt, es ist stabil genug, um das Gewicht eines Erwachsenen abzufangen.

WANGEN Bei konventionellen Treppen bezeichnet man die hölzernen Seitenteile, zwischen denen die Stufen sitzen, als Wangen. Meist ist die eine Wange an der Wand befestigt, die andere begrenzt die Treppe zum Raum hin. Treppen von mehr als einem Meter Breite brauchen unter Umständen eine zusätzliche Versteifung in der Mitte der Stufen, die für Stabilität sorgt.

TREPPENABSATZ Als Treppenabsatz bezeichnet man den ebenen Bereich, an dem eine Treppe die Richtung wechselt.

PFOSTEN Die Pfosten sind die massiveren Holzpfeiler am oberen und unteren Ende von Geländer und Handlauf. Sie geben der Konstruktion mehr Stabilität und verteilen das Gewicht und die Belastung der Treppe auf den Fußboden.

Sicherheit

Bezüglich der Konstruktion von Treppen gibt es eine Vielzahl von Sicherheitsvorschriften. In fast allen Ländern sind Geländer und Handläufe für die meisten Treppentypen vorgeschrieben. Auch über Tiefe, Form, Anzahl und Höhe der Stufen, Breite von Treppenabsätzen, Steigung der Treppe und Kopfhöhe des Treppenhauses gibt es verschiedene Bestimmungen. Selbst der Abstand der Geländersprossen ist festgelegt (damit sich kein Kind den Kopf darin einklemmen kann). Ein kompetenter Architekt ist mit all diesen Bestimmungen vertraut, alternativ gibt auch die örtliche Baubehörde Auskunft.

1 In älteren Häusern sind die Verkehrsbereiche, zu denen auch das Treppenhaus gehört, oft großzügig ausgelegt. Diese liebevoll gestaltete Holztreppe beherrscht die große Diele. 2 Breite, flache Betonstufen bilden einen schwungvollen Bogen. 3 Ein blütenweißer Anstrich betont die rhythmische Wirkung des Geländers. 4 Wendeltreppen sehen attraktiv aus und brauchen relativ wenig Platz. 5 Nichts wirkt leichter als eine Glastreppe. Satinierte Punkte auf den Trittflächen vermindern die Rutschgefahr. 6 Versetzte Stufen brauchen sehr wenig Platz. Hier führen sie auf ein Podest. 7 Die offene Wendeltreppe mitten im offenen Wohnbereich wirkt schwungvoll und geradezu grafisch. 8 Eine große Glasplatte begrenzt die strenge Steintreppe.

Materialien

Treppen in älteren Häusern bestehen normalerweise aus Holz. In Villen und Mehrfamilienhäusern mit Gemeinschaftstreppenhaus findet man häufig auch Steintreppen mit Geländern aus Schmiedeeisen. Holztreppen passen auch zum modernen Ambiente, wenngleich neuerdings Glas, Metall und Beton als Materialien für Treppen und andere Bauelemente immer mehr Anhänger finden. Wenn das Material einer Treppe nicht sichtbar sein soll, kann man sie mit Teppichboden, Naturfaser-Auslegeware oder einem Läufer belegen.

Form und Platzbedarf

Die Entscheidung über Ort und Form einer Treppe ähnelt einem Puzzlespiel. Manche Treppen sind mitten im Haus oder an einer Seite untergebracht und verbinden Flure, von denen in konventioneller Weise Räume abzweigen. Andere sind mit großer Geste gestaltet und dienen als Blickfang einer Wohnung. Glastreppen und frei tragende Treppen sehen besonders spektakulär aus, weil sie so verwirrend leicht wirken. Für die Form von Treppen gibt es eine Reihe interessanter Alternativen.

Runde Treppen

In diese Kategorie fallen Treppen, die einen weiten Bogen beschreiben, und solche, die sich eng um einen zentralen Pfosten wenden. Schlanke Wendeltreppen bieten sich für kleine Wohnungen an, sind aber unpraktisch, wenn Möbel oder andere sperrige Gegenstände ins obere Stockwerk befördert werden sollen. Besonders schlanke, Platz sparende Wendeltreppen bezeichnet man auch als Spindeltreppen.

Weiter ausschwingende gerundete Treppen haben strahlenförmig angeordnete Stufen. Sie können eine Kreisform beschreiben, aber auch ein Oval.

Abgewinkelte Treppen

Eine rechtwinklige Treppe führt auf einen Absatz und von dort im rechten Winkel weiter aufwärts. Soll die Treppe eine 180°-Wendung beschreiben, muss der Absatz die doppelte Breite der Treppe haben. In diesem Fall verlaufen oberer und unterer Teil der Treppe parallel nebeneinander. Beide Lösungen sind praktisch, wenn der vorhandene Platz für eine Treppe eher breit ist, weil für eine durchgehende Treppe ein langer, schmaler Raum nötig wäre. Im Gegensatz zu den meisten anderen Treppen sieht man vom Fuß einer abgewinkelten Treppe das obere Ende nicht, was interessant und sogar geheimnisvoll wirken kann.

Raumspar-Treppen

Es gibt verschiedene Treppenmodelle, die nur sehr wenig Platz benötigen. Meist haben sie asymmetrisch geformte Stufen, die nur auf der breiteren Seite eine Auftrittfläche bieten. Die Stufen werden von einer mittigen Metallkonstruktion gehalten und können gerade verlaufen, abgewinkelt oder gewendelt sein.

Frei tragende Treppen

Diesen Begriff verwendet man für Treppen, die sich mitten im Raum erheben und weder auf der Unterseite noch seitlich eine sichtbare Stützkonstruktion besitzen. Sie sehen spektakulär aus, aber nicht jeder Benutzer mag ihrer Tragfähigkeit vertrauen.

Zwischen zwei Mauern

In alten Landhäusern und kleinen Reihenhäusern liegt die Treppe gelegentlich in einem völlig abgeschlossenen Bereich zwischen zwei Mauern. Ein Geländer ist dann überflüssig, aber die Treppe kann auch nicht als architektonisch interessantes Detail präsentiert werden - es sei denn, eine Wand besteht aus Glas. Früher hatte diese Bauform durchaus ihre Berechtigung. Man konnte am unteren Ende der Treppe eine Tür schließen und so Wärmeverlust vermeiden. Zu Zeiten, als die Treppe von der Küche oder dem Wohnzimmer abging und nur ein einziger Ofen oder Küchenherd als Heizung diente, war das ein wichtiger Aspekt.

Einseitig eingespannte Treppen

Bei diesen Modellen werden das Gewicht der Treppe sowie die Trittlast allein von der seitlichen Wand getragen. Die Stufen scheinen ohne zusätzliche Stütze an der Wand zu schweben. Solche Treppen sehen sehr leicht aus, kommen aber nur gut zur Geltung, wenn sie nicht in eine enge Diele eingebaut sind, sondern in einem größeren Raum mit etwas Abstand betrachtet werden können.

Leitern & Co.

Trotz der strengen Bestimmungen bezüglich der Treppengestaltung in neuen Häusern ist es manchmal möglich, sich auf eine Leiter zu beschränken. Solche Lösungen sind praktisch, wenn man Zugang zu einer erhöhten Schlafplattform oder einer Bibliothek auf einer Galerie schaffen will, die nur gelegentlich benutzt wird. Neben konventionellen Leitern gibt es verschiedene Modelle mit keilförmigen oder asymmetrischen Trittflächen, die etwas angenehmer zu benutzen sind und sich auch für kleine Wohnungen gut eignen.

GRIFFE

Griffe auswählen

Wer wenig Geld zur Verfügung hat und trotzdem seine Küchenschränke schnell und preiswert modernisieren möchte, kennt das Geheimnis der Griffe: Wechselt man verschnörkelte Messinggriffe gegen schlichte Edelstahlmodelle aus, wirkt die ganze Küche im Handumdrehen frischer, moderner und klarer.

Wenn Sie neue Griffe und Beschläge für Türen oder Fenster aussuchen, sollten Sie darauf achten, dass sie zu den Bohrungen der alten Modelle passen. Dadurch wird nicht nur das Einbauen der neuen Griffe wesentlich vereinfacht, sondern oft auch die Benutzung. Türdrücker beispielsweise sind häufig näher an der Türkante montiert als Knäufe. Ersetzt man nun alte Drücker durch moderne Knäufe, zerschrammt man sich beim Öffnen und Schließen der Tür laufend die Fingerknöchel.

Die meisten Griffe und Knäufe bestehen aus Metall oder Holz. Das Angebot an Modellen aus Glas, Porzellan, Acryl und anderen Kunststoffen wird jedoch zunehmend größer.

Metallbeschläge

Zu einem modernen Einrichtungsstil passt silbriges Metall besser als golden schimmerndes Messing. Die Auswahl ist riesig und reicht vom preiswerten, schlichten Modell aus dem Baumarkt bis zu edlen Designerstücken. Knäufe können zylindrisch, kugelrund oder elliptisch sein, es gibt auch Modelle in geometrischen Formen, die in passende Aussparungen geklappt werden. Griffe sind rund oder eckig, daneben werden lange Griffstangen angeboten, die sich für Schubladen und Schranktüren gleichermaßen eignen. Auch sie gibt es in runder und eckiger Linienführung mit kantigem und rundem Querschnitt. Gewölbte Schalengriffe und Griffmulden, unter die man mit den Fingern greift, assoziiert man zwar mit alten Möbeln, doch haben moderne Designer diese Form neu entdeckt und bieten nun Versionen in poliertem Chrom und Nickel an. Für alte Häuser mit traditionellen Kaspeltüren sind auch Fallgriffe für Stalltüren erhältlich.

Holzgriffe

Holz kann lasiert, klar oder farbig lackiert werden. Man kann es mit Olivenöl oder einer Mischung aus Bienenwachs und Terpentin einreiben. Das Holz nimmt diese Stoffe auf und ist so vor Flecken und Hautfetten gut geschützt. Alte hölzerne Türgriffe, beispielsweise mit hübsch geformten Rosetten, findet man manchmal beim Trödler. Falls der Mechanismus fehlt, kann man die Griffe auch an moderne Beschläge montieren.

Glas, Porzellan und Kunststoff

In alten Häusern sehen weiße Porzellangriffe, die man noch heute in manchen Eisenwarengeschäften kaufen kann, vor allem an Schlaf-

und Badezimmertüren stilvoll aus. Wohn- und Empfangsräume hatten traditionell Türgriffe aus Messing. In modernen Räumen kann man Griffe aus Glas, Acryl oder Porzellan als originellen Akzent einsetzen.

Schlaufen und Ausschnitte

Man kann Schlaufen aus einem flexiblen Material anbringen, etwa aus Leder oder Tauwerk. Bei leichten Schubladen reicht ein simples Loch aus, in das man mit dem Finger greift. Gefräste Griffleisten in der Schubladenkante bieten den Fingern Halt, ohne die glatte Front zu unterbrechen.

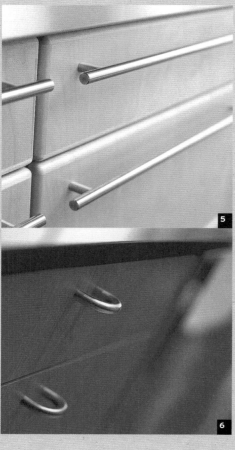

1 Edelstahl-Griffstangen als verlängerte Version der „D"-Griffe, die schon ein moderner Klassiker sind. **2** Simple, kreisrunde Fingerlöcher. **3** Kleine Kristallknäufe passen gut zu dem alten Schubladenschrank. **4** Schubladen mit eingefrästen Griffleisten können auf aufgesetzte Griffe ganz verzichten. **5** Schlanke Griffstangen sehen auch auf Holzfronten gut aus. **6** U-förmige Bügelgriffe aus Metall. **7** Eine witzige Sammlung von Flohmarktfunden: Tisch und Stühle im Stil der 1950er Jahre vertragen sich gut mit dem viktorianischen Stil der Wohnung. Die abgezogenen und gebeizten Dielen sorgen für Kontrast. **8** Die stattliche, antike Badewanne mit erhöhten Wangen bildet den Blickfang des luftigen Badezimmers. **9** Zwei alte Friseurstühle vor einem Art-Deco-Spiegel.

HISTORISCHE BAUMATERIALIEN

Gezielt auswählen

Es ist durchaus eine Form des Recycling, für die Gestaltung der Wohnung Materialien, Bauteile und Einzelstücke zu verwenden, die aus anderen Gebäuden übrig geblieben sind. Handwerkliche Ausführung und Aussehen alter Stücke sind oft beeindruckend, und allein durch ihr Alter besitzen viele eine sehr authentische, beständige Ausstrahlung. Natürlich haben alte oder historische Baumaterialien ihren Reiz, doch werfen sie auch Probleme auf. Manche Stücke müssen repariert oder gründlich gereinigt werden, manchmal passen auch die Proportionen alter Stücke nicht in moderne Einrichtungen. Denken Sie vor dem Kauf lieber zweimal darüber nach.

Holzfußböden

Dies ist eine der beliebtesten Formen des Baustoffrecyclings. Die preiswerteste Lösung besteht darin, einen bereits im Haus vorhandenen Holzboden zu restaurieren. Soll er heller und moderner aussehen, kann man ihn abschleifen. Der Reiz alter Materialien liegt aber oft gerade in ihrer warmen, lebendigen Patina. Ist ein Boden in gutem Zustand, kann man ihn renovieren und die Patina dennoch erhalten. Zuerst wird er gründlich geschrubbt, dann werden vorstehende Nägel versenkt und schadhafte Dielen repariert, zum Schluss kann er lasiert, geölt, lackiert oder farbig gestrichen werden (siehe Seite 181–182).

Kauft man alte Dielen, sind diese oft neu besäumt und geschliffen. Befinden sie sich noch im Originalzustand, kann man entscheiden, ob man sie nach dem Verlegen abschleifen lassen will. Parkett hat meist ein aufgeleimtes Hartholzfurnier. Ist dieses bei gebrauchtem Material bereits stark abgenutzt, kann man das Parkett nicht mehr abschleifen lassen.

Fliesen

Beim Baustoffrecycler findet man alte Terrakottafliesen, Klinker oder Motivfliesen mit Glasurdekor. Oft reicht es aus, sie einfach mit heißem Wasser und Soda zu schrubben, um alte Schmutzschichten zu entfernen. Besonders schöne antike Fliesen kann man beispielsweise in den Spritzschutz hinter der Spüle, dem Herd, dem Waschbecken oder der Badewanne integrieren. Fachfirmen verwenden moderne Gussmaterialien zum Einlegen alter Fliesen auch für Beistelltische und Blumentöpfe (siehe Adressen Seite 259); der Fachmann berät auch zum Thema Versiegelung.

Türen, Fenster und Fensterläden

Alte Türen vom Baustoffrecycler sind der billigen Massenware qualitativ oft überlegen. Allerdings entsprechen sie nicht immer den Standardmaßen heutiger Türen, und es ist nicht ratsam, von einer Tür mehr als einige Millimeter abzusägen, weil dadurch die Proportion verändert und die Stabilität beeinträchtigt werden kann. Wenn Sie die Türen vor dem Bau der Mauern kaufen, können natürlich passende Öffnungen eingeplant werden. Andernfalls könnte man einen Türdurchbruch auch vergrößern, wenn die Tür unwiderstehlich schön ist. Besonders lohnend sind alte Haustüren mit Buntglas-Einsätzen, doppelflügelige Innentüren sowie Fensterläden.

Alte Fenster findet man ebenfalls selten passend für eine vorhandene Öffnung. Darum sollte man sie bestenfalls als Einzelstück verwenden oder in eine neue Mauer integrieren. Buntglasfenster gibt es in vielen Stilrichtungen von Art Deco bis Pseudo-Gotik.

Kamine

In den Jahrzehnten nach dem Zweiten Weltkrieg wurden allenthalben traditionelle Bauelemente aus den Wohnungen gerissen. Seitdem sind viele alte Kamine und Kamineinsätze beim Baustoffrecycler gelandet. Inzwischen haben sich sogar einige Firmen auf den Handel mit solchen Stücken spezialisiert, und es ist gar nicht so schwierig, einen alten Kamin zu finden, der zur Wohnungseinrichtung passt. Wer ein älteres Haus modernisiert, hat vielleicht sogar das Glück, einen Originalkamin hinter einer Täfelung zu entdecken.

Ein bisschen Rost ist kein Problem: Man entfernt ihn mit einer Drahtbürste und schwärzt die Stelle nach. Einen rissigen oder gebrochenen Kamin sollten Sie aber stehen lassen. Vor dem Einbau müssen auch Kamin und Zug überprüft werden (siehe Seite 204). Kamineinfassungen aus Marmor oder Naturstein sind schwer und müssen vom Fachmann angebracht werden.

Küche und Bad

Spül- und Waschbecken, Toiletten und Badewannen kann man oft preiswert beim Baustoffrecycler oder über eine Kleinanzeige finden. Alte Gusseisenwannen sind enorm schwer. Der Transport ist aufwendig und auch der Badezimmerfußboden muss das Gewicht tragen können. Komplette Badezimmerausstattungen in „unmodernen" Farben wie Türkis oder Gelb können eine witzige Abwechslung zum üblichen Weiß sein und wirken in manchen Gebäuden aus dem späten 20. Jahrhundert sogar ausgesprochen stimmig. Flecken in alten Wannen lassen sich schlecht entfernen, aber man kann die Wanne beim Fachmann neu beschichten lassen.

Baustoffe und Fundstücke

Viele Baustoffrecycler bieten Baumaterialien aus Abrisshäusern an, darunter steinerne Stürze, Ziegelsteine und Holzelemente. Auch kleinere Gegenstände wie Spiegel, Gartendekorationen, Möbel für drinnen und draußen sowie allerlei Skurriles kann man dort entdecken. Wer genug Fantasie hat, findet beim Stöbern vielleicht die zündende Idee für die komplette Wohnungsgestaltung.

MÖBEL & TEXTILIEN

QUALITÄT UND GESCHMACK

Möbel und Textilien gehören zu den Dingen, die eine Wohnung zweckmäßig, bequem und wohnlich machen. Gleichzeitig prägen sie aber auch den individuellen Stil. Vor dem Kauf sollten Sie sich einige Fragen stellen. Wie viel wollen Sie ausgeben? Was genau brauchen Sie? Wollen Sie in klassische Möbel investieren, die viele Jahre halten? Oder hätten Sie lieber etwas Kurzlebiges für wenig Geld?

Die Bandbreite von Qualität und Preis ist groß, und gerade bei Möbeln und Textilien stimmt die Regel, dass man bekommt, was man bezahlt. Wer sparen will, sollte auf Räumungsverkäufe, Fabrikverkäufe und Gebrauchtangebote achten. Je höher die Qualität von Material und Verarbeitung, desto bequemer sind Möbel wie Betten und Sofas, desto länger halten sie und desto ehrwürdiger altern sie. Das gilt auch für Textilien wie Vorhänge und Bezüge, deren Austausch allerdings weniger umständlich und nicht so kostspielig ist. Wo es auf die Lebensdauer weniger ankommt, etwa bei Kisten für Kinderspielzeug oder bei losen Stuhlbezügen, kann eine preiswertere Lösung klüger sein.

Nachdem das Budget festgelegt ist, muss auch die Funktion eines Möbelstücks genau definiert werden. Spielt sich das Familienleben in der Küche ab, ist ein großer, solider Tisch sinnvoll. Wenn gelegentlich Gäste im Wohn- oder Kinderzimmer übernachten, ist ein Schlafsofa oder eine Bettcouch eine gute Investition. Es werden immer mehr flexible Möbel angeboten, etwa Klappstühle und -tische, Hocker, die auch als Beistelltisch dienen können, oder Gästebetten, die man unter andere Betten schiebt. Im Zweifelsfall sparen Sie lieber an der Menge und wählen wenige schlichte, hochwertige Stücke.

BETTEN & SCHLAFSOFAS

Matratzen auswählen

Die Bedeutung der sorgfältigen Auswahl einer Matratze darf man nicht unterschätzen. Im Durchschnitt bringt der Mensch etwa ein Drittel seines Lebens im Bett zu. Auf lange Sicht kann sich die Qualität der Matratze auf den Gesundheitszustand des Rückens auswirken. Liegen Sie auf der Seite, sollten sich Schulter und Becken eindrücken, sodass die Wirbelsäule gerade bleibt. Ist die Matratze zu hart oder zu weich für Ihr Körpergewicht, wird die Wirbelsäule nicht optimal gestützt, und Sie schlafen schlecht. Für leichte Personen sind Matratzen mit leichter bis mittlerer Stützwirkung richtig, schwerere Personen brauchen eine starke Stützwirkung. Die meisten Matratzen müssen regelmäßig gewendet werden (Näheres steht in der Information des Herstellers). Nach sieben bis zehn Jahren sollte man sie ersetzen.

Matratzen-Typen

Abgesehen von verschiedenen Härtegraden unterscheidet man zwischen gefederten Matratzen und Typen ohne Metallfedern, zu denen Schaumstoffe, Naturfasern und Futons gehören.

FEDERKERNMATRATZEN Diesen Matratzentyp gibt es in verschiedenen Varianten. Einfache Federkernmatratzen enthalten ein Geflecht aus Metallspiralen, die miteinander verhakt sind. Federkernmatratzen reagieren punktelastisch, weil die Federn aufrecht stehen. Bei Taschenfederkern-Matratzen befindet sich jede Feder in einer Stoffhülle – meist aus Baumwolldrell. Die Federn sind unabhängig voneinander und reagieren punktuell auf das Körpergewicht. Die Federkerne der höherwertigen Taschenfederkern-Matratzen sind einzeln in Baumwoll- oder Vliessäckchen gehüllt und locker miteinander verbunden. Die Feder- und Stützwirkung hängt auch davon ab, ob diese Federn aufeinander oder ineinander liegen. Federmatratzen, die nicht gewendet werden müssen, haben einen besonders stabilen Unterstoff und Federn, die durch eine Hitzebehandlung ihre Form länger halten.

MATRATZEN OHNE FEDERKERN Zu den Schaummatratzen gehören Latex- und Schaumstoffmatratzen. Latex ist eine Gummiart, die durch Vulkanisierung zu einem elastischen Block geformt wird. Moderne Schaummatratzen gibt es auch mit einem so genannten „Memory-Schaum", der auf Körperwärme reagiert und sich den Konturen des Benutzers anpasst.

Matratzen ohne Federkern können aus verschiedensten Materialien bestehen, etwa Naturfasern wie Kokosfaser, Rosshaar oder Baumwollvlies. Daneben gibt es zahlreiche Kombinationsprodukte, etwa Latex oder Rosshaar zwischen Kokos- und Wollschichten oder Kokosfaser zwischen Lagen aus Wolle und/oder Baumwolle.

Futons bestehen aus zwei oder mehr Schichten gefilzter Baumwolle und Wollfasern, gelegentlich sind auch andere Materialien beigemischt. Die komfortabelsten Futons haben fünf bis neun Lagen. Zweilagige Futons sind nur für den gelegentlichen Gebrauch durch Kinder oder leichte Erwachsene geeignet.

Zu den Matratzen ohne Federkern gehört auch das Wasserbett. Die mit Wasser gefüllte Vinylhülle liegt entweder in einem festen Rahmen oder in einem flexiblen Schaumstoffrahmen. Wasserbetten stützen den Köper sehr gleichmäßig, verursachen keine Druckstellen und sind ideal für Allergiker.

Polsterbetten

Als Polsterbett bezeichnet man einen mit Stoff bezogenen, sockelförmigen Bettrahmen, in den die Matratze eingelegt wird. Ist der Rahmen mit einer Unterfederung versehen, verändert diese die Eigenschaften der Matratze: sie fühlt sich weicher und luxuriöser an, als läge sie auf einem einfachen Lattenrost. Manche Polsterbetten haben eingebaute Sockelschubladen und können folglich nur im Randbereich gefedert sein. Es gibt Modelle, die sich zu einem Doppelbett verbinden lassen. Das ist praktisch, wenn zwei Benutzer eines Doppelbetts Matratzen verschiedener Härte benötigen. Polsterbetten sind sperrig. Wer den Kauf erwägt, sollte sicher gehen, dass das gewünschte Modell um die Ecken des Hauses und ins Treppenhaus passt.

Lattenroste

In die meisten Bettgestelle wird ein Lattenrost eingelegt, der die Matratze trägt. Damit die Matratze optimal gehalten wird, sollte der Abstand zwischen den Latten nicht mehr als 6 cm betragen. Der Vorteil eines Lattenrostes ist, dass man den Boden unter dem Bett sehen kann, was sauber und aufgeräumt aussieht. Der offene Bereich unter dem Bett verbessert außerdem die Belüftung der Matratze. Massive Latten aus Weichholz sind recht hart. Flexible Lattenroste bestehen aus mehrschichtig verleimtem Hartholz (meist Buche). Bei einigen Modellen lässt sich der Härtegrad dem Körpergewicht anpassen, andere sind mit einem Elektromotor ausgerüstet, der das Kopfteil aufrecht stellt.

Bettgestelle

Abgesehen von Polsterbetten bestehen die meisten Betten aus einem Kopf- und einem Fußteil sowie zwei Seitenteilen, die miteinander verbunden werden. In diesen Rahmen werden dann Lattenrost und Matratze eingelegt. Antike Betten und Reproduktionen sind fast immer so konstruiert. Fast alle Bettgestelle lassen sich leicht zerlegen, also kann man auch große Modelle leicht durch enge Türen und Treppenhäuser dirigieren und an Ort und Stelle zusammenbauen.

1 Eine vielseitige Lösung ist ein Etagenbett, dessen untere Ebene mal als Sofa, mal als Bett benutzt wird. Das Bettzeug wird in der großen Schublade verstaut. **2** Die schlichte, niedrige Form dieses modernen Holzbetts hat asiatisches Flair. **3** Eine moderne Version des Himmelbetts mit einem minimalistischen Gestell aus lackiertem Metall und locker drapiertem Musselin. **4** Hochbetten sind praktisch, weil sich der Platz unter ihnen als Stauraum nutzen lässt. **5** Antike Betten haben etwas Theatralisches. **6** Alte Farben enthalten oft Blei. Vor allem bei Betten, die für Kinder bestimmt sind, sollte man den alten Anstrich restlos entfernen. **7** Moderne Metallbetten sind in vielen Stilen und mit verschiedenen Oberflächen erhältlich.

Kopfteile

Um das Aussehen eines Betts und letztlich des ganzen Schlafzimmers zu verändern, kann man kurzerhand das Kopfteil austauschen. Ersetzen Sie schlichtes Birkenholz oder strengen Chrom durch glattes Leder oder ein gepolstertes Samt-Kopfteil, wenn Sie es etwas luxuriöser mögen. Oder umgekehrt. Denken Sie bei der Auswahl des Kopfteils an Ihre Gewohnheiten: Setzen Sie sich zum Lesen oder Fernsehen gerne auf? Auch praktische Fragen sind wichtig. Ein weißer Leinenbezug sollte abnehmbar und waschbar sein, er kann mit Klettband oder einem Reißverschluss geschlossen werden.

Himmelbetten

Nichts ist so romantisch wie ein Himmelbett. Die vier hohen Pfosten geben dem Bett mehr Gewicht und machen es zum optischen Zentrum des Schlafzimmers. Dabei muss es beileibe kein antikes Modell sein, es gibt auch sehr moderne Designs aus Metall oder Holz. Üppige Draperien, warm und schwer oder auch leicht und duftig, wirken sehr gemütlich und geben dem Bett etwas Sinnliches. Wer einen reduzierten Stil schätzt, verzichtet einfach auf die Behänge.

Baldachin-Betten

Diese Betten haben nur am Kopfende hohe Pfosten oder eine ähnliche Vorrichtung – rund oder eckig – zum Anbringen einer dekorativen Draperie oder eines Moskitonetzes. Bei manchen antiken Baldachin-Betten lässt sich die Halterung abnehmen, falls die Deckenhöhe nicht ausreicht.

Betten für Kleinkinder

Auch für kleine Kinder ist eine gute Matratze wichtig, die der Wirbelsäule optimalen Halt gibt. Ein niedriges Bett erleichtert kleinen Kindern das Ein- und Aussteigen; in jedem Fall ist ein abnehmbares Seitenteil sinnvoll, um zu verhindern, dass das Kind im Schlaf aus dem Bett fällt. Die Modellauswahl – funktional, farbenfroh oder frech – ist reine Geschmackssache.

Betten für größere Kinder

Besonders hoch im Kurs stehen Hochbetten, die man über eine Leiter erreicht. Der Platz darunter kann für einen Schreibtisch, Stauraum oder ein zusammenklappbares Gästebett genutzt werden. Ein Hochbett hat den Charme eines Baumhauses und nutzt zugleich die Bodenfläche optimal. Teilen zwei Kinder ein Zimmer, schafft ein traditionelles Etagenbett mehr Platz für Spielzeug, Spiele und Computertische.

Ausziehbare Betten

Eine gute Platzsparlösung ist auch ein Bett, das unter ein anderes geschoben wird. Man kann das obere Bett als Einzelbett verwenden und das untere bei Bedarf als Gästebett hervorziehen. Das obere kann auch als Sofa dienen, das untere zum Schlafen. Man kann die Kombination als Einzelbetten benutzten oder als Doppelbett zusammenstellen. Im letzteren Fall muss das untere Bett stabile Beine zum Ausklappen haben, die mit einer Sicherung versehen sind, damit sie nicht nachts zusammenbrechen oder Finger einklemmen. Allerdings ist das untere Bett zwangsläufig etwas kürzer und schmaler als das, unter dem es verschwindet. Der Vorteil dieser Lösung ist, dass man für beide Betten hochwertige Matratzen verwenden kann. Andere Umbaubetten haben meist recht dünne Matratzen.

Schlafsofas

Ein Schlafsofa ist für jeden Haushalt eine Bereicherung. Das Spektrum reicht von teuren Modellen bis zur Minimallösung – einer mit Stoff bezogenen Schaumstoffmatratze, die bei Bedarf zum Bett für Übernachtungsbesuch der Kinder wird. Einfache Schlafsofas bestehen aus einer Schaumstoffmatratze auf einem Metallgitter und eignen sich auch für erwachsene Gäste.

Ein Schlafsofa für den täglichen Gebrauch muss wesentlich robuster sein. Hochwertige Modelle haben eine Federkern- oder Latexmatratze, die die Wirbelsäule ausreichend stützt und so für guten Schlaf sorgt. Allerdings sind solche Sofas naturgemäß auch größer und wuchtiger. Ehe Sie ein Schlafsofa kaufen, probieren Sie im Möbelhaus aus, wie stabil es in ausgeklapptem Zustand ist und checken mehrfach, wie leichtgängig der Mechanismus ist.

Futons

Futons sind sehr praktisch für gelegentliche junge oder erwachsene Übernachtungsgäste. Man kann sie nach japanischer Art zusammenrollen und in einem Schrank verstauen, man kann sie aber auch auf ein Latten-Untergestell legen und tagsüber als Sofa benutzen. Es gibt auch Einzelfutons, die man zusammenklappen und mit einem Reißverschluss verschließen kann, sodass ein stattliches Sitzkissen entsteht.

Klappbetten

Die ultimative Platzsparlösung ist ein Bett, das senkrecht an die Wand geklappt wird. Früher hatten diese Betten etwas Improvisiertes, heute findet man ihre modernen Nachfolger in den elegantesten Stadtappartements. Man muss allerdings das Bettzeug gut festzurren oder in einem Schrank verstauen, sonst fällt es beim Hochklappen heraus.

SOFAS & SESSEL

Sofas und Sessel auswählen

Früher gehörte in jedes Wohnzimmer die 3-2-1-Kombination. Heute dagegen geben sich Wohnräume viel individueller, Sofas und Sessel haben sich zu Gestaltungsmitteln gemausert. Natürlich brauchen wir alle einen gemütlichen Platz zum Sitzen und Entspannen, zum Lesen, zum Fernsehen oder zum Plaudern mit Familie und Freunden. Dafür eignet sich ein modernes Modulsystem ebenso wie eine Sammlung alter und neuer Einzelstücke oder eine Zwischenlösung. Die Gestaltung des Wohnzimmers hat beträchtlichen Einfluss auf die Atmosphäre und Wirkung der ganzen Wohnung.

Sofas und Sessel gibt es in zahllosen Formen und Größen mit verschiedensten Bezügen und Polsterungen. Die Kombinationsmöglichkeiten sind fast grenzenlos. Bei der Auswahl der Formen sollte man auch überlegen, wie verschiedene Elemente miteinander harmonieren und wo sie stehen sollen. Soll ein Sofa oder Sessel beispielsweise frei im Raum stehen, muss auch seine Rückseite ansehnlich sein. Sitzen Sie unbedingt ausgiebig Probe, denn die Form eines Sitzmöbels beeinflusst oft auch die Bequemlichkeit. Viele Menschen mögen Sofas und Sessel, in denen man scheinbar versinkt, andererseits muss aber die Lendenwirbelsäule gut unterstützt werden, damit man über längere Zeit bequem sitzt.

STOFFE Bei vielen Sitzmöbeln können Sie den Bezug wählen. Der Händler berät Sie, welche Stoffe erhältlich und welche empfehlenswert sind. Fragen Sie auch nach, ob die Stoffe lichtecht sind und wie sie gereinigt werden können. In manchen Fällen sind lose Bezüge sinnvoller als feste. Polsterstoffe mit einer Brandschutzbeschichtung sind nicht nur besonders sicher, sondern auch leicht zu waschen.

Die Auswahl von Stoffen für feste und lose Polsterbezüge ist riesig (siehe Seite 227). Beliebt sind Strukturstoffe mit Flor, etwa Chenille, Bouclé, Samt und Velours, glatte Stoffe wie Leinen oder Leinenmischgewebe, schwerere Wollstoffe, Wollmischgewebe und Gobelinstoffe. Leder ist nach wie vor eines der beliebtesten Bezugsmaterialien für Sessel und Sofas, und es wird mit dem Alter immer schöner.

Wenn der Bezug von Polstermöbeln abgenutzt oder unmodern geworden ist, kann man die Möbel neu beziehen oder neu polstern lassen. Das ist umweltfreundlich und preiswerter als eine Neuanschaffung, aber dennoch nicht billig. Bedenken Sie diesen Aspekt auch beim Kauf neuer Möbel: Schlichte Klassiker sind relativ zeitlos, avantgardistische Stücke nicht unbedingt.

POLSTERUNG Wie bei den Bezugsstoffen ist auch bei den Polstermaterialien die Auswahl groß. Falls für ein Modell mehrere Materialien angeboten werden, lassen Sie sich vom Händler beraten. Federfüllungen drücken sich schnell zusammen und müssen täglich aufgeschüttelt werden, darum eignen sie sich für Rückenpolster, aber weniger gut für Sitzpolster. Fasermaterialien, auch in Kombination mit Federn, sind ebenfalls recht weich. Elastischer Schaumstoff kann alleine verwendet werden, mit einer Umhüllung aus Fasern oder Federn sieht er weicher aus und gibt etwas stärker nach. Lose Polster sollten Sie oft wenden und von allen Seiten kräftig knuffen, um die Fasern oder Federn aufzulockern.

SPERRIGE MÖBEL Denken Sie beim Kauf eines Sofas oder großen Sessels daran, dass beides in die Wohnung passen muss. Nehmen Sie zum Einkauf eine Grundrisszeichnung des Raums mit allen Maßangaben mit, um sicher zu gehen, dass das gute Stück nicht nur durch die Haustür passt, sondern auch durch Flur oder Treppenhaus und durch die Zimmertür. Wenn Sie ein sehr großes Sofa anschaffen, muss es eventuell durch die Terrassentür oder ein breites Fenster ins Haus gebracht werden; erkundigen Sie sich nach eventuellen Extrakosten der Lieferung. Vielleicht ist ein Modell mit abnehmbaren Armlehnen die Lösung.

Sofas

Ein gutes Sofa ist eine große Investition. Nachdem Sie Ihr Preislimit festgelegt haben, sollten Sie entscheiden, ob Ihnen die Größe sehr wichtig ist oder ob es auch ein kleineres Sofa sein darf, das bequemer ist und länger hält. Es lohnt sich, über künftige Wohnformen nachzudenken, eine große Familienwohnung oder eine kleine, elegante Stadtwohnung. Wie passt das gewünschte Sofa zu Ihren Zukunftsplänen? Abgesehen vom Wohnzimmer könnte das Sofa auch für Kinderzimmer, Küche oder Schlafzimmer gedacht sein – überlegen Sie, ob ein Schlafsofa vielleicht die bessere Wahl wäre.

GROSSE SOFAS Ohne ein Sofa ist ein Wohnzimmer nicht wirklich behaglich. Die meisten Menschen wünschen sich ein großes, weiches Möbel zum Hineinsinken. So ein Stück ist wahrscheinlich das größte Möbel im Raum und fällt entsprechend stark ins Auge. Man könnte es als Ausgangsbasis für die gesamte Raumgestaltung verwenden, andererseits muss es möglicherweise auch zur vorhandenen Einrichtung passen. Ein Sofa mit Chromgestell und Schaumstoffpolstern passt gut in eine schlichte, moderne Wohnung. Ein wuchtiges Clubsofa aus altem Leder harmoniert besser mit einer traditionellen Einrichtung oder einem derben Industriestil, etwa in einem Loft. Ein großes Sofa ist praktisch, um einen langen Raum zu gliedern. Wenn man es quer stellt, kann es den Essplatz vom Wohnbereich ab-

grenzen oder die unordentliche Spielzone der Kinder vom zivilisierteren Bereich der Erwachsenen. Es mag banal klingen, aber Sie sollten eine Maximalgröße für Ihr Sofa festlegen. Schließlich soll es ja den Raum nicht komplett dominieren und Platz für andere Möbel lassen.

KLEINE SOFAS Kleine Sofas sind günstig für kleine Zimmer, sehen in großen Räumen aber leicht verloren aus. Zwei kleine Sofas dagegen können, mit oder ohne Sessel, in einem großen Raum anstelle eines großen Möbels aufgestellt werden. Stellt man sie im rechten Winkel zueinander und platziert in der Ecke einen Tisch, reichen zwei kleine Sofas als Möblierung für ein Wohnzimmer aus. Ein kleines Sofa findet auch am Fußende eines Doppelbetts, im Kinderzimmer, in der Küche und sogar in einem geräumigen Bad Platz.

Sitzelemente

Sitzelemente, manchmal auch Wohnlandschaften genannt, stellt man aus Einzelelementen individuell passend für Form und Größe des Raums zusammen. Es gibt Endstücke, Mittelstücke, Ecken, bei einigen Anbietern auch Ottomanen, Hocker und andere Formen. Lange Zeit fand man diese Systemmöbel hauptsächlich in Wartezimmern und Firmenfoyers, inzwischen haben sie als praktische und flexible Lösung für moderne Wohnungen wieder Anhänger gefunden.

Sessel

An zweiter Stelle nach dem Sofa steht in allen „Komfortzonen" der Wohnung der Sessel. Wenn er gut konstruiert ist, stützt er die Beine bis zum Knie sowie Rücken und Nacken oder Kopf. So ein Sessel ist ein wuchtiges Möbel. Er ist so tief wie ein Sofa, und wieder muss bedacht werden, ob er durch die Türen passt.

Unter den zeitgemäßeren Sesseln finden sich moderne Klassiker wie Le Corbusiers Modell „Grand Confort" aus Stahlrohr und Leder oder Alvar Aaltos Sessel „Paimio" aus organisch gebogenem Sperrholz. Charles Eames' berühmter „Lounge Chair" und die Ottomane aus den 1950er Jahren mit Rosenholz-Korpus und Lederbezügen sind noch heute Inbegriff für Eleganz und Bequemlichkeit.

Ruheliege

Moderne Ruheliegen haben eine lange Liegefläche und eine erhöhte Seite zum Anlehnen. Nicht jeder hat Platz für so ein luxuriöses Stück, das sich beispielsweise zum Lesen oder Briefeschreiben anbietet. Andererseits kann man eine solche Liege auch mit zusätzlichen Kissen ausstaffieren und als Sofa verwenden oder als Gästebett benutzen, sofern die Liegefläche groß genug ist oder sich die Lehne umklappen lässt.

Chaiselongues

Eine Chaiselongue ähnelt einer Ruheliege, hat aber außer der Lehne an einer Schmalseite eine weitere Lehne, die sich über die halbe Längsseite erstreckt. Zwar denkt man bei dem Begriff Chaiselongues leicht an schnörkeligüberladene Boudoir-Möbel, doch die modernen Nachfolger haben damit kaum etwas gemeinsam. Es gibt verschiedene Modelle vom eleganten Oval auf Metallbeinen bis zu luftigen Gestellen aus Holz, Kunststoff oder Stahlrohr mit Stoffpolsterung, Flechtwerk oder Lederbezug. Die Lehnen sind aus Gründen der Bequemlichkeit oft abgeschrägt. In den 1920er Jahren entwarf Le Corbusier zusammen mit Charlotte Perriand das Modell „B306" aus Chrom und Leder, das zu einer Ikone modernen Designs geworden ist.

1 Eine moderne Chaiselongue kann nach Belieben zum Sitzen oder Liegen benutzt werden. **2** Ein L-förmiges Sofa bietet reichlich Sitzgelegenheiten, lässt aber eine große Bodenfläche frei. **3** Modulmöbel lassen sich den verschiedensten Raumformaten anpassen. **4** Sofas fallen allein durch ihre Größe auf und wirken auf die Stimmung des ganzen Raums – in diesem Fall eine lässige, moderne Atmosphäre. **5** Ein klassisches Sofa ist eine gute Investition, lose Polsterbezüge sind praktisch und pflegeleicht. **6** Matthew Hiltons Sessel „Balzac" ist eine moderne Interpretation des traditionellen Leder-Clubsessels. **7** Polstersessel mit Stahlrohr-Gestell sehen schlicht und sachlich aus.

TISCHE & STÜHLE

Tische und Stühle auswählen

In manchen Räumen bilden Tische und Stühle die wichtigsten Elemente, in anderen Fällen werden sie gestapelt oder zusammengeklappt, verstaut und nur bei Bedarf hervorgeholt. Außerdem gibt es eine Reihe von Umbau- oder Mehrzweckmöbeln, die so flexibel sind, wie es das zeitgemäße Wohnen verlangt. Die Materialien für Tische und Stühle reichen vom traditionellen Hartholz wie Buche oder Eiche zu moderneren Materialien wie Sperrholz, Aluminium, Stahlrohr, Glas oder Kunststoff. Neben individuellen Stilvorlieben und Preisgrenzen muss bei der Auswahl auch bedacht werden, wie stark solche Möbel strapaziert werden.

Küchen- und Esstische

Der wichtigste Tisch im Haus kann für die verschiedensten Tätigkeiten genutzt werden, von Familienmahlzeiten bis zu festlichen Essen mit Gästen, von der Buchhaltung über private Korrespondenz bis zu den Hausaufgaben der Kinder. Welchen Tisch Sie wählen, hängt maßgeblich von der Verwendung ab. Ein Mehrzwecktisch in der Küche, der gelegentlich auch als Arbeitsfläche benutzt wird, sollte einladend, robust und pflegeleicht sein. Wird er ausschließlich zum Essen genutzt, kann die Ästhetik einen höheren Stellenwert einnehmen. Ob er traditionell oder modern, poliert oder gescheuert, lackiert oder laminiert, rund, oval, quadratisch oder rechteckig ist, entscheidet Ihr Geschmack (und der verfügbare Platz). Eine große Auswahl finden Sie sowohl im Einzelhandel der gehobenen Preisklasse als auch im günstigen Möbel-Abholmarkt.

Ausziehbare Tische

Der ausziehbare Tisch gehört zur Grundausstattung vieler Wohnungen. Bei der traditionellen Version sind unter beiden Enden Zusatzplatten montiert, die bei Bedarf vorgezogen werden. Andere zieht man in der Mitte auseinander und legt eine Zusatzplatte ein, die unter der Tischplatte aufbewahrt wird. Bei manchen modernen Modellen ist die Vergrößerungsplatte mit einer Mechanik unter der Hauptplatte montiert und klappt automatisch auf, wenn man die Enden auseinander zieht.

Eine Variante ist eine Abdeckplatte, die größer als die Tischplatte ist und bei Bedarf kurzerhand auf den Tisch gelegt und mit einer Tischdecke bedeckt wird. Damit sie nicht verrutscht, wird sie mit Klemmen oder Zwingen an der eigentlichen Tischplatte fixiert. Der Nachteil dieser Lösung ist, dass man die große Abdeckplatte anderweitig verstauen muss.

Klapptische

Eine andere gute Lösung sind Klapptische, die man nur aufbaut, wenn viele Gäste erwartet werden. Sie eignen sich als Tisch für ein Buf-

1 Der gescheuerte Holztisch mit der schlichten Bank prägt den rustikalen Charakter dieser Küche. **2** Die drei Stapeltische aus gebogenem Sperrholz sind praktisch und brauchen wenig Platz. **3** Schlicht und unkompliziert: ein runder Tisch und Stapelstühle aus Polypropylen. **4** Eero Saarinens "Tulpen"-Stühle aus den 1950er Jahren sind heute als moderne Klassiker wieder sehr begehrt.

fet, als Beistelltisch oder als Verlängerung des Esstischs.

Modelle aus Böcken mit abnehmbarer Tischplatte kann man in der Garage, auf dem Dachboden oder im Keller verstauen, wenn man sie nicht braucht.

Konventionelle Klapptische mit fest montierten, aber beweglichen Beinen bieten reichlich Fläche und lassen sich klein zusammenlegen und an die Wand lehnen.

Es gibt auch Tischplatten, die an der Wand montiert sind und nach oben oder unten geklappt werden. Meist haben sie ein Stützbein, das ebenfalls klappbar ist. Solche Tische eignen sich vor allem für kleine Küchen und Arbeitsräume gut. Sie sind allerdings weniger flexibel als frei stehende Klapptische, weil sie fest an der Wand verschraubt werden.

Beistelltische

In fast allen Wohnräumen braucht man einen oder zwei Beistelltische zum Abstellen von Getränken, für Tischleuchten, Topfpflanzen oder Blumenvasen, Fotos oder Dekorationsstücke. Manche Beistelltische haben integrierte Regale oder praktische Schubladen, in denen man dies und das verstauen kann. Früher stellte man Paare gleicher Beistelltische auf, beispielsweise rechts und links vom Kamin, Sofa oder Fenster. Heute dagegen verwendet man für diesen Zweck jedes Möbelstück von geeignetem Format. Ein Hocker, ein Rollwagen aus Metall, ein Gartentischchen, eine Edelstahlablage aus der Küche oder eine Bank mit Lederbezug sind nur einige von vielen Möglichkeiten.

KONSOLEN Eine Konsole – ein schmaler Tisch, der längs an einer Wand steht – ist ein praktischer Ablagetisch für Flure und andere enge Räume, kann aber auch hinter dem Sofa stehen. Im Flur nimmt eine Konsole wegen ihrer geringer Breite kaum Platz ein, ist aber eine willkommene Ablage für die Post, Schlüssel und andere wichtige Kleinigkeiten.

STAPELTISCHE Diese Tische sind in der Form identisch, in der Größe jedoch abgestuft, sodass einer unter den anderen passt. Eine Zeitlang galten diese Stapeltische als stilistischer Missgriff. Weil sie aber echte Platzsparer sind, haben moderne Designer sie rehabilitiert und interessante Modelle aus gebogenem Acryl und Sperrholz entworfen.

SIDEBOARDS UND BUFFETS Beide Möbel kann man als Mischform aus traditioneller Anrichte und modernem Beistelltisch betrachten. In der Küche sind sie Gold wert, weil man die Speisen abseits des Zubereitungsbereichs anordnen kann. Ein Sideboard ist auch praktisch, um Tischsets und Servietten, Salz und Pfeffer, Kerzenhalter und andere Dinge zu verstauen, die man zum Eindecken des Tischs braucht. Ist es groß genug, finden Geschirr und Gläser dort Platz.

Stühle

Ob antik, alt oder neu, rustikal oder modern, bei der Auswahl von Stühlen für den Esstisch spielen noch weitere Faktoren eine Rolle, nämlich Größe, Farbe, Material und Sitzkomfort. Polsterstühle mit hoher Lehne sehen edel und formal aus, der Polsterbezug kann auf die übrige Einrichtung abgestimmt werden. Klassische Caféhausstühle aus Bugholz wirken zierlich und ebenso unkompliziert wie schlichte Holzstühle mit Sprossenlehne. Wer es lieber kühl und modern mag, könnte sich für die Klassiker der 1950er Jahre entscheiden, etwa Arne Jacobsens „Serie 7" oder „Ameise", beide aus gebogenem Sperrholz und in vielen leuchtenden Farben erhältlich. Interessant sind auch die „Tulpen"-Stühle von Eero Saarinen aus geformtem Fiberglas. Beim Einschätzen der Größe zählt nicht immer die Sitzfläche, weil viele Stühle aus Gründen der Standfestigkeit ausgestellte Beine haben.

Die preiswerteste Lösung ist eine bunte Sammlung verschiedener Stühle vom Trödler oder Flohmarkt. Man kann sie bis aufs nackte Holz abbeizen, wachsen, klar lackieren oder in einer einheitlichen Farbe streichen.

Klapp- und Stapelstühle

Stühle, die man zusammenklappen oder stapeln kann, sind ideal für kleine Wohnungen, aber auch für Menschen, die gerne viel freie Bodenfläche haben. Klappstühle gibt es aus Holz, Metall, Kunststoff und verschiedenen Materialkombinationen. Daneben sind Holz- oder Metallgestelle mit Stoffbespannung erhältlich, etwa der „Regiestuhl" und der „Schmetterling", die beide auch im Freien benutzt werden können. Manche Modelle lassen sich ganz flach zusammenlegen, andere sind etwas sperriger. Klappstühle sind nicht ganz so standfest wie normale Stühle. Unter den Holzgartenmöbeln findet man allerdings recht robuste Modelle.

Die meisten modernen Stapelstühle haben ein Metallgestell, Sitz und Lehne bestehen aus einem Stück, entweder aus Holz oder Kunststoff. Robin Days Polypropylen-Stuhl mit Stahlrohrgestell aus den 1960er Jahren ist ein klassisches Beispiel.

Hocker

Schöne Hocker wie etwa die dreibeinigen Sperrholz-Stapelhocker von Alvar Aalto kann man auch als Beistelltisch oder Ablage am Bett benutzen. Werden sie nicht gebraucht, lassen sie sich Platz sparend stapeln und verstauen. Praktisch sind kleine Truhen, die als Sitz- und Abstellgelegenheit benutzt werden können und zugleich unter ihrem Deckel Stauraum bieten. Dicke Ledersitzkissen sind in jüngerer Zeit zu neuen Ehren gekommen: Würfel mit Lederbezug sind die modernen Nachkommen der traditionellen, runden Kissen.

Bänke

Weil sie lang und schmal sind, bieten sich Bänke als Sitzgelegenheit in Fluren oder Durchgängen an, aber auch an Tischen, die nahe einer Wand stehen. Sie brauchen wenig Platz und wirken optisch sehr ruhig, wenn sie keine Lehne haben, die über die Tischplatte hinausragt.

Designer-Stühle

In den letzten Jahren ist ein wachsendes Interesse an den Designklassikern des 20. Jahrhunderts zu beobachten. Vor allem Stühle werden wegen ihrer gelungenen Synthese aus Form und Funktion sehr geschätzt. In modernen Wohnungen können solche Stühle wegen ihres skulpturhaften Aussehens wie Kunstobjekte als Blickfang eingesetzt werden. Manche Originale werden heute wieder produziert, bei anderen wurde die Produktion nie unterbrochen. Wieder andere sind bei spezialisierten Händlern zu finden. Zu den beliebtesten Modellen gehören Mies van der Rohes perfekt proportioniertes Modell „Barcelona" aus Stahl und Leder (1929), Charles Eames' Drahtstühle „Cat's Cradle" (1952), die gerundeten Modelle „Ei" und „Schwan" von Arne Jacobsen (1958) sowie Verner Pantons Stapelstühle, aus einem Guss aus Kunststoff geformt.

5 Stühle aus gebogenem Sperrholz sind durch ihre federnden Rückenlehnen sehr bequem. Der geradlinige Hartholztisch besticht durch den warmen Farbton und die schöne Maserung. **6** Die „Schmetterling"-Stühle mit Baumwollbespannung lassen sich klein zusammenklappen und eignen sich auch für die Terrasse. **7** Designer und Architekten haben häufig mit der Form von Stühlen experimentiert. Diese unterschiedlichen Modelle harmonieren gut miteinander. **8** Klassisch und schlicht: Stühle mit Sprossenlehne und ein einfacher Holztisch.

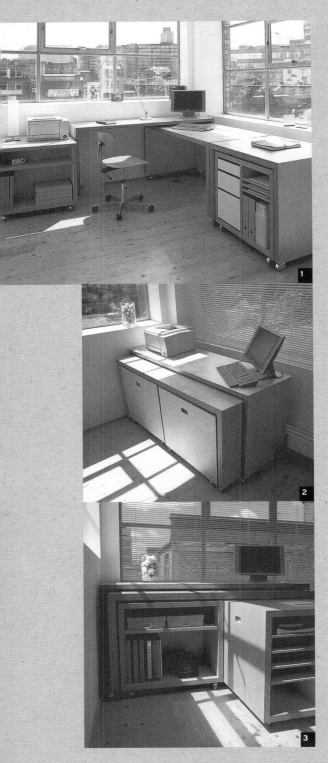

1 Ein Beispiel für ein flexibles, ergonomisches Büro-system mit Flächen in verschiedenen Höhen, ideal für Bildschirm und Tastatur. 2 Rollcontainer verschwin-den unter den Arbeitsplatten, wenn sie nicht gebraucht werden. 3 Durch die Modulbauweise lässt sich der ganze Arbeitsplatz leicht demontieren und anderweitig verstauen. 4 Das Angebot attraktiver Büromöbel zu erschwinglichen Preisen ist recht groß. Um Rückenbe-schwerden zu vermeiden, sollten Sie sich einen hoch-wertigen, ergonomischen Bürostuhl gönnen.

SCHREIBTISCHE & ARBEITSPLÄTZE

Büromöbel auswählen

In jeder Wohnung braucht man einen Platz für alltägliche Verwaltungsunterlagen. Weil immer mehr Menschen ihren Arbeitsplatz zu Hause haben, ergibt sich in vielen Wohnungen die Notwendigkeit, einen separaten Arbeitsbereich abseits des Haushaltsbetriebs einzurichten. Das Angebot an Büromöbeln für den Haushalt reicht vom simplen Computertisch für die Kin-der über das Kompaktbüro im Einbauschrank bis zur kompletten Arbeitszimmerausstattung mit edlem Schreibtisch und passenden Schrän-ken. Beim Einkauf sollte man auch den künf-tigen Stauraumbedarf im Auge haben.

Ergonomie

Bei der Planung eines Arbeitsplatzes oder Ar-beitszimmers sind vor allem physische Aspekte zu bedenken. Dabei geht es nicht nur um die Frage, was erreichbar ist, ohne vom Schreib-tischstuhl aufzustehen, sondern auch um die Sitzhaltung. Wer falsch am Schreibtisch oder am Computer sitzt, riskiert auf lange Sicht Rückenbeschwerden.

Eine Tastatur soll so niedrig angebracht sein, dass sich die Hände unterhalb der Ellenbogen befinden und man die Arme nicht vorstrecken muss. Aus diesem Grund sind moderne Schreib-tische meist mit einer Schublade oder auszieh-baren Platte für die Tastatur oder den Laptop ausgestattet. Wenn Sie beim Tippen ständig die Arme heben müssen, lassen Verspannungen in Rücken und Schultern nicht lange auf sich warten. Der Bildschirm sollte gerade vor dem Benutzer stehen, sodass man den Kopf weder heben noch senken oder einseitig drehen muss.

Selbst wenn Schreibtisch und Stuhl optimal eingestellt sind, sollten Sie gelegentlich aufste-hen und einige Schritte gehen, um die Muskeln zu dehnen und Verspannungen zu lockern.

Bürostühle

Ein Schreibtischstuhl muss verstellbar sein, damit man bei der Arbeit gerade auf den Bild-schirm schaut und den Hals nicht beugen muss. Das Becken soll sich oberhalb der Knie befin-den, der Rücken (vor allem die Lendenwirbel-säule) soll von der gepolsterten Stuhllehne gestützt werden. Auch die Rückenlehne sollte auf den individuellen Körper einstellbar sein. Ein verstellbarer Stuhl lässt sich auch so an-passen, dass Sie die Arme kaum heben müssen, wenn Sie die Schreibtischplatte benutzen. Wenn Sie am Schreibtisch auf einem „norma-len" Stuhl sitzen, schieben Sie sich ein kleines Kissen zum Stützen der Lendenwirbelsäule in den Rücken. Höhenverstellbare Stühle sind auch in engen Wohnungen praktisch, weil man sie unter den Schreibtisch schieben kann, wenn sie nicht benutzt werden. Hocker eignen sich zum kurzfristigen Sitzen, aber nicht für länge-re Arbeiten, weil sie den Rücken nicht stützen.

Kniehocker sollen die richtige Sitzhaltung fördern. Sie geben guten Halt, es ist aber wich-tig, auf die Rückenhaltung zu achten. Der Rücken soll nicht gekrümmt sein, vielmehr ist ein leichtes Hohlkreuz anzustreben.

Computertische

Diese Tische sind speziell zum Verstauen von Monitor, Rechnergehäuse, Tastatur und Dru-cker konzipiert. Oft ist auch Platz für weitere Geräte wie etwa einen Scanner vorhanden. Sie sind kompakt, ergonomisch und leicht zu trans-portieren und bieten sich daher als Lösung für Familien an, in denen der Computer von ver-schiedenen Personen benutzt wird.

Schreibtische

Traditionelle Schreibtische mit rechteckiger Platte und Schubladen an beiden Seiten sind praktisch und elegant. Sie eignen sich zwar gut für allgemeine Verwaltungstätigkeiten und handschriftliche Korrespondenz, aber nicht un-bedingt für die Arbeit am Computer. Wer keinen unauffälligen Computertisch daneben stellen will, könnte unter der Platte einen Tastatur-auszug montieren. In Fachgeschäften für Büro-möbel findet man heute moderne Versionen des klassischen Schreibtischs, etwa in L-Form oder mit einer erhöhten Stellfläche für den Monitor.

Platten und Böcke

Ein preiswerter und flexibler Arbeitsplatz be-steht aus zwei Böcken und einer darauf liegen-den Arbeitsplatte. Es gibt inzwischen Böcke, die sich in der Höhe verstellen lassen, sowie Modelle mit eingebauten Schubladen. Arbeits-platten können beispielsweise aus Holz, gehärtetem Glas oder Spanplatte mit Lino-leumbeschichtung bestehen.

Büro im Schrank

Viele Wohnungen bieten schlicht nicht den Platz, um einen ganzen Raum als Arbeitszim-mer einzurichten – vor allem, wenn dieses nur stundenweise benutzt wird. In solchen Fällen kann man mehrere Funktionen kombinieren und das Arbeitszimmer beispielsweise auch als Gästezimmer nutzen. Alternativ kann der Arbeitsplatz in einem Raum untergebracht werden, der normalerweise nur abends oder nachts benutzt wird. In diesem Fall ist eine Einbaulösung ideal, weil die gesamte Büroun-ordnung samt Unterlagen, Computer, Kabeln und Fachbüchern einfach hinter Schranktüren versteckt werden kann.

In Mitnahme-Möbelmärkten findet man ein relativ gutes Angebot solcher Komplettbüros in verschiedenen Größen, ansprechenden Formen und zu vertretbaren Preisen. Praktisch sind auch Arbeitsplatten zum Klappen oder Schwenken, hinter denen sich die Bürouten-silien verstecken. Am anderen Ende der Preisskala liegen elegante High-Tech-Möbel mit ausziehbaren Schubladen, Platten und Abdeckungen.

Maßgenaue Einbauten

Ein nach Maß eingebauter Arbeitsplatz ermöglicht oft besonders große Flexibilität. Alles kann bei Bedarf in Schubladen und hinter Türen und Platten verschwinden, die sich seitlich, auf- oder abwärts klappen lassen und dabei auf die Wohnungseinrichtung abgestimmt sind. Mit maßgenauen Einbauten lässt sich in kleinen Räumen jeder Zentimeter perfekt ausnutzen, selbst vermeintlich tote Ecken wie die Nische unter der Treppe. Natürlich sind solche Lösungen deutlich teurer als die oben genannten Fertigprodukte.

Sie können den Einbau vom Tischler entwerfen lassen oder Ihre Wunschkombination bei einem Fachhändler für Einbaumöbel kaufen. Notieren Sie sich, welche Geräte und sonstigen Arbeitsutensilien Platz finden müssen. Beurteilen Sie auch Ihren derzeitigen Arbeitsplatz und schreiben Sie auf, was Ihnen daran zusagt und missfällt. Ein individueller Einbau ist wie ein Maßanzug: Er soll exakt auf Sie und Ihre Bedürfnisse abgestimmt sein, von der Höhe des Schreibtischs über den Abstand der Regalbretter für Ihre Bücher und Ordner bis zu den Schubladen und Ablagefächern für all die Kleinigkeiten, die Sie für die alltäglichen Arbeitsabläufe benötigen.

Beleuchtung

Bei der Beleuchtung eines Arbeitsplatzes ist es vor allem wichtig, Blendeffekte zu vermeiden. Das Licht soll Ihnen weder direkt in die Augen scheinen, noch vom Bildschirm reflektiert werden. Außerdem darf auf den Arbeitsbereich selbst kein Schatten fallen. Für Rechtshänder kommt das Licht im Idealfall schräg von links vorne. Die klassische Schreibtischleuchte mit Scherengelenken lässt sich schwenken und in der Höhe verstellen, sodass sie jederzeit genau den richtigen Bereich erhellt. Klemmstrahler und geschickt platzierte Deckenleuchten geben ebenfalls ein gutes Arbeitslicht (siehe Seite 249).

Stauraum

Ein Arbeitsplatz lässt sich oft verkleinern, indem man die Aufbewahrung und Ordnung der Arbeitsutensilien neu organisiert. Viele Dinge, die einmal in einem hässlichen Metallaktenschrank verstaut waren, können auch in Kästen und Ordnern in einem Regal stehen. Es gibt inzwischen Ordnungshelfer in vielfältigen Varianten, aus Kunststoff, Sperrholz oder Pappe, mit Leder- oder Stoffbezug. Ältere Unterlagen (etwa Kontoauszüge vergangener Jahre) müssen nicht unbedingt am Arbeitsplatz verwahrt werden. Kataloge und Broschüren sind in Stehsammlern Platz sparend aufrecht, übersichtlich und leicht zugänglich untergebracht. Außerdem gibt es Kästen in verschiedenen Spezialformaten für Disketten, CDs und anderes Zubehör, sodass selbst Papiervorräte, Büroklammern und Briefmarken einen Platz finden.

Wenn der Platz knapp ist, müssen nur die Dinge in Reichweite stehen, die ständig benutzt werden. Das bedeutet zwar, dass man sich disziplinieren und regelmäßig die lästige Ablage in Angriff nehmen muss, letztlich gewinnt man dadurch aber Platz, Übersicht und Zeit.

Aktenschränke

Aktenschränke dürfen in keinem Büro fehlen. Viele passen unter die Arbeitsplatte oder in eine Ecke neben dem Schreibtisch. Und sie müssen keineswegs trist grau oder braun sein. Alte Metallaktenschränke kann man abbeizen und in jeder beliebigen Farbe lackieren oder spritzen lassen. Sie können Ihren alten Schrank auch selbst mit einer robusten Emaillefarbe streichen. Damit die Farbe hält, muss er zuerst abgewaschen und angeschliffen werden. Natürlich können Sie auch einen neuen Aktenschrank kaufen – es gibt Modelle in vielen Farben und Ausführungen, die zu den unterschiedlichsten Einrichtungsstilen passen.

5 An einer schlichten Arbeitsplatte auf Böcken kann man konzentriert arbeiten. Der verstellbare Stuhl lässt sich der Arbeitshöhe anpassen. **6** Eine eigenwillige Kombination aus einem antiken Schreibtisch und einem schimmernden Stahlaktenschrank. **7** Ein verbreitertes Regalbrett reicht für einen einfachen Arbeitsplatz aus. Das große, offene Regal bietet reichlich Stauraum und hilft, Ordnung zu halten.

STAURAUM

Grundsätzliches zum Stauraum

Bevor Sie über Stauraum nachdenken, sollten Sie drei Dinge tun. Erstens: Sortieren Sie aus. Alles Überflüssige kann verschenkt, auf dem Flohmarkt verkauft oder weggeworfen werden. Zweitens: Räumen Sie Flächen frei. Beseitigen Sie alles, was sich auf dem Boden, auf Küchenarbeitsflächen, auf Beistelltischen und anderswo angesammelt hat. Stellen Sie nur die wenigen Dinge zurück, die wirklich dorthin gehören. Allein dadurch schon werden Sie sich wohlerfühlen. Drittens: Sichten Sie die verbliebenen Habseligkeiten und sorgen Sie für adäquaten Stauraum. Was täglich benutzt wird, muss leicht zugänglich sein. Um künftig Ordnung zu halten, bietet sich ein variables Modulsystem mit Regalen, Schranktüren und Schubladen an. Auch Möbel mit integriertem Stauraum sind praktisch. Ist Standfläche knapp, kann man manches auch aufhängen. Kisten, Kästen und Körbe aller Art sind immer nützlich.

Bücherregale

In fast allen Haushalten sammeln sich über die Jahre viele Bücher an. Mit der Zeit kann die Menge zum Problem werden. Taschenbücher finden Platz in schlanken Regalen, die Durchgänge kaum beengen. Kleine Wandregale kann man auch über andere Möbel hängen. Gerade für Regale bieten sich Plätze an, die oft ungenutzt bleiben, etwa über Türen und Fenstern, im oberen Wandbereich oder an der Treppenhauswand.

Manchmal wird Platz verschwendet, wenn der Abstand der Regalböden wesentlich höher ist als die Bücher. Schienensysteme mit Winkeln und Regale mit losen Einlegeböden lassen sich individuell anpassen. Auch nach den Maßen des Raums und der privaten Bibliothek gebaute Regale aus Holz nutzen den Platz besser aus (siehe Seite 144–147). Frei stehende Bücherregale müssen im oberen Bereich an der Wand fixiert werden, damit sie nicht umkippen können.

Raumteiler

Regale mit offenen, von beiden Seiten zugänglichen Fächern sind praktische Raumteiler. Sie blockieren Licht und Aussicht nicht vollständig, schaffen aber Platz für Bücher und andere nützliche oder dekorative Dinge. Raumteiler auf Rollen kann man beiseite schieben, wenn eine Trennung unerwünscht ist oder wenn Sie einmal eine andere Aufteilung ausprobieren wollen.

1 Ein Modulsystem aus beidseitig offenen Kästen dient als Raumteiler und Präsentationsfläche für allerlei Dekoratives. **2** Unter der Klappe des Couchtisches liegen Kassetten, CDs und Videos griffbereit am richtigen Platz. **3** In Kisten und Kästen kann man eine Menge Alltagskrimskrams verstecken. Eine Beschriftung erleichtert das Wiederfinden. **4** Offene Regale verschaffen dekorativen Gläsern und Schalen Wirkung. **5** Stahlkisten sind praktisch für Küchenutensilien und Gerätschaften.

Modulsysteme

Dieser Begriff bezeichnet Regalsysteme aus verschiedenen, individuell kombinierbaren Elementen, die miteinander verbunden oder aufeinander gestapelt werden, um eine Regalwand zu bauen, die in Größe und Fächerkombination den persönlichen Bedürfnissen entspricht. Manche Elemente haben Zwischenböden oder Türen, hinter denen allerlei verschwinden kann. Auch Kleiderschränke und andere Stauraumlösungen werden in Modulform angeboten. Modulsysteme sind ausgesprochen flexibel und sehen modern und geradlinig aus. Es gibt sie aus Holz, Kunststoff, Metall und anderen Materialien. Man kann aus Modulen gleicher Farbe ein einheitliches Bild zusammenstellen oder aus verschiedenfarbigen Modulen ein modernes Muster im Bauhaus-Stil gestalten.

Kommmoden

Diese vielseitigen Möbel gibt es in allen Formen und Größen, man kann die verschiedensten Dinge darin aufbewahren. Tiefe Schubladen sind praktisch für dicke Winterpullover oder Töpfe und Pfannen in einer Küche. Flachere Schubladen haben den Vorteil, dass nichts in den Tiefen verloren geht.

GETISCHLERTE KOMMODEN Eine Kommode vom Tischler sollte eine harmonische Kombination aus Form und Funktion sein. Kommoden aus hochwertigem Hartholz sind attraktiv und langlebig. Die Schubladen sollten leicht gleiten und sorgfältig gezinkte Kanten haben. Bestehen die Schubladenböden aus Brettern mit Nut und Feder, kann das Holz besser arbeiten. Ob ultramodern oder antik, eine getischlerte Kommode ist ein wertvolles Möbel, das im Schlafzimmer oder Wohnbereich einen Ehrenplatz erhalten darf.

PREISWERTE KOMMODEN Das andere Extrem sind preiswerte Kommoden aus dem Flat-Pack, die man selbst zusammenbaut. Sie bestehen meist aus preiswertem Weichholz, es gibt jedoch inzwischen einige recht attraktive Modelle, die man mit Klarlack oder Farbe noch aufmöbeln kann.

Recht günstig sind auch Schubladensysteme aus einem Grundgestell, in das Kästen oder Körbe – meist aus Kunststoff oder Drahtgeflecht – eingeschoben werden. Solche Elemente sind praktisch für Kinderzimmer, Werkstatt oder Garage, nutzen aber auch im Kleiderschrank den Platz unter kürzeren, hängenden Kleidungsstücken gut aus.

RECYCELTE KOMMODEN Auch Schubladenmöbel, die ursprünglich eine andere Funktion hatten, kann man zweckentfremden. Schlichte Akten- und Zeichnungsschränke beispielsweise sind für viele andere Dinge praktisch. Interessant können Schubladen mit Glasfront aus einer alten Ladeneinrichtung sein, ebenso

Minikommoden mit flachen Schubladen, die eigentlich für Garnrollen gedacht sind.

Truhen

Große Truhen sind praktisch für Dinge, die flach liegen, etwa Bücher und Zeitschriften. Auch Kinderspielzeug und andere Utensilien, in denen gewühlt wird, sind darin gut untergebracht. Truhen und alte Lederkoffer findet man gelegentlich beim Trödler oder auf dem Flohmarkt. Besonders attraktive Truhen aus Metall oder alte Holzkoffer machen sich auch als improvisierter Nachttisch gut. Lackierte Stoff- und Lederflächen sind allerdings nicht sehr tragfähig und vertragen keine Hitze. Wer sie als Tisch verwenden will, sollte ein Tablett oder eine hitzefeste Acrylplatte darauf legen.

Kisten und Kästen

Leuchtend bunte Plastikkisten sind in fast jedem Haushalt in Garage, Vorratsraum oder Kinderzimmer zu finden. Plastikkisten sind praktisch für alle Dinge, die man regelmäßig schnell zur Hand haben will, aber auch zum Vorsortieren von Abfällen. Man kann Glas, Plastik und Papier darin aufbewahren, zum Recyclinghof bringen und die Kisten nach Bedarf rasch auswaschen. Mehrere gleiche Kisten nebeneinander auf einem Regal sehen gar nicht schlecht aus. Es gibt inzwischen auch edlere Versionen aus Leder, kräftiger Pappe und durchsichtigem Kunststoff, die sich durchaus sehen lassen können.

Körbe

Schon weil sie aus einem Naturmaterial in schönen, sanften Farben bestehen, sind Körbe eine ausgesprochen attraktive Aufbewahrungslösung. Sie passen in fast jeden Raum der Wohnung und harmonieren mit nahezu jedem Einrichtungsstil. Sie sind oft handgeflochten und können aus verschiedenen Materialien bestehen – von Bananenblättern bis Bambus, Weide und Rattan. Es gibt weiche, geschmeidige Körbe und feste Korbtruhen mit Deckel.

Ob mit oder ohne Deckel, Körbe eignen sich für verschiedene Zwecke, etwa als Wäschekorb im Bad, zur Aufbewahrung von Brot und frischem Gemüse, für Kaminholz oder für die Sammlung von CDs, Videos und DVDs im Wohnzimmer. Weil die Luft gut durch das Geflecht zirkulieren kann, bieten sie sich auch als Sommerlager für Steppdecken und Wolldecken an. Einen Henkelkorb mit Spielzeug kann man bequem mitnehmen, wenn man unterwegs ist.

6 Eine alte Metallkiste, abgebeizt und poliert, kann auch als Nachttisch dienen. **7** Das Angebot an Regalsystemen ist groß. Hier sind offene Böden mit Schubladenelementen kombiniert. **8** Ron Arads witziger „Bücherwurm" ist eine moderne, dekorative Spielart des Regals.

7
8

Haken und Halter

Um Oberflächen frei zu halten, sind Haken und Stangen zum Aufhängen von häufig benutzten Dingen in vielen Räumen praktisch. Haken an Schlafzimmer- und Badezimmertüren findet man in fast jedem Haushalt, Haken für Becher und Tassen schaffen Ordnung im Küchenschrank. Ein spezieller Halter für Papier, Umschläge und andere Schreibutensilien ist praktisch für den Schreibtisch. Haken für Mäntel und Jacken braucht man in der Nähe der Eingangstür, eine Schuhablage hält den Durchgang frei.

In der Küche sind Haken, Stangen und andere Halter nützlich, um Siebe, Pfannen und andere Utensilien griffbereit zu haben, ohne dass sie die Arbeitsfläche blockieren. Eine Stange für leichte Gegenstände kann man an einer niedrigen Decke oder vor dem Fenster anbringen. Stabile Stangen aus Holz, Schmiedeeisen und anderen Materialien kann man fertig kaufen oder nach Maß beim Tischler oder Schmied anfertigen lassen. Solche Stangen müssen sicher befestigt werden. Wer sie an der Decke anbringen will, sollte darauf achten, sie in den Balken zu verschrauben.

Nicht nur kleine Dinge kann man aufhängen. Die Shaker, für ihren Sinn für Zweckmäßigkeit und Ordnung bekannt, hängten sogar ihre Stühle an die Wand. Diese Lösung bietet sich auch heute für kleine Küchen und Essplätze an. Fahrräder kann man an Flaschenzügen aufhängen, Leitern machen sich an Haken an der Garagenwand klein. In Baumärkten findet man verschiedenste Haken zum Aufhängen schwerer Gegenstände.

Schränke

In einem Schrank sind Dinge geordnet und griffbereit untergebracht, zugleich aber gut geschützt. Wichtiger ist vielleicht, dass sich in Schränken viel verstecken lässt, sodass der Raum selbst übersichtlich und ordentlich wirkt – ganz im Sinne des modernen Wohnstils. In Japan findet man in vielen kleinen Stadtwohnungen einen großen Schrank, in dem all die Alltagsutensilien verschwinden – selbst Futons und Bettzeug. Diese Lösung macht auch im Westen Sinn. Extragroße Schränke zum Selbstaufbau sind in vielen Möbelmärkten zu haben.

Schränke sollten so proportioniert sein, dass sie optimal auf ihren Inhalt abgestimmt sind. Gleichzeitig müssen sie zu dem Raum passen, in dem sie stehen, sei es als Blickfang oder indem sie diskret und unauffällig sind.

FREI STEHENDE SCHRÄNKE In diese Gruppe gehören edle Möbelstücke, vielleicht Antiquitäten mit Intarsien oder Eckschränke aus kostbaren Harthölzern, aber auch rein zweckmäßige Möbel wie der traditionelle Fliegenschrank, die heute wegen ihrer funktionalen Ästhetik wieder geschätzt werden. Werkstattspinde und Aktenschränke aus Metall haben sich inzwischen auch als Wohnraumausstattung durchgesetzt.

1 Beutel und Regale aus Stoff, aufgehängt an einer einfachen Stange, sind eine praktische und preiswerte Lösung zur Unterbringung von Kleidung. Frei hängende Kleidungsstücke stauben schneller ein. **2** Ladeneinrichtungen wie diese Fächer mit Glasfronten sind ebenso attraktiv wie nützlich. **3** Ein alter, frei stehender Schrank für allerlei Badezimmerutensilien. **4** Kleiderschränke und andere frei stehende Möbel müssen nicht aufdringlich wirken, wie dieses Beispiel zeigt.

5 Ein Modulsystem auf Rollen für Dinge, die liegend aufbewahrt werden. **6** Der Bettkasten unter dem Lattenrost bietet reichlich Platz für das Bettzeug. **7** Die Hocker passen genau unter den Küchentresen. **8** Klappstühle können an der Wand hängen, wenn sie nicht benutzt werden. **9** Küchenmodule auf Rollen verschwinden unter der Arbeitsfläche. **10** Leuchtend bunte Schuhschränke mit Klappen bieten Platz für die Schuhe einer ganzen Familie.

Schränke mit schwerem Inhalt (z.B. Töpfe oder Geschirr) sollten zur Sicherheit an der Wand befestigt werden.

HÄNGESCHRÄNKE Ob Badezimmerschrank oder Schlüsselkasten – kleine Schränke, die an der Wand befestigt werden, sind in vielen Räumen praktisch. Weil sie auf Augenhöhe hängen, muss man sich nicht bücken. Gleichzeitig nehmen sie keine Stellfläche ein und sind für Kinderhände unerreichbar. Hängeschränke sind sinnvoll zum Aufbewahren leichter Dinge. Sind sie schwer bepackt, besteht die Gefahr, dass die Wandhalterungen ausreißen. Trotzdem ist es wichtig, jeden Hängeschrank sicher zu befestigen und darauf zu achten, dass er nicht überladen wird.

Kleiderschränke

Frei stehende Kleiderschränke gibt es in vielen Formen, Größen und Preisklassen, vom wuchtigen, antiken Kleiderschrank bis zum preiswerten Flat-Pack-Möbel aus Weichholz oder Spanplatte mit Melaminbeschichtung. Relativ neu sind Schränke aus Textilmaterial, die wie ein Zelt aufgebaut und mit einem Reißverschluss geschlossen werden. Für gelegentliche Wochenendbesucher sind zusammenklappbare Kleiderstangen mit integrierter Schuhablage praktisch, ebenso hohe Spiegel, hinter denen sich einige Haken, eine Ablage und eine kurze Stange verstecken. Die simpelste Variante des Kleiderschranks, die sich als vorübergehende Lösung etwa in einer Studentenwohnung eignet, ist ein einfacher Kleiderständer. Solche Ständer sind in verschiedenen Höhen – manchmal auch verstellbar – und in unterschiedlichen Qualitäten in fast jedem Möbelmarkt zu haben. Zu manchen kann man auch eine Plastik- oder Stoffhülle kaufen, um die Kleider vor Staub zu schützen.

Das Innere eines Kleiderschranks besteht normalerweise aus einer Kleiderstange sowie einigen Fachböden, die aus Holz, Kunststoff oder sogar fester, mit Stoff bezogener Pappe bestehen können.

Schuhschränke

Die Aufbewahrung von Schuhen ist ein Thema für sich. Wenn ein Kleiderschrank überhaupt passende Fächer enthält, was selten vorkommt, dann sind es meist zu wenige. Man könnte entweder Kartons oder transparente Kästen in den Schrank stellen oder einen speziellen Einsatz einbauen. Die Alternative ist ein separater Schuhschrank. Solche Schränke gibt es in vielen Varianten, von niedrigen Modellen mit Sitzfläche bis zu hohen Schränken mit mehreren Klappen für Dutzende von Schuhen. Ein antiker Koffer wäre als Lösung ebenfalls denkbar, allerdings muss der Innenraum eine Unterteilung erhalten, damit sich Ordnung halten lässt.

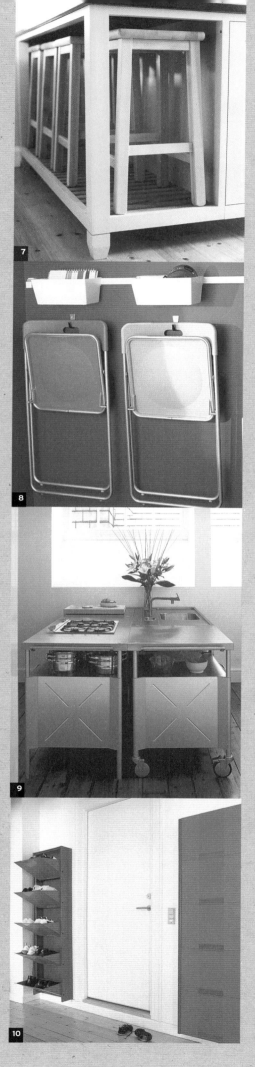

Stauraum unter dem Bett

Der Raum unter dem Bett lässt sich auf verschiedene Weise als Stauraum nutzen. Grundsätzlich sind wenige große Behältnisse praktischer als viele kleine, die leicht durcheinander geraten. Kästen unter dem Bett sollten immer einen Deckel haben, damit der Inhalt nicht einstaubt. Praktisch sind luftdurchlässige Behältnisse aus Baumwollstoff mit einem durchsichtigen Plastikdeckel mit Reißverschluss. Sie sollten die Behältnisse regelmäßig unter dem Bett herausziehen, um dort sauber zu machen. Dabei wird nicht nur der Staub entfernt, der sich dort zwangsläufig sammelt – man weiß auch immer, was man dort lagert. Stopfen Sie nicht zu viel unter das Bett, sonst kann die Luft nicht ausreichend zirkulieren.

Praktisch sind Betten mit eingebautem Stauraum. Bei Polsterbetten ist oft ein Bettkasten unter dem Lattenrost integriert, für viele Kinderbetten sind passende Schubladen erhältlich. Soll ein Bett an der Wand stehen, achten Sie darauf, dass sich die Schubladen zur richtigen Seite öffnen. Es gibt auch Betten, die am Kopfende keine Schubladen haben, sodass dort ein Nachtkästchen stehen kann.

Langzeit-Stauraum

Um Dinge für längere Zeit aufzubewahren, braucht man andere Lösungen als simple Pappkartons, die weich werden, und billige Koffer, die sich mit der Zeit ausbeulen. In trockenen Lagerräumen kann man stabile Kartons verwenden, die mit Packschnur oder Paketklebeband verschlossen werden. Auch hochwertigere Koffer sind geeignet, die man preiswert gebraucht kaufen kann. Kleinere Behältnisse lassen sich leichter umstellen und transportieren, für liegend aufbewahrte Kleidungsstücke benötigt man jedoch mehr Platz. Es ist sinnvoll, zwischen die eingelagerten Kleider säurefreies Seidenpapier und ein Mottenschutzmittel zu legen. Zerbrechliche Dinge schlägt man am besten in Luftblasenfolie ein.

Um den Überblick zu behalten, sollten die eingelagerten Dinge beschriftet werden. Kleben Sie eine Liste des Inhalts auf die Seiten und den Deckel der Kartons. Wer sich diese Mühe nicht macht, wird später viel Zeit mit Suchen vergeuden. Damit die Beschriftung auch in düsteren Lagerräumen gut zu lesen ist, schreiben Sie in großen Buchstaben mit einem dicken Filzstift. Als Merkhilfe für den Inhalt von Koffern bieten sich altmodische Gepäckanhänger an, die man am Griff befestigt. Wer ausprobieren will, ob er auf bestimmte Dinge verzichten kann, sollte auch das Datum vermerken, an dem sie eingelagert wurden. So lässt sich leichter überprüfen, wie lange sie aus dem Verkehr gezogen waren.

Saisonartikel wie Weihnachtsschmuck, Strandutensilien, Camping- oder Skiausrüstung sollten in der Nähe des Eingangs zum Lagerraum aufbewahrt und nach Gebrauch wieder genau an ihren Platz gelegt werden, damit man sie schnell wiederfindet.

WOHNTEXTILIEN

Textilien auswählen

Die Auswahl von Wohntextilien ist gar nicht so einfach. Einerseits sollen Farbe, Textur und vielleicht Muster zur Einrichtung passen, andererseits soll das Material seinem Verwendungszweck gerecht werden. Das Angebot an Stoffen ist riesig und kann verwirrend sein. Allerdings macht die Stoffauswahl auch großen Spaß, weil schon kleine Veränderungen enormen Einfluss auf die Wirkung eines Raums haben können.

Texturen

Die Texturen von Stoffen spielen eine wichtige Rolle, denn sie schaffen ein Gegengewicht zu Glas, Stein, Ziegeln, Holz und anderen harten Oberflächen von Bausubstanz und Einrichtung. Stoffe bilden den sinnlichen Faktor der Einrichtung, sie sorgen für Wärme und Behaglichkeit. Manche fühlen sich weich und warm an, andere glatt und kühl. Solche Texturkontraste beeinflussen auch die Atmosphäre im Raum.

RAU Zottige, raue, dichte Stoffe wie Webpelz, Filz, Tweed, Chenille oder Samt strahlen Wärme aus und wirken im Kontrast zu minimalistischen, strengen Räumen besonders gut. Flauschige Naturfasern wie Angora und Kaschmir haben etwas Luxuriöses, preiswertere Materialien wie Waffelpikee, Strickstoff, Flanell oder Polarfleece wirken aber ebenso warm und gemütlich. Wolldecken und Läufer runden die einladende, behagliche Atmosphäre ab.

GLATT Glänzende, glatte und duftig-transparente Stoffe erzeugen im Kontrast zu anderen Materialien eine eher kühle, frische Atmosphäre. Satin, Organdy, Taft, mercerisierte Baumwolle, Glattleder, Nylon und viele andere Synthetikstoffe bilden bei sparsamem Einsatz reizvolle Kontraste zu matten Stoffen wie Mohair oder grober Wildseide.

Farbe

Abgesehen von der Textur ist die Farbe das wichtigste Kriterium bei der Auswahl von Wohnstoffen. Vor allem die Farben sind es, die Charakter und Atmosphäre eines Raums prägen – etwa ruhige Neutraltöne oder leuchtende, intensive Farben.

NEUTRALE FARBEN Die ruhigsten und zurückhaltendsten Farben sind die Neutraltöne. Sanftes Creme oder Grau, Beige oder helles Violett ist immer ein dezenter Hintergrund, der sich mit fast jedem Einrichtungsstil verträgt. Auch unbehandelte Textilfasern wie ungebleichte Baumwoll- und Leinenstoffe fallen in die Palette der Neutraltöne. Selbstverständlich sind auch edlere Stoffe wie Seide, Satin und Samt in solchen Farben erhältlich, ferner Glatt- und Wildleder sowie verschiedene Lederimitate. Neutrale Farben können trist wirken, wenn sie nicht durch einige Akzente in reinem Weiß oder klaren Farben belebt werden. Dafür können schon Accessoires wie Kissen oder Decken ausreichen, ebenso farbige Streifen am oberen oder unteren Saum von Vorhängen.

LEUCHTENDE FARBEN Stoffe in kräftigen Farben wie Pink, Mittelmeerblau, Smaragdgrün, Sonnengelb oder Orange fallen ins Auge und wirken lebendig und anregend. Es sind die Farben des heißen Südens, die auch Wohnungen in gemäßigten Regionen etwas mehr Temperament verleihen. Man kann sie ganz lässig in kleinen Mengen einsetzen und beispielsweise einen einzelnen Stuhl scharlachrot beziehen lassen. Wer mit großer Geste gestalten will, kombiniert vielleicht grellgrüne Vorhänge mit leuchtend blauen Wänden. Kunterbunte Kissen sehen auf einem einfarbigen Sofa ausgesprochen gut aus. Probieren Sie unbedingt aus, ob intensive Farben wasch- und lichtecht sind, oder lassen Sie solche Stoffe im Zweifelsfall chemisch reinigen.

DUNKLE FARBEN Marineblau, Pflaumenblau, Braun und andere dunkle Farben – Schwarz eingeschlossen – haben eine schwere, maskuline Ausstrahlung. Als Vorhänge und Möbelbezüge können sie dramatisch wirken, sowohl für sich allein als auch mit Akzenten in Weiß, Neutralfarben, Pastelltönen oder leuchtenden Farben. Auf dunklen Stoffen sieht man, ebenso wie auf Neutralfarben, leicht Flecken und Fusseln, darum sind sie nicht sehr praktisch. Prüfen Sie unbedingt die Farbechtheit.

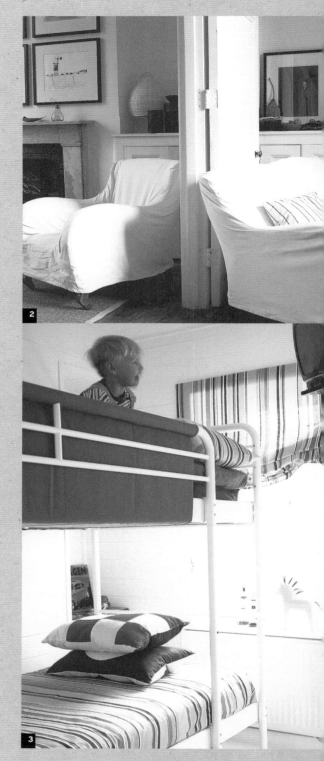

1 Robustes Segeltuch mit eingeschlagenen Ösen auf einem Spanndraht – eine einfache und preiswerte Lösung, um offene Küchenregale zu verstecken. **2** Lose Möbelbezüge kann man nach Lust und Laune wechseln. Weiße Baumwolle wirkt sommerlich. **3** Bunt gestreifter Baumwollstoff als Rollo und Tagesdecke passt gut ins Kinderzimmer. **4** Weiche Stoffe wie Samt, Leder und Wildleder sind wunderbar sinnlich und behaglich. **5** Der eng anliegende Bezug betont die interessanten Konturen des Sofas. **6** Transparenter Stoff in leuchtenden Farben lässt das Sonnenlicht noch lebendiger und wärmer wirken.

Muster

Muster sorgen für Leben und Bewegung. Ein mexikanischer Teppich auf einfarbigen Bodendielen bildet einen grafischen Blickfang im Raum, eine Musterbordüre auf einem einfarbigen Vorhang bringt dagegen Rhythmus ein.

GEWEBTE MUSTER Traditionelle Gewebe wie Baumwolle mit Madraskaro oder die Bordüren von Seidensaris haben schöne und sehr dekorative Muster in verschiedenen Farben. Allein durch die Webart können ebenso einfarbige Muster entstehen, beispielsweise Köper mit feinen Diagonalstreifen, Fischgrät, Seersucker oder Jacquard mit aufwendigen Mustern, die auf einem speziellen Webstuhl gefertigt werden. Diese Ton in Ton gemusterten Stoffe wirken auf dezente Weise interessant.

GEDRUCKTE MUSTER Bedruckte Stoffe gibt es in großer Auswahl, von traditionellen Blumen über Blattdesigns im 50er-Jahre-Stil und modernen geometrischen Mustern bis hin zu Streifen in allen Variationen. Neue Techniken ermöglichen sogar das Übertragen von Fotos auf Stoffe und Bettwäsche. Gemusterte Stoffe sollte man sparsam einsetzen und sorgfältig kombinieren. Allerdings können, ebenso wie bei Texturen und Unis, Kontraste interessant, witzig und lebendig wirken, etwa Rosenchintz neben leuchtenden Karos.

Klassische Stoffe

Moderne Synthetikstoffe mögen viele Vorzüge haben, einige Naturfasermaterialien sind aber wegen ihrer guten Eigenschaften inzwischen echte Klassiker. Leinen, Baumwolle, Wolle und Seide werden für traditionelle und moderne Stoffe gleichermaßen verarbeitet und aus Gründen der Festigkeit auch mit Synthetikfasern gemischt. Trotzdem haben die reinen Naturfasern einen ganz besonderen Reiz.

LEINEN Dies ist einer der vielseitigsten Stoffe. Leinen hat eine wunderbare Textur und gute Gebrauchseigenschaften. Es ist saugfähig, hypoallergen, antistatisch, strapazierfähig und trocknet schnell – ein ideales Material beispielsweise für Bettwäsche, Kissenhüllen und Servietten. Leinen nimmt Farbstoffe gut an und entwickelt satte, intensive Farben. Doch auch wenn die Farben mit der Zeit verwaschen, vermitteln sie eine überzeugende Lässigkeit, die Leinen durch seine natürliche Knitterwirkung ohnehin besitzt. Feuchtes Leinen kann man mit einem heißen Bügeleisen makellos glätten.

BAUMWOLLE Neben Leinen ist Baumwolle der beste Stoff für Tisch- und Bettwäsche. Feine Baumwolle ist kaum preiswerter als Leinen. Mischgewebe aus Baumwolle und Synthetikfasern (meist Polyester) sind preiswerter und knittern weniger, fühlen sich aber nicht so angenehm an und sind weniger saugfähig.

Baumwollstoffe mit einer glänzenden Beschichtung müssen chemisch gereinigt werden. Waffelpikee ist auf eine spezielle Art gewebt und hat ein geometrisches, plastisches Muster.

WOLLE Traditionell wurden aus Wolle Schottenkaros und Konfektionsstoffe gewebt, man kann sie aber auch für viele andere Zwecke verwenden. Meist werden die Fäden zuerst gefärbt und dann zum Weben mehrfarbiger Muster wie Karos, Streifen oder geometrischer Rapporte verwendet. Wollfilz ist Wollgewebe, das gekocht oder stark erhitzt wurde, sodass die Fasern verfilzen.

SEIDE Seidenfasern nehmen Farbstoffe außerordentlich gut an und ergeben leuchtende, schimmernde Stoffe. Besonders reizvoll sehen Gewebe aus, bei denen Kett- und Schussfaden verschiedene Farben haben. Es gibt viele verschiedene Seidenqualitäten für unterschiedliche Zwecke, von raschelndem Taft bis zu schwerer Wildseide. Die Fasern sind empfindlich: Sind sie Sonnenlicht und Staub ausgesetzt, verblassen und zerfallen sie mit der Zeit.

Polsterstoffe

Die Stoffbezüge von Stühlen, Sesseln und Sofas werden stärker strapaziert als die meisten anderen Wohntextilien. Bewährte Polsterstoffe sind kräftiger Drell, Rips mit dem charakteristischen Rippenmuster, Samt, Velours, Bouclé, dicht gewebte Wollstoffe, Jacquard und Gobelinstoffe mit prächtigen, eingewebten Mustern. Auch verschiedene neue Mikrofaser-Gewebe (Synthetikstoffe) werden für Möbelbezüge verwendet. Damit sich ein Stoff für diesen Zweck eignet, müssen die Fasern selbst robust und strapazierfähig sein, außerdem muss das Gewebe fest und haltbar sein. Viele Möbelstoffe, vor allem solche für Möbel in öffentlichen Räumen, werden einem Abriebtest unterzogen, um ihre Strapazierfähigkeit besser bestimmen zu können. In den meisten Ländern Europas wird zudem verlangt, dass Möbelstoffe schwer entflammbar sind.

Leichte Stoffe

Diese Stoffe dienen fast ausschließlich dekorativen Zwecken, ihr Reiz liegt vor allem in ihrer zarten, duftigen Ausstrahlung. Sie dunkeln Räume nicht ab, sondern filtern das Licht nur. Manche haben Durchbruchmuster, andere sind bestickt oder in leuchtenden Tönen eingefärbt. Scheint Licht hindurch, malen sie zarte, manchmal farbige Muster auf Wände, Decken und Fußböden.

Fertige Gardinen aus Musselin, Baumwoll- und Leinenvoile sowie verschiedenen Synthetikstoffen sind in vielen Farben und Stilen erhältlich. Manche haben Schlaufen oder eingeschlagene Ösen, die einfach auf einen Spanndraht oder eine dünne Stange am Fenster, an der Tür oder über dem Bett gefädelt werden.

Auch als Raumteiler kann man sie gut verwenden. Etwas festere Gewebe wie Organdy zeigen edle Knittereffekte und eignen sich für Gardinen und Vorhänge, Tagesdecken, dekorative Überwürfe und Tischdecken. Mittelschwere Qualitäten wie Seide, Taft und viele Baumwollstoffe sind ideal für ungefütterte Vorhänge, als Sichtschutz, Raumteiler oder Hussen für Sitzmöbel. Man kann sie auch abfüttern und für dichtere Vorhänge, Faltrollos, Tagesdecken und Kissenbezüge verwenden.

Reinigung und Pflege

Damit Stoffe immer gut aussehen, sollten sie regelmäßig gepflegt und gereinigt werden. Edle Materialien und Stoffe mit einem Flor müssen meist chemisch gereinigt werden, den Flor kann man auch mit dem Staubsauger säubern. Manche Stoffe sind waschbar, laufen aber ein (beispielsweise Leinen) und sollten darum vor dem Nähen gewaschen werden. Viele waschbare Stoffe müssen gebügelt werden, wenn man den lässigen Knitterlook nicht haben will. Vorhänge und Faltrollos mit Futter und Einlage sollten schon wegen der unterschiedlichen Pflegeansprüche der Materialien chemisch gereinigt werden. Erkundigen Sie sich beim Stoffkauf immer nach der Waschbarkeit und machen Sie im Zweifelsfall mit einem kleinen Stück eine Probewäsche. Messen Sie das Probestück vor und nach der Wäsche aus und vergleichen Sie auch die Farbe mit dem Originalstoff.

Accessoires

Bei Polsterstoffen spielen Aspekte wie Preis und Strapazierfähigkeit eine Rolle, bei Accessoires dagegen darf man der Fantasie freien Lauf lassen.

HUSSEN Lose Bezüge für Stühle, Sessel und Sofas sind vielseitig, weil man sie nach Lust und Laune wechseln kann, um sie der Jahreszeit oder einem besonderen Anlass anzupassen, ohne die Möbel gleich neu beziehen lassen zu müssen. Wer mehrere Garnituren loser Bezüge besitzt, kann sie auch regelmäßig zum Waschen oder Reinigen wechseln.

KISSEN Kaum etwas ist schöner, als sich in einen Berg weicher Kissen sinken zu lassen. Kissen sind aber nicht nur gemütlich, sie bieten sich auch für Spielereien mit edlen Stoffen an, weil man nur wenig Material braucht. Auch durch verschiedene Formen – eckige und runde Kissen sowie Rollen – lässt sich für Abwechslung sorgen.

ÜBERWÜRFE Eine Decke oder ein Tuch, lässig über die Lehne eines Sofas oder Sessels geworfen, beeinflusst die Atmosphäre im Raum und kann jederzeit ohne Aufwand gewechselt werden. Weiche, sinnliche Stoffe wie Mohair, Webpelz oder wattierte Seide sorgen obendrein für abwechslungsreiche Texturen.

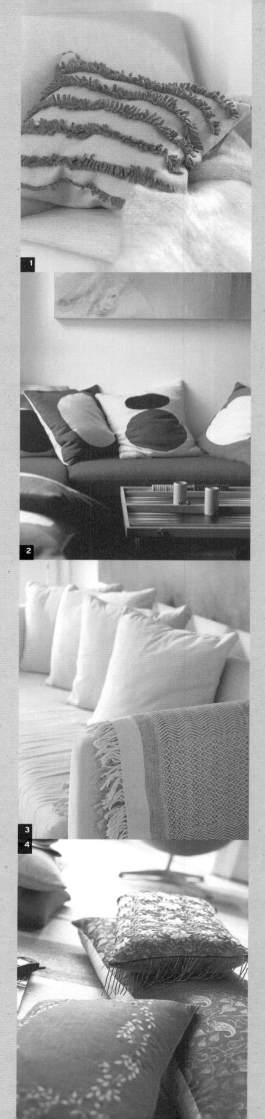

BETTWÄSCHE

Bettwäsche auswählen

Es zählt zu den Freuden des Lebens, in ein frisch bezogenes Bett zu schlüpfen. Wenn auch für eine gute Matratze (siehe Seite 214), ein angenehmes Kopfkissen und eine der Temperatur und Jahreszeit angepasste Decke gesorgt ist, steht dem gesunden Schlaf nichts mehr im Weg.

Kopfkissen

Die Füllung eines Kopfkissens besteht entweder aus Federn oder aus Synthetikfasern. Die letzteren sind vor allem für Allergiker und Asthmatiker empfehlenswert, hochwertige Synthetikfüllungen kann man in der Waschmaschine waschen, ohne dass sie klumpig werden. Es werden verschiedene Synthetikfasern mit sehr unterschiedlicher Festigkeit angeboten. Lassen Sie sich beim Kauf verschiedene Typen zeigen und fühlen Sie, welcher Festigkeitsgrad Ihnen am besten zusagt. Federfüllungen reichen von einfachen Entenfedern bis zu kostbaren Daunen sibirischer Gänse, ein Unterschied wie zwischen gewöhnlicher Wolle und Kaschmir. Manche Federkissen sind waschbar. Hausstauballergiker, die auf Federkissen nicht verzichten wollen, sollten sie regelmäßig einem Gefriervorgang unterziehen, um die Staubmilben abzutöten.

Auch der Aufbau von Kissen variiert. Kissen mit einem Kern aus Entenfedern geben dem Nackenbereich guten Halt, während der restliche Kopf- und Schulterbereich auf weichen Daunen liegt. Spezielle Stützkissen, meist aus Schaumstoff, unterstützen die Halswirbelsäule besonders gut. Federkissen sollten dicht gewebte Inletts mit verstärkten oder gepaspelten Nähten haben.

Kissenbezüge

Die Standardgröße für Kopfkissenbezüge ist 80 cm x 80 cm. Seit aber verschiedene Stützkissen erhältlich sind und auch Bettwäsche aus ausländischer Produktion angeboten wird, findet man im Handel eine Reihe weiterer Formate, darunter 80 cm x 40 cm, oder 40 cm x 60 cm. Manche Bezüge haben am Rand einen umlaufenden Stehsaum oder eine Bogenkante. Ein Detail, auf das man beim Kauf achten sollte, ist der Verschluss des Kissenbezugs. Knöpfe sind üblich, auch Reißverschlüsse sind erhältlich. Bei Kissenhüllen mit so genanntem Hotelverschluss spielt die Breite der Überlappung eine wichtige Rolle. Ist sie knapp bemessen, klafft die Öffnung bei dickeren Kissen auf. Um das Kissen selbst vor Flecken zu schützen, sollte man einen simplen, einfarbigen Baumwollbezug aufziehen und erst dann den eigentlichen Kopfkissenbezug.

Laken

Zum Beziehen der Matratze verwendet man Spannbettlaken oder lose Laken. Spannlaken sitzen immer straff und faltenfrei, weil sie mit

einem umlaufenden Gummizug versehen sind und meist aus elastischem Material bestehen. Es gibt sie in verschiedenen Größen für die üblichen Standard-Matratzenformate. Alternativ kann man lose Laken verwenden, die unter die Matratze geschlagen werden und die man in manchen Regionen auch in Kombination mit einer Wolldecke zum Zudecken benutzt. Die edelsten und teuersten Laken bestehen aus reinem Leinen, das im Sommer kühlt und im Winter wärmt. Glamouröse Satin-Laken hatten früher einen klischeehaften Beigeschmack, sind aber augenblicklich wieder im Kommen. Baumwolllaken sind in verschiedenen Qualitäten erhältlich. Feinfädiger Linon ist glatt gewebt und recht kühl. Frottee hat eine Schlingenoberfläche, Biber ist ein nach dem Weben aufgerautes Baumwollgewebe. Laken ohne Spanngummi haben meist die Abmessungen 150 cm x 250 cm.

Matratzenschoner

Neben robusten Geweben, die zwischen Matratze und Federrahmen oder Lattenrost gelegt werden, erhält man Auflagen für Matratzen in verschiedenen Qualitäten. Manche sind wattiert und erhöhen den Schlafkomfort (so genannte Unterbetten), andere dienen nur dazu, die Beanspruchung der Matratze zu reduzieren, sodass die teure Neuanschaffung seltener fällig wird. Sie lassen sich leicht abnehmen und waschen.

Bettdecken

Wie Kopfkissen werden auch Bettdecken mit Füllungen aus verschiedenen hypoallergenen Synthetikfasern sowie Federfüllungen unterschiedlicher Qualität angeboten. Viele können in der Waschmaschine gewaschen werden. Die verschiedenen Füllmaterialien unterscheiden sich nicht nur in der Wärmewirkung, sondern auch im Gewicht. Lassen Sie sich darum beim Kauf Zeit zum Fühlen und Vergleichen. Das Standardmaß für Bettdecken beträgt 135 cm x 200 cm. Für Einzelbetten werden ferner Überlängen (220 cm) und Überbreiten (155 cm) angeboten. Decken für französische Betten sind 200 cm x 200 cm groß.

Wolldecken

Wolldecken sind längst nicht mehr nur langweilig und funktional. Sie haben sich zu ausgesprochen dekorativen Wohnaccessoires gemausert, die manchmal wie moderne Kunst wirken. Es gibt gewebte und gestrickte Decken aus verschiedensten Materialien und Faserkombinationen, doch Wolle und Baumwolle sind noch immer die Favoriten. Neben klassischen Schottenkaros, auch in frechen Farben, findet man beispielsweise Designermotive und Unis in gedämpften Tönen. Eine elektrische Heizdecke wärmt in eisigen Winternächten.

Tagesdecken

Steppdecken sind zwar praktisch, aber manche Menschen haben es lieber, wenn ihr Bett tagsüber etwas „wohnlicher" aussieht. Dafür kann eine große Tagesdecke ausreichen, einige Modelle sind auch so geschneidert, dass sie an den Seiten glatt herabhängen. Gesteppte Tagesdecken aus seidigen Stoffen in Pasteltönen sind gerade wieder im Kommen, ebenso traditionelle Blumenmuster, Patchwork-Quilts und handbestickte Decken – mal Ton in Ton, mal lebhaft und kontrastreich. Und wer im Schlafzimmer luxuriösen Flair mag, könnte sich für eine Tagesdecke aus Webpelz entscheiden.

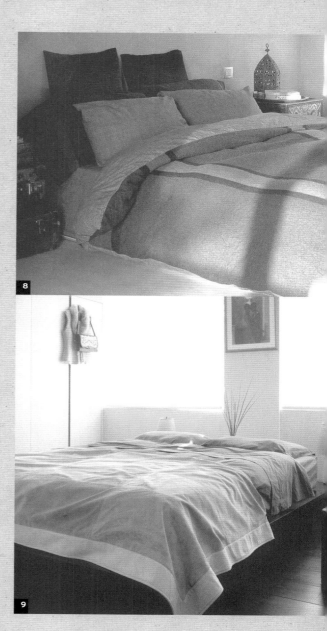

1 Der Kissenbezug mit den aufgesteppten Fransenborten sieht originell aus. **2** Thema mit Variationen: Kissen mit geometrischen Motiven. **3** In ganz in Neutraltönen oder Weiß gehaltenen Räumen sorgen verschiedene Texturen für Abwechslung. **4** Accessoires wie Kissenbezüge und Überwürfe bieten sich zum Experimentieren mit Mustern und Farben an. **5** Gesteppte Satin-Tagesdecken wirken sehr behaglich. **6** Edel und maßgeschneidert sieht das Leinenlaken auf dem Bett aus.

7 Eine Wolldecke mit auffallendem, modernem Muster eignet sich auch als Tagesdecke. **8** Ein niedriges Bett mit Bergen von Kissen wirkt sehr einladend. **9** Naturfaserstoffe wie Baumwolle und Leinen sind auf der Haut besonders angenehm, weil sie Feuchtigkeit aufnehmen und Luft durchlassen.

ROLLOS, VORHÄNGE & JALOUSIEN

Fensterdekoration auswählen

Zentralheizung und moderne Glasqualitäten sorgen dafür, dass man Fenster nicht mehr mit dicken, isolierenden Vorhängen abdichten muss. Nichts spricht dagegen, dem Trend zu schlichten, eher reduzierten Fensterdekorationen zu folgen. Vorhänge oder Rollos am Schlafzimmerfenster dagegen sind sinnvoll, um die Privatsphäre zu schützen, das Morgenlicht auszusperren oder eine intimere Atmosphäre zu schaffen.

Sofern eine Fensterdekoration erwünscht ist, passt zu einer modernen Wohnung am besten ein eher schlichter Stil. Zwanglos aufgehängte Stoffbahnen präsentieren ihre Farben und Muster besser als Vorhänge, die kunstvoll gerafft und gefältelt sind. Jalousien und Rollos sind sinnvoll, wenn der Stoff nicht bis unter die Fensterbank reichen soll. Fensterläden – drinnen oder draußen – sind eine weitere interessante Möglichkeit.

Faltrollos

Beim Hochziehen legen sich Faltrollos wie eine Ziehharmonika in gleichmäßige Falten. Wegen dieser Falten eignen sie sich besser für Fenster in Nischen. Die Höhe des Rollos (und folglich die Anzahl der Falten) sowie die Dicke des Stoffs und des Futters hängen von der Tiefe der Nische ab. Breite Faltrollos sind recht schwer. Abgesehen von diesen Einschränkungen sehen Faltrollos aber recht elegant aus. Alle festeren Stoffe sind geeignet. Je dichter das Gewebe und je schwerer der Stoff, desto mehr Platz nimmt das Rollo ein und desto schärfer legen sich die Falten ein.

Springrollos

Ein Springrollo ist eine preiswerte und praktische Lösung, um ein Fenster abzudecken. Diese Rollos bestehen aus einem versteiften Stoff, man kann aber auch einen Stoff eigener Wahl mit einem Spezialspray selbst versteifen. Manche Rollos haben eine dekorative Unterkante, etwa mit Bögen, andere sind schmucklos. Weiße Rollos wirken ausgesprochen schlicht und unaufdringlich. Abdunklungsrollos sind mit einer Beschichtung versehen, die kein Licht durchlässt. Sie sind ideal für Schlafräume, die man nachts zuverlässig verdunkeln will, ohne dafür auf dekorative, duftige Vorhänge zu verzichten. Rollos können auch als improvisierte Schranktüren oder Raumteiler eingesetzt werden, etwa um eine Kochnische abzuteilen und die Utensilien in offenen Regalen zu verstecken.

Aufwärtsrollo

An hohen Fenstern, die beispielsweise zur Straße liegen, kann man als Alternative zu Tüllgardinen ein Rollo auch kopfüber befestigen. Die Mechanik wird auf Fensterbankhöhe angebracht, der Stoff wird von unten nach oben gezogen und kann an Haken an beiden Seiten des Fensterrahmens eingehängt werden. Der Vorzug dieser Lösung gegenüber der konventionellen Montage besteht darin, dass der untere Bereich der Fenster zwar vor Einblicken geschützt ist, im oberen Bereich aber Tageslicht einfallen kann und Sie die Aussicht immerhin teilweise genießen können. Diese Montagelösung bietet sich auch für Fenster an, deren oberer Rahmen rund ist oder spitz zuläuft.

Jalousien

Jalousien bestehen aus einzelnen Lamellen, deren Neigungswinkel sich verstellen lässt, um den Lichteinfall zu regulieren. Selbst bei relativ waagerecht gestellten Lamellen bieten sie noch recht guten Sichtschutz. Bei Bedarf kann man sie auch ganz hochziehen. Abgesehen von den flexiblen Einstellmöglichkeiten haben Jalousien noch andere Vorzüge. Die Lamellen bestehen meist aus Holz oder Metall – farbig, matt oder glänzend – und sehen sehr modern aus. Es werden verschiedene Lamellenbreiten angeboten, was sich wiederum auf das Aussehen auswirkt. Jalousien eignen sich auch für sehr breite Fenster. Bei Überbreite wird die Anzahl der Schnüre, die die Lamellen halten, einfach erhöht. Rollos dagegen werden nur an den Seiten gehalten und neigen bei großen Breiten zum Durchhängen.

Speziallösungen

Im Fachhandel findet man eine Reihe von speziellen Rollos und Jalousien für ungewöhnliche Fenster, etwa dreieckige Fenster, Oberlichter oder Fenster, die sehr hoch liegen. Manche werden seitlich gezogen, andere mit einer Stange vom Boden oder über eine elektrische Fernsteuerung bedient. Solche Rollos und Jalousien werden individuell gefertigt, sind aber für schwierige Fenster eine perfekte Lösung. Genaues Maßnehmen ist allerdings unerlässlich.

Andere Rollos

Rollos können aus verschiedenen Materialien bestehen, die unterschiedliche Eigenschaften haben. Bambusrollos besitzen eine interessante Textur und schöne Naturfarbtöne. Durch die Zwischenräume der Stäbe scheint Licht und malt reizvolle Muster, sie schützen aber nicht zuverlässig vor Einblicken. Plisseerollos können aus Papier oder synthetischen Fasern bestehen, manche haben Luftkammern, die ihre Isolierwirkung verbessern. Viele Firmen fertigen nach Kundenwunsch auch Rollos nach Maß oder aus ungewöhnlichen Materialien, etwa Leder, an, um sie auf die Einrichtung des Raums abzustimmen.

1 Von der Decke bis zum Boden reichende, glatte Bahnen aus weißem Stoff blenden bei Bedarf grelles Sonnenlicht aus. **2** Lamellenjalousien aus Holz oder Metall erlauben eine flexible Regulierung des Lichteinfalls. **3** Duftige Baumwollvorhänge grenzen den Schlafbereich ab. **4** Fensterläden mit Scharnieren lassen sich in der Fensternische zusammenlegen. **5** Hängt man Vorhänge oberhalb des Fensters auf und lässt sie am Boden aufliegen, wird die Höhe des Raums betont. **6** Schiebepaneele aus schmalen Leisten werfen interessante Schattenmuster in den Raum. **7** Innenfensterläden aus milchigem Plexiglas schützen vor Einblicken, ohne das Licht auszublenden. **8** Fensterrahmen mit unregelmäßig gezahnten Paneelen wirken wie ein überdimensionales, modernes Puzzle.

Gardinen und leichte Vorhänge

Eine glatte Stoffbahn mit gesäumten oder ungesäumten Kanten kann man über einem Fenster befestigen und tagsüber zur Seite raffen. Diese einfachste Form der Fensterdekoration hat den Vorteil, dass der Stoff nicht gekräuselt ist und sein Muster oder seine Farbe voll zur Geltung kommt. Einen ungefütterten Fertigvorhang kann man in ähnlicher Weise mit Ösen bestücken und mit Clips an einem Spanndraht oder einer dünnen Stange befestigen. Solche kaum gekräuselten Vorhänge sehen leicht und unkompliziert aus. Extralange Vorhänge aus einem transparenten Material filtern das Licht und bewegen sich im kleinsten Windzug. Sie lassen sich problemlos abnehmen und waschen, was gerade in der Stadt wichtig ist, wo Fensterdekorationen recht schnell schmutzig werden. Weil solche Vorhänge nicht teuer sind, kann man sich mehrere Garnituren leisten und sie mit den Jahreszeiten wechseln – vielleicht Weiß für den Sommer und ein leuchtender, warmer Farbton für den Winter.

Schwere Vorhänge

Üppige, schwere Vorhänge, die bis auf den Boden fallen, sind der Inbegriff von Luxus. Sie machen jeden Raum warm und gemütlich – im übertragenen wie im konkreten Sinne. Ein Futter gibt den Vorhängen mehr Gewicht und schützt vor dem Ausbleichen. Ein Zwischenfutter, das zwischen Oberstoff und Futter liegt, verbessert die Abdunklung und die Isolierwirkung. Vorhänge mit Futter und Zwischenfutter oder Modelle aus dicken Stoffen wie Samt sind ausgesprochen schwer und verlangen eine stabile Stange, die sicher befestigt sein muss. Es lohnt sich, wirklich hochwertige Materialien, die lange halten, zu verwenden und ab und zu in eine chemische Reinigung zu investieren.

Stangen und Schienen

Vorhangstangen mit Ringen oder verdeckte Schienen eignen sich als stabile und schlichte Aufhängung für Vorhänge und Gardinen aller Gewichte. Für leichte und ungefütterte Vorhänge reicht auch ein Spanndraht oder eine dünne Stange aus, selbst ein dünnes Rundholz oder Kupferrohr kann genügen. Reibt man die Oberseite der Stange mit Kerzenwachs ein, gleiten die Ringe leichter. Eine Stange oder Schiene sollte breiter sein als das Fenster, damit man die Vorhänge so weit öffnen kann, dass sie kein Licht ausblenden. Alternativ könnte man nur die Glasfläche mit Voile oder einem anderen leichten Stoff abdecken und die Rahmen und Details des Fensters sichtbar lassen.

Traditionelle Fensterläden

Schließt man Fensterläden am Abend, dunkeln sie den Raum ab, sorgen für Isolierung und eine gewisse Geräuschdämmung. In manchen alten Häusern findet man noch Innenfensterläden aus Holz, die ziehharmonikaartig in den Fensternischen zusammengeklappt werden. Ähnliche Modelle mit modernen, glatten Flächen kann man für fast alle Fensterformen und -größen noch heute herstellen lassen. Sie sollten aber überlegen, *wie* die Paneele zusammengeklappt werden und wie viel Platz sie dann einnehmen. Die Scharniere müssen sehr flach sein, sonst behindern sie den Mechanismus. Fensterläden mit waagerechten Lamellen lassen tagsüber Luft ins Haus und schützen vor greller Sonne.

Fensterläden mit Ausschnitten

In glatte Fensterläden kann man Ausschnitte in verschiedenen Formen sägen. Das sieht reizvoll aus, reduziert aber die isolierende Wirkung in gewissem Maße. Tagsüber fällt Licht durch die Ausschnitte und malt immer andere, interessante Muster. Attraktiv sind auch Fensterrahmen mit ungewöhnlich geformten Paneelen, die in geschlossenem Zustand wie ein Puzzle ineinander greifen.

Drehfensterläden

Statt Fensterläden mit Scharnieren an der Wand oder der Fensternische anzubringen, kann man sie auch fest installieren und mit einer senkrechten Stange versehen, um die sie gedreht werden. So lässt sich jedes Paneel individuell auf den Sonnenstand einstellen. Eine solche Lösung bietet sich vor allem an, wenn man eine hässliche Aussicht verdecken will, ohne dabei auf Tageslicht und Sonnenschein zu verzichten. Zu diesem Zweck könnte man anstelle der Fensterläden auch farbige, satinierte oder strukturierte Glasscheiben einsetzen, die die Aussicht verwischen und dennoch reichlich Tageslicht durchlassen.

HAUSHALTSGERÄTE & INSTALLATIONEN

VERWENDBARKEIT UND STIL

Bevor man sich dem Vergnügen der Anschaffung von Haushaltsgeräten und Installationen für Küche und Bad hingeben kann, gilt es, einige praktische Erwägungen anzustellen. Einige Fragen sind offensichtlich, andere weniger, aber entscheidend sind letztendlich vier Faktoren: der verfügbare Platz, das Budget, die gewünschte optische Wirkung und die technische Komplexität.

Wenn Sie sich Geräte und Utensilien für Ihre Küche anschaffen, sollten Sie zunächst einen kritischen Blick auf Ihren Lebensstil und Ihre Bedürfnisse werfen. Brauchen Sie wirklich den riesigen Edelstahl-Profiherd oder tut es auch ein einfacher Einbauherd? Beim Kauf kleinerer Küchengeräte gilt es einen Mittelweg zu finden: Welche Geräte sparen Ihnen wirklich regelmäßig Zeit, ohne Ihnen den Spaß am Kochen (und wertvollen Stellplatz) zu nehmen? Die Grundausstattung sollte aus Geräten bestehen, die Ihrer Art zu kochen und den Vorlieben Ihrer Familie angemessen sind – beispielsweise ein Mixer, wenn Sie gerne backen und Desserts zubereiten, ein Entsafter, wenn Sie täglich frischen Fruchtsaft trinken, und natürlich die allgegenwärtige Mikrowelle. Auch der verfügbare Stauraum bestimmt über den Maschinenpark, den Sie unterbringen können. Haushaltsgeräte sind wichtig, aber man sollte auch rationell denken – ein gutes Beispiel ist die Anschaffung einer Waschmaschine mit Trocknerfunktion anstelle von zwei separaten Geräten.

Im Badezimmer kann der Platz ebenso schnell zur Mangelware werden. Wenn Sie nur wenig Raum zur Verfügung haben, müssen Sie wohl oder übel auf die frei stehende Badewanne mit Löwenfüßen verzichten, was aber nicht heißt, dass die Ästhetik darunter leiden muss. Es gibt viele Möglichkeiten, ein kleines Badezimmer schick einzurichten, von der einfachen Nasszelle mit schlichten Materialien wie Holz und Stein, bis hin zur an der Wand montierten, modernen Toilette, die den Boden freilässt und dadurch für ein Gefühl der Geräumigkeit sorgt. Da das Bad zunehmend als Ort der Ruhe und Entspannung angesehen wird, nimmt die Auswahl an luxuriösen und schön gestalteten Badezimmerausstattungen immer weiter zu. Badezimmer und Küche haben sich zu Bereichen entwickelt, in denen die Kombination aus Form und Funktion zu einem inspirierenden zeitgenössischen Interieur führen kann.

KÜCHENAUSSTATTUNG

Küchenausstattung auswählen

Küchenausstattungen sind immer teuer und sollten darum einige Jahre halten. Deshalb ist es wichtig, vor dem Kauf alle Optionen durchzudenken. Die Küche muss nicht wie die des berühmten Fernsehkochs aussehen (außer, Sie wollen das so): Sie muss ausschließlich Ihren Anforderungen genügen.

Herde

Der Herd mit Kochfeldern und Backofen nimmt sicherlich die zentrale Position in jeder Küche ein. Bei der Auswahl des Herdes stehen drei Überlegungen an: die Zusammenstellung der Komponenten, der Standort und die Energiequelle. Hätten Sie beispielsweise gern ein Kombigerät, separate Kochfelder und einen oder gar mehrere Backöfen, einen eingebauten oder separaten Grill und so weiter? Wenn Sie getrennte Komponenten haben möchten: wo sollen sie eingebaut werden, damit sie vernünftig genutzt werden können (siehe Seite 136–139)? Mit welcher Energie sollen sie betrieben werden: Strom oder Gas?

Ihre Entscheidung hängt unter anderem vom verfügbaren Raum, den Kosten, der Flexibilität, Ihrer Erfahrung, Ihren Kochgewohnheiten und den Energiequellen ab. Vielleicht möchten Sie den Ofen von den Kochfeldern getrennt so einbauen, dass Sie sich mit dem schweren Bräter nicht ständig bücken müssen. Vielleicht kochen Sie gerne mit Gas und haben keinen Gasanschluss, sodass Sie auf Gasflaschen zurückgreifen müssen. Oder vielleicht wünschen Sie sich auch eine Kombination aus zwei Gaskochern und zwei Elektroplatten.

Die einfachste Lösung ist ein frei stehendes Kombigerät mit Kochfeld und Ofen, sei es nun das Angebot aus dem Baumarkt oder ein Profiherd. Solche Geräte kann man bei einem Umzug einfach abbauen und mitnehmen. Die Standardbreite beträgt wie bei Küchenschränken 60 cm. Ein schlichtes Kombigerät ist in der Regel mit vier Kochplatten und einem Backofen mit Ober- und Unterhitze ausgestattet. Nach oben sind der Funktionsvielfalt und vor allem dem Preis allerdings kaum Grenzen gesetzt.

Profiherde

Wenn das frei stehende Standard-Kombigerät das eine Ende der Skala definiert, so wird das andere Ende von den großen Profiherden bestimmt. Dabei kann es sich um moderne Edelstahlmodelle handeln oder aber auch um traditionelle, farbig emaillierte Gusseisenöfen aus Omas Bürgerküche. Sie alle stellen eine beträchtliche Investition dar, nehmen sehr viel Platz ein und bestimmen ganz selbstverständlich das Bild jeder Küche.

Die modernen Edelstahlgeräte unterscheiden sich je nach Modell und Hersteller hinsichtlich der Anzahl der Backröhren, Koch-

platten und sonstigen Ausstattungsmerkmale erheblich. Die traditionellen Geräte wie beispielsweise ein Aga-Herd (siehe Adressverzeichnis Seite 258) bestehen in der Regel aus einer heißen und einer kühleren Kochplatte über einer heißen und einer kühleren Backröhre. Größere Modelle verfügen meist noch zusätzlich über eine Röhre und eine Platte zum Warmhalten. Sie besitzen keinen Grill, dafür kann man aber Fladenbrote oder Toast direkt auf den Platten backen oder rösten. Die Herde werden beständig beheizt, sodass sie immer zum Kochen bereit sind und eine gleichmäßige, sanfte Wärme an den Raum abstrahlen – sie wärmen ebenso psychologisch wie auch physisch. Einige dieser traditionellen Küchenherde können mit Öl, Gas oder Strom beheizt werden, andere mit Festbrennstoffen. Im Sommer kann die beständige Wärmeabgabe der traditionellen Herde zu viel werden, weshalb manche Besitzer ihre Geräte in den Sommermonaten abschalten und auf andere Kochmethoden zurückgreifen. Diese Lösung ist natürlich nur für diejenigen unter uns praktikabel, die über eine sehr große Küche verfügen.

Kochfelder

Kochfelder bestehen normalerweise aus Gruppen zu zwei oder vier Kochplatten oder -brennern, die auf oder in der Arbeitsplatte montiert sind. Sie werden entweder mit Gas oder mit Strom betrieben. Möchte man möglichst flexibel sein, kann man zwei Elektroplatten und zwei Gasbrenner miteinander kombinieren, falls beide Anschlüsse vorhanden sind. Natürlich kann man auch Platten oder Brenner einzeln montieren.

GAS Gas erfreut sich immer noch großer Beliebtheit, auch wenn die dazugehörigen Backöfen meist mit Strom beheizt werden. Ein Gasbrenner ermöglicht eine direktere Regulierung der Hitze, ist aber auch schwieriger sauber zu halten als eine Elektroplatte. Zudem ragt der Kochrost über die Arbeitsfläche hinaus und muss zum Reinigen entfernt werden. Gaskochfelder wirken rustikaler als Kochplatten.

STROM Im Vergleich zu Gasbrennern brauchen strombetriebene Kochplatten etwas länger zum Aufheizen und halten auch die Hitze länger. Halogen- und Induktionsplatten erhitzen sich bzw. das Kochgut schneller als Thermostatplatten und kommen im Heizverhalten Gas am nächsten. Sie sind zwar die effizienteste Kochmethode, aber auch sehr teuer, und funktionieren nur mit speziellen Töpfen und Pfannen. Die Kochplatten eines Elektroherds können unterschiedlich groß sein und unterschiedliche Heiztechniken verwenden. Einige Modelle bieten sogar Zusatzringe, die für größere Töpfe zugeschaltet werden können. Elektroherde wirken stromlinienförmiger

als Gasherde und sind leichter zu reinigen. Am elegantesten sehen die absolut glatten Glaskeramikkochfelder (Ceranplatten) aus, die mit regelmäßiger, vorsichtiger Reinigung über Jahre ansehnlich bleiben.

SPEZIALGERÄTE Neben dem Herd kann man seine Küchenarbeitsplatte noch mit vielen speziellen Geräten ausstatten, etwa mit einem Tepan, einer runden Edelstahlplatte, auf der man direkt braten kann, einem gasbetriebenen Wok-Ring mit zwei oder drei konzentrischen Brennern, einer Fritteuse, einem Fischdünster, einer Grillplatte oder auch mit hochklappbaren Kochfeldern, die die Arbeitsplatte freigeben, wenn man sie nicht benötigt.

BACKÖFEN

Auch bei den Backöfen muss man sich zwischen Gas- oder Strombetrieb entscheiden, wobei einige Großherde, wie etwa Aga-Herde, auch mit Öl betrieben werden können. Daneben gibt es noch eine ganze Reihe von Spezialöfen, wie etwa den Dampfgarer, den holzbefeuerten Pizzaofen oder auch den indischen Tandoor. Besonders beliebt sind Elektroöfen, vor allem wenn sie die energiesparende Umlufttechnik bieten, die den Backraum schnell aufheizt und die Speisen besonders gleichmäßig garen lässt. Die meisten konventionellen Gas- und Elektroöfen liefern mehr Ober- als Unterhitze. Die größte Flexibilität bieten Multifunktionsöfen, die neben Ober- und Unterhitze auch Umluft, Heißluft, einen Drehspieß und eine Auftau- und Grillfunktion bieten. Manchmal ist es ganz praktisch, einen kleineren konventionelleren Ofen mit eingebautem Grill über den Hauptbackofen zu montieren. Mittlerweile gibt es sogar Gasöfen mit Umluftfunktion.

Beim Kauf eines Backofens sollte man überlegen, wie groß die Backröhre sein soll und wie leicht das Gerät zu reinigen ist. Um die richtige Größe zu bestimmen, nehmen Sie beim Kauf am besten Ihren größten Bräter mit. Sie können aber auch einfach die Volumenangaben der Hersteller vergleichen: Die Kapazität wird meist in Litern angegeben, wobei der 60 cm breite Standardofen eine Kapazität von rund 55 Litern besitzt. Ein glatt emaillierter Backraum ist einfacher zu reinigen als eine poröse Innenwand, aber am praktischsten sind selbstreinigende Systeme. Diese besitzen meist mehrere Paneele, die angesammeltes Fett bei hoher Temperatur verbrennen. Ein anderes System verriegelt die Ofentür und erhitzt den Backraum über mehrere Stunden so stark, dass alle Rückstände restlos verbrennen.

1 Ein Profiherd aus Edelstahl mit zwei Backröhren deutet auf ernsthafte kulinarische Intentionen hin. **2** Der klassische Küchenherd von Aga kann mit Gas, Strom oder Öl betrieben werden. Die sanfte Strahlungshitze bewahrt den Geschmack der Speisen und sorgt für gemütliche Wärme in der Küche. **3** Profiherde auf hohen Füßen lassen den Raum größer wirken. **4** Einzelne Glaskeramikfelder in einer Edelstahlplatte. **5** Gasbrenner mit solidem Gusseisenrost. **6** Dieses schwarze Glaskeramikkochfeld ist bündig in die Stahlarbeitsplatte eingelassen.

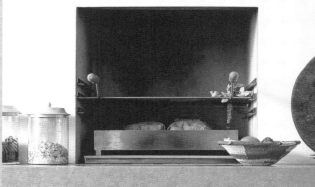

7 Ein auf Rollen montierter Backofen passt problemlos unter die Arbeitsplatte. **8** Dampfkocher garen Speisen schnell und gesund, da sie Vitamine und Mineralien besser bewahren als andere Garmethoden. Sie sind allerdings auch teuer. **9** Ein eingebauter Küchengrill bietet eine ansprechend einfache und direkte Kochgelegenheit.

Mikrowellengeräte

Die Mikrowelle ist ein äußerst praktischer Küchenhelfer, mit dem man nicht nur Fertiggerichte erhitzen, sondern auch Eingefrorenes schnell auftauen kann. Man kann Milch für Saucen und Heißgetränke erhitzen und warm halten, Brühe aufkochen, Fisch perfekt garen und zahllose Gerichte zubereiten, ohne dass sie Farbe und Vitamine verlieren. Selbst das Geschirr lässt sich in der Mikrowelle schnell vorwärmen.

Die Auswahl reicht von sehr einfachen und kleinen Geräten, die auf ein schmales Regalbrett passen, bis hin zu großen Modellen mit vielen Zusatzfunktionen. Dazu zählen ein Umluftgebläse oder ein Grill zum Bräunen, eine Dämpffunktion und Unmengen von Zusatzprogrammen wie ein Einstellungsspeicher oder eine Sprachausgabe. Bei einem kleinen Modell sollten Sie darauf achten, dass mindestens ein Menüteller in normaler Größe hineinpasst. Mikrowellen zum Einbau in Küchenschrankelemente besitzen Luftschlitze, die frei liegen müssen, um eine Überhitzung zu vermeiden.

Dunstabzugshauben

Beim Kochen entstehen Dampf, Fettdunst und Gerüche, die sich auf jeder Oberfläche in der Küche ablagern, wenn sie nicht abziehen können. Eine Dunstabzugshaube mit Ventilator saugt sie ab und befördert sie durch ein Rohr ins Freie oder in einen Kamin. Wenn weder eine Wandöffnung noch ein Kaminanschluss möglich ist, kann man Abzugshauben mit austauschbaren Filtern verwenden (die etwa alle drei Monate ausgewechselt werden sollten). Der von den Herstellern empfohlene Abstand zwischen Haube und Kochfeld liegt zwischen 50 und 65 cm und die Haube sollte natürlich so montiert sein, dass man sich beim Kochen nicht den Kopf an ihr stößt. Dunstabzugshauben sind im Betrieb nicht nur laut, sie verbrauchen auch Strom. Die meisten Modelle besitzen verschiedene Leistungsstufen und eine integrierte Beleuchtung. Das Design reicht von viereckig und klotzig bis hin zu stromlinienförmigen Modellen aus Glas und Stahl.

Energieeffizienz

Nach europäischem Recht müssen Hersteller und Verkäufer auf Kühl- und Gefrierschränken, Spül- und Waschmaschinen die Energieeffizienzklasse ausweisen. Die Skala reicht von A (sehr effizient) bis G (wenig effizient). Dabei unterscheiden sich die technischen Angaben je nach Funktion des Geräts. Bei Waschmaschinen findet man beispielsweise nicht nur Angaben zum Energieverbrauch, sondern auch zur Schleuderdrehzahl. Daneben wird der Wasserverbrauch angegeben, wobei eine Maschine mit einem Verbrauch von 40 Litern pro Waschgang natürlich effizienter arbeitet als eine, die 90 Liter aufheizen muss. Die umweltfreundlichsten Produkte werden mit dem Europäischen Umweltzeichen ausgezeichnet.

1 Kombi-Mikrowellen besitzen ein Umluftgebläse oder einen Grill zum Bräunen. Bei Einbaumodellen müssen die Lüftungsschlitze frei bleiben, damit sie nicht überhitzen. **2** Mikrowellen werden in verschiedenen Größen, Ausführungen und Leistungsstufen angeboten. Einige verfügen sogar über eine Sprachausgabe für Sehbehinderte. **3** Ein Kochfeld in einer Kochinsel ist von allen Seiten zugängig. Eine Dunstabzugshaube saugt unerwünschte Kochgerüche und Dampf ab. **4** Dieser noble Edelstahlkühlschrank bietet zusätzlich einen Eiswasser- und Eiswürfelspender.

Kühlschränke

Massive Vorrats-Kühlschränke sind mittlerweile zu so etwas wie Kultobjekten geworden, zumal sie heute auch in leuchtenden Farben und Retro-Designs zu haben sind. Dank ihrer beeindruckenden Ausmaße lässt sich die Technologie in der Küche nicht mehr verbergen – einige „intelligente" Modelle besitzen sogar eine Internet-Anbindung und können selbsttätig Nachschub bestellen. Das andere Extrem bildet der Einbaukühlschrank für Singles, der unter der Arbeitsplatte und hinter einer Türfront praktisch unsichtbar ist. Zwischen diesen beiden Polen findet sich eine riesige Auswahl an frei stehenden Modellen und großen Kühlschränken für den Einbau. Daneben gibt es auch Kühlschubladen für Brot oder Salat, die in einen Küchenschrank eingebaut werden können.

Beim Kauf eines Kühlschranks sollte man einige Punkte beachten. Da ist zunächst einmal der Energieverbrauch: Ein Kühlschrank der Energieeffizienzklasse A ist im Betrieb billiger und umweltfreundlicher als ein Gerät der Klassen B bis G. Dann sollte man auch auf die Einteilung des Innenraums und die Flexibilität der Böden und Einschubgitter achten. Sind die Türfächer tief genug für Ihre Bedürfnisse? Gibt es spezielle Frische-Schubladen für Gemüse und Fleisch oder Fisch mit eigener Temperaturkontrolle? Sind die Böden stabil und können sie leicht umgesetzt werden? Eine letzte wichtige Überlegung sollte sein: Passt das ausgewählte Modell durch die Tür oder das Fenster Ihrer Küche?

Gefrierschränke und -truhen

Die meisten Gefrierschränke sind in Kühl-Gefrierkombinationen eingebaut und nehmen je nach Volumen des Kühlraums den Platz eines halben bis eines ganzen Küchenschranks ein. Ein kleiner Kühlschrank mit einem schlichten Gefrierfach kann durch eine große Gefriertruhe in der Garage oder im Keller ergänzt werden. Wie bei den Kühlschränken sollte man sich auch hier vor dem Kauf nach der Energieeffizienzklasse erkundigen.

Vorratsschränke

Eine Speisekammer an einer Außenwand kann zusätzlich durch kalte Außenluft gekühlt werden, die durch ein Fenster oder einen Ventilator hereingeleitet wird. Hier können Sie Speisen bis zum Servieren bereithalten und Lebensmittel lagern, für die der Kühlschrank zu kalt ist. In einem Vorratsschrank können Sie sehr gut abgepackte Lebensmittel, Konserven und Ketchupflaschen aufbewahren. Ideal wäre ein Schrank mit einer Marmorplatte, die für zusätzliche Kühlung sorgt.

Geschirrspülmaschinen

Die früher für ihren hohen Strom- und Wasserverbrauch gescholtenen Geschirrspüler sind mittlerweile erheblich effizienter geworden.

Wichtige Faktoren beim Kauf sind die Aufteilung und die Flexibilität des Innenraums und die Auswahl an Spülprogrammen. Nützlich sind ein Kurzprogramm, ein Niedrig-Temperaturprogramm für Gläser und ein Intensivprogramm für stark verschmutzte Töpfe und Pfannen. Zur Ausstattung gehören beispielsweise eine Besteckablage oder ein Besteckkorb, umklappbare Tellerhalter und ein höhenverstellbarer oberer Korb für unterschiedlich großes Geschirr. Das Gerät sollte jeweils einen rotierenden Sprüharm oben und unten haben, weil dies das beste Spülergebnis bringt. Die Heizelemente sollten nicht offen liegen – Kunststoffgegenstände könnten sonst schmelzen oder sich verformen. Außerdem darf die Maschine im Betrieb nicht zu laut sein.

Es gibt frei stehende Spülmaschinen und Einbaugeräte auf dem Markt. Ferner findet man schmalere Versionen für kleine Küchen sowie Geräte mit einzeln zu betreibenden Schubladen für kleinere Geschirrmengen.

Waschmaschinen

Die ideale Waschmaschine besitzt neben den Standardprogrammen ein Kurzwaschprogramm, ein Kochprogramm und eines für empfindliche Stoffe oder Wolle. Frontlader sind praktisch, wenn man die Maschine unter eine Arbeitsplatte schieben oder zwei Maschinen übereinander stapeln will. Einige Toplader haben eine größere Kapazität, aber man kann den Raum über dem Gerät nicht mehr anderweitig nutzen. Europäische Waschmaschinen besitzen für gewöhnlich eine Kapazität von 3 bis 7 Kilogramm. Wie umweltfreundlich eine Waschmaschine arbeitet, hängt nicht zuletzt von den Waschgewohnheiten ab: Alles andere als eine volle Beladung ist Energie- und Wasserverschwendung.

Wäschetrockner

Bei den Wäschetrocknern gehen die Meinungen weit auseinander: Die einen können sich ein Leben ohne gar nicht vorstellen, während andere sie für völlig überflüssig halten. Trockner verbrauchen sehr viel Energie, können aber unverzichtbar sein, wenn man eine große Familie und keinen Platz zum Aufhängen der Wäsche hat. Einige Stoffe schrumpfen im Trockner, überprüfen Sie also immer die Pflegehinweise auf den Etiketten in Ihrer Kleidung. Wo der Platz für eine weitere Maschine nicht ausreicht, ist ein Wasch-Trockner eine gute Lösung. Allerdings benötigt die trocknende Wäsche mehr Platz in der Trommel, sodass Sie meist nicht die gesamte Ladung in einem Durchgang trocknen können. Ablufttrockner leiten die heiße, feuchte Luft entweder über einen Schlauch durch eine Maueröffnung oder ein Fenster nach draußen, Kondenstrockner lassen sie kondensieren (und benötigen keine Verbindung nach draußen). Der Auffangbehälter eines Kondenstrockners muss regelmäßig entleert werden.

5 Die gerundeten Formen des Retro-Designs machen diesen Kühlschrank zu einer Küchenikone. **6** Kühlschränke mit Glastüren ermöglichen einen schnellen Überblick über die Vorräte. **7** Dieser Geschirrspüler ist dezent hinter einer Holzfront versteckt. **8** Eine halbhohe Fliesenwand schirmt die Waschecke mit Waschmaschine, Trockner und Aufbewahrungsregal ab.

Füllstandsanzeige, andere verfügen über ein vergoldetes Heizelement, an dem sich kein Kalk absetzen kann.

TOASTER Am schnellsten röstet man Brot, indem man es in den Toaster steckt. Achten Sie beim Kauf auf die Heizleistung, die Funktion der Hebezungen und die Größe und Anordnung der Schlitze. Für große Familien sind Toaster mit extra langen Schlitzen praktisch.

KAFFEEMASCHINEN Bei Kaffeemaschinen kommen zwei Techniken zum Einsatz: Zum einen gibt es die konventionellen Kaffeemaschinen, bei denen heißes Wasser langsam durch das Kaffeemehl in eine Kanne läuft, zum anderen die Espressomaschinen, die heißes Wasser unter hohem Druck durch das Kaffeemehl pressen. Konventionelle Kaffeemaschinen sind manchmal zusätzlich mit einer Zeitschaltuhr ausgestattet, sodass morgens beim Aufstehen schon frischer Kaffe bereitsteht. Andere Modelle besitzen eine Isolierkanne oder auch einen abnehmbaren und damit leichter zu befüllenden Wassertank. Im Gegensatz zu diesen Geräten arbeiten Espressomaschinen mit einem Wasserdruck von zwischen 10 und 17 bar. Manche Maschinen bereiten nur Espresso zu, aber die meisten besitzen heute eine zusätzliche Aufschäumdüse für Milch, sodass man sich auch einen Cappuccino zubereiten kann. Einige Profimodelle verfügen über einen direkten Wasseranschluss, während die etwas günstigeren Espressomaschinen mit einem Wassertank ausgestattet sind. Zusätzliche Ausstattungsmerkmale sind eine Wärmplatte für Tassen oder eine abnehmbare Tropfschale. Am besten lassen Sie sich vor dem Kauf ausführlich beraten.

KÜCHENMASCHINEN Viele Menschen benutzen ihre Küchenmaschine regelmäßig zum schnellen Hobeln, Reiben, Schneiden, Mischen und Pürieren. Mithilfe des richtigen Zubehörs können Sie mit einer Küchenmaschine Mayonnaise anrühren, Sahne schlagen, Kräuter hacken, Eier aufschlagen, Teig kneten und vieles mehr. Nützliches Zubehör sind beispielsweise hitzefeste Schüsseln für heiße Flüssigkeiten wie Suppe, kleine Einsatzschüsseln für geringe Mengen und ein Entsafteraufsatz. Es gibt auch Küchenmaschinen zum festen Einbau in die Arbeitsplatte.

RÜHRMASCHINEN Rührmaschinen sind sehr nützlich, wenn Sie häufig Kuchen- und Brotteig zubereiten. Sie können damit relativ schnell Teigmischungen und Puddinge rühren oder auch Sahne oder Eischnee aufschlagen und Brotteig anrühren. Einige Rührmaschinen besitzen auch einen Mixeraufsatz.

PÜRIERSTÄBE/MIXER Wenn Sie all die Möglichkeiten einer Küchenmaschine oder eines Handrührgerätes gar nicht benötigen, ist ein einfacher Pürierstab oder Standmixer vielleicht genau das richtige für Sie. Mit diesen Geräten kann man im Handumdrehen die Zutaten einer Suppe, eines Pürees, einer Sauce oder einer Creme glatt pürieren. Einige Modelle sind sogar zum Hacken von Eis geeignet.

HANDRÜHRGERÄTE Ein Handrührgerät ist die ideale Lösung zum Aufschlagen oder Mischen direkt im Topf oder Messbecher. Man muss die Zutaten nicht erst in eine Maschine umfüllen, kann auch kleine Mengen problemlos zubereiten und hat hinterher weniger Abwasch.

ENTSAFTER Achten Sie beim Kauf eines Entsafters möglichst nicht nur auf die Leistung des Geräts, sondern auch darauf, wie leicht es zwischendurch zu reinigen ist und welche Teile für die Spülmaschine geeignet sind.

WAAGEN Es gibt drei Typen von Waagen: traditionelle mit Gegengewichten, elektronische und digitale. Digitale Waagen haben den Vorteil, dass man die Anzeige für jede weitere Zutat wieder auf Null zurückstellen kann.

BROTBACKAUTOMATEN In der eigenen Küche selbst gebackenes Brot kann ein reines Vergnügen sein, aber es erfordert auch sehr viel Zeit und Aufwand. Ein Brotbackautomat nimmt einem fast die gesamte Arbeit ab und liefert trotzdem ein köstliches ofenfrisches Brot. Man kann diese Geräte auch nur zum Kneten verwenden und den Teig anschließend ganz nach Geschmack formen, gehen lassen und im Backofen backen.

DAMPFÖFEN Mit einem in die Küche eingebauten Dampfofen kann man auf einfache Weise gesunde Speisen, vor allem mit Fisch und Gemüse, zubereiten.

FRITTEUSEN In einer Fritteuse kann man alles von Pommes frites über Doughnuts bis hin zu Fischstäbchen zubereiten. Achten Sie darauf, ein Gerät mit einer möglichst genauen Temperatursteuerung und einem Geruchsfilter zu kaufen.

EISCREMEMASCHINEN Mit diesen Geräten kann man mithilfe verschiedenster frischer Früchte, Sahne und Joghurt hinreißende Desserts zubereiten.

JOGHURTBEREITER Ein Joghurtbereiter ermöglicht die kinderleichte Herstellung von zuckerfreien Fruchtjoghurts und frischem Naturjoghurt.

SPRUDELBEREITER Dieses Gerät verwandelt schlichtes Leitungswasser auf Knopfdruck in Sprudel. Ein kleiner Gaszylinder reicht für etwa 30 Liter. Der Sprudel kann anschließend mit unterschiedlichen Zusätzen zu Tonic Water, Cola und diversen Limonaden veredelt werden.

Kleingeräte

Heutzutage gibt es Dutzende von Küchenmaschinen und Geräten, die eine Vielzahl von Aufgaben übernehmen. Welche Geräte man sich anschafft, hängt hauptsächlich von der Größe des Haushalts und den individuellen Kochgewohnheiten ab. Viele dieser Geräte mögen recht verlockend wirken, aber Sie sollten sich vor dem Kauf im Klaren sein, ob Sie sie wirklich benutzen oder ob sie nur wertvollen Stellplatz in der Küche blockieren. Die Funktionen einiger Geräte überschneiden sich auch, sodass Sie wahrscheinlich nicht jedes Gerät wirklich brauchen.

WASSERKESSEL Es gibt Wasserkessel für die Herdplatte (mit und ohne Pfeife) und es gibt Wasserkocher mit eigener Stromversorgung, sei es nun mit einem fest angeschlossenen Kabel oder einer Basis, die den abnehmbaren Wasserbehälter mit Strom versorgt. Wasserkocher können niedrig und rund oder hoch und zylindrisch sein (die schmaleren Modelle nehmen weniger Stellfläche auf der Arbeitsplatte ein). Einige Geräte besitzen eine

Küchenspülen

Die Spüle ist nicht nur eine Notwendigkeit, sondern auch ein optisch prägendes Element der Küche und sollte daher zum Einrichtungsstil passen. Spülbecken werden heute unter anderem aus Materialien wie Holz, Stein, Steinzeug, Corian®, Kunstharz oder emailliertem Gusseisen angeboten. Am häufigsten allerdings findet man pflegeleichten Edelstahl, der relativ günstig und in den verschiedensten Ausführungen und Stärken (dicker ist besser) erhältlich ist. Die Spüle kann in die Arbeitsplatte eingelassen oder darunter gesetzt sein, sie kann aber auch ein integraler Bestandteil einer Arbeitsplatte aus Corian® (siehe Seite 191) sein.

Größe, Form und Montageart der Spüle hängen von den persönlichen Vorlieben und Bedürfnissen ab. Zum Abwaschen und Abspülen empfiehlt sich die Kombination aus einem Becken voller Größe mit einem halben Becken direkt daneben. Alternativen sind große Profispülen, doppelte oder dreifache Becken, runde Becken oder L-förmige Eckspülen. Auch Zahl, Größe und Position der Abtropfflächen spielen eine Rolle bei der Planung. Eine oder mehrere große Spülen mit Abtropfflächen auf beiden Seiten nehmen sehr viel Fläche ein. Sie sollten sich fragen, ob Sie so viel Platz haben und bereit sind, längere Laufwege zum Herd oder Kühlschrank in Kauf zu nehmen.

Küchenarmaturen

Wie schon bei den Spülen wird auch bei den Armaturen eine Kombination aus praktischen und ästhetischen Erwägungen Ihre Kaufentscheidung beeinflussen. Am verbreitetsten sind Mischbatterien mit zwei Ventilen oder einem Mischhebel. Im Hinblick auf die Bedienung sind Einhandmischbatterien mit langem Hebel am praktischsten, weil man den Hebel auch noch mit fettigen oder vollen Händen und notfalls auch mit dem Ellenbogen bedienen kann. Bei begrenztem Platzangebot lassen an der Wand montierte Armaturen die Arbeitsfläche darunter zum Abstellen frei. Daneben besitzen sie aber noch einen weiteren Vorteil: Hinter auf der Arbeitsplatte montierten Armaturen sammeln sich sehr gerne Wasser und Schmutz an, was bei einer Wandmontage nicht passieren kann. Eine sinnvolle Zusatzausstattung ist ein ausziehbarer Schlauch mit Brauseaufsatz, der entweder aus der Mischbatterie selbst oder aus der Spüle herausgezogen werden kann.

Neben glänzendem Chrom bieten die Hersteller ihre Armaturen unter anderem in Nickel und Kupfer an. Bei einem begrenzten Budget lohnt es sich häufig, das Sortiment der großen Kaufhäuser und Baumärkte zu durchsuchen. Hier finden sich meist gut aussehende, praktische Modelle zu vernünftigen Preisen. Andererseits könnte man auch antike Wasserhähne vom Baustoffrecycler mit einem klassischen Feinsteinzeugbecken kombinieren.

1 Für Kaffeeliebhaber ist der Stellplatz für eine professionelle Kaffeemaschine niemals verschenkt.
2 Die gerade nicht benutzten Geräte verschwinden hier dezent hinter Rollläden. **3** Eine unter die Arbeitsplatte installierte Edelstahlspüle wirkt unaufdringlich.
4 Ein auf die Arbeitsplatte montiertes altes Steinspülbecken. **5** Diese von unten montierte Spüle aus Corian ist mit einem modernen Einhandmischer ausgestattet. **6** Das tiefe Feinsteinzeugbecken ist ein unumstrittener Küchen-Klassiker. **7** Ein flexibler Brausekopf erleichtert das Abspülen und Waschen.
8 Ein Schwanenhalshahn mit altmodischen Sternradventilen.

BADEZIMMERAUSSTATTUNG

Badezimmerausstattung auswählen

Selbst die großen Einrichtungshausketten bieten heute eine große Auswahl an Badezimmerausstattungen an – die Zeiten der langweilig weißen Standardausstattung sind endgültig vorbei. Das Badezimmer ist zwar ein reiner Funktionsraum, bietet aber auch genügend Platz für die eigene Fantasie: Ein Satz außergewöhnlicher Wasserhähne kann den Raum ebenso individuell machen wie Becken aus High-Tech-Material.

Materialien

Die Standard-Badewanne besteht heute entweder aus Kunststoff oder aus Stahl. Kunststoff fühlt sich etwas wärmer an und leitet Hitze nicht so stark wie Stahl, sodass das Badewasser ein wenig länger heiß bleibt. Man sagt ihm unberechtigterweise nach, dass er leicht verkratzt, aber solche Kratzer lassen sich mit etwas Autopolitur leicht beheben. Abgesehen davon wird Kunststoff heute selbst für teure Designer-Bäder verwendet. Auch Duschwannen bestehen meist aus Stahl oder Kunststoff, während Waschbecken überwiegend aus Keramik hergestellt werden.

Daneben können Wannen, Duschwannen und Becken aus jedem geeigneten Material geformt werden. Heute bieten innovative Firmen zunehmend ungewöhnliche Badeinrichtungen und Spezialanfertigungen nach Kundenwunsch an. So können Sie sich mittlerweile Badewanne oder Waschbecken aus Holz, Edelstahl, Glas, glasfaserverstärktem Kunststoff (GFK), Kunstharz, Mosaikfliesen, Kupfer, Marmor und Sandstein anfertigen lassen. Bei den Waschbecken haben Sie zudem noch die Wahl zwischen anderen Materialien wie Silber oder handgetriebenem Kupfer. Die Wände von Duschkabinen können glatt oder gewölbt sein, und die Wandverkleidung kann auf Wunsch auch aus Edelstahl bestehen.

Badewannen

Man möchte annehmen, dass die erstrebenswerteste Badewanne so groß und ausladend ist, dass man sich in ihr ausstrecken und treiben lassen kann. Aber in Wirklichkeit ist dies nicht empfehlenswert, da man sich stets am Rand festhalten müsste, um nicht zu tief hineinzurutschen. Die ideale Wanne ist lang genug, dass Sie den Kopf an einem Ende bequem anlehnen können und Ihre Füße bei entspannt ausgestreckten Beinen das andere Ende berühren. Wenn Sie gerne zu zweit baden, sollten Abfluss und Armaturen mittig an einer Seite liegen, und beide Enden sollten sich zum bequemen Anlehnen eignen. Setzen oder legen Sie sich vor dem Kauf immer erst zur Probe in eine Wanne.

Das übliche abgerundete Rechteck ist nur eine von vielen möglichen Wannenformen. Für sehr kleine Badezimmer gibt es besonders kurze und tiefe Badewannen, in denen man mit angezogenen Knien bis zum Hals im Wasser sitzen kann. Wenn Sie die Dusche über der Wanne anbringen wollen oder müssen, sollten Sie eine speziell dafür konstruierte Wanne mit einem breiteren, abgeflachten Ende und einer Spritzschutzscheibe in Betracht ziehen. Ein große Dreieckswanne für die Zimmerecke bietet mehr Platz zum geselligen Baden und für die Kinder und kann mit zusätzlichen Sprudeldüsen nachgerüstet werden.

Eine elegante frei stehende Badewanne braucht mehr Platz als ein Einbaumodell und sollte rundherum über ausreichend Freiraum verfügen, sodass ihre Form auch wirken kann. Diese Modelle eignen sich am besten für große Badezimmer. Wenn Sie eine aufgearbeitete alte Gusseisenwanne (siehe Seite 211) aufstellen wollen, sollte gewährleistet sein, dass Ihr Badezimmerboden dem Gewicht auch gewachsen ist.

Waschbecken

Neben dem konventionellen, an der Wand montierten Keramikbecken gibt es heute viele andere Designs mit oder ohne Säule sowie mit integriertem Stauraum. Andere Modelle sind in einem Waschtisch eingelassen. Waschtische haben den Vorteil, dass man neben und unter dem Becken Platz für seine Toilettenartikel hat. Es gibt sogar kleine Becken für Gästetoiletten, die in die Wand versenkt werden können. Bedenken Sie bei der Planung auch, wie die Becken von unten aussehen werden, wenn Sie in der Badewanne liegen.

Armaturen

Wannen- und Beckenarmaturen können an die Wand oder in den Becken- oder Wannenrand montiert sein. Man kann für Dusche und Wanne separate Armaturen wählen, alternativ bietet sich eine kombinierte Brause-Wannenfüll-Armatur an, die mit einem Umstellhebel ausgestattet ist. Auch in einer separaten Duschkabine oder einer Nasszelle ist ein Duschkopf an einem flexiblen Schlauch praktisch zum Haarewaschen und Ausspülen der Duschwanne.

Standardmäßig sind Badezimmerarmaturen glänzend verchromt. Daneben findet man zunehmend andere Materialien, etwa matt gebürsteten Stahl, matten Chrom, Nickel, Messing, eloxiertes Messing, dunkelbraune matte Bronze und sogar Silber.

Die modernste Entwicklung ist wahrscheinlich die Thermostatarmatur, bei der man die gewünschte Wassertemperatur gezielt einstellen kann.

Duschen

Duschwannen können quadratisch, rechteckig (sie bieten mehr Bewegungsfreiheit), rund oder viertelkreisförmig sein. Die Viertelkreisdusche besitzt zwei gerade Seiten, sodass sie

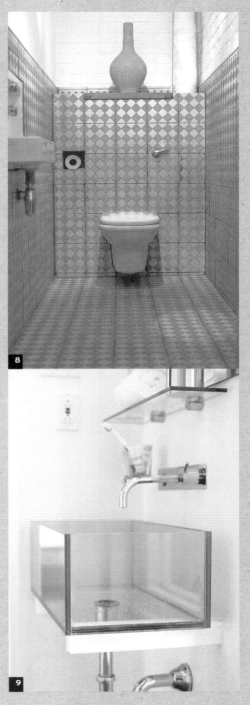

in eine Ecke passt, und eine abgerundete Frontseite. Der Platz im Inneren reicht für eine Person völlig aus. Eine schöne Alternative ist eine Duschkabine mit zusätzlichen Düsen für eine Ganzkörperdusche. Daneben erfreuen sich wasserdichte Nasszellen mit Ablauf im Boden (siehe Seite 142) zunehmender Beliebtheit. Bei einer Dusche über der Badewanne kann man das Spritzen mit einem Duschvorhang, einer Glasfalttür oder einem an der Wand befestigten Glaspaneel verhindern.

Duscharmaturen und Duschköpfe

Duscharmaturen unterscheiden sich nicht von Badewannenarmaturen; auch hier gibt es thermostatische Modelle, die für eine gleich bleibende Wassertemperatur sorgen. Bei den Duschköpfen hat man die Auswahl zwischen verschiedenen Brauseköpfen bis hin zu äußerst kräftigen Massagedüsen. Bei der Auswahl der Dusche sollte man sich vor dem Hintergrund der örtlichen Wasserversorgung von einen Fachmann über die Möglichkeiten beraten lassen.

Toiletten

Ein Toilettenbecken kann entweder auf dem Boden oder an der Wand montiert sein. Bei der Bodenmontage muss man sich keine Gedanken über das Gewicht der Toilette und die Stabilität der Mauer machen. Bei einer Wandmontage kann man hingegen die Montagehöhe frei bestimmen, was beispielsweise für ältere oder besonders große Menschen wichtig sein kann. Außerdem ist der Boden unter der Toilette leichter zu reinigen und ein kleineres Badezimmer wirkt durch die freie Bodenfläche größer. Wachsendes Umweltbewusstsein hat zur Entwicklung sparsamerer Wasserspülungen geführt. Es sind zahlreiche Spülkästen erhältlich – und in einigen Regionen beim Neubau sogar vorgeschrieben – bei denen man den Wasserdurchfluss auf Hebeldruck reduzieren kann.

Bidets

Auch Bidets können sowohl auf dem Boden als auch an der Wand montiert werden. Die Wasserversorgung erfolgt entweder über einen Hahn oder eine Sprühdüse. In vielen Ländern müssen Bidets mit Sprühdüse von Rechts wegen mit einem Rückschlagventil ausgestattet werden, damit kein Abwasser ins System zurücklaufen kann.

1 Die vollständig gefliese Badewanne passt sich harmonisch in das Badezimmerdesign ein. **2** Eine frei stehende Badewanne als zentraler Blickfang des Bades. **3** Bei beengtem Raum kann eine Nasszelle die ideale Lösung sein. **4** Ein tiefes Waschbecken mit zwei Wasserhähnen bietet reichlich Platz zum Waschen. **5** Ein auf einem Regal montiertes Steinzeugbecken ist eine praktische und dekorative Lösung. **6** Waschbecken und Badewannen gibt es in vielen verschiedenen Materialien, Formen und Größen. Diese beiden Waschbecken sind Platz sparend in Badezimmerschränke eingelassen. **7** Ein rundes Steinbecken auf einem Sockel hat etwas Skulpturenartiges. **8** Eine an der Wand montierte Toilette und ein kleines Becken lassen auch in einem kleinen Bad Bewegungsfreiheit. **9** Ein tiefes Waschbecken aus getöntem Glas sorgt für einen Farbakzent im Bad.

BELEUCHTUNG

LICHT & STIMMUNG

Mehr als alles andere ist die Beleuchtung ausschlaggebend für die Atmosphäre eines Raumes und damit für unser Wohlbefinden. Jedes Heim braucht verschiedene Lichtformen: indirektes Hintergrundlicht, Arbeitslicht und Detailbeleuchtung. Deshalb will die Beleuchtung sorgfältig geplant sein und darf nicht halbherzigen Entscheidungen in letzter Minute zum Opfer fallen. Sobald man sich auf ein Grundschema festgelegt hat, steht man vor einer geradezu überwältigenden Auswahl an Beleuchtungsmöglichkeiten, die neben praktischen Lösungen auch eine Vielfalt an dekorativen Möglichkeiten bietet.

Unter den modernen Ausstattungsmöglichkeiten ist die Beleuchtung das Gebiet, das sich am schnellsten verändert. Die technologische Entwicklung schreitet so schnell voran, dass es vielleicht weniger als eine Generation dauern wird, bis die uns vertrauten Beleuchtungstechniken – die traditionelle Glühbirne und der Wandschalter – im modernen Heim nicht mehr zu finden sein werden. So ist die gewöhnliche Glühbirne mit Wolframdraht im Hinblick auf Energieverbrauch und Betriebskosten bereits heute überholt, auch wenn ihr vertrauter warmer Schein ihr vorläufig das Überleben sichert. Langlebige und energiesparende Mini-Leuchtstoffkörper sind effizienter und durch ihre geringe Größe und ihre Lichtqualität besser für die praktischen und ästhetischen Anforderungen moderner Beleuchtung geeignet. Eine weitere interessante Entwicklung neueren Datums sind computergesteuerte Leuchtdioden (LED), die eine große Flexibilität in Bezug auf Farbe und Leistung bieten.

Aber auch ohne neueste Technologien kann man die Beleuchtung einer Wohnumgebung relativ einfach verbessern. Schon durch die Verwendung anderer Glühbirnen und Leuchten, durch Installation von Dimmern oder durch Austausch von Steh- und Tischleuchten können Sie eine wesentlich funktionalere Umgebung mit höherer Wohnqualität schaffen.

1 Kleine, in die Badezimmerwand montierte Halogen-
spots liefern ein frisches weißes Licht als Ergänzung
zum Tageslicht, das durch ein Dachfenster einfällt.
2 Die Kombination verschiedener Lichtquellen erzeugt
eine ruhige Stimmung. Die eingelassenen Wandleuchten sorgen für die Hintergrundbeleuchtung, während
die beiden Leselampen am Kopfende ein gerichtetes
Nutzlicht liefern. 3 Wandstrahler beleuchten eine
Vase in einem Entree. 4 Fest installierte Beleuchtung wie diese Deckenleuchten passen hervorragend
zu Einbaulösungen. 5 Ein von hinten beleuchtetes
Glasregal ist ein interessanter Blickfang.

LICHTQUELLEN

Auswahl von Lichtquellen

Lichtquellen besitzen unterschiedliche Qualitäten, die sie für die verschiedensten Funktionen geeignet machen. Die Lichtqualität hat
einen sehr unmittelbaren Einfluss auf die
Wirkung eines Raums, indem sie die Farben
von Tapeten, Vorhängen und Polsterbezügen
beeinflusst. Heutzutage steht uns eine große
Auswahl an künstlichen Lichtquellen zur Verfügung, sodass wir die Beleuchtung in unserem Zuhause sehr gezielt steuern können.

Natürliches Licht

Die wertvollste Lichtquelle ist immer das
Tageslicht und sollte deshalb bei der Planung
unbedingt dem Kunstlicht vorgezogen werden.
Wie gelangt es ins Haus und wie fällt es zu
verschiedenen Tageszeiten hinein? Wie kann
man mit Fenstern den Lichteinfall in ein Zimmer verbessern (siehe Seite 202-203)? Kann
Licht aus anderen Räumen durch Wanddurch-
brüche, Innenfenster oder Anbauten weiter ins
Hausinnere geleitet werden (siehe Seite 203)?
Gibt es in dem Raum Stoffe oder Kunstwerke,
die vor direktem Sonnenlicht geschützt
werden müssen?

Sind Muster und Bewegung im Raumlicht
gewünscht, so bieten sich gefärbtes oder
mattiertes Glas, dünne Vorhangstoffe (siehe
Seite 227-228), Lamellen und Jalousien
(siehe Seite 230-231) an.

Glühlampen

Seit ihrer Markteinführung im Jahr 1907 hat
sich die Glühlampe oder Glühbirne mit ihrem
Wendeldraht aus Wolfram weltweit als die
universelle Lichtquelle etabliert. Bis vor gar
nicht allzu langer Zeit war sie überall das
Leuchtmittel der Wahl. Erst gegen Ende des
20. Jahrhunderts ist die Niedervolt-Halogen-
lampe zu einer echten Alternative geworden.

Die Glühlampe ist nicht nur überall bekannt
und verfügbar, sondern auch ungebrochen beliebt, weil sie ein gemütlich warmes Licht wirft,
das an helles Kerzenlicht erinnert und nicht die
unangenehmen „Spitzen" im Spektrum besitzt, die altmodisches Neonlicht so unattraktiv
machen. Die Glühlampe besitzt auch noch andere Vorzüge: Sie ist billig herzustellen und zu
kaufen, läuft ohne Transformator am Haus-
strom, liefert sofort ihre volle Leuchtkraft (im
Gegensatz zu Leuchtstoffröhren, die erst
warm werden müssen) und enthält (anders als
Leuchtstoffröhren) nur ein Vakuum oder ein
ungiftiges träges Gas, was sie leicht zu ent-
sorgen und damit umweltfreundlich macht.

Der große Nachteil der Glühlampe fällt nicht
unmittelbar ins Auge: ihre erstaunliche Ineffi-
zienz. Der Glühdraht wandelt nur 5 Prozent
der zugeführten Energie in Licht um, die anderen 95 Prozent werden als Wärme abgestrahlt.
Die Hitze ist zudem gefährlich für Finger und
zu nahe angebrachte Stoffe. Nach etwa 1000

Betriebsstunden brennt der Wolframdraht
durch und die Lampe muss ausgetauscht werden. Im Gegensatz dazu halten energiesparende Leuchtstofflampen um ein Vielfaches
länger, geben weniger Wärme ab und brauchen
wesentlich weniger Energie, um die gleiche
Lichtmenge zu erzeugen. Diese Auswirkungen
auf Geldbeutel und Umwelt haben in den ver-
gangenen Jahren zu einer zunehmenden
Nachfrage und größeren Verfügbarkeit von
Alternativen zur Glühlampe geführt.

Halogen

Halogenlampen leuchten heller und weißer als
herkömmliche Glühlampen und geben ein frisches, sauberes Licht ab, das dem morgend-
lichen Tageslicht ähnelt und gut zur hellen
Inneneinrichtung moderner Häuser passt.
Dieses strahlende Licht wird durch die Bei-
mischung eines Halogens zu den Gasen der
Glühlampe erreicht. Niedervolt-Halogen-
lampen sind kühler, energieeffizienter und
billiger im Unterhalt als Glühlampen.

HOCHVOLT-HALOGEN Diese kleinen Birnen
und Röhren können ohne Transformator direkt
am Hausnetz betrieben werden. Sie sind in
verschiedenen Leistungsstufen verfügbar und
können gedimmt werden. Ähnlich wie Glühlampen geben sie aber viel Wärme ab. Sie eignen sich für Schienensysteme, Deckenfluter
und Deckenleuchten.

NIEDERVOLT-HALOGEN Diese kompakten
Lampen, die oftmals in einen Reflektor eingebaut sind, liefern ein helles, konzentriertes
und strahlendes Licht. Sie benötigen einen
Transformator, der die Netzspannung herab-
setzt. Diese Transformatoren werden aber
immer kleiner und leichter und lassen sich
heute leicht in die Lampe selbst, in die Wand
oder in die Decke einbauen. Dank der geringen
Größe von Lampe und Halterung und der klaren Lichtqualität eignen sich Halogenlampen
besonders gut für Spots, Deckenleuchten und
versenkt montierte Leuchten aller Art. Wegen
der schwachen Betriebsspannung kann man
auch nicht isolierte Drahtseilsysteme an Wand
und Decke verspannen.

Mini-Leuchtstofflampen

Diese energiesparenden Lampen sind in vielen
Größen und Leistungsstufen für alle möglichen
Haushaltsanwendungen erhältlich. Die Nach-
fahren der altmodischen Leuchtstoffröhren,
die früher Garagen und Küchen mit ihrem un-
schmeichelhaften, grünlichen Licht fluteten
(und heute noch in Garagen, Werkstätten und
Nutzgebäuden verwendet werden), haben in
den letzten Jahren eine gründliche Modernisierung erfahren. Heute gibt es Lampen mit
wärmerem Licht, das sich schon eher für
Wohn- und Schlafzimmer eignet. Auch die
vertraute lange Röhre ist von Licht-Designern
für eine Vielzahl von architektonischen Effek-

ten adaptiert worden und leuchtet heute in Nischen und Simsen oder hinter Jalousien und Glaswänden.

Leuchtstofflampen arbeiten bei niedrigeren Temperaturen als Glühlampen, erfordern dadurch weniger Energie und sind somit umweltfreundlicher. Abgesehen davon halten sie bis zu acht Mal länger als eine Glühlampe. Neben ihrer Lichtfarbe (an der die Entwickler mit beträchtlichem Erfolg arbeiten) sind weitere Nachteile der Leuchtstofflampe der Umstand, dass sie einige Zeit zum Aufwärmen braucht, bis sie ihr volles Licht gibt, und dass sie sich nicht dimmen lässt. Dies ist bei Leuchtstofflampen mit verlustarmem Vorschaltgerät (VVG) nur auf dem Umweg über einen speziellen Schirm und auch nur bis zu einem gewissen Grad möglich. Dieser Schirm besteht aus einer Polyurethan-Kugel mit einem Zylinder in der Mitte, in dem die Lampe hängt. Durch Drehung des Zylinders lässt sich das Licht dämpfen. Neuere Leuchtstofflampen lassen sich allerdings sehr gut und stufenlos dimmen, wenn sie über ein elektronisches Vorschaltgerät (EVG) verfügen.

Mini-Leuchtstofflampen sind in der Anschaffung zunächst teurer als Glühlampen, durch ihre lange Lebensdauer und den niedrigen Energieverbrauch sind sie aber letztlich wesentlich günstiger.

Faseroptik

Dies sind extrem dünne Acryl- oder Fiberglasfasern, durch die Licht fließt. Wenn die Fasern mit einem speziellen, nach innen reflektierenden Überzug versehen sind, tritt das Licht nur an ihren Enden aus. Lässt man den Überzug weg, leuchten sie auf ganzer Länge. Optische Fasern haben mehrere Vorteile: Außer an der Lichtquelle, die mehrere Meter entfernt sein kann, erzeugen sie keine Wärme und eignen sich dadurch auch für die Verwendung in Wasser. Sie können gebogen und verdrillt werden. Wegen der niedrigen Lichttemperatur und des schwachen Ultraviolett (UV)-Anteils eignen sie sich auch zur Beleuchtung empfindlicher Objekte. Die derzeit noch recht teuren optischen Fasern werden hauptsächlich in Galerien und Museen sowie in Hotels und Nachtclubs verwendet, wo sie zu Mustern verwoben oder als fallende Lichtkaskade verwendet werden. Sie lassen sich aber mit etwas Fantasie durchaus für die Beleuchtung des eigenen Heims nutzen (siehe Seite 251).

LEUCHTDIODEN (LED)

Diese Halbleiter setzen elektrischen Strom direkt in eine bestimmte Lichtfarbe um und finden sich vor allem in den elektronischen Anzeigen von Autos, Taschenrechnern und Stereoanlagen. Der technologische Fortschritt hat mittlerweile LEDs hervorgebracht, die hell genug sind, um zur Illumination in jeder gewünschten Farbe zu dienen. LEDs sind in kleinen rechteckigen Einheiten an-

geordnet und werden von Mikroprozessoren gesteuert, die digital Farbe, Abfolge und Geschwindigkeit eines Beleuchtungsschemas kontrollieren.

Die Möglichkeiten der LEDs für das Lichtdesign sind aufregend und reichen von Hintergrundlicht, das sich bei verblassendem Tageslicht allmählich verstärkt oder über den Tag hinweg den Ton wechselt, über Licht, dass je nach Programm oder Stimmung Helligkeit und Farbe verändert, bis hin zu Licht, das auf Bewegung, Geräusche oder Wärme reagiert. Wegen ihrer tonalen Charakteristika, Langlebigkeit, Energieeffizienz, niedrigen Temperatur, geringen UV-Strahlung, Stabilität und Steuerbarkeit (und damit Vielseitigkeit) wurden die LEDs bereits als „heiliger Gral" der Beleuchtungsindustrie tituliert, sind aber wie die optischen Fasern momentan noch zu teuer für den Heimgebrauch.

Kerzenlicht und Imitationen

Das für den menschlichen Teint besonders vorteilhafte Kerzenlicht hat auch lange nach Einführung der Elektrizität nichts von seiner Attraktivität eingebüßt. Das liegt weniger an der Lichtmenge als vielmehr an der Lichtqualität. Die warm leuchtende, flackernde Flamme einer Kerze ist romantisch, vergänglich und lebendig. Man kann damit ein romantisches Dinner ebenso stimmungsvoll beleuchten wie das Badezimmer. Teelichte auf Fensterbänken und Kaminsimsen oder Kerzen in einem Kandelaber verleihen dem Licht bei einer Party eine funkelnde Qualität. Allerdings entsteht dabei auch sehr viel Hitze und alle Kerzen sind ein potenzieller Brandherd.

Für moderne oder umgerüstete Kandelaber und Wandleuchter gibt es verschiedene Fassungen und Birnen, die Kerzen imitieren. Die neueste und erfolgreichste Entwicklung ist die „flackernde Kerze", bei der zwei winzige Sensoren am Glaskolben der Birne die Luftbewegung im Raum aufnehmen und das Licht wie bei einer Kerzenflamme flackern lassen. Diese Leuchten wurden aus Brandschutzgründen beispielsweise in einigen historischen Gebäuden installiert und liefern dort ein durchaus authentisches Licht. Wenn diese Technologie bekannter wird und die Kosten fallen, wird man sie in Zukunft zweifellos auch in vielen Privathäusern sehen können.

3

4

5

1 Winzige Halogen-Deckenstrahler betonen den Schwung der Trennwand. 2 Diese Wandleuchten strahlen gleichzeitig nach oben und nach unten. 3 Funkelnde Halogenstrahler sind zwischen verstellbaren Stangen aufgehängt. Die Lampen dürfen auch im ausgeschalteten Zustand nicht mit bloßen Fingern berührt werden. 4 Auf Bodenhöhe versenkt montierte Wandleuchten schaffen eine beleuchtete Bahn.

LICHTINSTALLATIONEN

Lichtinstallationen auswählen

Auch die Auswahl solcher Effekte hängt von der gewünschten Ausleuchtung und der angestrebten Wirkung ab. Ebenso ist Flexibilität ein Faktor: Müssen die Leuchten situationsabhängig gedimmt oder versetzt werden können? Vom Standpunkt des Designs aus können Sie einen auffälligen Blickfang oder eine unaufdringliche Ausleuchtung wählen, die Ihr Dekor subtil ergänzt und betont. Wie Sie sich auch entscheiden, die Lichtinstallation spielt bei der Innenausstattung eine zentrale Rolle.

Deckenleuchten

Diese diskret in die Decke eingelassenen Leuchten sorgen für eine helle Ausleuchtung der Räume, Durchgänge und Treppen. Außerdem können sie als Arbeitslicht in Küchen und Badezimmern und zur gezielten Beleuchtung von Objekten installiert werden. Am häufigsten verwendet man hierfür Halogenlampen, die klein sind und ein reinweißes Licht geben.

Deckenleuchten gibt es in verschiedenen Größen. Einige spenden gerichtetes Licht und der Lichtkegel variiert von weit bis eng, andere sind schwenkbar aufgehängt. Abgesehen davon sind sie jedoch nicht sehr flexibel. Sie werden je nach Gehäusegröße in ein bis zu 12,5 cm tiefes Loch in der Decke montiert, brauchen also nach oben hin Platz. Aus Sicherheitsgründen sollte man sie von einem Elektriker installieren lassen.

Eingelassene Wandleuchten

Nicht nur in Decken kann man Leuchten einlassen – das ist ebenso auch in Wänden möglich. Auf Augenhöhe montiert würden sie unerträglich blenden, aber näher zum Fußboden hin können sie sehr effizient Treppen, Entrees und Durchgänge mit einem unaufdringlichen Licht beleuchten.

Strahler (Spots)

Die zunächst auf Bühnen und in Geschäften eingesetzten Strahler sind mittlerweile fester Bestandteil der modernen Wohnungsbeleuchtung. Man kann die unterschiedlichen Strahlertypen sehr flexibel nahezu überall und für eine Vielzahl von Anwendungen einsetzen. Strahler sind ideale Arbeitsleuchten, können aber bei durchdachtem Einsatz auch als Lichtakzente architektonische und dekorative Besonderheiten betonen.

FEST INSTALLIERTE STRAHLER Fest an die Decke oder Wand montierte Strahler können gezielt Arbeitsflächen, Bilder oder strukturelle Details beleuchten. Allen Strahlern gemeinsam ist ein funktionales Erscheinungsbild: Einige sind mit Metallschirmen in den unterschiedlichsten Größen, Formen und Farben ausgestattet, andere besitzen mehrere Leuchtköpfe für die Ausleuchtung verschiedener Punkte mit einer Lichtquelle.

KLEMMSTRAHLER Klemmstrahler sind preiswert und vielseitig einsetzbar. Überall dort, wo ein geeigneter Vorsprung zum Anklemmen des Strahlers vorhanden ist, können sie viele Funktionen erfüllen – von der Leselampe am Bett über die Schreibtischlampe bis hin zur Arbeitsleuchte in der Küche. Klemmstrahler müssen leicht sein und besitzen daher einen Aluminiumschirm oder bestehen lediglich aus einer großen Reflektorbirne. Zwei ihrer Vorzüge sind, dass sie keinen Stellplatz einnehmen und leicht von einem Standort an den nächsten versetzt werden können.

STANDSTRAHLER Auch Standstrahler sind sehr flexibel aufstellbar und auszurichten. Man kann sie entweder dezent hinter Möbeln aufstellen oder als Designobjekt für sich selbst wirken lassen. Bei vielen Modellen ist der Strahler in der Höhe verstellbar, um die Lichtquelle der jeweiligen Aufgabe anzupassen.

Schienensysteme

Mehrere an einer Schiene montierte Leuchten bieten die Möglichkeit, einzelne Objekte zu beleuchten, eine Wand mit Licht zu überfluten oder gezielt einzelne Arbeitsbereiche auszuleuchten.

FEST MONTIERTE SCHIENENSYSTEME Hier sind die einzelnen Leuchten fest in einer Reihe auf einer oder zwei Schienen befestigt, die an Wand oder Decke montiert sind. Die einzelnen Strahler können gezielt ausgerichtet werden. Dies sind die preisgünstigsten Schienensysteme.

FLEXIBLE SCHIENENSYSTEME Bei diesem System wird die gesamte Schiene mit Strom versorgt und man kann einzelne Leuchten an jedem Punkt der Schiene einklinken. Damit ist man sowohl im Hinblick auf die Lichtqualität als auch auf die Leuchtenformen sehr flexibel, da man verschiedene Leuchten verwenden kann (solange sie mit dem System kompatibel sind). Die Schiene selbst kann gerade oder in Winkeln und Bögen an der Decke oder Wand montiert werden.

SPANNSEILSYSTEME Bei den Seilsystemen werden zwei dünne, Strom führende Kabel mit ungefährlicher Niedervolt-Spannung zwischen zwei Wänden oder zwischen Decke und Boden gespannt. Auf ihnen montiert man kleine Niedervolt-Halogenleuchten. Spannseilsysteme sind elegant und unauffällig und liefern ausreichend Licht, um auch große Räume auszuleuchten. Sie sind allerdings nicht ganz so vielseitig wie die flexiblen Schienensysteme.

Wandleuchten

Wie Deckenleuchten sind auch Wandleuchten fest montiert und sollten sorgfältig im Rahmen des Beleuchtungsschemas einer Wohnung installiert werden. Einmal angebracht, können sie nicht ohne einen gewissen Aufwand wieder versetzt werden. Im Gegensatz zu Deckenleuchten können sie allerdings dazu verwendet werden, Licht in jeden Winkel eines Raums zu streuen und eine angenehme, offene Atmosphäre zu erzeugen. Dadurch sind sie ideal für Flure und Durchgangsbereiche geeignet, wo Licht- und Schatteninseln, wie Deckenleuchten oder Strahler sie schaffen, nicht erwünscht sind. Neben der Hintergrundbeleuchtung können Wandleuchten je nach Modell auch als Decken- und/oder Bodenfluter dienen.

Wandleuchten gibt es in den verschiedensten Materialien, etwa geschliffenes und geformtes Glas, Messing, Kunstharz, Gips, Aluminium, Edelstahl, Kunststoff und Sperrholz. Auch durch die Formenvielfalt bieten sich zahllose dekorative Möglichkeiten. Eine einfache Form ist beispielsweise ein geschwungener, weißer Glasschirm. Eine weitere Möglichkeit sind Keramikleuchten, die in der gleichen Farbe wie die Wand gestrichen werden und damit dezent in den Hintergrund treten. Eine Leuchte mit flexiblem Arm ist eine hervorragende und Platz sparende Leselampe neben dem Bett, Sofa oder Sessel, wenn man keinen Platz für eine Tischlampe hat. Paarweise neben der Tür, dem Fenster, dem Bett oder dem Sofa montierte Leuchten verleihen dem Raum ein Gefühl der Ordnung.

Lichtflächen

Mit Wand- oder Deckenleuchten mit weit gefächertem Strahl kann man auch Flächen mit diffusem Licht anstrahlen. Im Gegensatz zu einem Spot, der zielgerichtet einen bestimmten begrenzten Bereich beleuchtet, ist das Licht eines Fluters eher ausgedehnt und diffus. Hierfür eignen sich vor allem glatte Wände mit hellen oder leuchtenden Farben (dunkle Farben schlucken zu viel Licht). Die hellsten Töne reflektieren das meiste Licht, während satte Farben dramatisch zum Leben erwachen. Alternativ kann man eine reinweiße Fläche mit farbigem Licht fluten und so Aussehen und Stimmung ganz nach Lust und Laune verändern.

Deckenfluter

An der Wand montierte und frei stehende Deckenfluter können sowohl indirektes Licht liefern als auch Elemente gezielt hervorheben. Indem man das Licht an eine helle Decke wirft, kann man ein Zimmer geräumiger wirken lassen oder auch ein architektonisches Element wie Stuck oder Sichtmauerwerk hervorheben. Andererseits treten dabei aber Unebenheiten an Wand und Decke ebenso deutlich hervor wie Spinnweben und Spuren ungeschickter Heimwerkerarbeiten.

Frei stehende Deckenfluter gibt es in allen Größen und sie sind eine der preiswertesten Methoden, dramatische Lichteffekte zu setzen: Sie können sie beispielsweise in eine große Zimmerpflanze richten und so faszinierende Schattenspiele an Wand und Decke zaubern. Oder Sie beleuchten einen handgefertigten Wandbehang oder einen Wandteppich von unten, um die Farben zu betonen und die unregelmäßige Textur hervorzuheben. Es gibt auch elegante, hohe Standmodelle aus Glas und Stahl, die durchaus als eigenständige Designelemente einer Inneneinrichtung dienen können.

5 Fluter, in diesem Fall in den Boden eingelassen, sorgen für einen Eindruck von Geräumigkeit. Farbiges Licht erzeugt eine Atmosphäre der Ruhe im Schlafbereich. **6** Eine glühende Kugel liefert zusammen mit den hinter dem Kopfbrett verborgenen Leuchten ein indirektes Licht. **7** Deckenfluter schaffen im Schlafzimmer ein angenehmeres Licht als eine Deckenleuchte, die leicht blenden kann.

Hängeleuchten

Im 20. Jahrhundert ist die von der Decke hängende einzelne Glühlampe mit Schirm zu einer Art Klischee geworden – zum Inbegriff fantasieloser Einrichtung, charakterisiert durch ein langweiliges, nuancenloses Licht. Doch heute kommt die Hängeleuchte wieder zu neuen Ehren – nicht so sehr als Einzellösung, sondern als Teil eines umfassenden und vielschichtigen Beleuchtungsschemas, in dem ihr eine bestimmte Aufgabe zufällt. Dazu zählen vor allem die Beleuchtung für die Küche oder den Esstisch sowie die Ausleuchtung von engen Räumen wie Fluren und Treppenhäusern.

Die stetig wachsende Auswahl an Leuchten – von der klassischen Hängeleuchte „PH" von Poul Henningsen bis hin zu innovativen modernen Interpretationen wie Claire Norcross' „Eight Fifty"-Leuchte – hält eine passende Beleuchtungslösung für jeden bereit. Dabei sollte man im Hinterkopf behalten, dass eine Hängeleuchte nicht nur eine Lichtquelle, sondern auch ein Designelement sein kann.

Die einfachsten Formen der Hängeleuchte sind wahrscheinlich die Glaskugel und die Papierlaterne. Kugeln sind die ideale Lösung für ein Badezimmer, da die geschlossene Form schon aus Sicherheitserwägungen heraus wichtig ist. Papierlaternen sind eine vielseitige und preisgünstige Option und in vielen verschiedenen Formen, Größen und Farben erhältlich.

Den bekannten konischen Lampenschirm gibt es heute in verschiedenen Ausführungen, etwa aus Glas, Keramik oder Stoff, während zylindrische Lampenschirme unter anderem in gefärbter Seide und halb transparentem Papier angeboten werden. Auf der Innenseite von Lampenschirmen findet sich normalerweise eine Angabe der maximalen Wattzahl der Glühlampe, die aus Brandschutzgründen unbedingt beachtet werden muss.

Tischlampen

Der häufigste traditionelle Beleuchtungskörper nach der Hängelampe ist zweifellos die Tischlampe. Als Nachfahre von Generationen von Öl- und Gaslampen ist sie portabel (solange eine Steckdose in der Nähe ist) und gemütlich. Sie erzeugt meist eine intime und atmosphärische Lichtinsel um ihren Fuß herum. Lampen dieser Art eignen sich als Vordergrund eines Beleuchtungsschemas, während indirektes Licht den Hintergrund dazu liefert. Ihr beruhigendes Licht fokussiert hauptsächlich den Menschen, während indirektes Licht sich ausbreitet und eher den Raum betont. Eine Tischlampe konzentriert die Aufmerksamkeit auf einen Punkt im Raum, und mehrere gezielt positionierte Lampen erzeugen eine Spannung, die Grenzen eines Bereichs der Sicherheit oder auch der Aktivität beschreibt. Füße und Schirme, aber auch

1 Hängeleuchten liefern nach allen Seiten gutes Licht und können auch einen interessanten Blickfang darstellen. 2 Die Hängeleuchte „PH" von Poul Henningsen aus den 1920er Jahren besitzt Metall-„Blätter", die das Licht streuen. 3 Die Tischlampe „Panthella" von Verner Panton aus dem Jahr 1970. Der Schirm besteht aus Acryl. 4 Eine in den 1950er Jahren von Isamu Noguchi entworfene Tischlampe aus Papier, die an Hörner erinnert. 5 Diese konische Bodenlampe besitzt eine transparente Basis, die die Verkabelung erkennen lässt. 6 Stehlampen mit gerichtetem Strahl liefern konzentriertes Licht zum Lesen oder Arbeiten.

unkonventionelle Kreationen wie minimalistische Glaskugeln, sind heute in einer fantastischen Vielfalt der Formen und Materialien wie Holz, Stein, Glas und Keramik erhältlich. Sie können eine Lampe als Ergänzung Ihres Dekors oder auch als Blickfang in unerwartetem Design oder auffälliger Farbe einsetzen (siehe Seite 251). Wenn Sie ein zusammenhängendes Schema anstreben, können Sie mit zwei baugleichen, aber unterschiedlich gefärbten oder texturierten Lampen eine visuelle Verbindung schaffen. Paarweise neben dem Bett oder Sofa aufgestellte Tischlampen erzeugen einen eher traditionellen Eindruck von Symmetrie und Ordnung.

Stehlampen

Wie die Hängelampe hat auch die Stehlampe einen langen Weg von dem Klischee im bürgerlichen Wohnzimmer hinter sich gebracht – der gedrechselten, dunkel gebeizten Konstruktion mit fransenbehangenem Lampenschirm. Viele moderne Stehlampen erinnern eher an illuminierte Skulpturen aus Schilfrohr, Papier oder geflochtenem Kunststoff. Andere frei stehende Lampen folgen einer mehr minimalistischen Ästhetik. Sie bestehen beispielsweise aus einem dünnen Metallrohr mit einem geometrischen Schirm oder einer eleganten Kugel oder sind schlicht aus einer hohen Polykarbonatröhre geformt.

Arbeitsleuchten

Damit eine Lampe effizientes Arbeiten ohne überanstrengte Augen ermöglicht, muss sie vor allem hell, aber blendfrei sein. Arbeitsleuchten sind oft flexibel, sodass man sich den Lichtkegel immer auf die persönlichen Bedürfnisse einrichten kann. Eine Arbeitsleuchte kann eine verstellbare Tischlampe sein, wie beispielsweise die klassische Schreibtischlampe mit Schwenkarm, aber auch eine Stehlampe, eine Hängelampe oder eine eingebaute Leuchte über einer Küchenarbeitsplatte. Wenn die Arbeitsleuchte Teil eines bestehenden Beleuchtungsschemas ist (wie in der Küche), sollte sie dimmbar sein (siehe Seite 221). Klemmstrahler eignen sich gut für Räume, die mehr als eine Funktion erfüllen, da sie leicht entfernt und verstaut werden können.

Außenleuchten

Jedes Haus mit eigenem Eingang benötigt zumindest eine Beleuchtung über der Eingangstür, damit man das Türschloss auch im Dunkeln findet. So eine Leuchte dient aber nicht nur praktischen Zwecken, sondern begrüßt Bewohner wie Besucher und erleichtert es den Menschen im Haus zu erkennen, wer vor der Tür steht.

Mit einem Bewegungs- oder Wärmemelder gekoppelte Lampen sind nicht nur nützlich und bequem, sondern schrecken zudem Einbrecher ab.

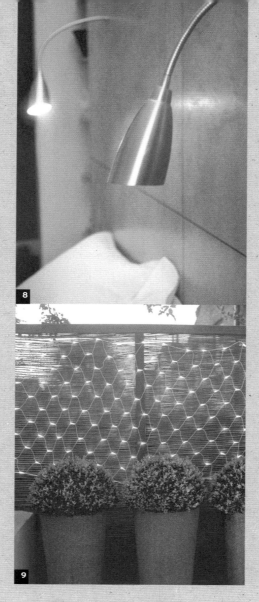

Gartenleuchten

Mit einer schönen Gartenbeleuchtung können Sie sich das ganze Jahr hindurch an Ihrem Garten erfreuen und ihn bei schönem Wetter bis spät in die Nacht hinein nutzen. Nahe am Haus können Fackeln, Kerzen und Windlichter zusammen mit dem Licht aus den Fenstern zur Ausleuchtung der Terrasse ausreichen. Lichterketten oder -netze (für die Außennutzung) sorgen für eine besondere Stimmung. Mit Solarzellen ausgestattete Lampen sind eine ökonomische und umweltbewusste Beleuchtungsmethode für Gartenwege und Terrassen.

Eine permanente Gartenbeleuchtung sollte von einem Elektriker installiert werden, der sicherstellt, dass die Stromkabel nassem und kaltem Wetter widerstehen und nicht durch Gartenarbeiten oder andere Aktivitäten beschädigt werden können. Mit Gartenleuchten kann man beispielsweise interessante Texturen und Oberflächen, Pflanzen und Bäume beleuchten und so für dramatische Effekte in der Dunkelheit sorgen. Wie in einem Zimmer können auch hier gezielt gesetzte Lichtinseln für ein Gefühl der räumlichen Tiefe sorgen. Mit einem programmierbaren Beleuchtungssystem lassen sich durch Kombinationen farbiger Lichter ganz verschiedene Stimmungen erzeugen.

Ein gelungenes Beleuchtungsschema ist nicht strahlend hell (es würde auch nur die Nachbarn belästigen), sondern subtil und durchdacht, sodass Atmosphäre und geheimnisvolle Stimmungen entstehen. Kleine, in Bodenhöhe angebrachte Lichter in einem Beet oder eine funkelnde Lichterkette in den Ästen eines Baums sind wesentlich attraktiver als das harte, alles erschlagende Strahlen eines Flutlichts.

7 Eine elegant-minimalistische Stehlampe mit dünnem Metallrohr und dreibeinigem Standfuß aus dem Jahr 1953 von Serge Mouille. **8** Die flexiblen Arbeitsleuchten sind direkt an die Wand montiert und machen Tischlampen überflüssig. **9** Ein am Zaun aufgespanntes Lichternetz schafft eine schöne Atmosphäre im Garten. **10** Die um das Sonnendeck angeordneten Gartenstrahler in den Rabatten werfen faszinierende Schatten an die Mauer.

SCHALTER, DIMMER & STEUERUNGEN

Lichtsteuerung auswählen

Schalter in ihrer einfachsten Form sind schlicht Bauteile eines Stromkreises, mit denen man das Licht ein- und ausschalten kann. Heute erhalten diese einfachen Schalter Gesellschaft von Dimmern, Sensoren und Computersteuerungen. Aber auch die einfache Lösung ist mittlerweile in zahlreichen interessanten Formen zu finden.

Wandschalter

Diese Schalter finden sich normalerweise inner- oder außerhalb eines Raums direkt neben der Tür. Traditionell konnte man damit nur die Deckenlampe im Zimmer anschalten, aber heute lassen sich mithilfe zusätzlicher Stromkreise und Mehrfachschalter auch Tisch- und Stehlampen steuern. Daneben kann man die Lampen auch weiterhin direkt vor Ort ein- und ausschalten.

Der typische Durchschnitts-Wandschalter besteht meist aus weißem Kunststoff, die Formvarianten sind gering. Außerdem sind heute auch modern gestaltete Metallschalter erhältlich. Einige mit einem kleinen Hebel statt einer Wippe ausgestattete Kippschalter werden auch mit transparenten Acryl- oder Glasplatten angeboten und sitzen nahezu unsichtbar an der Wand. Die meisten Schalter folgen noch immer dem über 50 Jahre alten Funk-

tionsprinzip, aber es gibt auch einige Weiterentwicklungen, etwa die „weichen" Taster in einem schlichten Gehäuse aus Silikon.

Lampenschalter

Tisch- und Stehlampen besitzen meist einen eigenen Schalter an der Lampenfassung, im Fuß oder in der Zuleitung. Es gibt auch Drehschalter, die bei der ersten Umdrehung gedämpftes Licht einschalten und bei der zweiten Umdrehung die volle Leuchtkraft aktivieren. Eine neuere Entwicklung ist ein Sensor im Lampenfuß, den man nur anzutippen braucht, um das Licht ein- oder auszuschalten; mehrfaches Tippen ergibt in mehreren Stufen ein helleres oder schwächeres Licht.

Dimmer

Ein Dimmer besteht in der Regel aus einem an der Wand montierten Drehregler, der die Stromzufuhr zur Lampe nicht nur ein- und ausschaltet, sondern auch stufenlos steigern oder reduzieren kann. Als Alternative sind auch Schieberegler erhältlich. Einige Lampen können nicht zusammen mit Dimmern verwendet werden, achten Sie also auf die Herstellerangaben. Die meisten Leuchtstofflampen sind nicht für Dimmer geeignet.

Zeitschaltuhren

Mit Zeitschaltuhren kann man bei Abwesenheit den Eindruck erwecken, das Haus sei bewohnt. Außerdem lässt sich mit ihnen vermeiden, abends in ein dunkles Haus zu kommen. Sie können entweder aus einem simplen Gerät für die Steckdose bestehen oder aus einer komplizierten und kostspieligen Computersteuerung, bei der Sie für jeden Tag der Woche oder des Monats ein anderes Beleuchtungsprogramm eingeben können. Solche Systeme können auch mit einem Lichtsensor gekoppelt werden, sodass sie bei Einbruch der Dunkelheit automatisch das Licht einschalten.

Bewegungsmelder

Leuchten können mit einem Sensor gekoppelt werden, der auf Bewegung reagiert und das Licht für einen vorgegebenen Zeitraum einschaltet. Diese Technik findet man meistens bei Eingangsleuchten, aber sie lassen sich genauso gut auch in Innenräumen installieren – etwa um nachts für Kinder die Badezimmerbeleuchtung zu aktivieren. Andere Arten von Sensoren können Wärme oder Geräusche wahrnehmen und dann das Licht einschalten.

Türkontaktschalter

Dies ist ein einfaches System ohne Computerzauberei oder irgendeine andere komplizierte Technologie: Wenn sich eine Tür – etwa im Kühlschrank oder in einem Kleider- oder Vorratsschrank – schließt, drückt sie auf einen Schalter im Rahmen, der eine Leuchte im Inneren ausschaltet. Wird die Tür geöffnet und der Schalter freigegeben, geht das Licht wieder an.

Fernsteuerungen

Mit dieser Technik, die an die Fernbedienung eines Fernsehers erinnert und einige zusätzliche Veränderungen im Stromnetz erfordert, können Sie bequem vom Sofa aus mit einem simplen Knopfdruck das Licht (aber auch die Stereoanlage und die Vorhänge) steuern. Das mag einem gesunden Menschen wie eine überflüssige Spielerei erscheinen, aber haben wir das nicht auch einmal von der heute unverzichtbaren Fernbedienung des Fernsehers gesagt? Und für Menschen mit eingeschränkter Mobilität bedeutet ein solches System neu gewonnene Freiheit und Kontrollmöglichkeiten.

Computersteuerungen

Noch weiter entwickelt als die oben beschriebene manuelle Fernbedienung ist die zentrale Steuerung der gesamten Hauselektronik einschließlich des Lichts mittels eines Computers. Ein solches System existiert bereits in Japan und wird zweifelsohne bald in aller Welt verfügbar sein.

Dazu werden Geräte im ganzen Haus mit winzigen Empfängern ausgestattet, die mit einer Steuerzentrale kommunizieren, die nicht größer als ein Buch ist. Mit einem Mobiltelefon kann man dann auch von außerhalb die Heizung, den Herd, den Fernseher und das Licht steuern. All dies wird durch die relativ niedrigen Preise für Computerprozessoren und digitale Netzwerke und den Erfindungsreichtum von Elektronikherstellern ermöglicht, die beständig auf der Suche nach neuen Märkten sind. Ob ein solcher Grad der Automatisierung allerdings wirklich wünschenswert ist, muss jeder für sich selbst entscheiden.

Zuleitungen

Die Zuleitung, die von einer Steckdose zu einer Lampe führt, sollte den Sicherheitsbestimmungen entsprechen. Achten Sie regelmäßig auf Anzeichen für Beschädigung oder Verschleiß und ersetzen Sie unsichere Zuleitungen und Stecker sofort. Die Zuleitung darf nicht frei zwischen Möbelstücken in der Luft hängen, wo jemand daran hängen bleiben oder ein Kind sie herausziehen kann. Sie sollte immer auf dem Boden liegend hinter Möbeln entlang geführt werden. Noch besser ist es, wenn sich die Steckdose nahe der Lampe befindet.

Die erhältlichen Ausführungen von Zuleitungen sind erstaunlich vielfältig. So gibt es neben den üblichen langweiligen weißen oder schwarzen Kunststoffummantelungen auch gewebte Textilhüllen in leuchtenden Farben, die das Erscheinungsbild vor allem von Tischlampen sehr schön ergänzen. Auf der anderen Seite kann eine weiße Zuleitung aber besonders unauffällig mit kleinen weißen Kabelschellen an einer Fußleiste befestigt werden.

DEKORATIVE BELEUCHTUNG

Dekorative Beleuchtung auswählen

Licht ist ein Blickfang, verleiht einem Raum eine besondere Stimmung und kann Akzente setzen. Daher ist es auch als Dekorationsmittel sehr geeignet. Auffällige Akzente können Sie mit einem glitzernden, altmodischen Kronleuchter genauso gut setzen wie mit einer von innen beleuchteten, witzigen modernen Skulptur oder einem skurrilen Arrangement aus optischen Fasern. Eine dekorative und ausgefallene Beleuchtung muss gar nicht teuer sein: Auch eine hübsch dekorierte Lichterkette, bunte Leuchten oder Laternen bieten sehr ansprechende Möglichkeiten.

Lichterketten

Diese Ketten aus kleinen Lampen, die einfach in die Steckdose gesteckt werden, wurden früher nur als Weihnachtsdekoration verwendet. Heute sind sie nicht nur mit weißen Lämpchen erhältlich, sondern kommen in den unterschiedlichsten Formen und Farben daher. Einige sind sogar für die Außenbeleuchtung geeignet (muss auf der Verpackung vermerkt sein). Moderne Lichterketten können aus kleinen Blättchen bestehen, an deren Ende jeweils ein Lämpchen sitzt. Lichterschläuche sind letztlich nur Lichterketten, die in einem Kunststoffschlauch stecken (allerdings kann man hier die Lämpchen häufig nicht austauschen). Manche Lichterketten haben viele kleine Lampenschirmchen aus Papier oder Kunststoff in einer oder mehreren Farben. Andere wiederum sind wie kleine Blüten geformt und sehen aus wie ein leuchtender Kranz.

Sie können mit Lichterketten die Dekoration für eine Feier gestalten, sie aber auch als zusätzliche Beleuchtung dauerhaft installieren. Sehr hübsch sieht es aus, wenn man eine Topfpflanze mit einer Lichterkette oder die Blumen für eine Tischdekoration damit verziert. Bei Festen können Sie mit einer langen Lichterkette Ihren Kaminsims oder auch die Bilder an den Wänden dekorieren. Oder Sie umwickeln ein Geländer mit einem Lichterschlauch. Bedenken Sie jedoch immer – und bei Festen ganz besonders –, dass die kleinen Lampen schnell kaputtgehen können. Genau wie Stromkabel sollten Lichterketten außerhalb der Reichweite von Kindern befestigt sein.

Mini-Leuchten

Sie sind den Lichterketten sehr ähnlich, sind jedoch normalerweise fest installiert und daher nicht zum schnellen Umdekorieren geeignet. Die kleinen Halogenlampen können in einer Zimmerdecke oder -wand integriert sein und sind so lange praktisch unsichtbar, bis man das Licht anschaltet. Wenn man sie allerdings anschaltet, sieht es so aus, als würden viele kleine Sterne leuchten.

Glas- oder Kunststofffaserlampen

Sie bestehen meist aus Glas- oder Acrylfasersträngen, die das Licht von der Lichtquelle zu den vielen dünnen Enden der Stränge transportieren (siehe Seite 245). Am bekanntesten sind wahrscheinlich die „Ufo-Lampen" aus Glasfasern, die im Lampenfuß gebündelt stehen und sich dann im Kreis weit auffächern. Am Ende der Glasfasern leuchten kleine Lichtpunkte, die langsam die Farbe wechseln. An Ufo-Lampen – ebenso wie an Lavalampen – scheiden sich die Geister. 70er-Jahre-Fans sind hingerissen, andere finden sie eher lächerlich. Glasfasern können aber auch sehr sinnvoll eingesetzt werden. Architekten verwenden sie gerne im Zusammenhang mit Wasser, beispielsweise zur Beleuchtung von Wasser, das aus dem Duschkopf strömt, was den Effekt kleiner tanzender Sternlichter hat. Glasfasern sind ohne Zweifel sehr dekorativ und auffällig. Ihre verschiedenen Verwendungsmöglichkeiten im Wohnbereich sind noch längst nicht erschöpft. Leider sind sie noch sehr teuer, was das Experimentieren erschwert.

1 Silikon-Schalter verleihen diesem notwendigen Einrichtungselement eine neue sensorische Qualität.
2 Diese zwei Kippschalter, zwischen denen ein Dimmer sitzt, sind wesentlich eleganter als die üblichen Wippenschalter. 3 Eine von optischen Fasern erleuchtete Badezimmerwand. Da die eigentliche Lichtquelle an einem anderen Ort stehen kann, können optische Fasern auch dort eingesetzt werden, wo andere Lichtquellen nicht geeignet wären. 4 Eine verschlungene Lichterkette im Feuerraum eines offenen Kamins. 5 Eine lange Lichterkette mit kleinen Lampenschirmen aus Reispapier ist ein sehr dekoratives Element. 6 Tom Dixons berühmte Lampe „Jack", die sowohl Lampe, Hocker, als auch Skulptur ist.

1 Ein sehr angenehmes, atmosphärisches Licht verbreitet dieser bewegliche, aufstellbare Lichtstab von Michael Young. **2** Diese Deckenlampe der holländischen Designgruppe Droog besteht aus 85 Glühbirnen, die zu einem organischen Ensemble gruppiert sind. **3** Licht als Skulptur: die sensationelle „Glitterbox" von Georg Baldele.

Lichtskulpturen

Dieser Begriff umfasst alle möglichen dekorativen Beleuchtungen, die in den letzten Jahren in Mode gekommen sind. Einige der talentiertesten und kreativsten Designer, wie beispielsweise Philippe Starck, Caterina Fadda, Bowles and Linares, Sharon Marston, Antonio Citterio, Jasper Morrison und Tom Dixon, haben sich inzwischen der Beleuchtung gewidmet. So manches Lampengeschäft erinnert daher heute entweder an einen Spielzeugladen oder an eine Kunstgalerie. Hier findet man so ausgefallene und verrückte moderne Lichtinstallationen wie bunt leuchtende Glasstäbe, die in Reihen von einer massiven Wandplatte abstehen, Netze kleiner blinkender Lichter, die sich kunstvoll drapieren oder von der Decke herabhängen lassen, oder klobige Bodenlampen in der Form von Stromsteckern, die man einzeln verwenden oder auch zu einer Säule aufstapeln kann.

Viele der modernen Steh-, Tisch- oder Hängeleuchten ähneln Skulpturen, da sie traditionelle Formen hinter sich lassen und in ihrer Materialgebung die Grenzen dessen ausloten, was als „Lampe" verwendet werden kann. Die Korbgeflechtkreationen von Michael Sodeau zeigen beispielsweise ein altes Handwerk in neuer Gestalt und erzeugen Lampen mit ansprechender Textur und in interessanten Formen. Prandina hingegen verwendet Strickware aus abwaschbaren Polyester-Mikrofasern, die über leichte Metallrähmen in sanften geometrischen Formen gezogen wird, und erzeugt so schlichte, schimmernde Lampen. Bloxam De Matteis wiederum legten einer Lampenkreation „Mb" als Deckenleuchte die Struktur des Moleküls Myoglobin (das die Muskeln mit Sauerstoff versorgt) zu Grunde.

Kronleuchter

Kronleuchter waren schon immer ein ganz besonderer Blickfang. Sie bestechen nicht nur durch die Schönheit ihrer vielen kleinen Glaselemente, sondern vor allem durch die filigrane Streuung des Lichts. Ein kleiner eleganter Kronleuchter kann einem Schlafzimmer eine romantische Note geben. Für einen größeren Raum darf es hingegen auch ein imposanterer Leuchter sein, denn hier wirkt ein kleines Modell schnell verloren. Ein Kronleuchter muss auch nicht unbedingt in der Mitte des Raumes hängen, es sei denn, Sie haben ein altes Haus mit einer Stuckrosette in der Mitte der Decke. Wer zwei miteinander verbundene Räume besitzt, wie ein Wohn- und ein Esszimmer mit großer Verbindungstür, sollte zwei Kronleuchter wählen, die in Form, Größe und Material zueinander passen. Ein großer Spiegel an einer Wand nahe dem Kronleuchter verdoppelt den Effekt der glitzernden Glastropfen.

TRADITIONELLE KRONLEUCHTER Der historische Kronleuchter ist eine verästelte, fein ziselierte Deckenleuchte mit blitzenden Kristalltropfen, die man früher in reichen Häusern fand und die bis heute ihre faszinierende Wirkung nicht eingebüßt hat. Sowohl neue Interpretationen als auch Nachbildungen jeglicher historischen Stilrichtung sind heute in traditionellen Materialien wie Metall und Glas überall erhältlich. Manche Modelle sind mit Haltern für Kerzen ausgestattet, andere verfügen über Fassungen für Glühlampen. Kauft oder erbt man einen alten Kronleuchter, kann man fehlende Teile bei spezialisierten Firmen ersetzen lassen.

MODERNE KRONLEUCHTER Die klassische Form des Kronleuchters lädt geradezu zu Neuinterpretationen ein. So kommen heute praktisch alle Materialien zum Einsatz, die die Fantasie der Designer beflügeln, wie beispielsweise Bleche, Draht, Kunststoffe, Keramik und Glas. Zwei der bekanntesten zeitgenössischen Schöpfer moderner Kronleuchter sind Dale Chihuly, der organisch verschlungene Formen aus mundgeblasenem Glas kreiert, und Ingo Maurer, dessen freche und augenzwinkernde Schöpfungen heiß begehrt sind. Beispiele für seine Arbeit sind unter anderem eine Wolke aus Porzellanscherben, die wie in der Luft explodiert wirken, und ein Bündel aus einzelnen Glühbirnen, die jeweils über ein Paar weiße Federflügel verfügen.

Stilleuchten

Unter diesen Begriff fallen Leuchten jeglicher Stilrichtung oder Epoche – von reich verzierten Wandleuchtern aus dem 18. Jahrhundert bis hin zu modernistischen Designklassikern aus dem 20. Jahrhundert. Solche Stilleuchten – ob Kronleuchter, Tisch-, Steh- oder Pendelleuchten – sind in Spezialgeschäften und Antiquitätenhandlungen sowohl als aufgearbeitete Originale wie als Reproduktionen erhältlich. Wenn Sie eine originale Stilleuchte erwerben und sie verkabeln oder die Verkabelung erneuern lassen möchten, sollten Sie einen Fachmann damit beauftragen (wie bei allen Elektroinstallationen). Leuchten aus Metall müssen gelegentlich poliert werden, lackierte und vergoldete Modelle sowie Glasleuchten werden nur mit einem feuchten Tuch gereinigt. Wenn die Leuchte dennoch nicht richtig sauber wird, muss sie zum gründlichen Reinigen zerlegt werden (fertigen Sie sich einen Plan an, wie sie zusammengesetzt war). Wer einen alten oder modernen Kronleuchter hat, muss diese Arbeit leider in Kauf nehmen, wenn er ein strahlendes Ergebnis möchte, oder eine Spezialfirma mit der Reinigung beauftragen.

Einige der besten Leuchtendesigns des 20. Jahrhunderts sind – ähnlich wie die vielen Möbel dieser Zeit – bis heute in Produktion. Moderne Klassiker wie das Modell „Arco" von Achille und Pier Giacomo Castiglioni aus den 1960er Jahren, das mit dem geschwungenen Arm und kugeligen Leuchtenschirm noch heute in vielen Lifestyle-Magazinen zu finden ist, sind nach wie vor als Neuware erhältlich. Viele Bauhausleuchten und andere Designs aus den

1920er Jahren werden heute als Reproduktionen zu erschwinglichen Preisen angeboten. Auch Designs der 1950er Jahre, etwa die funktionale und elegante Stehleuchte aus Metall mit einem trichterförmigen Lampenschirm „AJ Visor" von Arne Jacobson, sind wegen ihrer unaufdringlichen Formen wieder sehr modern.

Laternen

Laternen sind durchsichtige oder durchscheinende Glasleuchten, die mit einer Kerze oder einer Glühbirne (manchmal dimmbar) beleuchtet werden. Die Glasscheiben verhinderten, dass Zugluft die Kerze löschte. In diesen Bereichen, aber auch im Garten, können Laternen auch heute noch sehr dekorative Leuchten sein. Es gibt sie in modernem Design, aber auch in alten, zierreichen Formen und mit bunten, teils verzierten Glasscheiben. Die derzeit sehr beliebten marokkanischen Laternen sind ganz aus gestanzten Metallblechen gefertigt, durch deren dekorative Muster das Licht scheint.

Farbiges Licht

Vielleicht werden in Zukunft computergesteuerte Leuchtdioden, so genannte LEDs (siehe Seite 245), für die farbliche Gestaltung unserer Räume so einfach einsetzbar wie Wandfarbe. Der große Vorteil gegenüber dieser wäre der, dass man den Raum ohne aufwendige Renovierung der jeweiligen Gemütslage anpassen und dadurch viel freier gestalten könnte. Viele Kaufhäuser, Clubs, Hotels, Kunstgalerien und Museen verwenden heute bereits LED-Beleuchtung, da sie sehr variabel einsetzbar und äußerst effektvoll ist. Es wird wahrscheinlich noch etwas dauern, aber auch diese Beleuchtungsart wird unsere Wohnbereiche erobern, genau wie vor ihr die Halogenbeleuchtung und die Strahler, auf die heute niemand mehr verzichten möchte.

In der Zwischenzeit kann man Farbfolien (farbige Kunststofffolien, die vor die Lichtquelle gesetzt werden) und farbige Glühbirnen verwenden, um eine Wand mit Hilfe einer ganz normalen Leuchte in ein anderes Licht zu tauchen. Weiße Wände reflektieren farbiges Licht am besten. Aber auch mit anderen Mitteln kann man ein wenig farbiges Licht in den Raum bringen: wählen Sie einen Kronleuchter mit farbigen Glasperlen, durchscheinende farbige Lampenschirme aus Seide oder Kunststoff oder buntes Glas (sowie selbstklebende, farbige Kunststofffolien) am Fenster.

Kinetische Beleuchtung

Kinetische Beleuchtung ist bewegtes Licht in wandelbaren Farben, das Ihre Räume in ein sich ständig veränderndes Licht taucht. Einen solchen Effekt kann man ebenfalls mit einfachen Mitteln erreichen, beispielsweise mit Vorhängen aus Acryl- oder Glasperlen an einem großen Fenster oder Durchgang oder mit bunten Glastropfen an einem Fenster, die von der Sonne beschienen werden. Zur Erzeugung von bewegtem Licht eignet sich außerdem ein Projektor sowie Lichtquellen, die mit einem Motor ausgestattet sind. Am bekanntesten sind wohl die sich drehenden Nachtlampen fürs Babyzimmer. Eine eher opulente Lösung für moderne Innenraumgestaltung ist die Installation eines computergesteuerten, programmierbaren Lichtsystems, das Zimmerwände und -decken in immer neues Licht taucht.

4 Kandelaber sind eine sehr romantische und sanfte Beleuchtung, da sich das Licht in ihren Glasperlen und facettiert geschliffenen Tropfen unendlich bricht.
5 Diese Deckenleuchte wurde von Verner Panton entworfen und ist eine moderne Version des Kronleuchters. **6** und **7** Eine ganz in Weiß gehaltene Inneneinrichtung ist der perfekte Hintergrund für ein computergesteuertes Farblichtsystem.

ADRESSEN

Bodenbeläge

Die Landhausfliese
König & König GmbH
Wilhelmshöher Straße 16
12161 Berlin
Tel. 030 / 82 70 99 97
www.landhausfliese.de
Handgemachte Fliesenkunst

DLW Aktiengesellschaft
74319 Bietigheim-Bissingen
Tel. 0 71 42 / 7 1 6 76
Fax 0 71 42 / 7 1 8 40
Linoleum

Flagstone

Zippelhaus 2
20457 Hamburg
Tel. 040 / 30 39 98 98
Fidicinstraße 8

10965 Berlin
Tel. 030 / 69 04 13 35

Innere Wiener Straße 11
81667 München
Tel. 089 / 48 95 38 82

*Antike & neue Natursteine,
Terrakotta & Mosaike*

Jaeger & Stipak
Ulmer Straße 30/1
73728 Esslingen
Tel. 07 11 / 316 44 68
Fax 07 11 / 316 44 69
Bodenbeläge

Junckers Parkett GmbH
Heinrichstraße 169
40239 Düsseldorf
Holzböden

Kölnberger GmbH & Co. KG
Gut Hausen
Hausener Gasse
52072 Aachen
Tel. 02 41 / 1 32 71
Antike Böden (Stein und Holz)

NaturBauHaus
Tegernseer Landstraße 103
81539 München
Tel. 089 / 69 75 90 90
www.naturbaumarkt.de
Naturholzböden, Fertigparkett

Persch
Antike Baumaterialien und
Inneneinrichtungen
An der B5 Nr. 11
25920 Risum-Lindholm
Tel. 0 46 61 / 51 11
www.persch.com
Bodenplatten, Holzdielen

Wicanders
über Carl Ed. Meyer
Berner Straße 55
27751 Delmenhorst
Tel. 0 42 21 / 5 93 01
Schiffsboden

Moderne Glassysteme

**Bayerische Hofglasmalerei
Gustav Van Treeck**
Schwindstraße 3
80798 München
Tel. 0 89 / 5 23 40 85
www.hofglasmalerei.de

BGT Bischoff Glastechnik
Alexanderstraße 2
75015 Bretten
Tel. 0 72 52 / 50 32 83
www.bgt-bretten.de

Blizzard Composite GmbH
Klausgasse 32
A-5730 Mittersill
Tel. 00 43 / 65 62/63 91-0
www.blizzard-composite.at
Clear Pep Core Glas

Eckelt Glas GmbH
Resthofstraße 18
A – 4400 Steyr
Tel. 00 43 / 72 52 89 40

Flabeg Steinglas GmbH
Wilhelm-Bitter-Platz 5
45659 Recklinghausen
Tel. 0 23 61 / 37 55 00
www.flabeg.de

Freericks Glasveredelung
Hellweg 25
59063 Hamm
Tel. 0 23 81 / 54 73
www.glas-freericks.de

Fuchs glas-technik
Gewerbepark 5
A-4300 St. Valentin
Tel. 00 43 / 74 35/58 88 00
www.glas-technik.at

Glas Blessing
Robert-Bosch-Straße 3
88214 Ravensburg
Tel. 07 51 / 8 84-40
www.glas-blessing.de

Glas Trösch AG Interieur
Schlossstraße 14
CH-4922 Bützberg
Tel. 00 41 / 62/9 58 53 40
www.glastroesch.ch

Glaverbel Group (Ashai Glass)
Deutschlandvertretung
Von-Bronsart-Straße 14
22885 Barsbüttel-Hamburg
Tel. 0 40 / 6 70 88 40
www.myglaverbel.com

GLS Spezial-und Farbglashandel
Hasenheide 9
82256 Fürstenfeldbruck
Tel. 0 81 41 / 53 46 70
www.glas-fuer-ihre-ideen.de

Interpane Glas Industrie AG
Sohnreystraße 21
37697 Lauenförde
Tel. 0 52 73 / 80 90
www.interpane.net

Franz Mayer'sche Hofkunstanstalt GmbH
Seidlstraße 25
80335 München
Tel. 089 / 5 45 96 20
www.mayersche-hofkunst.de

Nippon Electric Glass C., Ltd.
Neoparies & NeoClad
17-1, Seiran, 2-Chome
JP-Ohtsu City
Tel. 00 81 / 77/5 37 17 00
www.neg.co.jp/arch/np_nc

Opiocolor DSL
Kossmannstraße 35
66119 Saarbrücken
Tel. 06 81 / 9 85 74 40
www.opiocolor.com
Glasmosaik

OmniDecor Glasveredelung
Via Rossini 4
I-23847 Mailand
Tel. 00 39 / 031 870573
www.omnidecor.it

Oswald A. GmbH
Zamdorfer Straße 6 - 8
81677 München
Tel. 089 / 92 80 94-0
info@glasoswald.de

Pilkington Bauglasindustrie GmbH
Profilglas
Hüttenstraße 33
66839 Schmelz
Tel. 0 68 87 / 30 30
www.pilkington.com

Saint-Gobain Glass Deutschland GmbH
Glass Vision
www.saint-gobain-glass.com
Schaltbares Glas der Firma Saint Gobain
wird in Deutschland vertrieben über:

Kinon
Jülicher Straße 495
Postfach 670
52007 Aachen
Tel. 0 241 / 966 72 83
Ulrich.Peters@saint-gobain.com

Schott Desag AG
Deutsche Spezialglas
Postfach 20 32
41074 Grünenplan
Tel. 0 51 87 / 77 15 44
www.schott.com/desag

Solutia/Vanceva Design Folien
Architektonische Verglasungsdienste
Richmodstraße 6
50667 Köln
Tel. 06 11 / 9 62 73 72
www.vanceva.com

Termolux S.A.
Corso S. Gottardo 52
CH-6830 Chiasso
Tel. 00 41 / 91 / 6 95 16 60
www.termolux.ch

Vitreal Specchi S.R.L.
Via IV Novembre, 95
I-22066 Mariano Comense
Tel. 00 39 / 0 31/74 50 62
www.vitrealspecchi.it

Weiss Plastic GmbH
Eintrachtstraße 8
81541 München
Tel. 0 89 / 62 30 70
www.plexiweiss.de
Plexiglas

Öfen & Kamine

Hark GmbH & Co. KG
Hochstraße 197-201
47228 Duisburg (Rheinhausen)
Tel. 0 20 65 / 997-0
www.hark.de

Hark AG
Obergrundstraße 44
CH-6003 Luzern
und
Badener Straße 808
CH-8048 Zürich

Keramische Werkstätten
Obere Dorfstraße 7
88636 Illmensee-Ruschweiler
Tel. 0 75 58 / 5 72
Kachelöfen (historisch und neu)

Bernd Reimann
Nadelhöft 1
24395 Gelting
Tel. 0 46 43 / 13 99
Antike Kachelöfen

Traumöfen
Wilhelmistraße 114
46569 Hünxe
Tel.: 028 58 / 61 62
Fax: 028 58 / 83 60 53
www.traumofen.de
*Antike Öfen und Replikate, Umbau antiker
Öfen auf moderne Technik*

Heizung

Bemm GmbH
Tel. 0 51 21 / 93 00-0
Fax 0 51 21 / 93 00-84
www.bemm.de
Heizbare Handtuchhalter

Runaco GmbH
Design-Heizkörper
Schmidener Weg 17
70736 Fellbach
Tel. 07 11 / 9 57 50-0
www.acova.de
*z.B. Typen, die sich im Sommer auf
Elektrobetrieb umstellen lassen*

Vaillant GmbH & Co.
Berghauser Straße 40
42850 Remscheid
Tel. 0 21 91 / 18-0
Heizung

Zehnder Wärmekörper GmbH
Almweg 34
77933 Lahr
Tel. 0 78 21 / 5 86-0
Fax 0 78 21 / 5 86-302
www.zehnder-online.de

Antiquitäten und antike Baustoffe

**Antike Kachelöfen
Restaurierung-Verkauf-Aufbau
Theo Holtebrinck**
Mürnsee 13
83670 Heilbrunn
Tel. 0 80 46 / 17 48
Fax 0 8046 / 80 46

**Habit arte*Nymphenburg
Georgia Wittmaack**
Schauerstraße 7, 80638 München
Tel. 0 89 / 17 16 07
Fax 0 89 / 17 18 08
www.habit-arte.com
*Historische offene Kamine,
Holz- und Steinböden,
Gartenobjekte aus Frankreich und England*

Jürgen Schaubhut
Mühlweg 11
74564 Crailsheim
Tel. 0 79 51 / 220 15
Fax 0 79 51 / 29 44 01
www.schaubhut.com
*Handel, Aufarbeitung und Restaurierung
von historischen Baustoffen*

Möbel, Polstermöbel, Betten

Bretz Brothers
Alexander-Bretz-Straße 2
55457 Gensingen
Tel. 0 67 27 / 89 50
www.cultsofa.com

Domicil
Bäuerlinshalde 48
88131 Lindau
Tel. 0 83 82 / 96 20-20
www.domicil.de

Das Bett
Antik & Design
Diekerstraße 27
42781 Haan
Tel. 0 21 03 / 24 18 33
www.das-bett-haan.de

Form exclusiv
Poppenbeck 72
48329 Havixbeck
Tel. 0 25 07 / 98 57-0
www.form-exclusiv.de

Anna Flötotto
Am Ölcach 28
33334 Gütersloh
Tel. 0 52 41 / 94 05-0
www.annafloetotto.de

Frommholz Polstermöbel
Industriezentrum 14-20
32139 Sprenge
Tel. 0 52 25 / 87 75-0
www.frommholz.de

Hülsta
48702 Stadtlohn
Tel. 0 25 63 / 12 73
www.huelsta.de

Koinor Polstermöbel
96247 Michelau
Fax 0 95 71 / 8 37 03
www.koinor.de

Gunther Lambert
Konstantinstraße 303
41238 Mönchengladbach
Tel. 01 80 / 500 95 95
www.lambert-home.de

Philipp Plein
Hebelstraße 2
90491 Nürnberg
Tel. 09 11 / 59 90 67
www.philipp-plein.com

Roche Bobois
Berliner Allee 59
40212 Düsseldorf
Tel. 02 11 / 86 32 64-0
www.roche-bobois.de

Roset Möbel GmbH
Postfach 1230
79191 Gundelfingen
Tel. 07 61 / 592 09-0
www.ligne-roset.de

The Iron Bed Company
Hochstraße 15
60313 Frankfuer
018 05 / 21 45 47
www.BedCompany.de

Vincent Sheppard
über Omniform
33419 Harsewinkel
Tel. 0 52 47 / 92 50 00
www.vincentsheppard.com

Voglauer Möbel
A-5441 Abtenau / Salzburger Land
Tel. +43 (0) 62 43 / 27 00-0
www.voglauer.com

WK Wohnen
Föhrengrund 12
21224 Rosengarten
Tel. 07 11 / 99 06-0

Kinderzimmer

Billi-Bolli Kindermöbel GmbH
Gartenstr. 2
D- 85570 Ottenhofen
Tel. 0 81 21 / 2 25 95 97
Fax 0 81 21 / 38 63
www.billi-bolli.de
billi-bolli@t-online.de
u.a. Abenteuerbetten

Cabinet Schranksysteme AG
Postfach 7125
50150 Kerpen
Tel. 022 75 / 92 03 60
Fax 022 75 / 92 03 65
www.cabinet.de
Stauraumlösungen

Car Selbstbaumöbel
Ellerbrookskamp 4
22397 Hamburg
Tel. 040 / 6 05 00 71
Fax 040 / 6 05 49 36
www.car-Moebel.de
*unbehandelte Möbel, selbst
zusammenbauen u. nach Wunsch
streichen / behandeln*

Gartenhauszentrum Geiger
Robert Geiger GmbH
Karlstraße 55
74405 Gaildorf
Tel. 07971 / 7024
Fax 21364
info@gartenhauszentrum.de
Spielhäuser, Spielgeräte für den Garten

Habitat:
www.habitat.net
Schadow Arkaden
Berliner Allee 15
40212 Düssendorf
Tel. 0211 / 86 50 90
Fax 0211 / 13 50 14

Neuer Wall 54
20354 Hamburg
Tel. 040 / 357 658-0
Fax 040 / 357 358-15

Calwer Straße 33
70173 Stuttgart
Tel. 0711 / 222 790
Fax 0711 / 222 79 15

Neumarkt 12
50667 Köln
Tel. 0221 / 920 15 00
Fax 0221 / 920 15 015
Möbel, Accessoires

Holzwerkstatt Astrein
Am Schmiedeberg
23758 Wasbuck
Tel. 043 82 / 14 03
Fax 043 82 / 92 05 41
*Einbaumöbel und frei stehende Möbel
nach Maß*

Ikea
Service-Tel.: 0180 / 5 35 34 35
www.ikea.de

INVENTAS GmbH
Weiern 171
D-52078 Aachen
Tel. 02 41 / 879 53 41
Fax 02 41 / 879 53 49
kontakt@inventas.de

Octopus Handels-GmbH
Lehmweg 10B
20251 Hamburg
Tel.: 040 / 420 11 00
Fax: 040 / 420 12 00
www.octopos-versand.de
Möbel, Aufbewahrung, Accessoires

Shaker Heritage
Heinrich Eggert Import
Loogestraße 6
20249 Hamburg
Tel. 040 / 460 41 94
Fax 040 / 460 24 70
Möbel und Accessoires im Shaker-Stil

silenta Produktions-GmbH
Würzburger Str. 11
96157 Ebrach
Tel. 0 95 53 / 317
Fax 0 95 53 / 320
silenta@t-online.de
http://www.silenta.de
Kindermöbel

Team 7 - Natürlich Wohnen GmbH
Postfach 7329
94054 Packing
Tel. 0 77 52 / 97 71 46

Österreich:
Braunauer Straße 26
A-4910 Ried / Innkreis

Schweiz:
Mugerenmatt 33
CH-6330 Charm
Naturholz-Möbel

WOODLAND-Kindermöbel GmbH
Rostocker Straße 14
41540 Dormagen
Tel. 02133 / 24 82 10
Fax 02133 / 24 82 17
info@woodland.de
www.woodland.de

Barrierefrei wohnen

Bäder für Menschen mit Behinderungen:
www.barrierefreiesbad.de
www.aventas-care.de

Wertvolle Informationen
www.tu-harburg.de/b/kuehn/themen/
bbauen.html
(Linksammlung der Technischen Universität
Harburg)

www.metareha.de - „Die Suchmaschine für
Rollis"

**Weitere praktische Links und Adressen
finden sich unter**
www.barrierefrei-bauen.de/
außerdem: www.jkc.de/links.html
Experten helfen Behinderten -
Suchmaschine / Linksammlung -
Knapp 900 Links mit Suchfunktion

Stauraumlösungen und Schränke

Cabinet Schranksysteme AG
Postfach 7125
50150 Kerpen
Tel. 022 75 - 92 03 60
Fax 022 75 / 92 03 65
www.cabinet.de
Stauraumlösungen

Car Selbstbaumöbel
Ellerbrookskamp 4
22397 Hamburg
Tel. 040 / 605 00 71
Fax 040 / 605 49 36
www.car-Moebel.de
*Frei stehende Küchenschränke und andere
Möbel (z.T. unbehandelt, selbst
zusammenbauen u. behandeln)*

Holzwerkstatt Astrein
Am Schmiedeberg
23758 Wasbuck
Tel.: 043 82 / 14 03
Fax: 043 82 / 92 05 41
*Einbaumöbel und frei stehende Möbel nach
Maß*

Kornmüller
A-3351 Weistrach /NÖ
Tel. 0043 / 74 77 / 423 47
Fax 0043 / 74 77 / 423 47 22
www.kornmüller.at
*Rolladen-Schränke, Arbeitsinseln
(auch runde)*

Octopus Handels-GmbH
Lehmweg 10B
20251 Hamburg
Tel. 040 / 4 20 11 00
Fax 040 / 4 20 12 00
www.octopos-versand.de
*Frei stehende Küchenschränke
und andere Möbel*

Rapsel GmbH
Vogelsangstraße 31
82178 Puchheim
Tel. 089 / 800 66 10
www.rapsel.com

Shaker Heritage
Heinrich Eggert Import
Loogestraße 6
20249 Hamburg
Tel. 040 / 460 41 94
Fax 040 / 460 24 70
Möbel und Accessoires im Shaker-Stil

Farben, Tapeten, Stoffe

Alpina Farben GmbH
64369 Ober-Ramstadt
Tel. 018 05 / 45 68 88
www.alpina-farben.de

Vertrieb in Österreich:
**Glemadur Farben und Lacke
Vertriebsges. mbH**
Am Kanal 105
A-111 Wien

Auro Pflanzenchemie AG
Alte Frankfurter Straße 211
38122 Braunschweig
Tel. 05 31 / 28 14 10
www.auro.de
Naturfarben

Biggie Best Town & Country Interior
Uhlandstraße 20-25
10623 Berlin
Tel. 030 / 88 70 97 30
Stoffe, Tapeten und mehr

Brillux über J.D. Flügger
22092 Hamburg
Tel. 01 80 / 535 83 44 37
www.fluegger.com

Busby & Busby
über FDC Handelsagentur
Schillerstraße 18
60313 Frankfurt
Tel. 069 / 73 99 87 78
Tapeten

cara Service- und Handelsgesellschaft mbH
-bauscouts.de-
Wintgenhof 10
45239 Essen
Tel. 0201 / 8405758
Fax 0201 / 8405971
www.bauscouts.de
*Naturfarben ohne gesundheitsschädliche
Inhaltsstoffe*

Club Création CC Wohndecor
Potsdamer Straße 160
33719 Bielefeld
Tel. 05 21 / 9 25 99 00
Tapeten

Création Baumann
Paul-Ehrlich-Straße 7
63128 Dietzenbach
Tel. 0 60 74 / 3 76 70
www.creationbaumann.com
Wohnstoffe

Crowson Fabrics
über Gross Raumausstatter
Sebastianstraße 34
53474 Bad Neuenahr
Tel. 0 26 41 / 94 85-0
www.crowsonfabrics.com
Wohnstoffe

Designers Guild
Dreimühlenstraße 38 a
80469 München
Tel. 089 / 23 11 620
www.designers-guild.com
Tapeten, Farben, Stoffe

Dulux Farben
ICI Lacke Farben GmbH
Postfach 940
40709 Hilden
Tel. 021 03 / 711
Fachberatung: 0180 / 5 24 00 42
Fax: 0180 / 5 24 00 22

Dulux Farben Österreich
Schwarzenbergerplatz 7
A-1037 Wien
Tel. 0043 / 660 / 82 64

Erfurt & Sohn
Hugo-Erfurth-Straße 1
42399 Wuppertal
Tel. 02 02 / 61 10-0
www.erfurt.com

Christian Fischbacher
Simonshöfchen 27
42327 Wuppertal
Tel. 02 02 / 73 90 90
www.fischbacher.ch
Stoffe

Interieur
Postfach 13 09
48633 Coesfeld
Tel. 0 25 41 / 73 42 00
Stoffe

JAB Anstoetz
Potsdamer Straße 160
33719 Bielefeld
Tel. 05 21 / 20 93-0
Wohnstoffe, Tapeten

K.A. International
Bezugsquellen über Offtake GmbH
Meisengasse 30
60313 Frankfurt
Tel. 069 / 13 81 31 10
www.ka-international.ce
Wohnstoffe

Laura Ashley
Fulham
GB-SW6 2QA London
Händlerverzeichnis unter
Tel. 02 11 / 86 22 87 00
www.laura-ashley.com
Wohnstoffe, Tapeten, Accessoires, Möbel

Lene Bjerre Design
über Simone Benzel Handelsagentur
An den Höfen 65
47877 Willich
Tel. 0 21 54 / 91 28 36
u.a. traditionelle dänische Rosenmuster

Marburger Tapetenfabrik
Postfach 1320
35269 Kirchhain
Tel. 0 64 22 / 8 11 18
www.marburg.com
Tapeten

Nya Nordiska
Postfach 1280
29446 Dannenberg
Tel. 0 58 61 / 80 90
www.nya.de
Stoffe

Osborne & Little
304-308 Kings Road
GB-SW3 5UH London
Tel. Deutschland 089 / 23 66 00-0
www.osborneandlittle.com
Stoffe

Anita Pavani
Ludwig-Rinn-Straße 14-16
35452 Heuchelheim
Tel. 06 41 / 96 28 20
Stoffe

Sehestedter Naturfarben
Adolf Riedl
Alter Fährberg 7
24814 Sehestedt
Tel. 04357 / 1049
Fax 04357 / 750
info@chito.com
Naturfarben

Gudrun Sjödén GmbH
Nibelungenstraße 13
90511 Zirndorf
Tel. 09 11 / 96 06 90
www.gudrunsjöeden.de
Wohnstoffe

Tapetenfabrik Gebr. Rasch GmbH & Co.
Postfach 1164
49562 Bramsche

Wendy Cushing Trimmings (Export)
36 Millmead Business Centre, Tottenham
Hale
GB-N17 9QU London
Tel. +44 (0)20 / 88 80 94 41
www.wendycushingstrimmings.com
Posamente und Zubehör für Wohntextilien

Zimmer & Rohde
Postfach 12 45
61402 Oberursel
Tel. 0 61 71 / 6 32 02
www.zr-group.com
Wohnstoffe

Naturtextilien

Ein begrenztes Angebot an Naturtextilien
findet man auch in Bioläden und Reform-
häusern.

Hess Natur-Textilien GmbH & Co. KG
Hessenring 82
61348 Bad Homburg
Tel. 0180 / 53 56 800
Fax 0180 / 53 56 808
www.hess-natur.de
Naturtextilien, Bettwaren, Kleidung

Jonas natur
Wilhelm Hödl
84028 Landshut
Maximilianstraße 22
Tel. 08 71 / 8000890
Fax 08 71 / 8000890
service@jonas-natur.de

Kaspers Naturtextilien
Bahnhofstraße 8 a
48351 Everswinkel
Tel. 025 82 / 6 56 87
Fax 025 82 / 6 56 87
www.naturtextilien-kasper.de

Kunterbunt
Untere Siedlerstraße 2a
97285 Röttingen
Tel. 093 38 / 9 98 32
Fax 093 38 / 9 98 31
info@kinder-naturtextilien.de.
www.kinder-naturtextilien.de

PANDA Versand
Fürther Straße 205
90429 Nürnberg
Tel. 0180 / 5 88 90
Fax 0180 / 5 23 23 20
www.panda.de
Naturtextilien, auch Möbel und Accessoires

Organisch leben

Wer auf der Suche nach organischen, ökologisch unbedenklichen Produkten für die
Kinderzimerausstattung und -gestaltung
ist, sollte sich einmal im örtlichen Bioladen
umsehen. Größere Geschäfte bieten oft
auch Naturtextilien, Holzspielzeuge und
gelegentlich Farben an. Doch auch wenn
solche Produkte nicht im Sortiment sind,
kann man Ihnen meist organisch orientierte
Anbieter in der näheren Umgebung nennen.
Auch Adressen von Handwerksbetrieben,
die sich auf ökologische Materialien spezialisiert haben (z.B. Tischlereien, Malerei-
betriebe), kann man dort erfragen.

Ein umfassendes Spektrum von Anbietern
ist im alternativen Branchenbuch enthalten
(nach Stichworten und Postleitzahlen
geordnet), das im Buchhandel zu haben ist.

www.allergate.de
*Online-Shop für Allergiker-Produkte,
u.a. natürliche Bettwaren, Kleidung*

www.oekoadressen.de
online-Branchenbuch

Hausgeräte

AEG
Deutschland:
AEG Hausgeräte GmbH
Muggenhofer Straße 135
90429 Nürnberg
www.aeghausgeraete.de

Österreich:
Elektrolux Hausgeräte GmbH
Customer Services
Herziggasse 9
1230 Wien
Tel. 0043-1-86 64 33 33
Fax 0043-1-86 64 33 00

Schweiz:
A+T Hausgeräte AG
AEG Kundendienst
Badenerstraße 585
CH-8048 Zürich
Tel. 41-1-405 85 00
Fax 41-1-405 87 00

Herde, Kochfelder, Öfen, Abzugshauben,
Spülmaschinen, Waschmaschinen,
Trockner, Kühl- und Gefriergeräte,
Kleingeräte

Aga-Herde
Generalimporteur für Deutschland
Wilhelm Krampen & Sohn
Hohenzollernstraße 124
D-56068 Koblenz
Tel. 02 61 / 318 88
www.aga-rayburn.de
Außergewöhnliche, emaillierte Küchen-
herde in verschiedenen Größen und Farben.
In Deutschland wegen gesetzlicher Bestim-
mungen nur ein begrenztes Angebot.

Küchen

allmilmö
Postfach 1180 SW
97470 Zeil am Main
Fax 0 95 24 / 99 25
www.allmilmö.de
Einbauküchen

Alno AG (Deutschland)
Heiligenberger Straße 47
88629 Pfullendorf
Tel. 0 75 52 / 21-0
Fax 0 75 52 / 21 31 20
www.alno.de

Alno-Austria
Eitelbergerstraße 24
A-1130 Wien

Alno Schweiz AG
Hardhofstraße 15
CH-8424 Embrach
Tel. 0041 / 1 / 876 05 55
Fax 0041 / 1 / 876 05 45
Einbauküchen

Arc Linea - technologia creativa
Ernst-Abbe-Straße 11
56070 Koblenz
Tel. 02 61 / 88 42 80
Fax 02 61 / 80 57 93
Italienisches Küchendesign

Bauknecht Hausgeräte
Am Wallgraben
70565 Stuttgart
Tel. 07 11 / 78 86-0
Fax 07 11 / 788 63 60
Haushalts-Großgeräte

Blanco GmbH & Co. KG
Flehinger Straße 59
75038 Oberderdingen
Tel. 0 70 45 / 44-0
Fax 0 70 45 / 442 99
Einbauherde, Kochfelder, Abzugshauben,
Kühl- und Gefriergeräte, Edelstahl-Spülen
mit Zubehör

Bosch GmbH
Postfach 10 60 50
70049 Stuttgart
Tel. 0711 / 811-0
Haushaltsgroßgeräte

Bulthaup GmbH & Co.
Werkstraße 6
84153 Aich
Tel.: 0 87 41 / 8 00
Fax: 0 87 41 / 803 09
www.bulthaup.de
Moderne Kücheneinrichtungen (Holz,
Edelstahl, Glas)

Dross & Schaffer Küchen
Finninger Straße 60
89231 Neu-Ulm
Tel. 07 31 / 972 38 20
Fax 07 31 / 972 38 23

Gaggenau
Eisenwerk 11
76568 Gaggenau
Tel. 072 25 / 96 70
Fax 0 72 25 / 96 71 90
www.gaggenau.com

General Electric Appliances
Herbert Oetjen GmbH & Co. KG
Julius-Bamberger-Straße 1
28279 Bremen
und
Wolfratshausener Straße 150
82049 Pullach bei München
Einbauöfen und Kühlgeräte

Ikea
Service-Tel.: 0180 / 5 35 34 35
www.ikea.de

Imperial
Postfach 1929
32255 Bünde
Tel. 052 23 / 48 10
Fax 0 52 23 / 48 11 12
www.imperial.de
Dampföfen u.a.

Küppersbusch
Postfach 100 132
45801 Gelsenkirchen
Tel. 02 09 / 40 10
Fax 02 09 / 40 13 03

Leicht Küchen AG
Postfach 60
73548 Waldstetten
Tel. 071 71 / 402-0
Fax 071 71 / 402-300
www.leicht.de
Einbauküchen

Merloni
Länderweg 19
60559 Frankfurt
Tel. 069 / 605 00 50
Gas-Kochfelder u.a. Großgeräte

Miele & Cie. GmbH & Co.
Carl-Miele-Straße 29
33335 Gütersloh
Tel. 0 52 41 / 89-0
Fax 0 52 41 / 89 20 90
Österreich:
Miele Gesellschaft mbH
Mielestraße 1
A-5071 Wals bei Salzburg
Tel. 0043 / 662 / 85 84-0
Fax 0043 / 662 / 85 84-219

Schweiz:
Miele AG
Limmatstraße 4
CH-8957 Spreitenbach
Tel. 0041 / 56 / 41 72-000
Fax 0041 / 56 / 41 72-459
Haushaltsgroßgeräte

Neff VertriebsGmbH
Postfach 100250
80076 München
Tel. 089 / 45 90 05
Fax 089 / 45 90 27 00
www.neff-online.de
Haushaltsgroßgeräte

Poggenpohl Möbelwerke GmbH
Poggenpohlstraße 1
32051 Herford
Tel. 0 52 21 / 38 10
Fax 0 52 21 / 38 13 21
www.poggenpohl.de

Rational Einbauküchen GmbH
Postfach 1120
49310 Melle
Tel. 052 26 / 58-0
Fax 052 26 / 58-212
www.rational.de

Seppelfricke
Am Stadthafen 16
45881 Gelsenkirchen
Tel.: 02 09 / 94 000
Fax: 02 09 / 94 00-490
Herde, Kochfelder, Öfen

SieMatic Möbelwerke GmbH & Co.
Postfach 1555
32582 Löhne
Tel. 057 32 / 67-0
Fax 057 32 / 67 297
www.siematic.de

Siemens AG
Wittelsbacher Straße 3
80312 München

Siemens AG Österreich
Siemensstraße 88-92
A-1210 Wien

Siemens Schweiz AG
Freilagerstraße 28-40
CH-8047 Zürich
Kochgeräte, Kochfelder und Kühlschränke

Team 7 - Natürlich Wohnen GmbH
Postfach 7329
94054 Packing
Tel. 077 52 / 97 71 46
Österreich:
Braunauer Straße 26
A-4910 Ried / Innkreis

Schweiz:
Mugerenmatt 33
CH-6330 Charm
Baukastensystem-Küchen aus Holz

Tielsa Küchen GmbH
Industriestraße 14-18
32108 Bad Salzuflen

Whirlpool
Postfach 800434
70503 Stuttgart
Tel. 07 11 / 78 86-0
Fax 07 11 / 78 86-122
Haushaltsgroßgeräte

Zanussi Ltd.
Rennbahnstraße 72–74
60528 Frankfurt
Tel. 069 / 678 07-0
Fax 069 / 678 07-384
Haushaltsgroßgeräte

Zeyko Küchen
Simmozheimer Straße
75382 Althengstett
www.zeyko.de

Küchenzubehör

Belling British Stoves
Büchel 45
42855 Remscheid
Tel.: 021 91 / 808 13
Fax: 021 91 / 809 49
*Traditionelle Küchenherde aus England
(El., Gas, Kombi)*

Binova
über Küchen Libertà
Frankenstraße 147
45134 Essen
Tel.: 02 01 / 430 81 81
Fax: 02 01 / 430 81 82
www.liberta.de
Küchenelemente, Arbeitsinseln

Cabinet Schranksysteme AG
Postfach 7125
50150 Kerpen
Tel. 022 75 / 92 03 60
Fax 022 75 / 92 03 65
www.cabinet.de
Stauraumlösungen

Car Selbstbaumöbel
Ellerbrookskamp 4
22397 Hamburg
Tel.: 040 / 605 00 71
Fax: 040 / 605 49 36
www.car-Moebel.de
*Frei stehende Küchenschränke und andere
Möbel (z.T. unbehandelt, selbst zusam-
menbauen u. behandeln)*

Corian®
DuPunt de Nemours GmbH
Du-Pont-Straße 1
61352 Bad Homburg
Tel. 0130 / 81 00 18
Komposit-Arbeitsflächen und –spülen

Das Küchenreich
Rohrmann GmbH
Hofweg 47
22085 Hamburg-Uhlenhorst
Tel. 040 / 22 74 32 0
Fax 040 / 22 74 32 12
Englische Armaturen, Belfast-Sinks

Designers Guild
Dreimühlenstraße 38 a
80469 München
Tel. 089 / 23 11 620
www.designers-guild.com
Tapeten, Farben, Stoffe

Domicil
Bäuerlinshalde 48
88131 Lindau
Tel. 083 82 / 96 20 20
Fax 083 82 / 96 20 99
Möbel für Küchen und andere Bereiche

Dulux Farben
ICI Lacke Farben GmbH
Postfach 940
40709 Hilden
Tel. 0 21 03 / 711
Fachberatung: 0180 / 5 24 00 42
Fax 0180 / 5 24 00 22

Dulux Farben Österreich
Schwarzenbergerplatz 7
A-1037 Wien
Tel. 0043 / 660 / 82 64

Franke GmbH
Mumpferfaaehrstraße 70
79706 Bad Säckingen
Tel. 077 61 / 524 00
Fax 077 61 / 524 06

Franke Österreich
Oberer Achdamm 52
A-6911 Hard
Tel. 0043 / 55 74 / 673 50
Fax 0043 / 55 74 / 624 11

Franke Holding AG
CH-4663 Aarburg
*Spülen und Wasserhähne, farbig und
Edelstahl*

Goldreif
Meerbrede 4 B 239
32107 Bad Salzuflen
Tel. 052 21 / 771-0
Fax 052 21 / 771-234
www.goldreif.de
Einbauküchen

Grohe AG
Postfach 1361
58653 Hemer
Tel. 023 72 / 930
Fax 023 72 / 931 32 22

Grohe Österreich
Beichlgasse 6
A-1100 Wien
Tel. 0043 / 1 / 68 90 60
Fax 00+43 / 1 / 68 69 47
Wasserhähne und Zubehör

Hagen Grote
Gahlingspfad 53
47803 Krefeld
Tel. 021 51 / 60 70 90
Fax 021 51 / 60 70 99
www.besserkochen.de
Küchenaccessoires, u.a. Kitchen Aid ®

Jaaeger & Stipak
Ulmer Straße 30/1
73728 Esslingen
Tel. 07 11 / 316 44 68
Fax 07 11 / 316 44 69
Bodenbeläge

Jörger
Seckenheimer Landstraße 270–280
68163 Mannheim
Tel. 06 21 / 410 97 01
Wasserhähne

Kornmüller
A-3351 Weistrach /NÖ
Tel. 0043 / 74 77 / 423 47
Fax 0043 / 74 77 / 423 47 22
www.kornmüller.at
*Rolladen-Schränke, Arbeitsinseln
(auch runde)*

Küchen-Art
Nadorster Straße 108
26123 Oldenburg
Tel. 04 41 / 885 20 98
Fax 04 41 / 885 20 97
www.kuechen-art.de
*Planung und Fertigung nach
Kundenwunsch; Nostalgieherde,
Keramikspülen*

Lambert GmbH
Konstantinstraße 303
41238 Mönchengladbach
Tel.: 0180 / 5 00 95 95
www.lambert-home.de
Küchenmöbel und Accessoires

MFK Küchendesign
Laurinweg 4
85521 Ottobrunn
Tel. 089 / 60 86 02 23
Fax 089 / 62 98 71 19
*Landhausküchen, frz. Herde,
Festbrennstoffherde aus Österreich*

Octopus Handels-GmbH
Lehmweg 10 b
20251 Hamburg
Tel. 040 / 420 11 00
Fax 040 / 420 12 00
www.octopos-versand.de
*Frei stehende Küchenschränke und andere
Möbel*

Robinson & Cornish OHG
Gewerbestraße 4
32339 Espelkamp
Tel. 057 43 / 92 99 40
Fax 057 43 / 92 99 49
Handgefertigte englische Küchen

Schock Distribution
Maierhofstraße 28
73547 Lorch
Tel. 071 72 / 91 33 00
Fax 071 72 / 91 32 99
www.schock.de
Kompositmaterialien (Cristalan / Cristalite)

Shaker Heritage
Heinrich Eggert Import
Loogestraße 6
20249 Hamburg
Tel. 040 / 460 41 94
Fax 040 / 460 24 70
Möbel und Accessoires im Shaker-Stil

Tölzer Möbelwerkstätten
83623 Einöd
Tel. 080 27 / 10 42
Fax 080 27 / 3 35
Handgefertigte Landhausküchen

Villeroy & Boch AG
Postfach 1120
66688 Mettlach
Tel. 068 64 / 81-0
Fax 068 64 / 81 26 92
www.villeroy-boch.com
Fliesen, Keramik

Wood, Steel & More
Postfach 11 48
22947 Ammersbek
Tel.: 040 / 605 61 19-2
Fax: 040 / 605 61 19-1
Accessoires

Sanitärobjekte, Armaturen, Badausstattung

Agape
via Po Barna, 69,
46031 Correggio Micheli
di Bagnola San Vito,
Milano, Italien
Tel. 0039 (0) 376 / 25 03 11
www.agapedesign.it

Alessi
via Privata Alessi,
6-28882 Crusinallo-Omega, Italien
Tel. 0039 (0) 323 / 868 11
www.alessi.it

Aloys F. Dornbracht GmbH & Co. KG
Köbbingser Mühle 6
58640 Iserlohn
Tel. 0 23 71 / 433-0
Fax 0 23 71 / 466-232
www.dornbracht.com

Antonio Lupi Deutschland
Lindenstraße 45
74172 Neckarsulm
Tel. 071 32 / 99 26 00
www.antoniolupi.com
Designer-Sanitärobjekte

Aquamass
Avenue Kersbeeklan 280
B-1190 Brüssel
www.aquamass.com
Wannen aus Lavastein

Bäder für Menschen mit Behinderungen:
www.barrierefreiesbad.de
www.aventas-care.de

Bäderparadies Behrend
Heinickestraße 2-6
20249 Hamburg
Tel. 040 / 4 80 60 30

Bath & Home
Fedelhören 12-13
28203 Bremen
Tel. 0 421 / 32 66 99
www.bathandhome.de
Frei stehende Wannen, trad. Badausstattung

Boffi
via Oberdan,
70-20030, Lentate sul Seveso,
Milano, Italien
Tel. 0039 (0) 362 / 53 41
www.boffi.com

Corian®
DuPunt de Nemours GmbH
Du-Pont-Straße 1
61352 Bad Homburg
Tel. 0130 / 81 00 18
Komposit-Arbeitsflächen und –spülen

Dornbracht
Köbbingser Mühle 6
58640 Iserlohn
Germany
Tel. 0 23 71 / 433-0
www.dornbracht.com

Duravit
Werderstraße 36
78132 Hornberg
Tel. 0 78 33 / 70-0
www.duravit.com
*Designer-Sanitärobjekte, u.a. Starck,
Foster, Sieger Design*

Duscholux
D+S Sanitärprodukte
Industriestraße 1
69198 Schriesheim
Tel. 0 62 03 / 10 20
www.duscholux.de

Emco
Breslauer Straße 34
49808 Lingen / Ems
Tel. 05 91 / 9 14 00
www.emco.de
Armaturen

Franke GmbH
Mumpferfährstraße 70
79713 Bad Säckingen
Tel. 0 77 61 / 52-0
www.franke.de
Edelstahl-Sanitärobjekte

Geberit GmbH
Theuerbachstraße 1
88630 Pfulklendurf
Tel. 0 75 52 / 9 34-434
www.geberit.de

Gerloff & Söhne
Höhenweg 13
37269 Eschwege
Tel. 0 56 51 / 92 77 92
Fax 0 56 51 / 205 89
www.gerloff.com
Marmor- und Granitbäder nach Maß

Grohe
Industriepark Edelburg
58675 Hemer
Tel. 0 23 72 / 93-0
www.grohe.de

Hansa Metallwerke AG
Sigmaringer Straße 107
70567 Stuttgart
Tel. 07 11 / 16 14-797
Fax 07 11 / 16 14-463

Hansa Austria GmbH
Rottfeld 7 / Postfach 9
Au-5013 Salzburg
Tel. +43 (0)6 62 / 43 31 00 - 0
Fax +43 (0)6 62 / 43 31 00 - 20
www.hansa.de
Armaturen

Hansgrohe
Auestraße 5-9
77761 Schiltach
Tel. 0 78 36 / 51-0
www.hansgrohe.com

HighTech Design Products AG
Landsberger Straße 146
80339 München
Tel. 089 / 54 09 45-0
Fax 089 / 50 60 09
www.hightech.ag

Hoesch Metall- und Kunststoffwerk
Schneidhausen
52372 Kreuzau
Tel. 0 24 22 / 54-0
www.hoesch.de

HSK Duschkabinenbau KG
Zum Hohlen Morgen 22
59939 Oldsberg
Tel. 0 29 62 / 97 90 30

Hüppe GmbH & Co.
Industriestraße 3
26158 Bad Zwischenahn
Tel. 044 03 / 67-0
www.hueppe.com

Ibero Alcorense
Castellón
E- 12110 Alcora
Tel. 0034 (0) 649 64 36 75 36
Fliesen

Ideal Standard
Postfach 18 09
53008 Bonn
Tel. 02 28 / 521-0
www.idealstandard.de

Jado Design Armatur & Beschlag KG
Paul-Ehrlich-Straße 5
63322 Rödermark
Tel. 0 60 74 / 896 01
www.jado.com

Jörger Armaturen- und Accessoires-Fabrik GmbH
Seckenheimer Landstraße 270-280
68163 Mannheim
Tel. 06 21 / 4 10 97 01
www.jörger.de
Armaturen

Kaja Sanitär-Armaturen
Am Ballo 14
58675 Hemer
Tel. 023 72 / 9 09 40
www.kaja-armaturen.de

Kaldewei GmbH
Beckumer Straße 33–35
59229 Ahlen
Tel. 0 23 82 / 7850
www.kaldewei.com

Keramag
Kreuzer Kamp 11
40878 Ratingen
Tel. 0 21 02 / 9 16-0
www.keramag.de

Keuco GmbH & Co. KG
Oesestraße 36
58675 Hermer
Tel. 0 23 72 / 9 04-0
www.keuco.de
*Sanitärobjekte (auch rollstuhlgerechte),
Badmöbel*

Kludi-Armaturen
Am Vogelsang 31-33
58706 Hemer
Tel. 0 23 73 / 9 04 01
www.kludi.de

Kohler GmbH
Holtdarde 30
45739 Oer-Erkenschwick
Tel. 0 23 68 / 91 87-87
www.kohlerco.de

Koralle Sanitärprodukte
Industriegelände Hollwiesen
32603 Vlotho
Tel. 0 57 33 / 14-0
www.koralle.de

L'Occitane Deutschland
Carl-Zeiss-Straße 3
63755 Alzenau
Tel. 01 80 / 533 20 33
www.loccitane.net
Bad-Accessoires

Laufen
www.laufen.ch
Vertrieb Deutschland über Duravit AG
u.a. Alessi-Sanitärobjekte

Marmor-Zimmermann
Am Mühlanger 6
86637 Wertingen
Tel. 0 82 72 / 24 34
u.a. heizbare Marmor-Ruheliegen

Missel GmbH & Co.
Postfach 16 71
70706 Fellbach / Stuttgart
Tel. 07 11 / 53 08-0
Fax 07 11 – 53 08-128
www.missel.de
Installationselemente für Wandhänger-
Sanitärobjekte

Nevobad GmbH & Co. Handels KG
Agnes-Huenninger-Straße 2-4
36041 Fulda
Tel. 06 61 / 83 38-0
www.nevobad.de

Pressalit A/S
Pressalitvej 1
DK-8680 Ry
Tel. +45 (0) 87 88 87 88
www.pressalit.com
WC-Sitze

Rapetti
Hohenstaufenstraße 1 a
65189 Wiesbaden
Tel. 06 11 / 77 80 90
www.rapetti.de
Armaturen

Roca GmbH
Feincheswiese 17
56424 Staudt
Tel. 0 26 02 / 9 36 10
www.roca.es
Sanitärobjekte

Sam Vertriebs GmbH
Postfach 28 53
58688 Menden
Tel. 0 23 73 / 90 90 00
www.sam.de
Armaturen

Schock Distribution
Maierhofstraße 28
73547 Lorch
Tel.: 071 72 / 91 33 00
Fax: 071 72 / 91 32 99
www.schock.de
Kompositmaterialien (Cristalan / Cristalite)

Soehnle Waagen GmbH
Wilhelm-Soehnle-Straße 2
71540 Murrhardt
Tel. 0 71 92 / 28-1
www.soehnle.de
Badezimmerwaagen

Steuler Fliesen GmbH & Co. KG
Industriestraße 78
75417 Mühlacker
Tel. 0 70 41 / 8 01-110
www.steuler-fliesen.de
Fliesen (auch beleuchtet)

Streicheleinheiten für das Bad
Essener Straße 97
22419 Hamburg
Tel. 040 / 5 27 96 73

Tap Company GmbH
Bonner Straße 211
50968 Köln
02 21 / 9 52 28 28
Armaturen (u.a. nach historischen
Vorbildern)

Teuco Deutschland GmbH
Bunsenstraße 5
82152 Planegg-Martinsried
Tel. 089 / 89 54 13 30
www.teuco.de
Badsysteme (Stauraum, integr. San-
Objekte)

Teuco Deutschland GmbH
Industriestraße 161 c
50999 Köln-Rodenkirchen
Tel. 0800 / 100 88 26
www.teuco.de
Ultraschall-Whirlpools

Traditional Bathrooms
Ramskamp 20
25337 Elmshorn
Tel. 0 41 21 / 720 24
www.traditional-bathrooms-de
Sanitärobjekte nach historischen
Vorbildern

TylÖ Ltd
302 50 Halmstad
Schweden
www.tylo.se
Saunen und Dampfkabinen

Villeroy & Boch
Postfach 11 22
66688 Mettlach
Tel.0 68 64 / 81 15 00
www.villeroy-boch.com
u.a. Sanitärobjekte von Conran & Partners

Vola GmbH
Schwanthalerstraße 75 a
80336 München
Tel. 0 89 / 59 99 59-0
Fax 0 89 / 59 99 59-90
www.vola.de
Armaturen: Designklassiker von
Arne Jacobsen

Lichtdesign

Artemide GmbH
Itterpark 5
40725 Hilden
Tel. 021 02 / 20 00-0
Fax 021 03 / 20 00-11
Arbeitsleuchten und atmosphärisches
Raumlicht

Baccarat
über Erika Helmuth PR
Marienterrasse 4
22085 Hamburg
Tel. 040 / 220 66 65
www.baccarat.fr
u.a. Kronleuchter

Emco
Breslauer Straße 34
49808 Lingen / Ems
Tel. 05 91 / 9 14 00
www.emco.de
Beleuchtete und heizbare Spiegel
(Anti-Beschlag)

Viktor Heit Licht
Linienstraße 110
10115 Berlin
Tel. + Fax 030/ 28 18 768
www.go.to/viktorheit
Außergewöhnliches Licht- und Möbeldesign

Ingo Maurer
Kaiserstraße 47
80801 München
Tel. 089 / 381 60 60

Kreon Nord GmbH
Hopfensack 19
20457 Hamburg
Tel. 0 40 / 30 39 98 87
www.kreon.com
Leuchten

Oligo Lichttechnik GmbH
Meyselstraße 22-24
53773 Hennef-Sieg
Tel. 0 22 42 / 87 02-0
www.oligo.de
Leuchten

Robers-Leuchten
Postfach 20 05
46350 Südlohn
Tel. 0 28 62 / 99 77-0

Sarah Finn Light & Living
Raiffeisenstraße 2
83629 Weyarn
Tel. 0 80 20 / 90 49-40
www.sarah-finn.de

Vivalux
Herforder Straße 240
32120 Hiddenhausen
Tel. 0 52 21 / 699 08-0
www.vivalux.de
Badbeleuchtung

Wibre Elektrogeräte
Edmund Breuninger
Liebigstraße 9
74211 Leingarten
Tel. 0 71 21 / 9 05 30
www.wibre.de
Beleuchtung, u.a. Bodeneinbaustrahler

Nützliche Adressen

Bundesarbeitskreis Altbauerneuerung e.V.
Elisabethweg 10
D-13187 Berlin
Tel. 030 / 4 84 90 78 55
Fax 030 / 4 84 90 78 99
www.altbauerneuerung.de

Institut für Baubiologie und Ökologie (IBN)
Holzham 25
D-83115 Neubeuern
Tel. 0 80 35 / 20 39
Fax 0 80 35 / 81 64
E-mail: institut@baubiologie.de
www.baubiologie.de

Versandservice Verbraucherzentrale
Bundesverband
Postfach 1116
59930 Olsberg
Tel. 0 29 62 / 90 86 47
Fax 0 29 62 / 90 86 49
www.vzbv.de

REGISTER

Kursive Angaben beziehen sich auf Abbildungen.

DANK

Die folgenden Aufnahmen wurden extra in Auftrag gegeben:

Thomas Stewart (Stylist: Michelle Ogundehin): 20–21; 36–39 (Architekt: Burd Haward Marston Architekten); 40–43 (Designer: David Card of Mandolin Design, Contributions: Jo Ryan); 76–79 (Architekt: Douglas Stephen Partnership); 97 (Architekt: David Mikhail Architekten); 108; 172 unten und 173–175 (Architekten: Buschow Henley Architekten); 176; 185 (7) (Architekt: David Mikhail Architekten)

Hotze Eisma/Taverne Agency (Stylist: Reini Smit): 44

Dan Duchars: 151 (Architekten: Phineas Manasseh Architekten)

Peter Campbell Saunders: 182 (3–12); 183; 195 (3–11); 196 (3, 5, 7)

Mit bestem Dank für die Reproduktionsgenehmigung:

Vorsatz Ron Lowery/Corbis

2 Powerstock

6–7 Marco Tassinari/Paola Moretti Productions

9 oben Helen Fickling (Design: Kamal Ifticen); Mitte oben Peter Cook/View (Architekt: Peter Feeny); Mitte unten Catherine Gratwicke/Elle Decoration; unten David George/Red Cover

10 oben links Emmanuel Barbe/Marie Claire Maison; oben rechts Ulkova/Studio Jaanis Kerkis/Courtesy of Siren Architektens; unten links José van Riele/Marie Claire Maison; rechts Mitte Ray Main/Mainstream

13 oben Timothy Hursley (Architekt: Rural Studio/Auburn University); unten Edmund Sumner (Architekten: Nicolas Grimshaw & Partners)

14 Brian Vanden Brink (Architekt: Julie Snow)

15 Ignacio Martínez (Architekt: Oskar Leo Kaufmann)

16 Peter Aaron/Esto (Architekt: Adam Kalkin)

17 The Japan Architect (Architecten: Takaharu Tezuka & Yui Tezuka/Masahiro Ikeda)

18-19 Louie Psihoyos/Katz Pictures

23 Guy Obijn (Architekt: Karel Vandeneynden)

24 Mark Williams/Living Etc/IPC Syndication

26 Clive Frost (Architekt: Genevieve Lilly)

27 oben Amparo Garrido/Album; Mitte links Nicolas Tosi/Marie Claire Maison (Stylist: Catherine Ardouin); Mitte rechts Guy Obijn (Architekt: Paul Alexander Linse); unten links und rechts Eugeni Pons/Album

28 oben links Tim Young/Homes & Gardens/IPC Syndication; oben rechts Simon Whitmore/Living Etc/IPC Syndication; unten links David Garcia/Living Etc/IPC Syndication; unten rechts Per Gunnarsson (Stylist: Susanne Swegen)

29 oben Nick Carter/Red Cover; unten Graham Atkins-Hughes/Red Cover

30 oben Polly Wreford/Narratives; unten Paul Massey/Living Etc/IPC Syndication

31 oben Alan Crow/View (Architekt: 51% Studios); unten links Guglielmo Galvin/Red Cover; unten rechts Daniel Hertzell

32 oben David Garcia/Living Etc/IPC Syndication; unten Domininc Blackmore

33 links Minh & Wass (Besitzer: Robin Renzi); 33 rechts Christoph Kicherer (Designer: Torsten Neeland)

34 oben links Stellan Herner (Besitzer: Sara Källgren & Jonny Vollner/Stylist: Lotta Noremark); oben rechts Marianne Majerus (Designer: Paul Southern); unten links Deidi von Schaewen; unten rechts Verne Fotografie (Garten Designer: Andrew Ruth)

35 Polly Wreford/Narratives

46 Jake Fitzjones/Living Etc/IPC Syndication;

47 links Richard Davies; rechts Vercruysse and Dujardin (Architekt: W. Depuydt)

48 oben links Luc Wauman; oben rechts Jan Baldwin/Narratives (Designer: Helen Somogyvari); unten links Ray Main/Mainstream; unten rechts Paul Massey

49 oben und unten Kristian Septimius Krogh/House of Pictures (Stylist: Lise Septimius Krogh)

50 Giulio Oriani/Vega MG

51 oben links Uwe Spoering (Architekt: Michael Croce Freier Architekt); unten links Serge Anton/Inside/Red Cover; oben und unten rechts Grazia Ike Branco

52 oben links Peter Tolkin (Architekt: Tolkin & Associates); unten links Jim Rounsevell (Architekt: Neal Deputy); unten rechts Courtesy of Tin Tab

53 oben Frank Schott (Besitzer: Joe Sabel/Architekt: AERO II Design); unten Ray Main/Mainstream

54–57 Paul Ryan/International Interiors (Architekt: Peter de Bretteville)

59 Jonathan Rose (Designer: Wayne & Gerardine Hemingway)

60 links Bieke Claessens (Architekt: Peter Cornoedus/Interior Designer: Mieke Geraerts); Mitte Alexander van Berge; rechts Luke White/The Interior Archive (Designer: Caroline Gardener)

61 Winfried Heinze/Red Cover

62 oben links Renée Frinking/Living/Sanoma Syndication; unten links Verne Fotografie; rechts Ed Reeve/Red Cover

63 oben William Howard/Dwell Magazine (Architekt: David Hertz/Syndesis/Furniture Designer: Stacey Fong/Syndesis); unten links Jeroma Darblay/Cote Ouest/Red Cover (Stylist: M. P. Faure); unten rechts Verne Fotografie (Besitzer: Pierre Castelyn)

64 oben links Paul Lepreux/Marie Claire Maison; unten links Paul Massey/Living Etc/IPC Syndication; rechts Per Gunnarsson (Stylist: Ulrika Montan)

65 oben links Kristine Larsen; oben rechts William Howard/Dwell Magazine (Architekt: David Hertz/Syndesis/Furniture Designer: Stacy Fong/Syndesis); unten Allan Crow/View (Architekt: Richard Hywell Evans)

66 Jean-Francois Jaussaud (Design: Lux-Productions)

67 oben Stellan Herner (Stylist: Gill Rehnlund); unten Per Gunnarsson

68 oben links Courtesy of Rubner Blockhaus/Architekten: Matteo Thun; oben rechts Anneke de Leeuw/Ariadne/Sanoma Syndication; unten links Ed Reeve/Red Cover; unten rechts Bruno Boissonnet/Marie Claire Maison (Stylists: Catherine Ardouin/Maud Bury)

69 links Ray Main/Mainstream; rechts Peter Marlow/Magnum (Architekt: Cartwrechts Pichard)

70 links Nathalie Krag (Architekt: Christian Cold/Stylist: Gudrun Von Holck); oben rechts Mel Yates (Besitzer: Alf und Nicola Lohr); unten rechts Mirjam Bleeker/Taverne Agency (Stylist: Frank Visser)

71 links Hotze Eisma/VT Wonen/Sanoma Syndication; Mitte Alexander van Berge; rechts Renne Fickling/Ariadne/Sanoma Syndication

72 oben Per Gunnarsson (Stylist: Ulrika Montan); unten Jean Luc Laloux (Architekt: Nico Steinmetz)

73 links Juliette Wade; rechts Jerry Harpur/Harpur Garden Library (Berry's Garden Co.)

74 Grazia Ike Branco

75 Hotze Eisma/VT Wonen/Sanoma Syndication

80–83 A. Ianniello/Studiopep (Stylist: Petra Barkhof/Patrizia Mezzanzanica)

84 Ingalill Snitt

86 Mirjam Bleeker/Taverne Agency (Stylist: Frank Visser)

87 oben links Stellan Herner (Besitzer und Architekt: Thomas Sandell/Stylist: Gill Rehnlund); oben rechts Earl Carter/Taverne Agency (Stylist: Annemarie Kiely); Mitte La Casa de Marie Claire/Picture Press; unten Ricardo Labougle (Besitzer und Designer: Hugo Ramasco)

88 oben und unten links Luc Wauman; Mitte Eric D'Herouville; rechts Paul Ryan/International Interiors (Architekt: Olle Rex)

89 links Jean-Marc Palisse/Inside/Red Cover (Stylist: M. Duveau); rechts Julie Phipps/View (Architekt: Tim Laurence)

90 links Misha Gravenor; Mitte Pere Planells/Inside/Red Cover; rechts Paul Ryan/International Interiors (Architekt: Olle Rex)

91 oben links Ryno/Visi/Camera Press (Interior Design: Block & Chisel); unten links Verne Fotografie; rechts Mirjam Bleeker/Taverne Agency (Stylist: Frank Visser)

92–95 Christian Sarramon (Production: Ana Cardinale)

97 Mitte links Julian Cornish-Trestrail (Architekt: David Mikhail)

98 links José Van Riele/Marie Claire Maison; rechts Marc Capilla/Album

99 oben Ray Main/Mainstream (D-Squared design); unten links Jerome Darblay/Inside/Red Cover (Stylist: M. P. Faure); unten rechts Peter Cook/View (Architekt: Mclean Quinlan Architekten)

100–101 Eric Thorburn/Glasgow Picture Library

102 oben und unten links Imanol Sistiaga/Album; rechts Charlotte Wood/Arcblue (Architekt: Burd Haward Marston)

103 Nicola Browne (Garten Design: Catherine Heatherington)

104 oben Bill Timmerman (Architekt: Rick Joy); unten Jeff Goldberg/Esto (Architect: Rick Joy)

105–106 Jeff Goldberg/Esto (Architekt: Rick Joy)

107 oben rechts Jeff Goldberg/Esto (Architekt: Rick Joy); unten Bill Timmerman (Architekt: Rick Joy)

117 Richard Glover/View (Architekt: Reading & West Architekten)

121 Alex Sarginson (Architekt: Littman Goddard & Hogarth)

122 Mikkel Vange/Vogue Living

123 A. Ianniello/Studiopep (Stylist: Petra Barkhof/Patrizia Mezzanzanica)

124 oben links Guy Obijn; oben rechts Alex Sarginson (Architekten: Littman Goddard & Hogarth); unten Nigel Noyes (Architekt: Clinton Murray/Painter: Bill Hollick)

125 Verne Fotografie (Architekt: Peter Declercq)

126 Minh & Wass (Wall painted by Lulu Kwiatowski)

127 oben links Undine Prohl (Architekt: Alberto Kalach); oben rechts Luc Wauman; Mitte rechts Courtesy of Designer Tracy Kendall; unten links Ray Main/Mainstream; unten rechts Nathalie Krag (Stylist: Tami Christiansen)

128 links Richard Glover/View (Architekt: Tom Isaksson Architekt); rechts Jan Verlinde (Designer: Agnes Emery)

129 *links* Ray Main/Mainstream; *rechts* Guy Obijn (Architekt: Christel Peeters)

130 Nick Carter/Red Cover

131 *oben links und rechts* Giorgio Possenti/Vega MG; *Mitte rechts* Annika Vannerus; *unten links* Verne Fotografie (Architekt: Axel Ghyssaert); *unten rechts* Dan Duchars

132 *links* Guy Obijn (Architekt: Will Arans); *rechts* Hotze Eisma/Taverne Agency (Stylist: Marielle Maessen)

133 Jefferson Smith/Arcblue (Architekten: Tonkin Liu Architekten)

134 Hans Petter Smeby/Design Interior

136 Grazia Ike Branco

137 *oben links und rechts* Bieke Claessens (Architekt: Toon Saldien); *unten links* Guy Obijn; *unten rechts* Ray Main/Mainstream

138 *links* Winfried Heinze/Homes & Gardens/IPC Syndication; *rechts* Antoine Bootz/*Marie Claire Maison* (Stylist: Daniel Rozenztroch)

139 *oben* Guy Obijn (Architekt: Carlo Seminck; *unten* Richard Powers

140 *links* Verne Fotografie; *rechts* Guy Obijn (Architekt: Piet Boon)

141 *oben links* Vercruysse und Dujardin (Architekt: Nathalie van Reeth); *oben rechts* Guy Obijn; *unten* Grazia Ike Branco

143 *oben links* Geoff Lung (Architekten: Robert McBride & Debbie-Lyn Ryan); *oben rechts* David Sandison (Architekt: Gabriel Poole); *unten links* Adriaan Oosthuizen/Visi/Camera Press (Architekt: Douglas Roberts/R&L Architekten); *unten rechts* David Matheson (Architekt: Weir & Phillips Architekten)

144 *oben* Eugeni Pons/Album; *unten links* Richard Powers; *unten rechts* Hotze Eisma/Taverne Agency (Stylist: Reini Smit)

145 Tommaso Mangiola/*World of Interiors*/Condé Nast

146 *oben links* Eduardo Munoz/The Interior Archive (Architekt: Seth Stein); *oben rechts* Cristina Rodés/Lovatt Smith Interiors; *unten links* Ray Main/Mainstream (Property developers: Candy & Candy); *unten rechts* Iben Ahlberg/Home Sweet Home Co.

147 Guy Obijn (Architekt: Jo Crepain)

148 Ray Main/Mainstream (Architekt: Littman Goddard Hogarth)

152 Ray Main/Mainstream

153 *oben* Paul Massey; *unten* Mirjam Bleeker/Taverne Agency (Stylist: Frank Visser)

154 Guy Obijn

155 *oben und unten links* Guy Obijn; *rechts* James Morris/Axiom Photographic Agency

157 *oben* Guy Obijn (Architekt: Nicolas Vanderhaegen); *unten* Keith Collie (Architekten: Azman Owens Architekten)

158 *oben* Jan Verlinde (Architekt: A. Van de Walle); *Mitte* Jake Fitzjones/*Living Etc*/IPC Syndication; *unten* Ray Main/Mainstream (John F Rolf Design und Build)

159 *links* Grazia Ike Branco; *rechts* Jake Curtis/*Living Etc*/IPC Syndication

160 *oben und unten links* Sue Barr/View (Architekt: Found Associates); *unten rechts* Jake Curtis/*Elle Decoration* (Besitzer: Derek Wylie)

162 *oben* Chris Gascoigne/View (Architekt: Eldridge Smerin); *unten* Tham Nhu Tram/*Living Etc*/IPC Syndication

163 John Brandwood (Architekt: Simon James Gonzalez)

164 Hotze Eisma/Taverne Agency (Stylist: Rianne Landstra)

165 *oben* Clive Frost (Architekten: Neil Choudhury Architekten); *unten* Jake Fitzjones/*Living Etc*/IPC Syndication

166 Paul Ryan/International Interiors (Designer: Schewen Design & Architecture)

168 Edmund Sumner (Architekten: Thinking Space Architekten)

169 *oben* Mads Mogensen; *unten* Mark Molloy (Architekt: Sarah Featherstone/Featherstone Associates)

171 *oben links* Patrick Reynolds (Architekt: Architectus); *oben rechts* Courtesy of Michael Gold Architekten; *Mitte* Mads Mogensen; *unten links* Michael Awad/Arch Photo (Architekten: Shim Sutcliff Architekten); *unten rechts* Jussi Tiainen (Architekt: Aitoaho & Viljanen)

172 *oben und Mitte* Nicholas Kane (Architekt: Buschow Henley Architekten)

179 Neil Marsh/*Elle Decoration*

180 *(1)* Jennifer Cawley; *(2)* Mikkel Vang/Taverne Agency (Stylist: Christine Rudolph); *(3)* Deborah Jaffe/*Elle Decoration*

181 *(4)* Jean Luc Laloux; *(5)* Pierre Even/*Marie Claire Maison*

182 *(1)* Helén Pe/House of Pictures (Stylist: Roth & Stone/Architekt: Jonas Lindwall); *(2)* Jan Baldwin/Narratives (Architekt: Jonathan Clark)

184 *(1)* Abode; *(2)* Doreen Dierckx; *(3)* Guy Obijn; *(4)* Hotze Eisma/Taverne Agency (Stylist: Rianne Landstra)

185 *(5)* Eugeni Pons/Album; *(6)* Alberto Piovano/Arcaid; *(8)* Minh & Wass (Architekt: Patrick Naggar)

186 *(1)* Bernard Touillon/Inside/Red Cover; *(2)* Grazia Ike Branco; *(3)* Mel Yates (Architekt: Block Architekten); *(4)* Mads Mogensen

187 *(5)* Guy Obijn; *(6)* Michel Fernin; *(7)* Abode (Interior Architecture: Butterfield & Macpherson); *(8)* Verne Fotografie

188 *(1)* Paul Massey/*Living Etc*/IPC Syndication; *(2)* Giorgio Possenti/Vega MG; *(3)* Ray Main/Mainstream (Architekt: Littman Goddard Hogarth)

189 *(4)* Bill Kingston/*Elle Decoration* (Design: Dominic Crimson); *(5)* Geoffrey Young/*Homes & Gardens*/IPC Syndication; *(6)* Dennis Gilbert/View (Architekt: Penoyre & Prasad Architekten); *(7)* Ray Main/Mainstream (Eltham Palace)

190 *(1)* Harvey Maria/Courtesy of Sinclair Till PR; *(2)* Alexander van Berge; *(3)* Karsten Damstedt (Architekt: Kai Wartiainen/NCC Boende/Stylist: Hanna Holm); *(4)* Nick Allen/*Living Etc*/IPC Syndication

191 *(5)* Giorgio Possenti/Vega MG; *(6)* Alex Sarginson (Architekt: Littman Goddard & Hogarth); *(7)* Eugeni Pons/Album

192 *(1)* Grazia Ike Branco; *(2)* Craig Knowles/*Living Etc*/IPC Syndication; *(3)* Clive Frost (Architekt: Alfred Munkenbeck); *(4)* Sue Barr/View (Architekten: Found Architekten); *(5)* Andrew Wood/The Interior Archive (Property: Nobu: The Metropolitan); *(6)* Grazia Ike Branco

193 *(7)* Giles de Chabaneix/*Marie Claire Maison*; *(8)* Giulio Oriani/Vega MG; *(9)* Michael Moran (Designer: Moneo Brock Studio)

194 *(1)* Christophe Dugied/Inside/Red Cover (Stylist: J. Cole); *(2)* Paul Ryan/International Interiors (Architekten: Tsao & McKown)

195 *(13)* Jake Fitzjones/Red Cover; *(14)* Verne Fotografie (Designer: Yves Goethals)

196 *(1, 4, 6)* Courtesy of Crucial Trading floor coverings; *(2)* Roger Oates Design

197 *(8)* Ray Main/Mainstream (Design: Filer & Cox); *(9)* Jonas Ingerstedt/House of Pictures (Stylist: Maja Elmer); *(10)* Mel Yates (Besitzer: Jo Warman); *(11)* Doreen Dierckx; *(12)* James Merrell/*Elle Decoration* (Besitzer: Henri Davies)

199 Peter Cook/View (Architekt: Maygar Marsoni)

200 *(1)* Grazia Ike Branco; *(2)* Giorgio Possenti/Vega MG; *(3)* Alexander van Berge

201 *(4)* Peter Cook/View (Architekt: Mclean Quinlan Architekten); *(5)* Simon Upton/The Interior Archive (Architekt: Michael Trentham); *(6)* Catherine Gratwicke/*Elle Decoration* (Besitzer: George Vinly); *(7)* Verne Fotografie (Architekten: Bataille & Ibens); *(8)* Jan Baldwin/Narratives (Architekt: Jonathan Clark); *(9)* Sue Barr/View (Architekt: Beevor Mull Architekten)

202 *(1)* Ken Hayden/*Country Homes & Interiors*/IPC Syndication; *(2)* Edmund Sumner (Architekten: Thinking Space Architekten); *(3)* David Sandison (Designer: Gail Hinkley); *(4)* Grazia Ike Branco; *(5)* Charlotte Wood/Arcblue (Architekten: Burd Haward Marston)

203 *(6)* Peter Cook/View (Architekt: Fiona McLean); *(7)* Julian Cornish-Trestrail (Architekt: David Mikhail); *(8)* Ray Main/Mainstream (Designer: Mathmos)

204 *(1)* Jake Curtis/*Living Etc*/IPC Syndication; *(2)* Jan Baldwin/Narratives (Artist: Stephen Pearce); *(3)* Paul Ryan/International Interiors (Designer: Scott Bromley)

205 *(4)* Hans Zeegers/Taverne Agency; *(5)* Guy Obijn (Architekt: Bart Lens); *(6)* Ken Hayden/Red Cover; *(7)* Andrew Twort/Red Cover

206 *(1)* Jake Fitzjones/Red Cover; *(2)* Winfried Heinze/Red Cover; *(3)* Jake Fitzjones/Red Cover

207 *(4)* Daniel Farmer/*Living Etc*/IPC Syndication; *(5)* Peter Cook/View (Architekt: Fiona McLean); *(6)* Ray Main/Mainstream; *(7)* James Morris/Axiom Photographic Agency

208 *(1)* Alexander van Berge; *(2)* James Morris/Axiom Photographic Agency (Architekt: Pip Horne); *(3)* Verne Fotografie; *(4)* Guy Obijn

209 *(5)* Chris Gascoigne/View (Architekt: Alan Power Architekten); *(6)* Henry Wilson/Red Cover; *(7)* Verne Fotografie (Architekt: Bernard Declercq); *(8)* Chris Gascoigne/View (Architekten: Alan Power Architekten)

210 *(1)* Nick Hufton/View (Architekten: Found Architekten); *(2)* Paul Massey/*Living Etc*/IPC Syndication; *(3)* Ray Main/Mainstream; *(4)* James Mitchell/Red Cover; *(5)* Christian Brun; *(6)* Ray Main/Mainstream

211 *(7)* Jefferson Smith/Arcblue; *(8)* Luc Wauman; *(9)* Ray Main/Mainstream

213 Chris Tubbs/Red Cover

214 *(1)* Stellan Herner (Besitzer/Architekt: Thomas Sandell/Stylist: Gill Rehnlund); *(2)* Luc Wauman; *(3)* Cristina Rodés/Lovatt Smith Interiors

215 *(4)* Huntley Hedworth/Red Cover; *(5)* Henry Bourne (Interior Design: Rupert Spira); *(6)* Deidi von Schaewen; *(7)* Graham Atkins-Hughes/Red Cover

216 *(1)* Tham Nhu Tram/*Elle Decoration* (Stylist: Emily Jewsbury); *(2)* Peter Cook/View (Architekt: Mclean Quinlan Architekten); *(3)* Hans Petter Smeby/Design Interior

217 *(4)* Grazia Ike Branco; *(5)* Liz Artindale/Narratives; *(6)* Andreas von Einsiedel (Designer: Nick & Gabriella Martin); *(7)* Ray Main/Mainstream (D-Squared design)

218 *(1)* Hans Zeegers/Taverne Agency (Stylist: Marianne Wermenbol); *(2)* Stellan Herner (Stylist: Synnove Mork); *(3)* Neil Marsh/*Elle Decoration* (Stylist: Amanda Smith)

219 *(4)* Kim Ahm/House of Pictures (Stylist: Vivian Boje); *(5)* Paul Ryan/International Interiors (Architekten: Schewen Design & Architecture); *(6)* Per Gunnarsson (Stylist: Susanne Swegen); *(7)* Ray Main/Mainstream (Designer: Babylon design); *(8)* Tamsyn Hill/Narratives

220 *(1–3)* Paul Ratigan/Courtesy of Mary Thum Associates

221 *(4)* Bieke Claessens (Architekt und Designer: Jeanine Van Den Bosch); *(5)* Per Gunnarsson; *(6)* Jake Fitzjones/*Living Etc*/IPC Syndication; *(7)* Richard Powers

222 *(1)* Lucy Pope/*Living Etc*/IPC Syndication; *(2)* Courtesy of Habitat; *(3)* Jonathan Pilkington/*Living Etc*/IPC Syndication; *(4)* Dennis Brandsma/*VT Wonen*/Sanoma Syndication; *(5)* Winfried Heinze/Red Cover; *(6)* Lizzie Orme/Living Etc/IPC Syndication

223 *(7)* Tim Evan-Cook/*Elle Decoration*; *(8)* Ed Reeve/*Living Etc*/IPC Syndication

224 *(1)* Solvi Dos Santos; *(2)* Paul Graham; *(3)* Daniel Hertzell; *(4)* Simon Whitmore/*Homes & Ideas*/IPC Syndication; *(5)* Giulio Oriani/Vega MG; *(6)* Courtesy of Molteni & C

225 *(7)* Harry Cory Wrechts/*Homes & Gardens*/IPC Syndication; *(8)* La Casa de Marie Claire/Picture Press; *(9)* Ray Main/Mainstream; *(10)* Kim Ahm/House of Pictures (Stylist: Vivian Boje)

226 *(1)* Ken Hayden/Red Cover; *(2)* Jan Baldwin/Narratives; *(3)* Jo Tyler (Interior designer: Ann-Katrin Berggren)

227 *(4)* Liam Quinonero/Album; *(5)* Verity Welsted/Red Cover (Architekt: David Chipperfield); *(6)* Polly Wreford/*Living Etc*/IPC Syndication

228 *(1)* Polly Wreford/Narratives; *(2)* Jan Baldwin/Narratives; *(3)* Andreas von Einsiedel (Designer: Michael Reeves); *(4)* Polly Wreford/Narratives

229 *(5)* Tim Young/*Living Etc*/IPC Syndication; *(6)* Per Gunnarsson (Stylist: Susanne Swegen); *(7)* Helén Pe/House of Pictures (Stylist: Roth & Stone Productions/Designer: Michael Asplund); *(8)* Hotze Eisma/Taverne Agency (Stylist: Hanne Lise Poli); *(9)* Alexander van Berge

230 *(1)* Ricardo Labougle (Architekt: Recondo); *(2)* Dennis Gilbert/View (Architekt: Alison Brookes); *(3)* Luc Wauman

231 *(4)* Ed Reeve; *(5)* Christian Sarramon (Production: Ana Cardinale); *(6)* Jan Baldwin/Narratives (Architekt: Melloco & Moore); *(7)* Guglielmo Galvin/Red Cover; *(8)* Richard Davies (Architekten: 51% Studios)

233 Ray Main/Mainstream (Property developers: Candy & Candy)

234 *(1)* Jake Fitzjones/Red Cover; *(2)* Abode; *(3)* Courtesy of Santos

235 *(4)* Guy Obijn (Architekt: Eyers); *(5)* Anders Schønnemann/Linnea Press (Stylist: Pernille Vest); *(6)* Jake Fitzjones/Red Cover; *(7)* Staffan Johansson; *(8)* Ray Main/Mainstream; *(9)* Eduardo Munoz/*La Casa de Marie Claire*/Picture Press (Architekt: Seth Stein)

236 *(1)* Jan Baldwin/Narratives (Architekt: Richard Rogers); *(2)* Hotze Eisma/Taverne Agency (Stylist: Rianne Landstra); *(3)* David Still/*Homes & Gardens*/IPC Syndication; *(4)* Guy Obijn (Architekt: Bataille und Ibens); *(5)* Catherine Gratwicke/*Living Etc*/IPC Syndication; *(6)* Richard Powers

237 *(7)* Thomas Skovsende/*Living Etc*/IPC Syndication; *(8)* Paul Grootes/*VT Wonen*/Sanoma Syndication

238 *(1)* Hotze Eisma/Taverne Agency (Stylist: Hanne Lise Poli); *(2)* Luc Wauman

239 *(3)* Anders Schønnemann/Linnea Press (Stylist: Pernille Vest); *(4)* Sarah Maingot/*Elle Decoration*; *(5)* Jake Fitzjones/Red Cover; *(6)* Lepreux/*Marie Claire Maison*; *(7)* Mirjam Bleeker/Taverne Agency (Stylist: Frank Visser); *(8)* Luc Wauman

240 *(1)* James Mitchell/Red Cover; *(2)* Dan Duchars; *(3)* Ken Hayden/Red Cover

241 *(4)* Hotze Eisma/Taverne Agency (Stylist: Reini Smit); *(5)* Damian Russell/*Living Etc*/IPC Syndication; *(6, 7)* Giorgio Possenti/Vega MG; *(8)* Stephano Azario at Terrie Tanaka Management; *(9)* Luke White/*Elle Decoration*

243 Dan Tobian Smith/*Marie Claire Maison* (Designer: Matthew Williamson)

244 *(1)* Gianni Basso/Vega MG; *(2)* Dennis Gilbert/View (Architekt: David Chipperfield Architekten)

245 *(3)* Peter Cook/View (Architekt: Fiona McLean); *(4)* Dennis Gilbert/View (Architekt: Design Antenna); *(5)* Ray Main/Mainstream (Architekt: Julie Richards)

246 *(1)* Ray Main/Mainstream (Architect: Julie Richards); *(2)* Guy Obijn; *(3)* Richard Glover/View

247 *(4)* Chris Gascoigne/View (Designer: Yakeley Associates); *(5)* Keith Hunter Photography; *(6)* Richard Bryant/Arcaid (Architekt: Shideh Shaygan); *(7)* James Morris/Axiom Photographic Agency

248 *(1)* Ray Main/Mainstream; *(2)* Cora/*Marie Claire Maison* (Stylists: Marie Kalt and Gaël Reyre); *(3)* Kim Ahm/House of Pictures (Stylist: Pil Bredahl Ref. Verner Panton, Copenhagen); *(4)* Cora/*Marie Claire Maison* (Stylists: Marie Kalt and Gaël Reyre); *(5)* Courtesy of Habitat; *(6)* Bruno Helbling (Stylist: Mirko Beetschen); *(7)* Cora/*Marie Claire Maison* (Stylists: Marie Kalt und Gaël Reyre)

249 *(8)* Jonathan Pilkington/*Living Etc*/IPC Syndication; *(9)* Adrian Briscoe/*Living Etc*/IPC Syndication; *(10)* Andrea Jones (Besitzer: Trevyn McDowell/Designer: Paul Thompson & Ann-Marie Powell)

250 *(1)* Designer: Ross McBride for Max Ray Co./Courtesy of Normal. Photograph: Kozo Takayama; *(2)* Jean-Francois Jaussaud (Design: Luxproductions)

251 *(3)* Peter Marlow/Magnum (Architekten: Knotts Architekt); *(4)* Paul Massey/*Living Etc*/IPC Syndication; *(5)* Chris Craymer/*Elle Decoration*; *(6)* Luke White/*Elle Decoration*

252 *(1)* Helén Pe/House of Pictures (Stylist: Roth & Stone Production); *(2)* Guy Obijn (Design: Droog Design)

253 *(3)* Designed by Georg Baldele for Swarovski Producer: Lumen Mec Illuminazione SRL; *(4)* Adrian Briscoe/*Elle Decoration*; *(5)* Giorgio Possenti/Vega MG; *(6, 7)* Jefferson Smith/Arcblue (Architekten: Tonkin Liu Architekten)

Die Illustrationen der folgenden Seiten stammen von Shonagh Rae; 23, 37, 41, 56, 76, 81, 93, 104, 110–115, 118–119, 173

Der Verlag hat sich bemüht, alle Rechteinhaber ausfindig zu machen. Sollten weitere Rechtsansprüche bestehen, erbitten wir eine Mitteilung an den Verlag.

Der Verlag dankt Marissa Keating für die Bildbeschaffung und folgenden Architekten und Designern für Fallbeispiele und Kurzporträts von Projekten:

Seiten 36–7
Burd Haward Marston Architects
Unit 9, 51 Derbyshire Street
London E2 6HQ UK
Tel: +44 207 729 7227 Fax: +44 207 729 3005
studio@bhm-architects.com

Seiten 40–43
Mandolin Limited
133 Curtain Road, London EC2A 3BX UK
Tel: +44 207 739 2442 Fax: +44 207 739 3304
www.mandolinstudio.co.uk / info@mandolinstudio.co.uk

Seiten 54–57
Peter de Bretteville Architects
315 Peck Street, Building 24, Unit 2G
New Haven CT 06513 USA
Tel: +1 203 785 0586 Fax: +1 203 785 0612
www.pdebarc.com / pdebarc@pdebarc.com

Seiten 76–79
Douglas Stephen Partnership
140–142 St. Johns Street, London EC1 V4UB UK
Tel: +44 207 336 7884 Fax: +44 207 336 7841
www.dspl.co.uk / info@dsparchitecture.co.uk

Seiten 96–97
David Mikhail Architects
Unit 29, 1–13 Adler Street, London E1 1EE UK
Tel: +44 207 377 8424 Fax: +44 207 377 5791
www.davidmikhail.com / info@davidmikhail.com

Seiten 104–107
Rick Joy Architects
400 South Rubio Avenue, Tuscon, Arizona 85701 USA
Tel/Fax: +1 520 624 1442 / studio@rickjoy.com

Seiten 148–149
Littman Goddard Hogarth Ltd
12 Chelsea Wharf, 15 Lots Road,
London SW10 0QJ UK
Tel: +44 207 351 7871 Fax: +44 207 351 4110
www.lgh-architects.co.uk / info@lgh-architects.co.uk

Seiten 150–151
Phineas Manasseh Architects
37j Mildmay Grove North, London N1 4RH UK
Tel: +44 207 359 8886 Fax: +44 207 359 8886
phin@manasseh.plus.com

Seiten 166–167
Schewen Design & Architecture
Guldgrand 1, S–118 20 Stockholm, Sweden
Tel: +46 8 643 6220 Fax: +46 8 642 4248
www.annavonschewen.com / anna.schewen@telia.com

Seiten 172–175
Buschow Henley Architects
27 Wilkes Street, London E1 6QF UK
Tel: +44 207 377 5858 Fax +44 207 377 1212
www.buschowhenley.co.uk
studio@buschowhenley.co.uk